U0123342

寶島大旅社
上
顏忠賢
YAU CHUNG HSIEN

目錄

上冊〉

〈下冊〉

〔序〕寶島形上學與旅社的時間綿延

楊凱麟

寶島大旅社同時是過去、現在與未來，它**已經**無可挽回地傾頹煙滅崩爲齏粉、它即將一瓦一柱如影片倒帶筋脈逆轉地飛旋落成、它正在淫邪綺麗剎那即永恆的夢中夢洶洶翻滾而出。寶島大旅社**同時**是時間中的一切，是六道眾生因果生死的永恆輪迴。在此，眞實比夢更迷幻，夢比眞實更逼眞。

寶島大旅社**正在／即將／已經**是臺灣三代人的微縮膠捲與亂針刺繡，在這個八十萬字的碎形文字幾何中，書寫成爲究極時間動態中的追焦與平移，繁複的語言構成觀看時間的特異之眼。一目重瞳，時間在zoom-in與zoom-out的反覆撥動中以夢的無限形式出現。僅只目光一霎之間，寶島即將滅亡正在滅亡且已經滅亡。但這並不是因果業報，它只是一座促使無數夢境生滅輪轉的旅社，然而旅社同時也是臺灣的夢與一百年的孤寂。

寶島其實什麼都不是也哪裡都不在，但小說裡卻到處都是寶島。寶島是我們生養蟄居之地，是顏忠賢對於建築、性與死亡的耽溺癡迷與殘酷美學，亦是由綿密文字所全面啓動的小說存有本身。小說書寫就如同一座宇宙等級的自然史博物館，各種奇花異卉飛禽走獸珍饈寶饌以人類學的視野層層疊疊地放進不同時間的疊影之中。已逝的時光宛如剖開的考古學岩盤，在花紋妍麗層次緊緻的「過去層」中，小說家既謹愼又放縱地從事時間飛梭調校與空間軸心挪移的文字學。

書寫首先成爲時間的唯物誌異與空間的唯心考古。小說裡有收藏癖的堂姊夫提到牛津人類學博物館的古羅馬梳子展時說：「那博物館在展的是他們的視野，他們對人類學式的人類的更尖銳的收集，用他們收集的從中世紀，文藝復興，巴洛克，到現代來種種在羅馬長出的不同文明不同時代找來的更多對梳子想像的夢幻，和某種因之探究的人類那種種更瘋狂的投入與著迷。」而「梳子，就一如這瘋狂的標本，是一個故事的開始，因爲標本被收集的原因，教我們更多爲什麼人類這樣想像與理解自己。」在一個又一個如山水卷軸連環展現的夢境中，《寶島大旅社》最終展現的是十八世紀以來的自然史之夢，是逆溯時間之河窮盡個體肉身經驗的當代臺灣心靈《小獵犬號之旅》。

這是何以《寶島大旅社》形上學式地迥異於《西夏旅館》。對駱以軍而言，故事職人決戰於故事已發未發間的瞬息萬變，致使一切故事起源創生的宇宙大爆炸變成故事斷死續生的一線生機，小說家必須不斷回返這個原始場景，以文字精確調控的明暗快慢反覆遠眺近觀甚至定格倒帶，以便思考事件的眞正意義（而近代小說裡的唯一事件，或許竟是「小說之死」）；然而顏忠賢則蒐羅獺祭一切「人類學樣本」作爲小說的唯物實證性，書寫最終造就了一切博物館的博物館，小說家因深情於已逝的美好與災難而勉力泅泳於時間風暴中，成爲以倒走替代前行的「新天使」（Angelus Novus）。

五年之內，創世紀者駱以軍與啓示錄者顏忠賢皆以過客逆旅的姿態提出長篇小說（《西夏旅館》五十萬字，《寶島大旅社》八十萬字），一個意圖以書寫回返所有開始之前的不可能清明，另一則希冀語言能在一切結束之後總合判教。關鍵字是：旅館／旅社。這或許不只是單純的巧合。

僅存在（或僅消失）於小說裡的長壽街、彰化大佛、八七水災、太子龍學生服、天成飯店、北投溫泉旅館……構成《寶島大旅社》的古老質地，這是小說的唯物實證性或考古學檔案，「一種對『末代』太過眷戀的想念」；顏忠賢並未輕易讓這些元素成爲鄉愁與懷舊的藉口，亦未理所當然地敷衍成鄉土文學，寶島大旅社裡的那些「末代」物件、角色與稱謂，那些至今仍光影閃爍著某一獨特時地認識條件的詞與物，就如同林明弘的花布般被注入當代創作的思維，以一種光鮮且不無殘酷的方式在小說中影影綽綽。

主要是，主導《寶島大旅社》的並不是歷時與線性的時間，那些從幽暗生命中汩汩翻滾而出的無數夢境漫漶了時間中原本緊密封印的關係，時間脫節了！不再乖順地由過去經現在進入未來，取而代之的是一個無人稱與虛擬的巨大過去，其不斷地以夢的形式（我的夢、姊姊的夢、朋友的夢、情人的夢、家族的夢……）實現虛構的威力。這或許是隱含在顏忠賢（以及包括駱以軍在內許多當代小說家）作品中最深沉的柏格森主義。

夢的生命衝動（élan vital）與旅社的時間綿延（durée）如同構成小說生命的DNA雙螺旋分子鏈結，在此，過去從不是單純不變的「已逝的現在」，未來亦不僅是依序進場的「還沒來的現在」，「我」成爲過去與未來衝擊對撞的重力曲扭之場，「我還沒開始的人生找上門來」而「老家族不可思議地全部都出現」，生命被無政府主義地動員並開始流變爲飽含詩意的各種時間切片，崇高與淫猥共同以夢的語言重現。

在《寶島大旅社》中，夢是生命的最終形式，而時間則是在不同時代與不同肉身中連環羽化的夢。或者不如說，夢是比生命更激進的形式，它是生命的赤裸狀態亦是小說的裸命。因爲在小說中「你只是在找一個夢中的替身，一個特技演員來演你過去所不敢進入的一如夢或電影裡那極限運動式的極限。」小說述說著夢的語言，因爲夢成爲大寫時間的最純粹狀態，是存有的極限形式。《寶島大旅社》不僅是夢的極限形式更是極限形式之夢，這就是顏忠賢所實踐的小說技藝。如果對駱以軍而言，故事的入口成爲一切故事被述說之前最重要的考究，對顏忠賢來說，夢的入口或界面不是問題，怎麼留在夢裡才是小說的關鍵。

夢之小說或小說之夢宛若巨大的百合花綻放，世界成爲共時性的疊影，寶島同時既指涉臺灣亦是某一旅社的名字，而旅社則既是小說中一再出現的各種場所又是小說本身。寶島／大旅社所輻湊交織的心靈原點，是一顆孤獨、哀痛、棄絕與不合時宜的心靈：我。

我是夢的巢城，但接踵而至的每一個夢卻都在邊界透露著「潰敗的先兆」。書寫或許很難不成爲張愛玲式的「哀愁的預感」，然而在這惘惘的威脅中，小說家迫現於文字的卻首先是其強悍的書寫意志，是如何動員記憶的材料與感性創造一整座個人的繁複宇宙。

八卦山是文字所幻化的魔山，而彰化則成爲顏忠賢的馬康多，描寫一整個家族夢境般興盛與衰敗的《寶島大旅社》卻不無怪異地處處呈顯出《二〇〇一太空漫遊》般謎樣的尤里西斯時間之旅。這是一個指向未知與未來的神祕旅程，但同時也是從一開始便自我封印沒有出口的巨大靈魂密室。「這房子沒有大廳，沒有樓梯，沒有窗口，甚至，像個單向甬道所形成的巨大陣列或迷宮或就只是個放大的充滿走道卻看不到出口的密室。」

一整座巴洛克迷宮，萊布尼茲花園中的花園，然而所有巴洛克藝術的重點並不只在於究極而言營造了何等交疊曲折的複式空間（不論這個空間是由木石、樂聲或語言所給予），因爲更爲重要的，在於這個極度褶曲凹陷的空間中必須完整而獨特地映射整個宇宙。這便是單子構成宇宙、宇宙映射於單子的萊布尼茲式交互含攝。一部小說是構建宇宙的基本單子，但同時卻又是呈顯宇宙獨一無二意義的觀點。小說述說了一個世界，但這個世界裡住居著小說家。由強虛構所迫出的套套邏輯與惡性循環封印著當代小說：我寫了寶島大旅社，但寶島大旅社亦徹底改變了我。然而，顏忠賢一直是個末世論的巴洛克小說家與創作者，因此我們在這個將一整個巨大宇宙內縮吞噬並不斷再從內部蔓生枝椏根系的小說單子中看到的，是「摺疊無限回皺摺的『末代』營造法式的終極版本」，一個由系列夢境綿延滋長直到世界末日的「重新尋獲的時光」。

在小說的終篇裡我們讀到顏忠賢所有夢境的黯然核心，隱藏在他一切書寫背後的蒼涼手勢：「一如我找尋我的老家族，找尋旅社，都很雷同地陷入了這種盲目找尋的用力之中。但是，我卻一定要找回老家，找回過去，找回寶島。這些都已經過去了，以後也只就是這樣，不會再怎樣了。」似乎從第一頁起書裡的一切便早已經灰飛煙滅地結束，絢美的誕生不過是爲了最終的覆滅，啓示錄般的寶島大旅社注定「在我的開始是我的結束」。書裡每一個被寫下的字都是爲了重新找回「寶島」，爲了重新豎立古老迷幻的寶島大旅社也爲了再次讓其絢爛崇高地崩裂消失。整整三代人長達一百年的糾葛繾綣，他們的孤寂與歡愉、哀愁與榮耀，容許我在最後引用賈西亞・馬奎斯，「書上寫的一切從遠古到將來……永遠不會重演，因爲被判定孤寂百年的部族在地球上是沒有第二次機會的。」

〔序〕

一座碎裂 暗影 瘋狂 鬼魂與春宮 家族藤蔓之巨塔 的孤獨建築史

駱以軍

離開長壽街的我後來的一生好像是沒有未來的，一如我也沒有家而只有旅館的命，被老家族放逐之後就注定只能飄泊在這種永遠羅漢腳式絕子絕孫的身世裡，從一個爛旅館換到另一個更爛的旅館地活下去。從過去回到更過去，而未來始終沒有來。

——〈寶島部。尾篇。清明。〉

我想最有耐性的讀者，也很難不被這龐大小說的洪荒漫漶、幻夢亂竄的維度擊垮——如比太陽系大一萬倍的古老星系瞬脹又塌縮的，整團灰塵雲，閃爆後向無垠黑幕噴散而去的粒子幽靈，一種妖魔之子不僅要陳述「我這一族瑰怖駭麗的死亡史詩」，而是要演繹「死亡」這件事在文字佈展這件事的吞噬性與黑洞意象。每一串字鍊如此充滿顏色、強光暗影、腥臭芬芳，在書頁噴吐而出時，又形成一條往昔之街、古老廳堂、家族老人不同面孔陳說自己古怪悲慘滑稽身世的嘴角特寫……。但又在下一個敘事團塊，下一個妖怪夢境，夢境中再開啓的另一個夢中夢，或敘事者轉述另一個不在場角色之身世時，這不在場人物又轉述了另一個無關之人的大段獨白……這一切從故事核心不斷翻湧、不斷暴脹而出撐破並吞食原本故事母胎之子宮的「妖怪孩子」（或某種編印永劫回歸之基因密碼之，故事的病毒？）像一場超乎想像的時空規模的，「不存在裝置藝術」。

他想把我們正活在其中的這個世界，佈置成一個巨大的「鬼故事」？

一個在疲憊、色慾淌流、刻舟求劍的城市街道漫遊記憶，電影情節轉述，像布魯諾・舒茲〈肉桂色鋪子〉裡那些燈泡暗影下蠟白臉孔老掌櫃們龐大話術回憶的舊昔歷史碎骸……在這小說家偏執又繁華簇放的手指撥轉的，一個魔術方塊。像卡爾維諾《命運交織的旅館》那由一副塔羅牌任意搓洗、疊蓋、亂陣……而形成的故事網羅故事迷陣，對小說家言，不同時代（中世紀、文藝復興、十九世紀、二十世紀）的小說話語，決定了這些牌陣的複雜輪廓、維度，甚至立體離開一個平面的幻覺，「故事」（在二十一世紀的此刻，百感交集要鋪展開的，「關於寶島」的一個夢裡尋夢，百年孤寂，在父輩幻想啓程往繁華文明意義上，牛奶與蜂蜜之迦南地，而終破滅，成爲鬼域的故事）的暴脹、灑豆成兵、漫天仙佛羅剎，夢境互相吞食，掘祖墳拾骨卻幻變成滿臉淫慾的日本美少女，或尤里西斯的隻身大冒險卻走著走著走進北野武的公路電影景框裡了。這個《寶島大旅社》的故事，大到、漫漫無盡頭到，像杜子春的一生（很多人的很多生）那樣過完了，所有的恐怖、親人惡死、被遺棄、所有的痛都被硬撐開眼皮經驗過了，最終只是爐塌丹毀，胸腔像破洞風琴張動嘴巴，不爲了號哭、吁嘆、古典悲劇的恐怖與哀憫，而是爲了「如何」，如何全面啓動的說這個「天長地久有時盡，此恨綿綿無絕期」，一部小說家的願力想將一切顛倒夢想、一切有情無情同圓種智、一切劫毀與生滅全吞納其中的故事「大爆炸」。那是意圖將「寶島」帶進二十一世紀世界景觀的「摩訶婆羅多」化的說故事欲力，那樣大的時空圖景，那樣天河撩亂的家族怪物詩篇，那樣嘈嘈繁錯的怨念耳語，那像宮崎駿《風之谷》裡的超級巨怪機器人，巍然站起，同時各部位崩塌著、融化著，但同時又筋肉骨架繼續在這毀滅煙塵中恐怖的增長著。

那恰像是臺灣，這個島國的，「現代文明繁華夢」的一個隱喻。

這或許是個祕密：作爲同代人，然我是所謂「一九四九年集體大遷移至臺灣所謂外省人」之第二代；作爲遷移者的兒子，「遷移」的故事就是父親他一個人的故事。「多桑的客廳」（楊澤在爲石黑一雄《浮世畫家》一書之序文所說）——作爲童濛渾沌將來要開展爆炸成對整個人世之體驗的，最初模型（教養或傷害的黑盒子），我在慢慢成人的過程，難免遇到像顏忠賢這樣的「有身世的本省哥們」：而欣羨而嫉妒。

譬如說：顏的父親，是臺灣當年「太子龍企業」的家族老大（也就是說，我那個年代全臺灣的小學生中學生，都是穿他們家作的制服衣褲），他家當年在彰化市中心有一家獨棟戲院，有一間「寶島大旅社」。這絕對可以寫一個「臺灣布商在臺中彰化地區興衰史」的專書，或他們的「文明小史」：日劇時期或國民政府時期，他們殷厚的實力（如他在〈長壽街〉一章所描寫），第二代男的栽培成醫生或建築師，女的或赴歐洲學音樂或赴日本學家政，儲備當醫生娘。這樣的家族網絡，追時髦玩車（或重機車）養狗、養鳥，玩房子，聽古典樂，收集眞品武士刀，讀日本書吸收科學新知或玩女人；女人家則將家清一色佈置成「委托行」淘貨的日式洋裝、皮包、盥洗劑、電器。這後面的政商風暴和前景浮世繪般的「栩栩如生」的「文明夢」，一種從小活在比王複雜十倍百倍的家族人際結構裡，拜祖先牌位，喪葬的習俗，甚至顏從小學就像日本小學生會到大街最大的文具店，著迷觀看某支他想收藏的西華或派克牌鋼筆（在我可能還偷爸媽錢到永和柑仔店買蘆筍汁或五角抽那些垃圾塑膠玩具的同齡時光）。那是一個臺灣布商的《百年孤寂》或《天香》的大故事資產。像建立在臺灣彰化版本的《陶庵夢憶》，充滿物質史的可以追問老輩人的《追憶逝水年華》。他不像陳雪的夜市擺攤場景迫迌仔瘋狂愛戀的窮困少女時光；也不像胡淑雯的「泊車老爸」因此成爲城市混跡但直面畸零人、瘋子、妓女、變性人、性成癮症女孩、嗑藥少年的一個憎恨「不義政權」的「女兒」。或童偉格的死靈魂充滿，父無法言說的枯荒北海岸。

顏忠賢的父親，在「多桑的客廳」，給予這個孩子的「電影排場」，是一個對島外「更現代、更文明」國度（日本、美國、歐洲）豔異且朝上想學習、進入、變成大江所謂的「新人類」。

當然在這個故事裡，如所有的「後來」（《紅樓夢》後四十回，顏本人眞正的身世遭遇，或整個八〇年代泡沫化後至今的臺灣）那一切都像最恐怖驚悚的噩夢，一瞬間被吸進某個暗翳突梯像開玩笑的荒誕漏水孔，一瞬間樓塌了，眼前繁華蒸發消失了，家破人亡了。它變成一部「非要動員像好萊塢製作那樣規格，大批專業人員，不可能製造出這等效果」的，鬼電影。

《寶島大旅社》作爲一個關於「建構」的巨觀，似乎必須放在一宇宙空間維度，才得任其四面八方爆脹，即被「我」像卡爾維諾在《給下一輪太平盛世的備忘錄》中，最後一章〈繁〉，所舉例：譬如福婁拜晚年最後一部想容納「全部知識」的瘋狂「圖書館抄寫員小說」：《鮑華與貝庫歇》，不斷繁殖，層層錯縫的一個，駭異的「家族史詛咒的言說」——是的，到後來作為讀者，你未必有辦法像閱讀《百年孤寂》這樣的「邦迪亞家族樹枝串的死亡百科全書」；那樣建立一個「家族史幻覺」（或如《紅樓夢》）——但你會被那「宛若家族史的言說」：低迴、追憶、亂倫的暗影、孩童視角一知半解不確定曾見到的「家族裡說的祕密」，毀滅的遺傳、《基度山恩仇記》式的那個與生殖、與祖先、與典型大家族各房親屬鏈糾葛的仇讎、勢利、耳語八卦、屈辱……所有這一切聲音與憤怒、哭泣與耳語，像無數的太空垃圾，或闖入某一水域數十萬隻足以致命的透明毒水母包圍——一種「家族史故事言說」的「癌」景觀，如果用蘇珊．桑塔格《疾病的隱喻》，「癌」，因為突變而基因序列被竄改，使編碼的蛋白質產生畸變。《寶島大旅社》的「家族史故事」，似乎是一種關於這樣的「長恨歌」的刻意突變，腫瘤化、怪物化（像我們那個年代的科幻經典《異形》系列），它變成一種「預期來聽某一個家族故事者，空出來的聽故事房間」被那竄長、暴脹、失控的「神燈巨人」般，或如「地獄變」那麼擠在一起掙扎扭動的各種哀愁怨悔的祖輩鬼魂的核分裂颶風烈焰給撐爆炸碎。

我自己閱讀時，至少第一瞬腦海就調度幾本不同的長篇：

1.魯西迪的《摩爾人最後的嘆息》

2.奧爾嘉．朵卡萩的《收集夢的剪貼簿》

3.帕慕克的《純真博物館》

4.薩拉馬戈的《修道院紀事》

這是幾種完全不同的長篇小說建築形式。有藤蔓根莖狀的家族史故事幻術；有將夢境筆記小說化然逼近某一離散（或創傷）民族潛意識與民間神話的祕密下水道靈魂髒汙之濾鬚；有以舊昔之物，作為一種「偽時光擺設」，巴洛克式地所有傷逝蜿蛻之物，作為一種班雅明「過去之街櫥窗景觀」的藻井曼陀羅佈陣；另有真正硬底子，知識考古學重現某一歷史時期（中世紀，或十八世紀，或如顏這書中蓋寶島大旅社的日據時期臺灣），帝國文明妄夢，在小說中「眞正蓋一座夢幻建築」的當時建築學的「專家話語」；知識考掘學；泉漳不同頂尖師傅的風格揉雜或傳說禁忌；或日本帝國的天才建築師在這「國境之南」實驗夢幻中的「瞻仰歐洲」的脫亞入歐的「建築史博物館實驗室」。

這部分我作爲讀者，確實被他那卡卡西老師式的「萬花筒寫輪眼」的「建築師瘋狂之夢」——一座臺灣二十世紀心靈史的巴別塔通天塔，從各處輔臂、塔樓、肋拱、鑲嵌影玻璃花窗、柱頭，無一處細節不下了這種「寫輪眼咒術」，一種奇異的「瞳孔收束」（因爲要專注的這個家族的崩壞和哀慟太巨大了）同時又擴散（因爲說故事的這個聲音漫灑出太紛繁絢麗的，「漫天紛飛的銀杏葉片」，一種孤獨個體和這幅畫面中其他所有同時旋轉、墜落的葉片，之間的「命運交織」：獨語、旁白、夢境、一個空間的繁殖——不論是旅館裡的一台電視中正播出A片的劇場素描；一條班雅明式街景的佈置；日本的寺院庭園或色情秀場的明暗、濃淡、光陰、過度飽滿或初意枯荒的視覺強迫症；身世的纏藤淹漫；神鬼邊境的幽森漫遊；對一場性愛進入微物之神、感官如科幻太空艙儀表板閃爍潦亂……）；因之顏展示的敘事肌肉，是充滿這種「水電工暴力」，他同時從卷軸中魔術般無止境展出那他正構蓋著的鋼骨、水泥、牆磚、玻璃、電線水管、大理石地磚……然同時用巨鎚在砸碎這個「也許就差一點點就蓋好的」，骷髏檀城，或數百隻墮落天使的擠壓肉浮屠、像芥川小說中那個畫師只差將自己最後一個寫眞繪入的百鬼圖〈地獄變〉。他砸碎它，或一邊在搭蓋時一邊就悲傷的讓它炸裂。像那一幕最森冷恐怖的，這群失父失母的孤兒們，信了基督教，於是如夢遊般請了人按教會儀式，來到家中神廳，拆除砸毀那些一支一支木籤一個一個祖先名字依次進駐的神主牌，那一刻，這一支族人的命運，在這樣建築「我父祖們已在說不出爲什麼的陰鬱、怪物中死光光，留下一座『寶島大旅社』、一座昔日電影院」的強大意志；和用巨鎚敲毀「這座故事的鬼魂不該只是被禁錮在顏麗子和森山，依『日月龍蛇鐘地理』，依森山（日本人）那折衷樣式與現代主義的『他人的夢境棲所』、神明廳、舊花園、裝了『現代』機械又科學的鐘、那些層層纍聚的，失落的文明夢」的瘋狂力量——這樣互扭、悖倫、衝擊、建與拆、懷念與怨恨、古老的招魂與現在所在的

（更大的「繁華夢」中百鬼夜行）對兩列火車的對撞……到達暴力的最高潮。

關於所謂卡卡西老師的〈萬花筒寫輪眼〉，舉例隨證之。譬如在「旅館部」裡，這個「我」的視覺，同時網羅至少幾個元素：

1.那個篇章裡作爲像科幻片場景的性愛閉室劇場的某一間現代旅館（或汽車旅館）像遊樂園般的佈置、設計。

2.那次的男主角和那個像「鶴妻」（其實是不倫敗德的「人妻」）的A片式昆蟲學式照相寫實技法的性愛奇觀。

3.這段「寄宿於旅館」的時光（或女主角離去後）男主角作的鬼魅怪異之夢。

4.如蒙太奇跳閃在以上不同聲軌之敘事元素之間的，男女主角像《雅克和他的主人》那樣漫無主題的漫聊：童年的傷害、吸毒的經驗、某一次異國旅行的安哲羅普洛斯影片風格的孤寂運鏡回憶，或是因年齡差而這其實還是年輕女孩的「人妻」說起她的青春玩伴那朝生暮死蜉蝣聚落般的、朱天文〈世紀末的華麗〉裡，米亞的後四、五代的新小妖人種的城市人類學式生命輕悲歌。

5.穿插在前四種元素之間的，恰好這旅館房間內那台電視，隨意按鍵跳選不同頻道的某部好萊塢電影或影集（譬如《超異能英雄》、《怪醫豪斯》、《CSI》）或中國大陸電影（譬如《七劍》）。像故障播放器，以一種白癡式紀錄片方式紀錄那斬頭去尾的電影情節或時空規則因這樣亂跳而變得時光重瞳、紊亂的一個「當代」。

6.這一章節這間隨機選擇之旅館，周邊的台北街區之地誌學、街道興衰史，或「我」的不同時期城市的記憶沉積化石，而到了「寶島部」，則是像卷軸畫，慢慢工筆素描一個「彰化」、「大佛」、「長壽街」、「曾發生的大水」、「布商興衰史」……

這部分，或是要處理一藤蔓盤錯、樹枝狀家族史故事必然要像照相館；或像一條「另一張清代—日據—國民政府不同時期繪製的地圖」而從祖先之鬼魂中重建的「栩栩如生」的昔日之街——馬奎斯的「馬康多」；《陶庵夢憶》；〈清明上河圖〉；最後，由這些姑婆、姑姑們、死去的父親、母親、姊姊、家庭其他的親戚們的「從不斷累聚之陰影向下望」，像馬賽克小瓷磚拼貼的各人的亂倫、背德、負棄、被詛咒的中邪、惡死、怪病或由盛而驟衰，一小片一小片拼組成一座卡爾維諾的《看不見的城市》。

它其實是艾可的《昨日之島》的魔術，透過一種錯誤的執念，以透鏡折射出一塊時光中或許不曾在的「被隱蔽的存在」，一種敘事的魔術從夢中塌毀之泥爛廢墟裡，硬生生蓋起的「倒影鏡城」，說話的全是鬼，但說話的同時將家族史的金字塔（「人肉浮屠」）全疊塔在這家族最後一個子孫（「我」）身上。像魯佛的《佩德羅・巴拉莫》。一種鬼之哀歌的巴洛克、壇城、唐卡、亂針刺繡。

至於小說家如何「惡童」那樣將「祖先之歌」變成鬼故事的幻術，也是摺藏暗佈。譬如：在老去的姑姑家，曾經豪奢繁華而如今像鬼宅的時間之屋裡，某個媳婦中魔般瘋狂瞎拚的奢侈名牌：那些GUCCI、LV、香奈兒、昂貴的洋裝、絲質湘繡襯衫、手工緹花長裙、別著蕾絲羽毛的各種淑女圓帽……堆在那死角，「嚴重發霉到鱷魚皮或小羊皮手袋，已然歪歪扭扭地皺如乾菜而塞滿擁擠得不像話的衣裳」……「快轉的成住壞空快轉的人世盛衰的令人難料的極其荒謬」……

譬如：家族所有的人都瘋了，都有難以言喻的罪（曾把神佛吃掉了？），又譬如說，在「寶島部」尾篇〈清明〉裡，夢中一家人一起掃完祖墳回來，「女人們去燒點線香，安放一大堆蒼蠅在拜的時候圍繞來一起吃的牲禮供品，小孩們去壓又黃又紅的一疊疊成行成列的粗糙冥紙墓紙，男人們開始砍雜草甚至長出的樹根樹頭，拜祖先也拜后土，」而後便是在老家天井中吃潤餅：「太多瓷盤中近數十樣的各色講究的顏色鮮豔繁複的菜色：高麗菜、胡蘿蔔、豆芽菜、荷蘭豆、韭菜、芹菜、香菜、青蔥、小蔥、皇帝豆、滸苔、豆乾絲、肉絲、蝦仁、香菇、蛋絲、扁魚酥，還有我從小就最愛的菜市場老店的花生粉」，這時，這個我，突然陷入：

「小時候我都拿捏不住包餅的竅門，要不包太大把餅皮撐破了要不包太小就沒有豐盛的感覺，怎麼包都包不好的沮喪。」

過多繁華眩目的細節，或因「我」，這個家族最後一個回憶者「不會包」，可能歪扭、爆破、塌癟的恐懼，那成爲這個巨大「鬼故事」像絲襪裂縫冰涼竄上的「惘惘的威脅」，災疫震搖、尖叫的在夢中不知自己已死的父系母系先祖鬼魂們，被甩出破裂的祖屋，我這時卻正拿著老式相機替這一切塌毀之家族鬼魂們拍大合照。

然後是唐卡佩古畫中鬼王對阿難臨死前的恐嚇，那些「成群半枯骨半腐肉的餓鬼團團圍住了阿難和佛陀」；然後是一部叫《1408》的鬼電影，牆的裂縫滲血出來了，直看大有人從每一個陽台跳下去，這人被自己失愛的往日憾悔所崇纏，最後問：

「那旅館到底想要我的什麼?」

即使在這一章趨近尾聲，把祖先鬼魂的靜置時光，哭泣與耳語，像潤餅薄皮爆裂露出鮮豔駭麗的「妖怪化」恐怖片大場景。作爲收煞、鎮魂、儀式的引渡或安慰，這些臺灣古老儀式的如禮巡行，卻仍被這個「妖怪小孩」從夢境的換日線，移形換影到迷路的現代性機場出境大廳，新宿車站JR線入口處，日本（是的，「寶島」最核心場落的「現代文明春夢」，那終究只是轉生不了成不了人形的「鬼電影」之夢綺地），老孤兒一路踟躕流浪在兩年伎町、未來科幻感的膠囊式旅館，這個將祖先牌位砸碎，從祖先殘恨遺憾夢境廢墟重起高樓蓋出「寶島大旅社」，卻一梁一柱、長廊房間照著設計圖蓋成了一塊域中、亡魂渡舟的「臺灣文明春夢」的尤里西斯，通往那夢中國度的浮橋棧道：

「醒來之後，離開之前整理桌前，所以仔細看看那經理給的古怪小籃子裡，有一個保險套和一個手淫用內在濕海綿的紙圓筒，美少女整群穿學生服，一張護貝的使用者，寫著：『本人確定，始未了！』安心，環境，守各樣之會員登錄，必要。東京都條例之知。全黑垃圾桶很素，像工業用的，很大正方形的口正下方，寫著Would u like to review what your life should be?」

最後，在濕紙巾上我第一次注意到旁邊有二十四的數字而印著的店名很大很明顯的出現，在正中央就出現了這兩個字「寶島」。

我覺得他的《寶島大旅社》讓我的《西夏旅館》變成一種夢境的過渡型態，這不是自謙，同樣用這種旅館的概念、想像，我覺得遷移者後裔、暗喻，我可能是一種外省第二代，他其實是一條暴漲的溪河，他是一個流放串逃的運動感。可是這一塊臺灣一直都沒有，包括揚澤曾經講過父親輩的故事，或是聽楊凱麟說的一些本省籍的長輩他們父親的那一輩，這種難以言喻的彆扭凹槽，就是它有一種很奇怪的視野，你會覺得人類文明的泛泛光芒好像一間鬼屋一樣，像是賣火柴的小女孩把那三根火柴點亮，好像臺灣的歷史只給這批臺灣曾經的士紳階級或是比較上層，或是比較有創造性的，或是知識菁英，好像只給他們三根火柴的機會，可是當這火柴熄滅後，一切只能是〈迷失於歡樂屋〉裡的踟躕和夢遊了。這在長篇小說本來就牽動著他表述的形式。《寶島大旅社》恰好是把一種文明的過渡，過熟，糜爛的沉澱物，有很多種可以描述的裝置。包括裡面有很多可能都是不可靠的語言，包括他想要去玩恐怖分子式的爆炸。他有能力去把這種過熟的文明，你會覺得臺灣老一輩鬼影幢幢的惱人夜裡的密室裡面，他又可以用他的書寫去建構一個靜止的繁複的鑿井建築的，好像是腸子裡的絨毛那樣的一個祖先的驚嚇之夢。他把整個祖先之夢或是家族史，命運交織的祖先的祖靈之屋，他把它布置成一部恐怖片、鬼電影、春宮秀，這是一本非常暴力書寫的驅動。我前面講說他在性的操作上，他進不了城，進不了愛，進不了他人的妻的子宮，在城市的地誌學上，他是躲在浮光掠影假的標的建築這些汽車旅館裡面，就像他之前在印刻出過的一本《殘念》，很奇怪的一種色情小說的書寫的一個昆蟲學式，或是機械年代的一種偏執在寫性，那種性其實是沒感情的，是一次一次的進入性，他在他這本「台北色情故事」的旅館裡，每一個章節是他跟這個美少女在台北不同的motel，台北的motel在這個空間劇場裡來說，本身都是魔幻的，都是童話城堡也可能是一個鬼屋，陳雪之前也寫過這方面的考察。而顏忠賢本身就是學建築的，他在這本「台北色情故事」裡有一個非常奇怪的，很像一個A片教學影片，就是這個「我」本身是一個性猛男、性皇帝，每次約會帶著這個充氣娃娃般的下一代女孩，這是不倫的，到這個台北建築裡是多餘出來的不存在的空間，描述的一個即興的約定的色情場所，然後他鉅細靡遺寫這些motel裡面的裝潢，很low的很山寨的，每次約會都是一個老師對徒弟的教學，就是他在對這個少女性啓蒙，他說今天我們的主題是網襪，是口交，或是邊看著旅館裡的A片，這是一個色情技術的展示，這在臺灣的小說書寫裡，就是舞鶴和陳雪，陳雪是女性寫性已經寫到非常妖魔非常恐怖，另一個舞鶴是寫性的教父，但我覺得顏忠賢是另開出一個他自己的路線。後來他把人妻、旅館這塊，變成一種很奇怪的，做爲一種顏忠賢時代幻滅掉的，臺灣彰化布商的，寶島大旅社的，太子龍的這樣一個曾經的貴族滅掉了。滅掉了以後，做爲一個已經失去線索的後裔，他如何要去追尋那個某一種精神性的，臺灣人曾經在那個年代那個時間點跟白先勇、跟王文興、跟朱天文朱天心、跟張大春想要的不一樣的跨過換日線進入到現代進入到高度文明，從日本人這邊對歐洲的欣羨，一個帝國夢，一個華麗的未來科幻場面。但這個小說當它有了「少女」這一塊布置在裡面的時候，這一塊變成一個非常恐怖悲傷的隱喻。第一個女孩是亂倫的，是他人的，她是永遠不能著床的空的子宮；第二個，在尬這個女孩的場合，這些汽車旅館全都是臺灣人自己做出來對世界錯誤想像的滑稽可笑的山寨版歐洲、山寨版義大利、山寨版羅浮宮，或是山寨版的日本和室、山寨版的中國唐風，他在這樣一個僞空間裡面尬這個不倫的別人的女人，因爲永遠不可能著床，所以他變成一種德希達所說當這個詞的符號、話語的、形上的永遠的核心的指射被抽空掉以後，它永遠只是一些符號表面的狂歡亂舞，化裝舞會。這就是顏忠賢技術的祕密，就是性變成了他小說裡一種強迫症式的、科幻小說式的一種A片，一種有點怪異的，這東西其實我們都有在看日本的《全員逃走中》，或是那種誰都不准笑的，非常奇怪、很變態的，控制力非常強的大規格製作，可是他其實只是把一些人類本來古典的行爲變成一個科幻化。這部分是這大小說其中反覆出現的一塊，好，他又繼續長，開始挖墳墓，去講那個一層一層的暗影下去挖的家族故事，這一塊其實是典型的家族式書寫，這是另外一本。你看這裡面我現在已經講了這本，還有那個家族史的「紅樓夢」，有色情的虛空，科幻的霧濛，可是問題是他又在這一棟一棟不同的台北的這些motel旅館再把章節加上去，變成一種朱天心的《古都》，變成色情版本，他把《古都》色情化，這些旅館可能有些在圓山、在大稻埕、在南京西路、兄弟大飯店、中山北路，不同的區，變成區中之區，刻舟求劍的一個基地，色情的場所，發展他的台北地誌學。

小說如果做爲一種理解世界的方法論，本來就是各種不同層次的知識跟話語像編織地毯那樣編在一起，可是我覺得顏忠賢不是這樣，也有，可是他比較像是一種海德格的，存在的繁（煩），就是會一直暴脹，根本就是個妖怪了，他的查克拉一直湧出來根本就是噩夢，然後你必須很耐心再看第二遍第三遍才會發現，比起我跟陳雪寫小說的，他更是建築師，是搞裝置的，每一個層疊建築像是《越獄風雲》裡那個刺青在自己身體上的建築管線，所有的空間都是他設計的。

他造出一個非常恐怖的，你以爲這個人瘋掉了，失控了，核爆炸，像癌細胞一樣不斷繁殖擴散，他的這些看起來規格過大的核燃料般的怨念，性的書寫，瘋癲，他很多時候的描述方式不像是《紅樓夢》那樣古典的場域在演，也不是張愛玲式的勾心鬥角，他全部是姑婆講了什麼姊姊講了什麼，你記不記得當時講了什麼，可是他回憶的大的段落裡面又會接著出現大量電影，然後這些電影本身都是科幻片。我覺得現在投注在臺灣純文學小說的評論話語，其實像是一個歲月靜好的封閉的話語世界，這個話語世界其實有一個很龐大的脈絡，比如從五四過來，比如臺灣這幾年是從臺灣的家族史，從女性書寫，同志書寫，情慾書寫，城市空間書寫，大概就這些。但這些年以我們這群朋友來說，可能我跟陳雪是比較純質的附著在小說語言地表上在寫小說的人，可是顏忠賢跟成英姝是各自在三十幾歲時候有在權力的世界泅泳過，又完全撤退變廢了的。他們不是想像的。陳雪說我們很會寫個人生命史、個人的瘋狂，聚焦在某一個父親的瘋狂，母親的妖怪，我被遺棄時刻，我們比較會處理這種比較聚焦的運動裡。可是顏忠賢們曾同時有在大的權力世界打過滾，然後他們有對當代大的、最流行最時尚的不管服裝還是影評裝置藝術，他是用這樣未來學或是科幻材質來僞造這個棧道進入到《寶島大旅社》。顏忠賢是一個在書寫上更奇怪暴力的恐怖組織，他假裝成這個通往感傷的、被遺棄的，其實全部都在這個繁，那個癌細胞分裂把你的閱讀之眼撐爆，我自己在看的時候也常覺得受不了了，可不可以不要看（笑）。但其實在裡面有一些在臺灣已經關閉起來的，可是在西方是非常羅蘭．巴特式的浮游聚落，對於感官跟表象快速的朝生暮死，關於美學關於裝置藝術的，一種奇怪的狀態。他說他在紐約遇到中國大陸十幾年前的藝術家，用貨櫃去買大陸一胎化時偷打掉的幾百個或是上千個嬰孩的屍體，變成他的一種裝置藝術。在這個世界上可能我們各自有各自的妖術幻術在文體上的講究，但他很奇怪，我覺得他在閱讀的時候很容易會讓讀者產生一種很痛苦的核汙染的傷害性，又有一種疾病的隱喻的癌細胞式的凶猛串長，但他又帶有這種好萊塢最新最時尚最奇怪的空間概念全部在他布置出來的空間。

在他想描述祖先發生的《紅樓夢》故事的時候，他是透過夢境，當他最後一路在找尋文明的起點的時候，不管是傷害的起點還是宇宙大爆炸的起點，最初的那個啓動原始碼，最開始的時刻是什麼？他透過這個纏綿交錯的情結，最後追逐到日本東京，我們最後看到的是一場非常可怕華麗的色情秀，一場非常漂亮的煙火。他一方面寫祖先的肉身浮屠，另一方面也寫極限的女體的高度的未來感高度的科幻變化高度的現代性技術進去控制的色情的一場春宮秀。所以這一本書其實可以當作一個非常奇怪的，像我以前寫《我未來次子關於我的回憶》的時間上的謬論，這是一本寫給未來的東京夢華錄，或是寫給未來的滅絕史。他好像是直接進入到鬼片的遊樂園，一定要彈一下手指才會進入到一個散會的語言，這個語言的城堡才會忽然變成一個嚴密的祕密之陣，但如果你不願意去彈一下手指……就像那部講魔術師的極致的《出神入化》，它就是把幾種魔術的概念瞬間擠在一起，可是那個魔術是你得要願意去承受就像對性的想像，奇觀妄想，對於台北在我們現在已知的台北城之上，還可以忍受再蓋一百座不存在的城市，對歷史也是對夢境也是，就是你願意讓你詞的敏感帶去開發爆炸，你進入到顏忠賢這本小說就會整個全面啓動。

〔序〕降靈會

陳雪

看了一輩子的電影，卻從來沒離開過電影院。如今那電影院倒掉了，一如我那敗掉了的家……我也才開始切身式地切入我人生真正的要害。我的小時候的線索再怎麼用力地找，也還沒足以完成這個家的故事的血肉。因為……那畢竟只是引信。甚至，一如，祭品拜光，天葬場屍骨都切得更碎讓兀鷹吃得更乾淨……

有一兩年的時間，我們這群小說家朋友的酒吧夜談話題總圍繞著「父親」，圍繞著家族祕密，那像是吹熄蠟燭前最後光影搖晃的醉夜時刻，有人咒語般低訴著生命裡某一段「納悶」的時光，以像是傾訴祕密，又像是提出疑惑般的聲調低語著，「我的父親如何如何」，某一段遺落的「傷害」或「困惑」的時刻，凝固在意識底層直到這些如層層剝洋蔥的說故事之夜，杯中的酒精或咖啡已經喝完，腦子都被故事餵得飽足酣暢，顏忠賢以一貫低沉的嗓音說著：「我們家族在彰化是做布的，以前學生制服的太子龍有沒有，就是我們做的……家族事業很龐大，我父親開了一家戲院……我們親戚開了一家『寶島大旅社』……」

那是二〇〇八年。

這些年他一直在寫，難以想像八十萬字的長篇小說顏忠賢是靠著iPad與iPhone點點滴滴完成的。一般人拿來玩臉書，傳Line，自拍打卡哈拉交友的智慧型手機與平板電腦，卻成為他完成古老工匠技藝的修煉場，他真的以手指在手機的觸控螢幕上一有空就寫筆記，待有更完整時間時，在平板電腦上大塊大塊剪貼，修改，進行結構的整理，幾千個檔案如磚石瓦片一塊塊建構他的《寶島大旅社》。

在我們最初相識時，他總是用紙筆寫筆記，寫日記，會用相機拍下筆記本的內容以電子郵件傳給我們，非常不可思議的照片，一張一張都是草稿，他的信寫來也特別長，詩一樣的文字，都是文章等級的內容。那時他的小說完稿得先請打字行幫忙整理稿子，再列印出來細修，既不是完全靠手稿寫作，也非我這種很早就開始用電腦寫作的人，我在本文開頭即點明他的書寫方式之進程，是因為對我而言，工具與形式都是改變顏忠賢的小說結構與內容的重要關鍵。

他的小說是龐大又傾頹的現代建築，是在遼闊的廢墟建構起來的「裝置藝術」，是有著最先進外殼卻又裝備著千年幽靈的「夢中之夢」。

他總是在寫，我可以想像，也親眼見識過，他幾乎無時無刻，無分場所（等公車，計程車上，電影院裡，剛拔罐完，瑜伽教室結束倒立出門，百貨公司美食街，咖啡館，二十四小時泡沫紅茶，無所不在的，無處不書寫），他醒來就寫，一有空就寫，這些點滴細碎的書寫曠日廢時，甚至已經滲透進他的夢境，寶島大旅社啓動的另一個「駭人書寫」是在夢境裡推演的，小說家的自動書寫，強迫書寫，進入下意識的夢境裡，使他大量作夢，我猜想，起初是為記錄下夢的內容，而夢境卻改變了小說，也改變了家族史，那些已經逝去，已然傾頹，已經消失的親人、建築、事業，那些「亡魂」、「冤親債主」，那些念茲在茲卻無從對證的「當時」，在他用強大的小說意志改造過的心靈攝像中，產生了「恐怖的力量」——夢。夢成為除了虛構文字以外另一層虛構的方式，他在夢裡追尋，追問，與死者對話，與亡靈共舞，他夢了再夢，將夢境翻譯成小說語言時，夢又改變了現實，每一層的推進都更進逼到這個家族隱密不為人知，無法證實的祕密核心。

大多數的小說家「寫夢」，而顏忠賢卻是用夢來寫小說，我不確知那要經過什麼樣繁複的手續，或者練習，要使自己處在怎樣的狀態裡，才能一直大量地作夢，越進入書寫《寶島大旅社》的後期，小說裡盤根錯節的夢境，對夢境鉅細靡遺的描述，盤據了整個小說的肌理，那非常近似一種起乩，或「降靈術」，顏忠賢讓自己像波赫士短篇小說〈環墟〉那個作夢者，齋戒沐浴，全心全意，像要誕生一個孩子那樣去夢，更有甚者，他將生命大多數時光與夢置換，醒著的時光裡，他旅行，教書，練瑜伽，到處去看病，而做著這些事的同時，他無時無刻不在記錄著他那關於家族的「夢」，就像我們寫長篇小說時那樣，只是我們靠的是虛構，而他則是「造夢」。

關於夢境的描述吞吃了想像中應該存在的「家族史」，因爲夢的結構使得這部描述百年家族的小說，充滿了瘋狂、難以控制、層層疊疊、彎曲迴繞的夢之迷宮，彷彿他越是努力想要告訴我們這個家族發生了什麼事，小說的路徑就會更加迂迴地進入「與現實相抗的夢境」，好像他努力挖掘的不是已經發生的「家族歷史」，而是可以改變的「家族命運」，眞實藏身於層層疊疊的夢境裡，呼之欲出，卻又不得說破，顏忠賢羅列、或架設一座巨大的迷宮，爲的不是找出「我爲什麼變成這樣子」的眞相，而是要讓自己永遠停留在「我們都已經變成這樣子了」的噩夢裡。

用荒誕的噩夢來對抗眞實的荒謬，用比可以想像得還要虛幻的恐怖，來對抗已經是既成事實的恐怖，「我是這樣的存在」，「那是一個如此的家族」，曾經輝煌的，燦爛的，未來，全都提早凋萎成一個搖搖欲墜的廢墟，如夢幻泡影，一戳即破。

然而寫作是更大的虛妄，必須用更繁複厚實的文字築起長城，排列出陣行，讓他日日夜夜隨時可以進入，可以隨身攜帶，可以隨時改寫。小說或人生亦然。

閱讀《寶島大旅社》的過程猶如參加一場連續七天七夜的降靈會，是那種一旦進入會使你猶如「中魔」般染上他的文字腔調，會使你頻頻作夢，甚至可能噩夢連連地夢出你這生最瑰麗多彩，也最魔幻怪誕的夢，甚或者你無法分清這是你的夢，或者你只是進入了「顏忠賢的夢」，你無法分辨這是生者之言，或是死者之聲，他的小說擺出的陣是你可能進入不了，但一旦進入也難以脫逃的。

在閱讀寶島，或寶島誕生之前，作爲顏忠賢的好友與寫作同輩的我，對於他此前的創作，無論是小說，或他的各種最前衛的裝置藝術，印象總是有揮之不去的「鬼影幢幢」，總像是刻意要「召喚」、「勾引」、「沾染」邪靈，總是瀰漫死亡與陰間氣息，我一直納悶他這種與「死者糾纏」的美學所從何來，直到《寶島大旅社》的轟然問世。直到我進入了他的「陣式」。

爲何這般「自暴自棄」、「跟自己過不去」甚至「找事」地哪有問題偏往哪處去，總是在跟危險挑釁，總是與禁忌共舞，穿得像個彩衣僧侶，活得像個魔術師，顏忠賢是我所見過的人最不忌諱，甚至刻意召喚所謂的「出事」、「卡到」、「壞掉了」等一般人避之唯恐不及的「陰森」、「黑暗」、「古怪」，但在這些看似陰暗，怪異，恐怖，逆倫的外殼下，他又是我見過青壯年一輩禮數最周到，待人最溫柔的，他甚至是拘謹地，某種必須要用力衝撞才能撞破的「教養」、「人格養成」早在他童年時或許已經建立，這些也都是我在他蓋寶島大旅社的過程裡發現的。

從下筆至今，四、五年過去，顏忠賢眞的把寶島大旅社蓋起來了。八十萬字的長篇，是他做過最大型的「裝置藝術」。

但我總覺得其實更早，早在他以老天使的姿態，以紐約MOMA美術館駐館藝術家、耶路撒冷駐市藝術家的身分，以他的軟建築，明信片，廢墟畫老虎，海邊燒王船，勾毛線大展覽，他的作品一直瀰漫著未來感，帶著宇宙觀，像失去動力的人造衛星，像被外星人遺棄的高科技建物，其驅動程式卻時常是有某種「最古老的」記憶與技藝，我想，他早早就在爲了建造寶島大旅社而做準備了，那些貌似瀆神、不信邪，或是「問邪」的舉動，有著最哀傷與動人的企圖，如一次西藏之旅他與朋友刻意長途跋涉去尋找一處天葬場，那種越深入越毛卻害怕就越走進的旅行方式，正如他的生活（或其實沒有生活，人生已經被作品盤根錯節地占據），華麗而充滿自找的麻煩，孤寂卻又非如此不可的擁擠，這些「壞掉人生」，我本以爲顏忠賢會以一本大長篇從曾曾祖問起：「我們這個家族是怎麼了？」使我們成爲這樣子的核心災難是什麼？但最後他並不是觀落陰把整個故事說出來，而是讓這個家族故事以一層跌進一層的夢，用瘋狂，賦格，變奏，使之從過去被移植到現在，甚至是未來，一次一次地「再生」，讓這些老人們在事情尚未發生之初，在「生命崩壞之前」，以一千零一夜的夢，繼續活著。

《寶島大旅社》寫的不是救贖，亦不是再現，他創造了一個因爲虛幻而再也不會消失的建物，讓那些鬼魂無法離開，災難雖然沒有停止，幸福卻可能再來，他曾執拗逃開，卻又時時企圖使之團聚的親族，降靈會裡，那些已經成爲亡靈的，以及背負著遺憾之痛苦的生者，在還會一直進行下去的夢中，生者不滅，死者永生，他們終於聚集在一起了。

楔子。長壽街。

一

那是一個太離奇的夢，夢中的老家族不可思議地全部都出現了的離奇畫面，像某種清明或端午或過年決定一起慶祝團圓或慶祝更多不知道的什麼，但是在討論了太久之後，就只是決定要去吃一頓盛大的懷石料理，而且要去長壽街最遠端接近八卦山下觀音亭旁的一家京都風老料亭的著名日本餐廳，芳月亭。

但是，夢中的整個家族還眞的竟然很快就上路了，還就一起擠在一臺又破爛又窄小的舊貨車來上路，不知道爲什麼緣故，也不知道誰決定，所有盛裝的老家裡的好多親戚都在那臺破車又舊又髒的老枕木塊搭成的後車廂上，還就沿著長壽街一路開。所有的老家的長輩晚輩都在而且男女老少實在不像話地因爲人太多了而都擠在一起上路，但更奇怪的是……大家也沒有不高興，反而很熱絡，即使近乎不可能地擠在一起，堂弟歪坐伯母的懷裡仍然更用力地扭來扭去，睡夢中的姊姊被媽媽用舊花布背著激烈地晃動還始終沒醒來，姑丈腿上仍然站著兩個頑強愛吵吵嚷嚷的表哥，四姑姑抱著愛哭的堂妹還大聲地一直哭，他們都還是在我還小的模樣，但是，卻展現起有人站在另一個人的肩上或頭上或手拋起再接住的怪動作，那實在太尷尬而令人傻眼式的離奇，我從來不曾看過這種種啦啦隊表演或馬戲團疊羅漢式的古怪動作，甚至是也從來不記得我們老家族的過去何時出現過這種高難度姿態的離譜，那是近乎肉體極限運動式的動員狀態，充滿了像個荒謬劇場演出的令人好奇或好玩，但是卻又賣弄到近乎不可能也無法描述的古怪。

我和綁小腳的姑婆在路邊等，看來是載不下了，太多人，我說我帶她老人家去另外坐計程車，哥哥卻堅持說不用，就讓年紀大的姑婆坐前座，但是，我可以就和哥爬上後面載貨的最後最邊緣的角落，完全不可能站的最後末端的車廂斑駁折起鐵板的垂直卡接還一直晃動的最危險地方。但是就這樣地坐在邊角的那才五、六歲的剛念小學的堂弟的小兒子，卻完全不用力就輕易地拉住只有我們兩個快掉下去的已然變成成人的歐吉桑，怎麼看都很不可能，看來就是用一種我不懂的神通或念力在幫我們斜斜地撐著，遠看就像八卦山大佛殿那種老廟斜屋頂斜邊起翹的剪黏陶片做成一排歪歪扭扭站立的小隻天兵天將，或是「寶島大旅社」那日式仿巴洛克古典洋樓建築立面山牆上的洗石子半立體浮雕的和妖蛇對抗的許許多多羅漢和力士們，彷彿在天空雲彩前炫耀他們出巡的陣仗，五彩繽紛又光芒萬丈般地現身，但是近看卻會發現全身和臉卻只是用碎陶片拼湊成的神情模糊的怪模樣。

一路經過的長壽街光景也彷彿因此而扭曲變形地那麼的陌生，所有以前小時候長大所記得的風光都變得更古怪地一如頭塞入萬花筒般地那麼炫目的華麗，我好緊張而擔心這所有的像是完全走樣的異樣卻只是微微晃動得那麼理所當然……也沒有人在乎，甚至也沒有人發現，就這樣破車一路開但開了好久的長壽街卻彷彿好長好長到永遠開不完，但是撐住我和哥哥這兩個吃力的堂伯的那幼小姪兒還只是完全不在乎地在玩，一手拿一本小叮噹的漫畫在看，一手拿王子麵起來吃，還問懸在半空中的看傻了的我，要不要吃，很好吃喔！

關於未來的哀傷和不合時宜一直都在，只是貶值又快轉地仍然。

這種餘緒老是讓我想到，我小時候還沒上學前，常常自己一個人在院子裡玩，在長壽街老房子又長又深的老天井，捉天井裡姑婆親手栽種的很多盆栽上開花金線菊曲弧美麗花瓣上揮之不去的金龜子，想各種方法玩死牠，我變成了牠們那個生態系的最莫名最恐怖的惡靈，一如每天會發生一回的找種族裡不得不的可憐兮兮犧牲的災難原生怪物，太龐大而太荒謬而無法逃離。那時候的我是那麼貪玩，又那麼病態，就在那完全自己的孤獨死寂時光中的天井裡，看著這些發出恐懼氣味的被我抓在手指之間的金龜子，或其他被花香引誘來的各種可憐的已暈眩的甲蟲或昆蟲，有時候拔拔翅膀拔出黏黏的內臟，有時候拔觸手拔半隻還汨汨流出濃稠的體液，有時候拔頭蓋殼腦髓慘白地一起拔了出來，或是有時用圖釘用大頭針扎入背上的花紋扎到牠一直抽搐，或是就用小石塊狠狠地砸爛牠的又圓又亮的黝黑殼裡肉身，端詳牠如何悲慘地邊走邊停到最後的斷氣。就這樣，常常自己一個人一待就好幾個小時，每回都換一種殘虐的玩法和死法，那變態的遊戲變成是小學以前我最重要的入戲最深的時光，尤其是有一種玩金龜子的更荒謬的殘虐方法。那是用一條細線綁住金龜子的腳，然後抓住線頭繞圈圈，幾圈後金龜子就會以細線爲半徑飛出一圈又一圈金光閃閃完美的圓。然後在某一個牠墜地的剎那，拿拖鞋將牠瞬間更用力地擊斃而使屍體爛黏在墜落的那一地那一刻。

　　但是，沒有人發現，沒有大人發現我這病態的遊戲。吃過午飯之後，所有一早起來忙到那時候的大人都會休息，我也會讓很容易入睡，而且中午忙得很累的媽媽帶我去睡午覺，但是我常常趁媽媽午睡一睡著了，就自己小心又小聲地從那昏暗的房間和床頭離開，太好動也太好奇的自己就再溜出來回到天井找金龜子繼續玩繼續入戲的虐殺。姑姑看到小孩的我又自己一個人下午離開房間，經過天井看到房間裡還沒睡著的她們時，就會相視而會心地一笑。姑姑們就會露出一種又狡黠又疼惜的眼神對著好動的我說：「你又哄你媽媽睡了！」

　　一如某天晚上所看到的《AI人工智慧》那片。我以前沒那麼喜歡那片子，現在也沒那麼喜歡。但那時候看，還是很傷，也是很療傷。我已經忘了當小孩的感覺太久了，那機器人小孩一直在找媽媽，找藍仙女，相信可以許願，回家。即使中間是那麼多那麼齷齪的人類的交手歷險，連裘德洛演的那賤賤的機器人牛郎，和老氣的玩具泰迪熊，那麼迷人迷離的配角，都幫他背書不了的那兩千年文明的懊恨。最後是小孩向外星人兌現的和媽媽在一起的一天，那小孩回憶的天真好薄弱但也好嚇人。那天一開始，就是小孩去叫他睡著了的媽媽起床，而且被交代不能跟她說後來發生的種種兩千年後的不甘心。

　　多年後，我會想起母親過世時的某些細節裡的細膩地迷惑。母親過世時臉上有很淺的笑容。那很不容易，她應該是走得沒有太多掛念。我老想到好多當年的我母親那種拖了好多年始終進出醫院的辛苦，被疾病糾纏而侵蝕的疲於奔命的疲憊，但也算走得沒有遺憾，雖然不捨很久。最後的那時光中，所有家裡客廳的細節都彷彿還在，靈堂簡陋搭起，香，花，種種混淆的氣味很濁，房間的光暈暈乎乎地昏黃，誦經聲音一直盤旋低迴，更多時光來的更多親人見了就哭泣。但是，哭聲會越來越淡然，但悲傷是沉的，也都還在，只是變成令人安心地漂浮那般地不會消失。

我們在那段回想起來那麼漫長卻又那麼短暫的做七的時光，慢慢地也越來越安心地漂流，凝結在房間空氣中的很沉的悲傷和焚香花香繼續混濁。其他就是很多很多快轉的人的法事繁瑣按種種規矩來進行的煩悶，也就是陪伴，跟著我們跪拜，哭泣淡然了，只能讓自己也安心下來，也好好助念，沉湎於誦經聲的始終盤旋，送她。但我始終記得，她閉目了的神情也是安心的，畫面的停格，臉部下蓋上身的上有《金剛經》無我相無人相無壽者相無眾生相的經文的暗金色壽布，在昏黃的靈堂中閃爍又沉默。那種陪她走到最後斷了氣的過程非常冗長，但後來回想也非常短促。但或許那時光始終不曾消逝。其實，就在她最後不太行決定回到家，拔管時，還是我扶住她的。而且母親就是在我手中慢慢地沒有呼吸了的。那種回憶太令人不安也太令人恍恍惚惚地難忘。母親身體的餘溫慢慢地涼薄散去，臉龐的皺紋仍然偶爾閃現的眉宇神情中的非常微弱的抽搐，我在那種最窩心又最痛心的最後時光，始終沒有忘懷她帶我去午睡，她哄著我其實是我哄著她睡著了，那種昏黃時光裡頭怪異的幸福感。腦中卻還一直閃現出那種小時候的天井中金線菊花開的淡淡花香和金龜子碾碎砸爛屍臭的混雜怪氣味始終沒有散去。

另一個夢裡，那是一個老家的婚禮，很難得所有家族的人都回來了地盛大。那盛大的古怪場景到底是發生在小時候長大的長壽街還是京都的一條老街，夢裡並不清楚，但是好像是在一個很熟的老地方，所以家族裡的大家都很懷念也很期待，在前往的路上有好多人，很多還是好久都沒見過的親戚，就這樣一整個家族的大大小小都盛裝地緩慢走在兩旁都是高大的老樹的林間的路上，一起往前移動就彷彿要走進一個古廟裡，那是在老城的老古蹟區，有很多傳統寺廟、神社之類的舊地方。雖然離現代都市建築群旁不遠，但，卻一走進，就是整片極大極深的大樹成林成爲某種園，或某種特殊的幽靜的地方……。就這樣，大家一起走了很長的一段路，但並不辛苦，反而開心有種去玩或去名勝的好奇。就從某一條路轉入，往更遠的廟的步道之時，我突然想起這好像是我以前來過的地方，或看過的某一張相片裡的畫面景色，但這條路我以前並沒有從這方向走過，或是以前來過附近另一區而今年才往這邊走進來。剛開始時，以爲自己還是小孩子的我只是跟著家人走的，本來記得的是，我和姊要去吃飯，一起邊走邊說話，或像小時候，某些家族聚會時我只是最小的弟弟，所以總只是跟著走，不太問要去哪裡？爲了什麼？怎麼走？所有事都不用管，只是跟著走，甚至那是誰的婚禮，我並不清楚。還有小時候住一起的親戚，她們在此處完全看不到臉，但我知道是她們，其實還有更多小時候看著我們長大的長輩也都來了，也都穿黑衣。在門口等著吃婚宴，等候的時間我稱讚姊的和服很好看地既古典又時髦，她說她在祇園買的，說又是日文字開頭的一個很有名的牌子，但是，我沒聽過。她說：「在長壽街出過事之前穿的那套更好看！」我說：「我知道！」我記得出過事，但其實我並不記得是出過什麼事，我們太久沒碰面了，好像是車禍或是生病或是什麼更離奇的意外，是不好的事而且還滿嚴重的，但因爲我不清楚又過了太久了，我爲了禮貌，只是點點頭，不再多說什麼……其實在廟裡，才發現大家都盛裝而來的，因爲大家坐下來在等待的時候，我才比較看清楚……那些家人的模樣細節，但卻應該說是坐成好多排……的很多很古老的木椅，很莊嚴、矜持的氣氛。比較奇怪的是，所有家人的臉都看不清楚，可是，大家都還是彼此認識，也並不會不耐煩地坐在那裡說話地等著。但是，仔細想想，小時候的整個家族都在這裡了，在這麼小的一個地方，而且就在這時候，我才發現，好怪，大家雖然盛裝來參加婚禮，但竟大多都是穿漆黑的。我心裡在想，這儀式光辦在這裡多貴氣，但要多貴！而且也在想怎麼會辦到這麼遠的地方，這裡眞的是京都嗎？從彰化那臺灣的一個小鎭辦到日本的最著名的古都，甚至，還是這種最講究的傳統派頭的地方……其實，那是一個全部都用最古的木頭所建築起來的，像京都的某些著名古廟的一個拜堂側廡的角落，但卻是很老的很講究的，令人驚歎的是數百根木頭全是老式卡榫而成，未動用到半根釘子，木頭還聞得到紅檜的淡淡氣味，木身上的老漆色也是很經過上百年的人的撫過才會出現的溫潤色澤。更驚人的是，寺內從窗口看去還很大，山邊那古木構廟堂，寺內竟還有主供奉千手觀音，包括正殿、三重塔、鐘樓、地主神社等數十棟木構建物，寬、深都達十多公尺的正殿，竟然像清水寺是立於懸崖峭壁之上，殿前舞台則由百根、十多公尺高的毛櫸老木柱支撐，好大又好高。從那裡看出去，可以看到遠方的一整個老城，但我卻看不出來那是哪裡，是在彰化？還是眞的是在……京都。

更後來，我想起來那一年去京都北野天滿宮拜拜的那一刹那，突然想起好像一直不夠虔誠的我，始終不夠信。那不只是某種更繁複的內心戲，而是突然襲擊了我內心最脆弱的一塊，不是還不還願或是拜法對或不對，要跟著規律地用力合掌，擊掌，搖巨繩子，再擊掌，我對我的懷疑感到慚愧，尤其拜拜時看到自己全身變形地被照入屋梁正上頭的銅鏡面裡。那一天的天氣變好得出奇，已然出太陽，也不陰沉了，雖然幸好還有雲，所有的空氣突然都乾燥而清晰起來，我對這般迷離的有點消散，有點不捨。

想到去北野天滿宮時所在公車上看到好多太尋常而我太疏離的畫面，彷彿是和人間告別的最後一瞬間所看到的空鏡頭，跟狂奔狂笑的穿小學生制服孫子揮別的某個很老的疲憊不堪祖母的依依不捨，正飛快鑽入又鑽出一直在笑的年輕父親胯下的很小的小孩的頑皮，吃力地用手緊抓方向盤開小型殘障車的無表情老人的孤獨，兩個穿和服但濃妝豔抹的妖嬈少女在笑鬧地談心，後來還有更多上來了一整隊棒球隊和一群完全恍神的美國中學生。廟裡還有跑步的制服小學生跟教練，有人拜地祇神社因爲祂掌交通，還有更多小孩和少女來廟裡過週末，邊洗手邊求籤，因爲在天滿宮內合院有一個著名拜入試合格或學業成就之祈願繪馬，或是晴朗的天空也還有直升機飛過，那轟轟然低音的螺旋槳金屬聲也還更提醒了這一切的古代幻覺只是幻覺。

又到了她跟我提過的京都另一間更陰森的千本閻羅堂，不知爲何，竟然最重要的佛具神器都消失了。我也不知道怎麼問，上回我來時，門已關了，但是還在窗洞打量了那閻羅像在血紅光中的凶惡臉孔，但是，這回神龕空了，幾乎是最著稱的閻羅王巨身古塑像不見了，壁畫中的地獄審判割舌挖眼的恐怖圖像幾乎全糊了，只剩一些較新較小的塑像，和之前閻王古像的照片。

我不知道怎麼問發生了什麼事，或爲什麼都搬空了，也更怕看廟的老太太如果太認眞地解釋，我聽不懂又一定會更不好意思，後來我在簡單拜拜行禮後，就轉身向另一端後側還有一個匆匆促促搭起池畔的好多地藏菩薩旁小石頭圍布，在那下午很大的太陽照射下，感覺仍然憂傷而沉寂，即使前殿那麼空空蕩蕩，但是不知爲何，整個名叫接引寺的小廟還是好陰。眞是很難解釋地太恐怖了。

最後到了她被開天眼的拔釘地藏殿，沒想到遇到了某一個做儀式的現場，那是一個正在敲木魚誦經的老和尚，正在走入佛祖前，開始準備要作法。那時候，天快暗淡下來了，還有一個母親的小孩在無心地繞廟騎腳踏車，只有另一個小孩和他的母親在放扇子的側殿木製老涼亭中席上的榻榻米，其實我也正坐在那裡歇腳發呆，坐了更久之後，就會不得不注視起那滿牆的一種老法器般駐守的奇幻，那是一把舊拔釘鉗和兩根鏽長釘嵌入的老木牌，上頭兩側寫著消業障者的名字，然後用一種不可思議的狀態將所有的消災老木牌併成了整座小廟的所有四壁，就這樣那些尋常生活器物的拔釘鉗和長釘都變成神聖法器，而且都鏽蝕斑駁地嵌入那些太老的木牌上，那種陰森是來自於所有的混古代入現代的仍然應驗混亂地神祕莫測。後來，有一個老和尚走進去那個極小的地藏殿裡誦經，天快黑的下午，廟就已然完全沒有人，那誦經彷彿只爲我一個人。那木魚聲和念經聲完全地不顧外頭地唱誦好莊嚴，一如小時候在長壽街老家神明廳我所聽我媽媽在上的早晚課。對她而言，這個人間，一如這個古代，都一直在，也一直是充滿神通的。只是我不明白，也許我不虔誠，也許我太懷疑，但是，這回來京都就是在逼近地逼問自己這個自己有意無意升起結界中的怨念的最裡頭。更最後，準備關門的歐巴桑來請我離開，就在那時候，天色彷彿用一種極奇幻的投影在倒影那雲霞的最終端，因此，使得所有的空氣彷彿一下子被抽光了，都陷入了窒息式的恍恍惚惚。雖然我仍然還坐著，還就在那榻榻米的角落裡，就這樣呆若木雞地枯坐了好一會兒而突然有一種很內在的內心抽動，不知道怎麼說，就是覺得走了那麼久的那麼多地方，但是，或許這裡就是京都的終點，我離開太遠也太久，也該回老家了。

二

「『冤親債主』連窗框上……都卡好多層！」

我突然想起來，四姑半開玩笑地轉述一個常在這一帶幫人家看房子的風水師的話。

因爲，當年我們住的那條名爲「長壽」的街，在彰化，是一個以很多醫院坐落出名的區裡。也因爲，已經快八十歲的姑姑提到，在長壽街上要租房子開醫院是很困難的……一些最近的事：「沒開過醫院的房子，屋主通常不願意，而開過醫院而空出來的房子，要找風水師先看，但往往總『有出過事』，很不容易找到好的。」

然後我問：「什麼叫做『有出過事』？」姑姑才提到了「卡好多層」的這句話。我已經好久沒聽到「冤親債主」這種字眼了，那是很久以前的說法，那是我小時候大人所一面避諱，一面又不得不悄悄提到普渡、消災、喪葬之類要小心處理的事時的說法。像不能不拜的「大眾爺」「好兄弟」之類對歹死亡靈、孤魂野鬼反而客氣的稱呼，而且往往是有結怨、冤屈的那種會糾纏的聊齋式或現在的日本、韓國或泰國恐怖片那種一定要討命討公道的惡鬼。

「冤親債主」，讓我老會因此想起某些小時候在殯儀館或城隍廟或佛堂或靈骨塔的法會看到情景的幽暗，某些桌上用一疊冥紙夾住當底座的一張看似牌位的紙板的怪異。在「冤親債主」這四個印刷字上頭，往往更會出現有空格，可塡上手寫的主祭拜與消災解厄亡者的某某名字……往往都很拗口但也很陰，加上在這數行所印製的懺文正中間，很費解的字，以及名字下就會接寫著某某來此被做法事原由之類的一些半文言文式的字詞的凝重，就更令人難忘。而且，紙牌位也往往髒髒的，有的有花但總已謝了一半，有的有照片但神情總都很模糊僵硬，有的更有米杯上插的香或香環點出煙的氤氳，但總弄得有種不舒服的怪味道……反正，是一種被很多看不見的但卻是眞的有「冤親債主」待在那裡糾纏的……感覺的混亂。但姑姑說的「卡好多層」反而很怪，那通常只是用來形容是沾惹灰塵、沙土、蜘蛛絲……那種很久沒有打掃家裡而「不乾淨」的形容詞。

但，這裡所說到沾惹的卻竟是用了種開玩笑的口吻去說這些「冤親債主」，這些更深沉、更幽暗，往往指的是死去的、而且是死去得有問題的「不乾淨」東西，及其更因而有深的結怨、冤屈的那種會糾纏的種種麻煩。我從來沒有用這種種角度來想過「長壽街」。也沒有用這種種既陰森恐怖又荒唐可笑的角度來想過我在「長壽街」上度過的童年。

其實，我的童年在長壽街上玩的也還只是尋常小孩玩的遊戲；假裝用龍眼子取代打買不起的彈珠、假裝自己是王子或武士群，去隔壁木工廠撿廢料做很多把長長短短木劍的對殺決鬥、假裝在打棒球但球是用紙捏的，手套也用紙摺的，球棒用掃把，而跑的壘就用走廊六根柱子的相距較遠四根來算、假裝捉迷藏，但人都不依說好的只在門口騎樓下附近，而其實都溜好遠跑到對街去躲起來的撒野……只是當年的小孩幻想出來那種自以為有趣，但其實很無趣的找樂子。

現在仔細想想，我並不清楚，當年是因為街名為「長壽」才有醫院討吉祥而搬來，或是因為街上醫院多才取名為「長壽」。甚至，更早年的時候，還是很小的小孩的我並不在乎，也不記得街上有很多醫院。

或有更多這種「冤親債主」在那裡的混亂所沾惹的成人式的「不乾淨」，及其更深的糾纏。即使，對我而言，在長壽街上的那老家房子早已拆除重建過，但仍在我夢裡一再出現，而那夢裡的我也用好多種不同的方式看到它變成另外的好多種不同模樣，變成別墅、變成宮殿、變成博物館那麼華麗而輝煌……或是，即使變成工地、變成廠房，甚至變成廢墟……也仍然是龐然而氣派。但從沒有變成是鬼屋過。

即使是從父親去世後，那長壽街的老房子眞的開始一直「出事」了。

「因為伯母一直說我要殺她……」四姑傷心得近乎完全喃喃自語地說，這怎麼可能……在住了長壽街五十多年之後，竟然要離開了，而且是因為發生了這種事。

伯父他們要四姑先離開長壽街一陣子，先離開長壽街這個房子，這裡是她二十五歲搬進來的，到今年八十多歲了，但是，最近因為年紀太大身體心情又太糟的伯母發病了……妄想症和憂鬱症的同時發病到完全不能睡而更後來出的事，我們也都沒法子勸，後來越來越嚴重……她本來也不想來，但是還是先離開一陣子，只能來臺北住我姊姊家一段日子，一如避難。我去我姊姊臺北的家陪我這八十歲的姑姑時，專心地緩慢地聽她心情很不好地說……但是，以前是來玩……這回，她只好待下來，因爲這荒謬的事……所以可能是要來長住了。我和姊姊的心情都有點沉重，一方面是情緒上的準備，我們的完全單身的人生要再調回小時候的和家人住的精神狀態，另一方面又有點不忍，爲什麼一生爲別人著想，爲別人做所有最辛苦的角落裡的事的四姑……竟然會落到這種下場。

最後也沒別的辦法的她去臺中堂弟家住了三天，那裡小孩多也不太好落腳，後來只好上臺北……主要也是爲了伯父，他身體也很不好……近來也因爲伯母那種近乎不可能想像的鬧法，更擔心……半夜會一直吵，說四姑要殺她。使身體很虛很需要睡的伯父完全沒法子睡……最後，只好商量請四姑先離開一陣子，也不是要她搬走，只是先緩緩……這麼多年……就過去了。

那會藏多少的傷在裡頭，我到現在才開挖到長壽街的皮層，也是離開……因爲父親的過世，因爲家的破產……但是，那時光是我的童年，是我開始認得人或記得人的開端……所有的親人浮光掠影地出場而已，裡頭的親不親或矛不矛盾還看不懂也看不清晰……太深的雲靄壓縮，笑和哭都不太是表面上看起來的意思那般……但是，也只能就走了……就離開了。一如現在的四姑一樣地離開了。前一陣子，還剛過完八十歲生日，我還跟我姊姊下去看她，她叫我們幫她看她的在某個菩薩廟裡的靈骨塔位，怎麼安排進塔，怎麼拜，怎麼挑方位，怎麼聽法師說法……甚至怎麼和菩薩說話。

我們就在長壽街那她住了五十幾年的房間裡……陪她說了好幾天的那些話。太沉太親密又太遙遠的一大塊一大塊往事餘緒至今我都仍沒力想清楚……長壽街這條街到底怎麼了……到底發生了什麼事，或爲什麼老是會發生這種種荒謬的意外。

我越想不免就爲她覺得好累又好辛酸。但還是要安慰她。這是前輩子欠的、沒法子躲……之類的話。勸她想開一點……其實她從小看我們長大……也知道我們只是裝可愛又裝大人，也知道我們只是想陪她……弄到晚上最後，邊說話邊療傷……四姑還幫我拔罐，肩背又全黑，她說，你怎麼比小時候摔傷了拔還黑。我從小就很容易受傷。現在長大了怎麼沒長好……四姑她又說了好多……我只想起了更多。

一如她的人生……這八十年來的快轉，一如所有我小時候看過的家人的前傳和續集，極怪極遠但又都糾纏不清，大塊小塊地跳前跳後又忽明忽暗……像班傑明或所有家裡雷同奇人的奇幻旅程。人生是從小開始長，還是從老開始回……都不免有著某些雷同的荒謬。她說她不知道了。這幾年身體不好，現在都不太出門了，出門要有人帶，也不知道外面變什麼樣子了，尤其二姑過世之後，她只剩一個人，她比上回身體極糟的時候來，心情要好一點，身體還是不太行，但是心情上卻不太一樣了……有種奇怪的好像想開了的一種「明白」，不是開朗也不是豁達，更不是甘願或不在乎或不再爭辯……那種情緒。

只是明白而了解了這件事或這條命的這種人生已過不去了，已然只能接受了……到這種田地了就也只能這樣。她頭腦極清醒，雖然說話很慢也很容易累。但是卻仍然一直在動，一直在擦拭，一如過去……把姊姊家的所有角落擦乾淨，我想起來，一直到現在，從小我也有一種看到髒的什麼，我總會想去擦或是會覺得不舒服的習性的養成……原來是這樣來的。最愛乾淨的是你嬸嬸。四姑說，她老是一直在擦，整個家擦得像鑽石那麼地發亮……嬸嬸的媽以前在彰化客運前賣檳榔，以前她都打扮得很美，叔叔年輕時也很帥，在布店幫忙搬布匹，都在火車站那邊，在長壽街頭混，他們可是當年長壽街上一對最好看的愛人。後來，他們結婚四個月就從老家搬出去了，因爲嬸嬸和二姑的性格都太硬，一直在出事。

後來，也沒辦法……就搬離長壽街，沒住一起，所以從小跟你們不親。不然，你們就會十個小孩一起長大。也好，不然我們只會更累，我印象中七個小孩一起長大已經很可怕了。我們不太想起這些，但是光爸爸和伯父住一起的兩家，加上三個沒嫁的姑姑和姑婆，回憶中的那房子裡還是一直很多人的。

叔叔和嬸嬸，他們吵了一輩子了，一吵她就不回家，叔叔把三個女兒帶到家裡來。很晚了。也沒來接。雅香是大堂姊，很乖還會很仔細幫兩個妹妹梳頭髮，認分地打掃煮飯。但是，她有小兒麻痺……就是因爲有一回叔叔嬸嬸吵太凶了，她受寒一直拖沒去看病，後來發現，已經來不及了……她長得好秀氣，但是卻跛了，而且剛開始還能走時……行動還很困難，要按著右膝蓋，才能走路，不然要用拐杖。後來去動一種手術，也是過了很長的日子，才好到不用按就可以走，已然進步很多了，但是還是跛得很明顯……姑姑嘆了一口氣說：「當年，我好心疼，這乖女孩這一生是嫁不出去了……」我印象中的這個堂姊很客氣也很懂事，因爲從小就命苦，家裡很忙，到處也都擦得亮到像鑽石……雖然她走路很辛苦，都是這個大女兒在打點妹妹們。她屬虎，但很溫柔，一生都爲了這個叔叔的家所苦。

菩薩是有眼睛……姑姑說，我去拜拜都會幫她求……讓她命好一點。「長大的她，也是事事用心，上班的地方老闆也老是誇她，一如她當年老是顧家……最後，終於遇到不錯的人，嫁到臺北，穿婚紗那天，不走完全看不出腳有事，好漂亮……」

「回長壽街老家和家人拍照的時候，看著她長大的我們這些老的……都哭了。」

三

就是在那操場。「有一排輪椅……坐在上頭的老人們在那裡彼此講話，推著老人的外勞們也在那裡彼此講話。」堂弟說：「很奇怪卻很壯觀。」我想的，反而卻是，這些泰勞、菲傭、越南新娘、大陸妹……會怎麼跟她們的家人描述她們在異國遇到而陷困其中的這條名爲「長壽」的街，用濃稠飛快彈舌發音的泰語、菲語、越南語……或，說中國方言的江浙話、四川話、黑龍江話、普通話……舌捲得過火的北京腔……種種我聽不太懂而他們彼此也聽不太懂的語言……來說「長壽」這兩個字。來說迷信「長壽」的這個城，這個島的這些人，這些我們。

其實，還住長壽街上的堂弟說到，當年我們老家旁也在長壽街上的這個民生國小已經變了好多，甚至就變成老人最常去的地方。記憶中那個很樸素很雅致的老日式學校老校園，現在已經變新、變得不太認得了，而且學生也越來越少，但近年來，最不同的是，多出一大早會有外勞推著的老人們去那裡散步，好多人，而且，往往在操場。在那個三十多年前的我也常會溜進去的只有女生能念的國小裡，和堂兄弟們在週末跟堂姊妹們溜進去玩。當然，還是有姑姑、阿姨、伯母……大人們帶。我好像就是在那操場被媽教會騎腳踏車的。到今天，我都還大概想得起來那種第一次可以自己騎，雙腳離地，滑行向前的感覺。

好「輕」。像「飛」一般。

像從歪歪扭扭地起飛到持續地不安地只是繞操場騎卻自以爲眞的在飛的……那種快樂。

快八十歲的姑姑說，大學時代的我還曾想要教她騎腳踏車，也在民生國小，但沒學成，她會怕。「不然，現在就可以像現在那些每天清晨一起去爬八卦山的朋友一樣，先騎到山下，再開始往上走路爬山。」她一邊說，一邊有點懊悔，又有點開心。我已完全不記得當年我還曾要教她騎腳踏車的事。其實，我不記得的事還很多。但我記得我媽教我騎腳踏車的事，在黃土的跑道上摔了好幾次，她坐在我腳踏車後座，幫我扶著。一邊半扶半跑，一邊安慰我：也不要怕摔，不要怕離地。就這樣練了好一陣子，練到我不會摔。練到會騎，或說……會「飛」。就是在那操場。現在，那操場鋪上了好看的綠色塑膠跑道鋪面，但上頭沒有人騎腳踏車了。

「我們小時候沒有那樣啊！」我對堂弟說。「沒辦法！」他看著我，在伯父的病床旁邊，說：「後來的長壽街上，只剩下外國人照顧的老人和小孩了。」

但長壽街上故事完美的「後來」到底是什麼?

我想到S提及的就是在長壽街上的民生國小教過書的她外婆所說過的……她提到那麼早的年代，就有一種說法，在當年，完美的結局就是：「女孩長大可以念就在旁邊以教養出名的彰化女中，然後回來，當上只收女學生的民生國小的老師，然後嫁給同一條長壽街上醫院的醫生，從此，過著『醫生娘』的幸福快樂的日子。」

那是S的外婆跟S的媽媽說的，也是S媽媽小時候帶她去探望外婆順道吃那家長壽街上最有名的碗粿時跟她說的。我和S不熟，只是在某一回提到她媽媽的故鄉也在彰化時談起的。其實S講這結局「從此，過著幸福快樂的日子」的完美時，她那近乎咬牙切齒的憤怒反而更令我印象深刻。

S是一個女同性戀的T，是我認識不久的一個極尖銳又極聰明的曾念過台大獸醫系的女憤青作家。「後來也眞的在教小學的我媽每每都暗示我應該要學她和外婆……」

S說，用很嘲弄的口吻。「我是眞的很喜歡動物！而且，我還甚至是第一志願考進去的……雖然，我很痛恨醫生這種行業！」她說：「我最痛恨福馬林的味道！」「當然，我更痛恨以當上『醫生娘』爲人生目的……那種愚蠢！」「天啊！每天都和屍體相處的人會變成怎樣你知道嗎？」說著說著……她激動了起來。

「我想，我們都變壞了！」我開玩笑式地努力保持鎮定地對她說。因爲，我從來沒有在更後來我人生已「變壞了」的時日，遇到那麼接近我的童年那「場景」的朋友。她跑進了我腦海某些深處的極脆弱極緊張……某些甚至從來沒有再被發現、再長大過的角落。但，更令我心驚的是她的那麼直接地憎恨及其戳破了那整個深處「場景」杜撰而共謀的夢想。

因爲，在那之前，對我而言，長壽街可是一整個山洞或海底般幽暗迂折深處的溫暖、是一個不再找得到的鄉愁桃花源的難得、是一個我童年可以全景坐落的無限延伸景深的深刻……絕不是「場景」、絕不是那種爲拍電影演戲臨時搭起「場景」隨時可換可拆的輕易。在面對「長壽街」，我可沒那麼輕易地憤怒、輕易地反叛、輕易地篤定笑著或嘲弄著地說：「彷彿每一種『後來』都可能、都可以！」

「後來『變壞』的你好像什麼都不太相信，像『壞掉的人』那種對人間的不相信！」她說：「但現在又重回『長壽街』的『那種狀態』的你，對我來說，又好像更不太對勁地……什麼都太相信。」「說眞的，你最想要的『後來』……到底是什麼？」S問我。

我不知道，也沒回答，卻反而想到我小學的同學，C，那個變成醫生而且眞的在長壽街開醫院的同學……

的「後來」。完全不想結婚的C在一次高鐵上偶遇的時候對我說：「後來，只要不看診，我一定馬上離開『長壽街』，到處去玩、去做『壞』事，越玩越凶，換車越換越貴，換女友越換越快，前一陣子買了直升機正在到處飛……最近，卻跟朋友買了船，和一個當兵時認識現在也賺很多的朋友在玩潛水。」

我始終記得C說：「海裡很好玩，很深，很不一樣。」他還炫耀著，因爲水的壓力，在水底下頂多只能待四小時，但他常待得超過那時限：「礁巖窟中或大船底下長滿了像『屍體』的東西，因爲那裡好深，好陰森，有鏽，有牡蠣殼，有浮游生物、海底動物所石化所壞毀的好多東西『陪葬』……一般人都會覺得好可怕，但，我好喜歡啊！」C一邊說一邊笑：「那些『陪葬』倒覺得有『屍體』附身式的可怕東西，在深藍的海底深處，會變成像古董或像出土寶石一般……驚人的美麗。」

另一個夢裡頭，我一直聽到某種古怪的低音從外頭傳來，很用力地吶喊或咒罵或叫囂……只是好像在外頭有點距離的遠方，聽不清楚他們在喊什麼，然後，就發現我被關在一個密室裡，像一種囚禁的狀態，或說，就是被看不見的什麼困住了，我也不清楚，只是試了試種種出去的可能，但是都沒把握，那些包圍我的惡徒們繼續用力喊話……我更仔細靠打不太開的木門傾聽……才聽到他們說，大概的意思是：如果你要出去，就要毒死小孩，燒掉所有衣服，然後才放過你。我在想，眞的這麼慘嗎？眞的只有這樣，自己才能活下去嗎？但是，爲什麼我會困在那裡？我看了看，房間四壁徒然，沒有衣服，沒有家具，甚至什麼都沒有，只是個空囚室，又灰暗又骯髒的混凝土牆壁，蜘蛛網盤旋在牆角和所有可能的角落，但是，聽到喊話的我雖然醒了卻仍然起不了身，全身因爲不明原因而從頭顱到脊椎末端都莫名地痛。但是，更仔細看，那是小時候，我家長壽街的天井旁的一個房間，我們家住的，從臺北搬回彰化那年，全家擠在一個房間住的那年，很悲慘，但是，也很窩心……可是，在這夢裡，所有的老家具都不見了。只剩我所睡著的那一張破爛不堪的床。然而，更吃驚的是，卻是在床上，我一轉身，才發現了旁邊的枕頭上，竟然有一個還在滴血的小孩的人頭。脖子的刀口還汩汩流出有點黏稠的半暗紅半暗黑血漬，額頭半爛肌膚和眼洞之間已崩塌腐肉的縫隙中還有死白的蛆慢慢爬出竄動，頭髮枯萎到頭皮都半掀，腦門鬆鬆垮垮地位移到頭蓋骨已有明顯的裂痕，而且仔細一看，還竟有腦髓黏液從頭殼破洞滲出……那小孩是個陌生的臉龐，依然還看得出生前長相是清秀可愛的，但是，這個小孩我沒見過，也不認得，只是，那麼小的頭顱，還血肉模糊，令人不忍外，還有種令人不安的餘緒。

而且，由於太接近了，那種血肉橫飛腐敗之後不免散發作嘔的屍臭……令我更爲難受。尤其是眼珠充滿血絲地血紅還半突出，是彷彿死不瞑目的那種眼神，我始終打量著他，不安也不能怎樣地看著……想著他怎麼會這麼可憐，橫死而梟首被棄屍在此，或是也因此想起，我怎麼會在這裡，怎麼完全記不起來。更後來，喊話越來越大聲，但是，心亂如麻但也無計可施的無奈的我並沒有說話，甚至也還不太能動……後來，好不容易從房間打開門鎖，走到長壽街樓上空曠而黝黑的走廊，邊走邊找路，但是，繞了好久，彷彿永遠走不完，也一直走不出去。更後來，爲了逃出去，往長壽街老房子最高樓梯疾速地爬上去，爬了好久，沒有人，沒有路，最後的出口走出去，竟然在越來越高也龐大到近乎看不到邊緣的屋頂上，發現了一整座枝繁葉茂到濃密蔽天的外公困在南洋的那種熱帶叢林。陽光極強都照不進的林中密密麻麻搭起的巨大木架樹屋。而且，我一走進去，就發現，那許許多多的叢林中樹屋，竟然是隸屬於相當龐大的部落，好多好高的屋簷梁柱都好古老而華麗，幾乎是當地最高的行情行頭的老建築。連高聳的斜屋頂老木梁柱也都是複雜而黝暗，近乎奇蹟的古蹟。更後來，那一整群的村民們聚過來了，他們在逼問我，因爲我不知爲何，他們被告知，我竟然是他們殖民母國派去要當他們酋長的人。我道歉，辯解，用向眾目睽睽的眾人演講的方式來告訴他們，講了好久，希望他們諒解，我眞的不是故意的，這一切都是誤會……但是，他們並不相信……

在另一個更後來更古怪的夢中，我發現我又回到長壽街老家，一如過去，想回家之前走了一段路，一直走，心裡還有點擔心，怕太久沒回去會被長輩念。但是，到的時候，卻不太對勁。因爲，出奇地囂張喧鬧。以前，除了過年過節，長壽街是極安靜的，老家也是極安靜的，因爲都沒有人，或只有長輩的老人了。但是，在夢中的這回卻不太尋常。因爲整棟老家五層樓的老房子都正在吵吵嚷嚷。我問姑姑發生了什麼事。因爲我有一陣子沒回去了，通常都會發生一些事，可以敘舊寒暄，某表姊很混的小孩竟然考上第一志願高中，某鄰居的和我同年紀的淑玲終於嫁出去了，某一直改吃素的叔叔的心肌梗塞還是又發了只好進基督教醫院去裝了好多根支架……之類的。但是，這次有點離奇，竟然是堂哥已然不顧家裡反對，一次迎娶了三個大陸太太，而且竟然要住在一起，在五樓，四個人住一間，生活要隱居起來，就不再出去。也就是住到以前的頂樓一整層。而且是把老家的樸素的老神明廳移走。整層樓已然做成一個豪華奢侈的中國蘇州園林風裝潢。門口將懸掛起多個古代造型的圓形木製溜鳥籠，地上要鋪上又亮又黑的大理石，旁邊安上巨型漏露皺的太湖石假山，使得整個大廳像園林的曲徑通幽的有血紅巨鯉游過的雅致水池。甚至，房間裡在入門屏風前就安放了巨型近一層樓高的大瓷器花瓶，長出很大的樹枝，枝上長出的巨型牡丹，枝繁葉茂地盛開的或含苞待放的花朵。一雙酸枝木雕雙龍彎扶手的巨大明式太師椅，多層的木扇古董門和木櫺格古董窗扇，旁邊是那長長的人馬雜沓的金碧山水的丹青式中國壁畫。做成是如此，也眞是一個太誇張地如此炫耀的房間。

但是，因爲長輩有意見，也還沒決定這裝潢要不要留下來。甚至，我到的時候，我們的家人正因爲擔心而吵了起來，而那三個大陸太太也吵了起來。就這樣僵持在那裡……另外，在這個夢的混亂中，我一回到長壽街老家，還注意另一件房子外頭更同時出了什麼狀況。因爲家裡的大門外的馬路上有好多人站在那裡往五樓屋頂看去，人太多太混亂，還有人被擠到一樓騎樓，心情浮躁也莫衷一是。整個氣息太緊張了，有人又哭又鬧又好像有事，而大家都不知怎麼辦也沒時間準備，只能待在那裡，進退兩難。我跟著出去看，才發現，正在緊張得情緒崩潰邊緣。完全沒有心理準備地慌張，跟著路人往外不自主地移動，也不知如何是好。正想脫身，往屋裡走去，好不容易進了大門。但是，突然發現有人在喊……跳樓。

就跟堂哥往上跑，還來不及想怎麼了或到底是誰跳了，就已經到了樓梯最高的地方，急著開門出去。之後，才發現，那裡不是我記得小時候的神明廳，也不是堂哥改裝設計的仿古中國風妻妾成群豪宅，而竟然完全變了。變成了一個空曠的大廳，出現了如同小時候我們看過寶島大旅社那種日據時代異人館式的精雕細琢的裝潢。老而繁複的皮沙發，體面的木製書櫃酒櫃，精密刺繡的歐洲巴洛克式長毛地毯，但是不免已然斑駁荒涼，羅列著舊金屬或舊檜木的長廊柱列。甚至，最驚人的風光，是整個沿街面的折窗景實在太華麗了。從頂樓走廊，屋頂側有一整排大正年初期那種有點蛀壞了的深漆色檜木格的大窗面。甚至，就靠路面天空前。但是，我們趕到時，正好看見有一個人影。不確定是那三個大陸太太其中之一，也不確定是長輩的伯父伯母或姑姑，只是在刹那之間，來不及靠上前去，就發現那身影已然消失了，疾速而果決，沒有遲疑或忐忑。就直接從靠牆面的某一個打開窗扇的舊窗洞，往外跳出去，垂直落下，迅雷不及掩耳，頭部直接墜落撞擊，腦漿和血液一起流出來，撞爛的血肉模糊，死狀極悽慘，甚至是不忍卒睹的那麼恐怖。我往前打量那跳樓的人。不是大陸太太，也不是家裡長輩老人。更仔細端詳，才發現那個人好眼熟，因爲他正穿著我的衣服，全身染滿了血跡。

更仔細看，那不就是我嗎？怎麼就這樣死了……怎麼這樣地橫死，就在老家那充滿餘緒的門口，而且，就在門前的破舊不堪的路上。

甚至，就在長壽街上。

寶島部。首篇。父親。

一

他跪在靈前，看著我父親的遺照，沒有說話，很久很久，一直掉眼淚，但沒有擦。他一定想起太多事。那種時刻太沉重了，好像所有的空氣都凝住。死寂的現場只有那個老古鐘擺盪依舊的有點令人發慌的聲響。那時候，我還太小，我不知道那是多麼地嚇人也那麼地動人。因爲發呆太久的我在那設成靈堂的客廳裡，很尷尬，但是仍完全不知如何是好。這種人好多，我不知道我父親生前做過多少事，幫過多少人，幫到多深，讓他們這樣子地來弔唁。我想，我並不了解我父親。

到了那種時刻，我才比較清楚，那時候的我從來就不明白，父親是一個什麼樣的人，他在短短的這一生，才五十年，就可以讓許多人用這種這麼令人動容方式來懷念他。那時候那麼輕狂而倔強的年輕的我覺得即使我死了，也不會有人爲我哭的，何況是用這種方式的哭法。然而在那麼多人裡頭我印象最深的，還是一個從小常來家裡的大表哥，他大我們兄弟近二十歲。當年雖然才四十多歲。那時候就頭髮全白了。從小，所有的姑姑的六個小孩中，他一向是最瀟灑的，最不在乎，最喜歡鬧我們這些小孩，修理，抓我們打屁股或講話很挑撥嘲諷得用最難聽的話說：「黑屎敏！黑黝黝！以後嫁不出去了。」「大呆賢！呆！呆！呆！連大哥都不會叫。」現在想起來，腦後有反骨的他是那麼聰明，太容易桀驁不馴而走上極端。大概他太夙慧了，也因此太尖銳了，太不想照顧那些家族的禮貌的種種客氣，使得我們小時候看到他來，大家就能躲則躲地閃避，來逃開這個最令人頭痛的人物。但是，我後來所聽到的，其實更多也更複雜，因為他是長子，但是卻屢屢出事，丟臉，衝突，不認錯，鬧到和身為彰化布業大老的姑丈近乎切斷父子關係，被趕出家門。他做過很多工作，甚至待在姑丈的布店，但是都待不久，手腳不乾淨會偷錢，會喝酒，會鬧事，弄到後來沒人敢用他，那麼糟。最後只有我爸爸收留他，到他的工廠那邊上工，即使他繼續偷錢，繼續鬧事，而我爸爸都沒說話。

大表哥跪在我爸靈前時，完全不像他一般看到我們時候的開心而輕佻，甚至完全沒跟我們在家守靈的兄弟打招呼，他進了門，什麼話都沒說，就一個人走過去上香，拜我爸爸的遺照，然後把香插在香爐，接著就跪在靈前的蒲團上，兩手合掌，眼睛注視黑白遺照中的我父親的臉。然後，整個人就好像凍住了，表情索然，近乎空蕩，使得整個現場非常地尷尬而凝重，但他一點也不在乎，甚至也沒發現，仍然整個人跪在那裡，一動也不動，好像想起了太多太多過去發生的事，他所歷經的那些家族的最深的敵意與仁慈，怨恨與原諒，浪蕩與謫放，長輩的期待的太過沉重與身世的太難逃離。就這樣，眼淚如珠玉般落下，忍都忍不了，但是卻沒有抽搐，沒有啜泣，是用一種極度可怕沉寂，完全無聲滴下，如此，許久許久。

回想著父親生前最後那段日子，一直想不進去，我不是個浪漫的人，也不是個可以輕易地懷念些什麼或擁抱些什麼的人，家裡又發生太多事。直到現在的我還想不太起來那他在林口長庚醫院的日子，那一年，每週末要坐夜車從臺南到林口，來陪他癌症最後一段日子。陪他走到長庚後一間廟前，卻不進去拜。那廟不大，但香火極旺，來拜的大多是病人。

屋脊上滿站著彩妝的天兵天將交趾燒陶俑，但是眼神臉孔都被金爐煙火熏得有點暗黑。廟拜的是大道公，一個黑臉的穿道服的神像。一腳踩蛇，一腳踩龜。手拿一枝古劍，神情很肅穆，但是沉寂，一如那時候的我父親。其實，父親並不拜，他一生從來不依賴什麼，也從來不相信什麼，他總是一個人承擔了一切。

所以，我們總是只是走到廟前就折回，而只停在那空的廣場旁，拿著尿袋，坐在椅上，林口風很大，地方很荒涼。天空陰霾而暗淡，看著廟的剪影，看著雲的遠方。那些時候，父親都不太說話。他太痛或心事太多，或覺得我們太小。我們常就這樣安靜地坐在那裡，好久好久，看著沒人的廣場和天空，我嘗試要跟他說話，但，想了好多又好久，還是沒說出口。

他一直相信自己可以活著離開那醫院的。那是我念大一的時候，最該揮霍人生的時光。但是，卻籠罩在這遠方的陰影中。其實當時我也完全幫不上忙，哥哥在服役，主要在醫院陪他的是母親和姊姊。那一年，他的生意做到最大。然後，在他也不相信的自己的過世中，跌到最慘。他完全不覺得我們這些小孩可以幫上什麼，甚至可以了解什麼，那些生意大到可怕，也冒險得可怕，他很擔心一切，擔心他不在的我們。但，我們都太小太遠。

其實，每次去醫院所遇到的那個癌症病房的主治醫師，他鬍渣永遠多了一點黑眼圈更深了一點他說話的聲音是帶沙啞。很本分也很到位地出現在那裡，但是隨著父親病情的惡化，我們卻開始質疑他的能力。他很認眞地爲我們說明抽血檢驗後這樣那樣的數字。他走過來說因爲施打鎭靜劑，其實父親最後雖然不行了，要回家了，但是並沒有太痛苦，就這樣結束了那麼長的來回醫院與家裡的日子，家人們總還是會討論父親病情惡化的種種過程，畢竟他是走著進醫院卻近乎躺著出來的。那時候，來醫院探病中的大表哥突然拍桌大罵：「幹！我看那個醫生根本就是個垃圾，聽他說話要死不死，怎麼說都是那幾句，根本是個垃圾，你爸就是被他害死的！」

其實我們心中有更多的自責，跟我們談起了父親最後病情的轉變，讓我有些無措得不知要很悲傷還是要很悲憤地不理他，但我們還是停下來聽他說並謝謝他這些日子以來的照顧。第一次我在亮晃晃的陽光下看他而不是病房裡那種不分白晝黑夜的慘白日光燈，我發現他並不比我高很多，鏡片下眼神中比較多疲憊、鬍渣更多一點黑眼圈也深一點，我看見他隨風翻飛的白袍一角有一處黃漬邊裡還似卡著一層灰灰黑黑的髒汙，一如那陽光下我有很多情緒與紛亂那麼的陰沉埋藏，那是多年後。我才知道，當年我有多少多麼不解的紛亂。一如多年後的有一回，我半夜看到《教父》第一集中他的小兒子誤入醫院探望被槍擊病危的教父時，出了事，那一段。竟然完全失聲地，痛哭了好久。那電影中，正是火併的緊張中，一個紐約最大的幫派出了事，幫派的頭目教父被刺。奄奄一息在醫院裡，但是由於中計，對方派人要來醫院解決他，而他的手下全被調走了，退伍剛回來的小兒子，恰好在那時候到了現場，慌了。但是必須穩住，在黑暗而空曠的病院中，打完電話找救兵來之前，謹慎地忙亂得把他虛弱得只剩一口氣的父親的病床先移走到角落，然後走過完全無人的走廊，站在紐約那種破落老建築搖搖欲墜的大門口，外頭正下著大雪，極冷極詭異。仇家開車圍了過來，他手放在大衣裡，假裝有槍，極恐慌但仍然虛張聲勢地守在那裡，完全不能動地要等救兵的沉著，待命。之後，每次看，每次哭。這後來二十多年看了好多次，一直如此。那時，我才比較了解在林口那廟前空廣場的寂靜中發生了什麼。但是，我仍什麼也沒說。一如，當年，在空廣場那裡，等著，等著，等父親站起來，往回走。我也跟著他，安靜地，走回去。

當然，在守靈那段時日，還發生了好多事。天氣太燥熱，人也太燥熱，就是所有的狀態都不對，但是也不知如何是好。彷彿一直有一些更大的困擾找上門，但是，我並不清楚，一直到有一天，有另外一種人，找上門了，很無禮，雖然和我父親生前也認識，也來過家裡，但是這時候來靈前上香，就已擺明是來討債的。

「你爸做人那麼好，事情怎麼會變這樣。」他們看著我們都會這麼說。我還記得那幾個人，來了之後，和母親和姊，談了不久，就抱走了二樓廳中一個京都的極精巧極大型古手工做成的傀儡人偶，有一個拿走一個清乾隆時期畫工巧奪天工的青花瓷，還有一個就把父親那輛才開了一年的藏青色的賓士的車開走了。

那一天，我剛好費盡了心力，說服了我媽媽，讓我去彰中門口聯考的考場賣汽水。那時候，還在做七。我記不得當時爲什麼一定堅持要去做這件事，近乎是太勉強的狀態，所有的家族長輩都反對，甚至生前的父親是不允許我們兄弟姊妹去打工的，何況還在守喪，還在面臨一個龐大家族已然啓動的放逐，一個崩毀而被啃噬得如此沉寂又如此誇張的時刻。

我一直記得那一天的所有細節，所有的人，所有的進考場前的紛亂，所有的鎮日陽光直射的中暑狀態中的恍惚，所有我自己喊到後來就近乎沙啞的叫賣聲的嘶吼，從天剛亮，我就自己醒了，急切地張羅所有的行頭。進的貨，紙箱六箱載上山，還有一個極困難的狀況跟鄰人借來的錫製的髒髒的大臉盆。罐裝的芬達橘子汽水一打，黑松沙士二打，黑面蔡楊桃汁鋁箔包兩箱，榮冠果樂一打，更多雜牌的飲料，在兩大塊冰塊的旁邊縫隙，像極了一個垮掉了的華麗豪宅的壓壞屋瓦磚石，卡接的每罐身之間，歪歪斜斜，扭曲極了，那眞就是一個圓形劇場般的五顏六色的廢墟，又在縫隙中飄出融解中的冰塊的水煙，像極了上演了一場誇張歌舞劇的乾冰特效，催淚而泫然，雲彩的起伏，盪氣迴腸的磅礡。

但是，都是假的。

我就汗流浹背地看了這劇上演了一天，一邊吆喝著，近乎激烈到失聲了。雖然到了晚上，收場子了，整整一天下來，就只是賺了少許的幾百塊，我才隱約想起「不要你們打工，是因爲怕你們爲了賺小錢，心會變小」。在靈堂邊，我突然想到了當初父親不讓我們去打工的原因，他所說過的，所交代的。那是當年他對小孩如何長大如何把心養大的更高更遠的顧慮與眼光。但是，這些眼光也就這樣地離我們而去。其實，那時候的我還不知道那是什麼意思，還不知道被整個家族離棄了或被我原來的身世所流放了是什麼意思。作爲一個孤兒在後來會如何地放棄如何地孤，是什麼意思。那時候。我只是一邊收拾所有的打工的行頭。一邊處理了一大盆已化爲冰水又已變成熱水的那錫盆。那傾倒的華麗的廢墟，玻璃瓶的、鋁箔包的、罐裝的種種飲料的剩餘，才想到了現場的另一件事的有點離奇。

那天一大早天還黑還剛破曉時，我就到了那裡，爲了去彰化中學考場門口，可以占到較好的叫賣的位置。但是，到的時候，有幾攤的人已經占了最好的場子，只剩下一個空地，但是，奇怪的是，竟然有一個人狼狽地橫躺在路上，擋在那空地入口。幫我一起搬箱子去的大表哥，看我有點嚇到了就安慰我：「可能是流浪漢喝太多喝掛了。」不會有事。他去報警或想辦法找人來。其實，起初大家都不理他，以爲他只是太醉，起不來。是到很後來，探了鼻息，發現沒氣了，才發現他已經死了，所以才知道那是一具屍體。但是，在後來有人來幫忙抬走之前，只有我自己一個人在那裡看場子，那時候，天色還暗，空氣很凝重，後頭幾個大樹蔭很深而鳥也還在徘徊地咕嚕著，好像四處都還有什麼在暗處，在打量著我。但是，我並不害怕，或不知道害怕。

沒有頭緒的我還就待在那裡，看場子時，就這樣無辜地出神，一如擔心著什麼會發生，但是也沒有，就只是很近地仔細端詳那個人，他彷彿是一個已經被放棄很久的人，或說，是一個已經自己放棄自己很久的人了，他穿得很髒很臭的舊舊破破的西裝和長褲，頭髮好久沒洗那種黏稠盤結，而且酒味極濃極重，還有些嘔吐物的痕跡沾染到上衣，整張扭曲五官的臉的皮膚極糟，那是長年曝曬才有的脫皮，鼻孔汩汩地流出血，也已乾涸。一直到天亮，人開始多了，出太陽之前。我一直這樣看著他，我就如此，在暗處，在圓形的水盆的五彩廢墟前，蹲坐在那裡，自己一個人，看著那個死人。他整個人，就這樣一動也不動。

就被完全地遺棄了，一如我。

二

「你爸爸已經死了。」

外婆對著在旁邊安靜地陪她的我說：「雖然，你們都不敢跟我說。但我知道，你們都在騙我！」她常一個人，很慢地走到我家二樓的神明廳，站在那裡，發呆，掉眼淚，悄悄地，看著我們的祖宗牌位。

外婆，她後來老了。或說，到了我懂事的時候她就已經很老了，尤其她半身不遂之後。「沒有啦！爸爸只是去出差，還沒回來！阿嬤你不要胡亂想！」我對著臉上沒有表情但噙著淚光的外婆，這麼說！

那時候，中風的外婆，搶救了好久，才醒過來。雖然半身不遂，但仍然是有意識的。那段同時間更大的風波，是我爸眞的過世了。引發了後來改變了整個家族更複雜龐然的風波，爸留下了我們一生也還不完的債，媽得了數年的憂鬱症，姊姊爲處理債務和某些長輩有了某些衝突，或和債權人的所有親戚周旋。

我們就這樣搬離彰化，整個家就這樣被完全地遺棄了。被那家族，被那故鄉，被那身世，被那個時代完全地遺棄了。

沒有人敢跟外婆說，怕她再度中風。所以，我就每天都哄她，騙她，每天說謊。看著死去父親收入的歷代祖先牌位的有點蛀了的老木牌，在那雕了龍紋在桌腳的紅木神明桌前，八仙彩的刺繡有點髒髒的雲朵旁，觀世音菩薩的有點舊了的金身，旁邊兩盞點了二十多年從沒熄過的光明燈，香環永遠在燒的香爐，那氤氳的燒了一百多年的氣味與光暈，或我看不見的環伺在神明廳裡的我那些好老好遠的祖先們前頭說謊。

後來，一個修行的朋友有一回不經意地問起：「後來你爸都沒跟你們聯絡了？」我才發現，他一直以爲我爸只是失蹤。「我爸已去世三十年了！」我說。「那你有想過要去找他嗎？用可能的任何方法，或，甚至去觀落陰嗎？」「沒有！」我回答得有點心虛。因爲，我只是在混，我閃躲了。「我父親其實是希望我和他一樣可以變得很有錢或很有成就，但是，對他而言，現在的我只是在混！」但是，他安慰我：「或許你現在就是用他的方式在照顧你自己！你父親不一定是希望你要變成他那樣吧！」他說：「他或許只是希望你可以照顧你自己……甚至，就是做你自己。」或許，這是我對我父親的選擇的理解。或許，我總覺得他不了解我，不清楚我到底在眞的在乎什麼？用什麼方式在在乎？但，以前他還活著的時候，我還太小。我每次都急著說出來又說不清楚，所以更糟，每次，弄到後來我都會有情緒，在講完之後我老覺得他不了解，或我自己沒說清楚，或他聽成另外某些情形或下某些結論，然後開始建議、勸說。而我的狀態太不好了。就是不想聽，不想聽完，即使我自己也覺得我的煩惱很可笑，我父親還會解釋成一些我覺得不是或解釋成沒有那麼困難的說法，這使我更憤怒，但是那時候我實在太小了，那已經是三十多年前的事，我甚至已經太久沒有想起了的事。

我因此想到了美國一部名爲《六呎風雲》影集的第一集，男主角在他爸去世的暑假，回家幫忙自己就是殯葬業的家族，他幫他父親整理屍體時，突然想到，在畫面中出現的小時候的自己，當年他還小的時候第一次被找去在地下室幫忙縫大體，在血漬和屍臭的困擾之下，他爸對還很小的快哭出來的他說：「不要怕。」但是，下一幕已然就是多年之後的有一回，他大學暑假回家來打工，到了地下室，看到了四個已死了的老人從冰庫中爬出來，仍然全身慘白而狼狽，但是他們卻滿臉不在乎地坐在冰庫拉出的一個空的停屍檯金屬板塊上，就在停屍間打起橋牌。看到他來了，一點也不理會他，只是回頭對他說：「下一局你再上來打！」後來，在葬禮時，他對他哥哥說：「我大學去歐洲旅行，那是一個古老的西西里島附近的老城，有棺木從船上運來，喪家老太太們來接，但是太難過，看了受不了，太多人當場飲泣，在那海邊空曠的天空中，發出巨大如動物般的痛哭聲。但是，我覺得那樣比較健康，比起我們在美國，那麼壓抑又那麼沉默！」

男主角說：「我身邊的人都快崩潰了，但是還是那麼乾淨、衛生，沒把雙手弄髒。」他看到了那個葬禮中死掉的人正穿夏威夷襯衫短褲坐在黑色的靈車上，看著所有來送葬的家人。每件事都有點古怪，也都有點更古怪的原因，接下來是一家的爭執不休，但是依然壓抑而沉默。哥哥跟他攤牌，「不要把你的人生怪在父親或更多的別人身上。」

「死了最大的好處是，」他對他死去的爸爸說：「你很開心吧！你再也不會無聊，不用等待死亡！」他在那天晚上夢見小時候的自己，他在家的門前草地上和哥哥玩家家酒，爸爸在洗車，到了最後的片尾。第二天早上，他去跑步，卻仍然看到已然入葬的爸爸一如沒死以前的往昔，要去出差前，還在市中心的公車站，坐上剛來的公車，在車窗前，對他露出了一貫靦腆的微笑。

更後來的有一晚，我夢見我是鬼，大家都不知道，我很怨，只是等待機會要報仇，適當時機，就要現出我是鬼，充滿仇恨，因爲我知道誰是怎麼害死我的，但短時間沒辦法出手而不甘心。

但是，後來我姊燒香拜我，而且說八卦山邊有一座廟要讓出來了，使得整個夢劇情急轉直下，走到另一種可能。我開始想到未來，或許我可以把廟占下來，雖然自己是鬼，還是陰森森的鬼。但是可以不哭不笑，只是了解，只是說法，對人對事作法。姊還一直勸我不要復仇了：「不要把這死亡還有這害死你的種種，當成是你自己的負擔，因爲你已經是鬼，不要有情緒，要重新做人。因爲，開了廟就完全不一樣了，你要想到解決的是別人的困難，而非自己的麻煩。」

姊交代著：「所有的鬼，都在想辦法理解自己的改變。但是，變得很慢，剛開始很難。而且，最重要的是，你不能害人所以不能報仇，很多法術不能做更深，不要那麼想不開，千萬要提醒自己過去以來一直想要開的這個廟。」

也因此想起父親有一回夏天，跟我提過一個他在當兵時的演習，他說那是他第一次眞的看到死去的人，那麼近，那麼眞實。但是，怎麼看都不像眞的。那是他當兵的第二年的營對抗，是部隊裡很吃重的任務，所有人根本都還沒準備好，部隊很多新兵問題很多，但是沒辦法還是去了，他說他壓力很大，因爲所有的狀況都極困難而且極不可能完成。帶了一整連兵，在極艱難的搶灘之後，就要繼續往上搶山頭攻堅編號某某高地。而且他還在重裝連，要背木頭製盒裝極重極沉又極需小心的機槍子彈和五七步槍，因爲他是班長，還眞的就配戴眞槍，手槍裡有荷實彈。過程中的裁判官也要跟著跑，清算火點，一挺機槍和三四個火箭砲和更多複雜沉重的裝備。因此，雖然是演習，但還是很緊張。那時候是紅軍藍軍對抗，充滿情緒和威脅，一如眞正的戰時，因爲，如果搶山頭沒成功，那麼另一個部隊就要轉進，搶另一個高地，攻下一個山頭，就這樣會持續四五天，有時候完全沒辦法吃飯也沒辦法休息，甚至，那一回還實彈射擊，但是邊跑邊開槍的。

很恐怖，那種感覺很不一樣，子彈的聲音，又尖又利，劃破了整個山頭前，揚起的石礫土塵，陽光曝光過度了到使空氣像凝結了地悶悶不樂，而高速竄飛的彈聲仍然從又吵又亂的現場中清晰地割裂，就從旁邊從前頭後頭一起不可思議地閃現，那時候，根本沒想到害怕，就是慌張，甚至就慌張到不知如何是好還跟著往前衝而開槍。

有火線，在山頭下衝鋒到最後，要停在那裡待命，那一回大家從海灘上岸，身上扛了一大堆裝備荷彈匣，有的拿眞的機槍，有的還拿五七步槍開槍，根本就不可能瞄得準標，但也只能跟著一路射一路跑。最後，竟然在混亂中，因爲移位太快被鄰兵流彈射中，就這樣，有人在慌張中失控而中了彈，這回，竟然不只受傷，還因爲射中後腦，來不及送醫就死了，有人還傳說著那紅軍營對抗的指揮官很生氣地抱怨：「本來平時都永遠射不準，這種時候就這麼準。」

父親看著那個鄰兵的後腦勺，還是一直無法相信，這個人眞的已經死了，身上穿著和他們完全一樣的陸軍軍裝，一樣地因搶灘而又髒又沾滿了泥沙，一樣地肩上還扛著又重又舊的老式五七步槍，一樣地陽光還很強到令人睜不太開眼直視，空氣又鹹又黏，令人難以喘息。

只是，他就趴在山頭下的一叢灌木前，鋼盔歪歪斜斜掉落在旁，臉埋在不遠的土丘裡，很短的平頭頭髮還是沾滿了泥沙和紅色的黏液，還有些黃稠的白白的流質的什麼也混在裡頭，看不清楚，只看到有幾隻蒼蠅在那個人腦袋的碎裂的血紅中，又貪婪又緩慢地盤旋，許久許久，揮之不去。

三

「你們還記得那個夢嗎？」我問哥哥和姊姊。「那個媽媽的夢，夢裡都是血，她說她看到爸爸就全身都流血，在殺鰻魚的池中，被鰻魚纏住了，沒法走，整池都是血，其實那些鰻魚也一直想扭曲逃離但又逃不走，血液也一直汩汩流出到大池中使池水越來越血紅，她說她在夢裡十分驚恐而害怕，卻又深深地感到無奈，因爲那都是報應，她邊生氣邊埋怨地說，但是語氣又是那麼傷心欲絕，你爸爸死前那麼痛，那麼苦，都是因爲這業障的現世報。」

姊姊說：「有啊！那夢媽媽講過好幾次！太可怕了。爸爸在過世前，媽媽就夢見過。後來，在十多年後，媽媽自己過世前又再夢見過。」清明節那天下午從萬里厝骨塔替父母掃墓回來，和我哥和姊去晶華飯店吃晚餐，我們好久沒見了，就一直在敘舊，後來在那一樓大廳天井旁的咖啡座說話到快半夜，那裡很空曠，點的酒、咖啡、甜點都滿好的，像在紐約某一個老派的時髦飯店的氣派，尤其有爵士樂演奏時，幸好也因爲天井太大而音樂太恍惚，像某種庫貝利克式的鬼店那種有暗示性的浪漫與疏離的恐怖，而且我還提到了去世二十年的爸爸變金髮託夢給我的事。但是，過一年了，我發現我在說這件事的樣子完全變焦了。本來還以爲他們大概會喜歡這老派旅館某種鬼鬼又美美的調調的迷離。但是，後來，卻一直回到了那個爸爸全身都是血的夢的現場，雖然這個夢媽媽作過太多遍也說過太多遍了。但是，每次提及，仍然是那麼令人不寒而慄地離奇而殘忍，但是，那多麼像一幕太經典的恐怖的完美地獄圖，電影裡的特殊效果，遠看就像蛇身般的鰻魚成群地好邪門，好可怕又可憐地集結纏繞，無窮無盡地漫游，無辜糾結而等待最後的屠戮。

哥哥說：「其實，鰻魚不是那樣殺的，我們小時候都去過那個養鰻魚的魚塭，養的技術，眞正困難的是如何讓牠們可以一直活著，因爲鰻魚很難養也很容易死，在魚塭中太熱也會死太冷也會死，沒有一直用幫浦打空氣進水裡也會死，甚至好不容易養大了還要打空氣在塑膠袋裡地空運到日本，在日本才能賣，那眞的太辛苦了！」姊姊說：「媽媽是因爲太虔誠地拜拜，怕殺生，再怎麼說，這些鰻魚也是因爲爸爸而死的。」

我突然想起來，當年爸爸的生意中，有一整個廠，是在養鰻魚，那是在彰化去鹿港的路上，那回他帶我去，只是順路，他並不刻意要我了解，那是他的產業，是他的王國的版圖其中一塊較遠的地緣的邊緣。那裡，我只記得開車要開好一陣子，經過好多一望無際的田、平原，經過太多越來越荒涼的路。其實那裡，那地方就是整個島的中心，曾經經歷了太多的滄桑，那地還是一個之前慢慢收起來紡織廠的土地，想要轉化，像一個產業轉型過程的實驗場。但是，時間不長，卻竟然成功地繁殖出了那鰻魚苗及其長大的所有可能，土法煉鋼式地冒險，而我那時候還太小，不了解那是什麼意思。不了解這種在臺灣養殖的最好的鰻魚才可以送到日本去，一如阿里山的最好的神木檜木才可以送去做日本的鳥居的那種難得。

我只看到了在稻穗綿延的阡陌之中，那裡，則是唯一出現的一個只有水塘的魚塭，裡頭好多好多的水池，倒映著天空逼近土地的藍，那裡，和一般的池塘不同的，是多了一整排在泥岸土埂走道旁打水的幫浦小型機械，像工業革命初期的機關，像參道兩側的小型神獸，有種奇特的神祕，那麼小的我並不清楚那是什麼，只覺得好美，所打起的水花漣漪，一如煙火，一如水晶簇花，也好美，在那一整個嘉南平原綠得有點灰撲撲的漫長地景的無限延伸中，荒涼而炎熱，某種臺灣田地的野與土的外衣之上，好像鑲上朵朵閃亮極了碎鑽的珠花。那年，我爲了看這些水花反光折射的幻覺，還跌進那鰻魚池過，池不深，但是太可怕了，我始終還沒站直就又跌倒。因爲，那些鰻魚游向我又游過我的身體的感覺，又滑又膩，眞的好恐怖，眞的像蛇，我沒有哭，但是卻眞的嚇壞了，好幾天，都回不了神。

那模樣大概就像媽媽的夢裡的恐慌，即使沒有血，因爲鰻魚不會咬人。而且，所有的大人都在笑。只有我父親沒有笑，他看著我，只說：「別慌，自己爬上來。」那是我去過鰻魚池的一次，意外的一次也是唯一的一次。之後，就沒再去過。後來父親就生病了，而他去世後，那鰻魚塭也被用很低的價估走了，只剩下了母親夢裡的那一池血紅色的鰻魚池而把死後的父親困在裡頭。

但是，哥哥姊姊說，他們都不記得我曾跌落的那一回了，也只是笑。我爲了要暖場，讓我們不要困在媽媽的夢裡的餘緒的哀傷。所以，更後來，我還跟他們說起，幾年前的有一回，我去日本，被一個東京的朋友招待去一家在新宿的極著名鰻魚料理老店，看著眞正的最講究的日本師傅如何料理鰻魚，我永遠不會忘記那整個緩慢如儀式的殺鰻魚的演出。

一開始走入了那不起眼的老式木門，撥開又沉又大的暖簾，那穿著非常老派正統日式服裝的老人，站到我們的櫃檯前，先鞠了一個很深的躬，再慢慢地用一種形貌很怪的老式小魚網從旁邊的小池中撈出一條鰻魚，之後，徒手很穩但卻又很技巧地把又長又滑的鰻魚身抓好，將其放於一個原木砧板塊上頭，之後出奇地，竟然從很深的木抽屜裡，取出一根古式手工鑄鐵的長釘，黝黑的釘身還有雕刻其老店店名的書法字樣，十分傳神，就像一種古代武士或忍者的老兵器，講究深沉得近乎神祕，就在我深深地屏息在注意其熟練如煉丹或作法的手勢搬弄以爲還有更多過場動作的極緩慢演出時。但是，那老人卻竟然在一瞬間就出手了，還看不清楚他的指法如何撥動按扭那怪異鰻魚的不規則頭形時，那古長釘就已然在迅雷不及掩耳的一剎那釘下了那鰻魚頭，而且，那麼地活生生而殘酷，但是又如此地精純完美，那鰻魚曲長的魚身還在那裡扭彎顫抖，近乎悲傷地最後掙扎，就在那像一個祭壇的原木切成的老木砧板塊上頭，非常非常地動人。

那老人在那時候已然更優雅地氣定神閒，拿起握柄纏布的極講究老長刀，緩緩出手，用非常利的刃口劃開其長腹身，只有一刀，就收刀了，甚至，看不太到血。接下來，他又鞠了一個同樣深的躬，就退身而離開了。

後頭則是另一個也頭髮斑白的中年助手上來接下去處理鰻魚身，一樣地老練從其狹長的體腔中，打開，剝離出那少許的臟器胃腸，之後再將兩面撫平的長魚身，放於炭味極古樸極香的炭火烤的老式鐵網上，烤了一會兒，顏色已有一點點變深。就用一柄比例形貌也很不尋常的長毛刷，蘸了一點點顏色極淺極淡的魚油，刷修長的魚皮魚肉，完全不用味道濃稠會蓋掉原味的深色醬料，之後，只撒上了一點點北海道極稀有的鹽就完成了。

他們還準備了一只有匠師署名的長形古瓷盤上，端給在欄檯前看得如癡如狂的我們，整個殺鰻魚的流程完全不會感覺殘忍，像花道或茶道那種拘謹而恭敬地演出，但是又那麼的炫目，流暢而優雅竟然就像一種幻術。

姊說：「我以前有聽過父親在開始養鰻魚之前，曾經說過他去日本被招待去吃鰻魚料理的事。」「但，他總是輕描淡寫地帶過。」哥說，他總是這樣，什麼都沒說。所以，我們對他幾乎都不曉得。父親擁有過的，經歷過的，擔心過的，失去過的，想留而留不住的那一切。

在那本來就很空曠的旅館天井中，人已然很少了，午夜過後，就變得更空曠，我笑著跟哥哥姊姊說：「如果還是做殺鰻魚業障的噩夢，我想我會比爸爸好很多，我以後會夢見我是被利刃劃開胸腹，掏空五腑六臟。剎那秒殺，甚至看不到血。」

四

夢中，被一群凶狠的弓箭手所包圍，我還是一個小孩。在一個蚊帳中，拉開慘白的網布幕，看到森林中的一大群已然張弓箭在弦上的古代武士群圍繞地箭對著我，而我剛睡醒睜開眼睛。一路上都很趕，忘記帶的雨衣和傘骨有點故障的雨傘，大雨的日子在趕路，但還是回去找，在木製的廊側座椅旁的欄杆。找到了，但不知爲何，我不想拿。像是看到一個逃亡中的小孩和他父親，我在裡頭，但一直無法專心，去面對並接受這種慘烈的追殺，就像看到用英文發音的一部功夫電影，一個仇家追殺的過程，本來是極恐慌而緊張的，但是，卻也出現好幾種版本的演出，有些部分是英文的，就變得怪怪的，不像眞的入戲，甚至有的還是鬧劇的版本，還有笑鬧的橋段，戲弄對方的落單的弓箭手，一一擊破卻可笑極了。就仍在被追殺的路上，還是一路跑，卻一路流血還一路笑。我在夢中，一直分心，無法描述這一場逃亡，或許只是放逐。但是，在夢中，太驕傲的我對父親說，這卻是我這一生第一次完全不知道要做什麼，或去哪裡。他並沒有回答我，只是聽我說。承認迷路了或失敗了，至少可以開始回去找出發的時候沒問的比較深的問題。雖然補償已然無法挽回的傷害，但只要找到對的逃離的路或躲得開，找到方法藏匿，或許至少是個重新的可能開始。後來，竟然回到一個老家後院的花園，我睡不著的時候常來這裡。

也老會在某些這種睡不著的時候想到我父親，一如那電影《間諜遊戲》。看過幾回了但每回都會一直看下去，情節不太出人意表，只是一個老CIA帶一個年輕CIA入行到出問題的故事，從越戰到柏林到中東到中國出任務的種種波折。奇怪的是，我一向喜歡的演年輕CIA的布萊德彼特在這片中因良知而常有內心衝突而很搶戲，但並不那麼吸引我，反而是演老CIA的勞勃瑞福這個我從來不喜歡也不覺得他帥過的傢伙，在這片裡頭的某些不太刻意的樸素而低調的沉著，卻使他反而特別迷人了起來。或許，也因爲他在這片裡多好多皺紋，下巴也拉寬很多，笑起來很淺，老有意無意地皺眉頭，沒人知道他在想什麼，老是有心事，卻看起來若無其事，而因此，更顯得有些不太經心就自然浮現的深沉感的動人。而且，在某些時候，某幾個角度看起來，竟然頗爲像我父親。這無關明星的角色或演技或就是長相的好看迷人，而卻只是讓我想起我父親，他的臉、他的長相、他的走路和說話、他的某些較不容易被描述的氣味的像。主要是某些謹愼而近乎狡猾，世故又仍守著某種不捨的不忍心，聰明犯規玩弄別人卻也知道溫暖和懷舊。某些開保時捷911跑車，住典雅的老房子，穿剪裁細緻的西裝，收藏皮製銀質老酒瓶，絕不喝十二年以下威士忌。在那種種情報員出入戰區或華府機關的混亂中，依舊老練優雅的品味講究。而且，又因他出演一個退休當天的變卦中把戰爭當遊戲、CIA當玩物式故事的詭詐，卻從頭到尾從容，微笑，脫逃，逍遙法外。對人練達卻不屑，對體制熟稔卻玩弄，對世界冷漠卻不滿，對活著的殘酷洞悉卻不苟同，但也不想辯護或改變什麼，這使他的世故更生動。

他太清楚了，太知道自己的行與不行，太知道他所活著的這世界這個時代的行與不行，不再（像太年輕的CIA或像我）談一些太過迂遠的理想，太過麻煩的抱負。這完全符合我對父親的種種既世故又從容的想像。像史恩康納萊、安東尼霍普金斯、克林伊斯威特、艾爾帕西諾，那種年紀大了更迷人或才開始眞正迷人的氣味。在臺灣的過去，我長大的過程裡，很少出現這種男人越老越世故才會有的迷人。在過去，從細漢仔到漂撇男子漢到歐吉桑到老阿公，是充滿很台很俗地沒有發亮就衰老的落拓，查甫人過了四十就剩一隻嘴那種可笑的悲哀，或不是《港都夜雨》就是《多桑》式的愁苦，使得男人往往就只能變成廖添丁或《悲情城市》陳松勇式的壯烈或李天祿那種康丁或《海角七號》茂伯式的莞爾。那是一個戒嚴加貧窮的時代至今尚未曾開始，使男人老了仍然可以從容可以優雅可以世故的令人不忍。

那年過年，經過國父紀念館時，出現了那些很俗很大的花燈，但因爲陽光很好，各色燈景在白天還是折射出一些妖氣式的幻覺，一如老馬戲團遊樂園或大型古廟在廟埕撐起傳統燈會高台的氣味，也因此想到小時候跟父母親去鄉下元宵節看到的花燈。總覺得有點歡樂也有點古怪，有點華麗又有點陰森。但，在這種花燈的華麗又陰森的氣息中，我反而想到過年那幾天看到《滿城盡帶黃金甲》、《阿波卡獵逃》那些也提及節慶的妖氣式的幻覺感，但卻又在慶典的歡樂又古怪裡深入老時代老文明的更巨大更內在也更荒謬的恐怖。而且，還都是和父子有關，甚至就和那種後來不得不殺全家式的恐怖有關，好像滅種或滅族或歷史殺戮的慘烈，必須由家人自殘或互殘或被殘，才看得到或才比較感覺得到那更糾纏的殘酷。但，這裡面，父親也都變得更糾纏的複雜。

其實，在經過國父紀念館時，我後來就分心了，那個載我的計程車司機在聊元宵怎麼過，他說到這幾年都會帶老婆小孩去平溪放天燈，兒子很喜歡，因爲天燈越做越大，在上面大家可以寫字，主要是祈福。從闔家平安，金榜題名，趕快賺錢到甚至，去年還看到旁邊有年輕女孩畫一個正方形上面一道弧線，而用歪歪扭扭的字寫著「LV包滾滾來」。有的燈大到像一台車那麼大，聽說呂秀蓮還在當副總統時去放過的。還有各種變化的燈，很多人都趕在元宵去，一起在一個國小聚集，寫完密密麻麻的願望，然後一個一個放，放到整個天空都是，「以前放天燈是爲了『驅魔』，比較陰一點！」他說得有一點不好意思，但笑了起來，「但現在比較歡樂，因爲沒有『魔』了。」

或許，看我聽得入迷，他想再多唬我一些，所以又接著說，另一個老時代過年花樣的故事：當兵的時候，在金門，他們組了一個獅隊和阿兵哥朋友們去商店耍賴，可以要到不少錢，但卻因爲沒聽人家勸，要去廟裡先拜拜，後來就出事了，主要是，有人回部隊晚上還繼續玩得太凶，喝得太多，在海防班哨站衛兵時睡昏了，醒來才發現耳朵被大陸蛙人割走了，一直流血，卻不敢講。「輔導長回來把他狠狠罵完，幸好他人不錯，還是包了一個紅包給阿兵哥壓驚。」

而我卻因此想到父親在我小時候那次元宵節帶我去看花燈時所提到另一件過年的事：「我當兵時，留守過年的指揮官叫一個新兵殺他養了好久的營區裡的狗，爲了煮狗肉火鍋給大家圍爐，但他一邊捨不得而難過，一邊卻很害怕而不敢，搞到後來他雖然動了刀，卻殺了好久，弄得一身血，還一直哭。」

父親說到這裡，心情變得有點糾纏的複雜，他嘆了一口氣，接著說：「更後來，還不到元宵，那新兵就生了場大病，發高燒，跟照顧他的鄰兵說，每天晚上都還聽得到那死掉的狗在吠，從綁牠的樹那邊傳來。」

五

小學二年級我家搬到臺北那兩年，有些週末我爸會開他那一台賓士，載我們回彰化看祖母，四小時的公路上，總會停在新竹城隍廟吃東西，再上路。但通常我都一路睡，到了才被搖醒。電話裡，哥說：「你那時就跟我家二兒子現在一樣，一上車，很容易就睡著，到了，還叫不醒，醒了還會鬧。」哥還說：「當年，我們三個坐後面，媽坐前面，說她要陪爸爸一直說話，怕他開車開太久會想睡。」其實，父親怎麼可能會睡著，我也是很久以後才聽說，我們搬到臺北那兩年，他被公司派遣每個禮拜要多次來回開車去蘇澳港，看木材下船，那段路，正是九彎十八拐的北宜公路。

因此，對父親而言，開過、看過太多，甚至到三十多年後的現在仍然是，那些白天往來北宜之間趕路的貨車或野雞車司機習慣會撒的冥紙、路旁仍然還有很多的汽機車零件散落，晚上傳說會覺得隨時會被開門進來、會覺得背後會被人隨時搭肩問路，會有白衣小姐攔車然後給冥幣的路的險惡、恐怖。

回彰化的路，是太尋常太容易了。但變得不一樣了的新竹好像有些什麼消失了，本來新竹城隍廟是另外一段老時光的「空港」般的夢幻。但對那時候的我而言，卻像進入《神隱少女》的幻覺般的廟會中的迷離，老式《龍門客棧》或新式《星際大戰》太空船落腳加燃料兼打尖的野店，或說，就眞的像現在「空港」裡那轉機免稅店雖然前不著村後不著店卻依然那般夢幻的不明地帶。或說，有著更像《倩女幽魂》聊齋式故事中老鎮的老市集，在那裡，人鬼都很多（人才看得到鬼）的「穴口」裡那種很熱鬧但很陰森，有著既歡樂又陌生，既尋常又奇幻的氣味。但我一點都不記得吃了什麼，去了哪裡，連廟都沒什麼印象。姊說：「我記得，當年，父親都會帶我們去一個圓環邊吃米粉湯，那裡，現在和以前都不一樣了！」「應該是在那附近，城隍廟旁邊，有一塊空地，那攤，就面對『新復珍』那老餅店，在左邊，椅子很小，桌子很矮。」

「天啊！」我說：「那不正就是現在做成一隻很俗很大的『龍鯉』雕像那裡。」就在傳說的所在那個「鯉魚穴口」中！至今，人們仍擠在廟前「鯉魚穴口」旁的密集熱絡的攤子裡，大吃大喝，那些熱到冒煙的一鍋鍋一盤盤的，既尋常又奇幻氣味的可能吃完就變豬了的什麼。但我總是因爲沒睡飽，而恍神，匆匆吃完又上車繼續睡。對了，新竹，我在高鐵回程想到這些昔日的恍然，昔日已然彷彿前世了，這裡一如另一種「穴口」，可以走進我一直沒睡飽也沒醒的夢深處的恍然。就這樣，過了三十多年了。

一如那個夢，時間和故事都壓縮到了某種令人不安而難耐的太過仔細，一如所有出場的人都可能是超討人厭的，或本來討人喜歡的也慢慢地變得令人討厭。尤其是家人，全家族的人，從小到老地一一出場，但是又不想謝場，那怎麼辦？

一如我老是在想的我的一生可不可能重來一次。躲起來，消失，用別種身分，別種人的別種人生重新開始，那是一種渴望，太過期望而必然會失望的渴望。一如這一場夢，我所扮演的是誰我始終不曉得，應該不是我，但是卻也可能是我。

夢中，我們在陳舊但巨大極了的長壽街末端的那個老工廠前等待，那早已是一個荒涼的地方，門口進來後長滿雜草的太空蕩的破舊房屋前方有著廢棄太久到近乎許久沒有人來過，雨漬的入侵到混凝土地裂縫都長出不小灌木叢的枝繁葉茂，但是仍然可以發現這一整個操場般的已乏人問津的空地還有快看不見的斑駁模糊的停車線慘白油漆線的遺跡。

而且就在暴熱的熱天午後，空氣悶悶不樂地悶燒在那空曠空地的陰天，快下雨但又一直沒下雨的那種抑鬱。

不知爲何，我們全家人就在那燥熱不堪的空地上等人，等了好久，但不知道在等誰，越來越不耐煩而全身冒汗到濕透的我擔心我會忍不住說出什麼，彷彿是衝動的咒罵，但只有我知道自己是一個某種失控狀態中可以預知未來的人，但我極小心不要暴露這種神通，而只是安於扮演一個無人知曉的先知。

那時候，等了太久的我們所有人竟然還是坐在一個廢棄到上頭都是霉點和汗漬的破舊床墊上等候。我發現，我以爲是我家的這個家裡還有另外二個兄弟，都是肌肉男般的惡棍，某種長大過程硬練過身體也老出過事的男孩，後來家裡出事鬧翻了，就再也沒見過的尷尬，有一個變成是野戰部隊中海陸兩棲的水鬼。我們來探望的這地方，好像就是他們的某個等級最高祕密訓練的隱藏基地，爲了來參加一個他們的某個什麼結業典禮。

但是另一個兄弟竟然是重案組的刑警，還眞的穿警察制服騎重機來這裡出現，太像某種無謂的青少年較勁，即使他們是眞的軍方和警方，但是用這種制服扮裝的行頭來扮演他們的叛逆，還是顯得那麼做作而膚淺地矯情。可是，所有的狀態那麼地燥熱難耐，家人難得相聚的氣息仍然是也在場的四姑和姊姊在乎的。所以，即使我完全不認同他們卻仍然還是不敢提及我的不屑或嘲弄，怕他們修理我，也怕我自己失控。

後來，終於人到齊了，大家討論起典禮結束後要一起回去掃墓，但是，要找路上八卦山還是很難，而且不知為何那一帶好像只有我熟，大家都一直在看著我做最後的決定，交代如何安排上路的細節。

我一直沒法子專心地想事情，因為我心中一直覺得有種快出事了的預感，只要上八卦山就一定會發生不測，去掃墓的路上有太多埋伏了，這令我太忐忑不安但是又說不出不去掃墓，也說不出不能去的原因，幸好，有一個彷彿是我們父親的奇怪時髦老男人，但是，我心中始終覺得他不是。

因為我還記得在前一晚的家裡父親生病，我問他好一點了嗎？他還提到他身體那麼地不舒服，而且因為不明原因的虛弱而暈眩，異常的肌肉絞痛而近乎全身衰竭，那是在睡前，家裡的人都在，就在那長壽街的小時候燈光很暗淡也很混濁的狹窄老房間裡，那時候已然是大人的我還很小心而窩心地安慰父親，還解釋他的病情給他聽，所有的狀態都不用擔心，我們會照顧他的所有困難，又拖延了更久的勸說之後，雖然仍然身體充滿劇痛的他已然不太想聽我們的慰藉，但是也沒反對或反駁。後來，他不說病情了只說想要一個人出去散散心走走，就憂愁地離開了而且整晚都沒再回來。

現在的這個老男人長得像父親，但是應該不是父親，因為他太輕浮也太誇張了，他穿著父親絕不可能穿的全身雪白三件式西裝但是卻汗流浹背到衣服都泛黃變形邋裡邋遢，而且一直在撥弄他那誇裡誇張抹髮油的老氣髮型，就攤坐在破床墊的一角，不理其他人地自己吃吃喝喝，一手拿米酒猛喝，但另一手上還拿一個便當裡幾個已然有點餿了發酸臭的鮭魚握壽司邊吃邊掉飯粒。而且，一直胡鬧一直發酒瘋地吵說他不去，太熱了也太遠了，他快中暑了！

後來我們只好先走進那舊工廠裡頭，但是，破舊工業建築的門洞一走進去，竟然完全不一樣了，竟然變成完全另一種光景，那是全然講究的另外一個日本式的龐大古典洋樓老建築，我心裡一震，這裡不就是當年傳說中的寶島大旅社嗎？

我們想辦法走到了旅社那雕刻栩栩如生巨蛇雕的木製古門口，卻還是進不去，那門洞被安裝了極繁複的機關，彷彿是一種極高科技的薄膜或防護罩，或說，就是只能隔著極大落地玻璃窗的半透明半反光的窗面光影往內看進去，那寶島大旅社更裡頭是用考究的巨大神木般的老檜木所打造的古代傳統神社般的老斜屋頂木造房式的和風建築裝潢。

後來才發現，事情彷彿更複雜了，那裡是一個極大的備受矚目的場子。甚至，我們的旁邊還有很多人也正在往前頭排隊，彷彿要去參加那個典禮或看裡頭的什麼奇怪的儀式表演，所以我們也只好跟著人群還在那裡等候。

後來有幾個穿和服的日本女內將來招呼我們，帶我們跟另外的裡頭人員碰面，討論所有的細節，並且在擔心如何安排更講究點的典禮狀態，我們在路上看到許許多多的穿各種日本制服的軍官和教練和更多穿某種生化實驗服的人員，有人還提到他們在裡頭要找什麼地方做什麼實驗的專業術語。但是，越走越慌，完全不知道這是什麼鬼地方，或會發生什麼事。

更後來，我們進去了之後，被帶往某一條越走越深的長廊，離人群越來越遠，甚至，就越走越古怪陰沉，更後來我們幾個家人就被放到全棟龐大古木造房最盡頭的那一個最死角的極老式的和室。

但是，那裡彷彿正在進行一種古怪的實驗般精密講究。不知道怎麼回事，就是混亂極了，燈火忽明忽暗之後，我們都慌慌張張了起來，不知如何是好，也不知道還會發生什麼，又燈亮的時候，才知道出事了，但是，整個太失控的場面卻怪異到又像意外，因爲我和所有家人都在榻榻米上，父親和四姑還坐在角落，不知爲何，我們兄弟三個人卻站在老檜木梁柱下，因爲某種不明的震盪，古斜屋頂竟然掉落了一隻極長又極粗的白蟒蛇，雖然我們兄弟中有一個重裝刑警，一個肌肉賁張水鬼，但是他們從來也沒遇到過這種荒唐的狀態，在那黝暗光影的和室裡，出奇地沉浸在蛇信吐出的窣窣低音和蛇身某種特殊具威脅性的腥味，這使我們幾個人還是不知所措地難以應變，而面面相覷地看向彼此，但還是不知如何是好地瞠視著現場的混亂，幾個人仍然是很恐懼地近乎慌張，那巨蟒就這樣無聲無息地摔落在我們身上，在手忙腳亂之中，幾個人的手上還正恐慌地緊抓住蠕動近乎吃驚抽搐的牠，有人抓蛇頭，而蛇身也就邊扭動纏繞地一如疾風般地晃動，完全失控地翻騰掃蕩，而且那蛇還正猙獰地對我們張口露出毒牙。其實，我們都不會抓，也不可能會抓，從來沒遇過這種怪事的我們兄弟，雖然是三個看來孔武有力的壯漢還是抓不好。

甚至，我們都不知道我們爲什麼會在這裡陷入這種那麼危險又那麼古怪的狀態，還完全無助地亂來，最後，還就彼此都快吵起來了。

在那古老和室的現場只有後來開紙門進來的姊姊是從容的，遇到這種怪物出沒的怪場子，卻一點也不緊張，她還一邊唱起那首開心極了的桃太郎日本兒歌，一邊不慌不忙地安慰我們很快就好了，不用擔心也不會出事，還緩緩地教我們怎麼用力怎麼握緊抓牢又黏又濕的蛇身，甚至，她還拿出某種高科技生化儀器般的玻璃金屬試管，上頭有許多我看不懂的字母和數字的儀表指數標示，她很純熟地用那試管尖頭去接蛇頭蛇牙上的毒液，然後又用另一端的玻璃口去接蛇身尾端的某個幾乎肉眼看不見的排洩器官口的尿液，就這樣，她拉開了那蛇身小肉洞還一邊繼續吹口哨地像哄騙小孩小便般地噓噓地接住那一滴一滴的蛇的尿液或我也看不懂的某種體液。

整個過程都太離奇了，我姊怎麼知道如何和蛇身蛇牙周旋，甚至如何在這種地方用滴管收蛇液，更奇怪的是，她竟然那麼自然而然地熟練，彷彿已然在這個實驗室太久而太不意外了，但是，爲什麼我們都不知道。

甚至，在那所有的過程都結束之後，我才發現姊姊在那麼緊張地與巨蟒白蛇搏鬥取體液的時候，竟然是穿著一整套極美又極正式的普魯士藍雲彩花紋的和服，四姑還在旁邊幫她打理所有衣著髮型和臉上無懈可擊濃妝的細節。我心想，姊姊怎麼那麼像當年去日本私奔的姑婆顏麗子，還像穿全身講究西陣織和服的她當年一樣地那麼美得令人不安。

但是穿著全身雪白三件式西裝但是卻汗流浹背到衣服都泛黃變形邋裡邋遢的父親卻完全不在乎那麼艱難的廝殺，仍然在一直胡鬧一直發酒瘋地吵說他要吃那巨蟒的蛇鞭來下酒。

六

伯父正專注地在看一具屍體。我進病房時，他躺在床上，一動也不動，正專注地在看《CSI犯罪現場》，螢幕上出現同樣專注的男女主角和其他辦案人員，他們其實是緊張，想找尋線索，但卻是從被支解得難以辨識的枯骨、屍塊、腸道、腹腔、殘骸的血肉模糊，找尋強行植入體內的鈍器，彈道比對，凶器傷害的痕跡。或許，就是只能從血衣、遺物、現場、種種離奇與混亂中拼湊一些跡象，一些猜測，一些推理，一些世故到近乎狡猾的判斷案情的可能，來提醒凶手的殘酷。或說，CSI的他們，在我還沒趕到現場前，就也只是陪著伯父，一起專注地在看那一具屍體。

其實，我也是從天黑後才從臺北出發。前往臺中榮總去看伯父途中，坐高鐵轉車換車趕路趕了好久。但我擔心搭錯車、趕不上對的班次、沒法買到可以當禮物的水果盒，或甚至醫院關了、探病時間過了，就更緊張。最後，找到的時候，已然很晚了。因爲等著要在醫院負責下半夜看護的堂弟還沒到，我在醫院一樓的咖啡廳坐了一下子，抽菸抽了好久。之後，才發現我好緊張。

因爲好久沒有回來看伯父，也好久沒回故鄉老家。甚至，我還由於出國一個月，拖了這麼久才來看他。而伯父的癌症還是這麼大的手術。但，更重要的是，伯父讓我想起他親弟弟的我父親，那已去世二十年的父親。因爲，探病又必須回去小心翼翼地面對的一切的不得不，他們那一輩的男人所認爲應該是的「人生」的模樣，及其背後所被賦予理所當然的沉重，那是我的「人生」曾想逃離而始終沒有逃成的一切。伯父同樣是清醒，但聲音卻還虛弱。我看著他削瘦了好多的臉頰，已然全白的頭髮，眼神疲憊卻仍然有力，我突然又想到我父親。

我記得後來這幾年回老家探望伯父時，晚年的但還沒生病的他也常很入神，在看各種口味極重的電視頻道，從日本恐怖片、推理劇場到夜半的摔角，螢幕上所出現同樣專注的主角們，有惡鬼幽魂的冤死，有慘案滅屍的殘虐，有必殺技式的纏鬥，伯父正偷渡自己進入那些往往更離奇與更混亂的角色扮演式「人生」可能的殘酷。

但，我想，這是好的。他或許只能在這些比CSI更多更迷幻更怪異的殘酷現場，找尋到他的「人生」暫時的逃離。從這種種離奇與混亂中拼湊故事的可能殘酷，暫時逃離他自己所心甘情願付出「人生」一切的辛苦的不得不。

雖然，在小時候的大家族裡，我印象中一起住在老家的伯父一直是慈祥、客氣、顧家的，而且一輩子爲家人勤勉工作到近乎完全沒有自己的「人生」，卻始終毫無怨言，一如父親。

堂弟的手機拍了伯父開刀剛出手術房來的狀況，很誇張，傷口是U字型，很長很深，每道縫線長到二十幾公分，因爲切掉了整個癌細胞蔓延而敗壞而扭曲的十二指腸，甚至和前面的膽，後面的肝也已感染的某些部分。在手機螢幕上，還看得到那切除取出器官切片一如《CSI犯罪現場》那種刻意營造畫面的血淋淋。「其實，還有另外兩個部分也很嚴重，」堂弟嘆了一口氣，說：「他的心臟的瓣膜閉合不全，和背部脊椎長的那一個腫瘤，本來都不一定撐得過這個大手術的。其實，還好都沒什麼併發症狀！」他露出了擔心的眼神。本來，是很小心，不想跟伯父講的，但住院觀察的第二天，我們還沒交代好，外科醫生進來，就說：「不開大概只能拖個三、四個月。」

堂弟他們當時正很驚嚇而不知如何是好，卻沒想到痛了很久的伯父反而沒有太多顧慮。「那就開！」他直接說。那時，他其實非常虛弱，但也非常清醒。這使我想到我父親去世之前那近乎一年躺在醫院病房的模樣，及他面對自己即將來臨的死亡的那種狀態的勇敢。

堂弟來的時候，臉上有傷，就是腫腫的，而且一眼還包著滿滿的紗布，我問他，還好嗎？他只是輕描淡寫的說：「做東西，弄到鐵砂，會痛！」我沒再追問。他其實變很多，變疲憊了，變成熟了，變胖了，變得甚至有肚子，我發現但我沒有說，我們卻已經是中年人了。我想伯父和爸的關係，也是一如我和堂弟如此，甚至我也好久沒想起這些。奇怪的是我才大他三歲，卻仍還記得他剛出生時的樣子，全身沒穿衣服被抱出來，我和大人們去醫院看剛生小孩的伯母，竟看到他，正在哭，伯父很高興……全家都很高興。那時我還很小很小，但我竟還記得。「過蛇年我用電鋸切開的保麗龍很大塊，做很大的玩具蛇要做很久，」他說：「我兒子和他的朋友們來玩，看到都很高興。」「傷大概就是做蛇時弄的吧！」我心裡這樣想。也才眞正地感覺到，他已經變成是父親了……我離開醫院時，我堂弟說：「你伯父對來探病的我們這群堂表兄弟最後的交代就都是一樣：沒娶的就說要趕快娶，娶的沒生的就說要趕快生，已經有生的就說趕快再生一個。」他故意說的很好笑，「他們老了，就是想不開！」其實，我心裡聽了是很沉重的。「不要太挑，娶一個乖乖的就好！」我記得伯父在病床上臨睡前跟我講的最後一句就是如此……

在趕車回臺北的路上，哥打電話來問，我說了病情，他嘆了一口氣，說：「很糟，看伯父和父親那一整代的人的那種狀況。」他說：「你有沒有看出我們顏家的男的有的一種Pattern。」一時之間，我所想到的，卻是當年哥教我初中參考書裡背英文五百句型的「型」Pattern那個字……但，我沒有跟他說。「生一樣的病，想不開一樣的事。」之後的我才突然想到「Pattern」這個字，也是指一種人生逃不掉的「型」，也想到他說的是我們這家族那種因爲人生老想不開而老是沉重而不可能「長壽」的「Pattern」。尤其是男的。祖父太操勞而過世時，才六十歲，父親更操勞而過世時，竟才五十歲。使四十歲那年很忙很累很常生病時的我都會不自主閃過這種被家族身世影響的陰影：「會不會我活不過四十？」現在的我依然很忙很累。從醫院出來，也正要離開，已經很晚了。在車站人群裡聽到哥這麼說，也只能楞在那裡，什麼都說不出來，也接不上話，只能勉強支吾一下，說我們回臺北再約時間吃個飯細談，心裡卻是想哥他怎麼急得在電話裡就這樣講話這樣沉重……好好關心……好想不開到突然好沉重啊！一如父親。使我很難再想起在那操場，被媽教會剛騎腳踏車的感覺。好「輕」，像「飛」一般的……

最後，那長得最像我父親的伯父，嘆了一口氣說：「人的命還是很難說，有的活活死，有的死死活。」

我心裡仍然不知如何面對這種種意外的死去活來。一如所有的老的人地事物都用一種歪斜的方式的熱烈……重新找回來……重新想召喚回些什麼……一如，所有八卦山下的老店老小吃都換人做了又不願意說，所有我們老家的家人都老了病了又不願意承認……一如那最老牌彰化肉圓老店的招牌都有《那些年，我們一起追的女孩》的愚蠢庸俗劇照少男們的等身高大型輸出看板，來背書某種更新版的懷舊的更愚蠢庸俗。

一如，或許我也已然變成了一個等待死去活來的失憶老人，用很台很土也很不道地的法子……來吃老小吃，來舔舔童年的傷口。爲了重回一個泛黃而崩塌中的死去活來的老地方那種現場感。

我也不太知道這種現場感爲何越來越單薄，即使我不願意承認，不過我只能在那神明廳裡更專注地看著伯父，看著他的臉的皺紋的爬滿，老人斑在魚尾紋和眼袋下方漫布，蒼白的頭髮的單薄，微弱但清晰的笑，說話的緩慢但犀利，甚至是眼神還是那麼世故地太過清醒。

好像什麼事他都看得穿，看得透……那種那時代老男人的太難逃離的對人生的理解與執念。終其一生地辛勤打拚、念舊、顧家。太好而太沉的付出，對所有生命調度的精密拿捏，小心翼翼。從在日本時代出生，沒念太多書，躲太多空襲，歷經了太多這個家一如這個島的困難與困惑。他們一生都必須忍受或接受身世的沉重，面對那時代那家世的種種幽暗，想法子爲家和家人投入更深的關注與加持，即使是沒有自己，沒有因爲更自我而發生的困擾，沒有面對完全的自己而激發更私更祕密的別種人生的可能。其實，面對我伯父，一如面對我父親……他們始終在有意無意地提醒我這種狀態。許諾。無辜而無私地付出。他們都太爲了這種幽暗而付出了他們的一生。但，那卻是我想逃離的……雖然我始終也沒有成功地逃離過。那天，我和姊姊到了長壽街已經太晚了，我們有點內疚，因爲對八十多歲了的他們而言，通常八九點就睡了，我們不免擔心或許太晚了他們會太累，但是那天卻跟我們說話說到快十點了還一直說……尤其，一說起以前的事，他們卻都很開心，雖然說的是傷心事……卻還是都很激動地眼神發光，像是一種喚回了更奇特的過去的情緒，突然聚焦而溫暖了起來的種種都那麼地栩栩如生，在那麼多年我也在場過的老場景……長出了陰影頹圮的精神迴光返照。伯父說：你父親青商會那群結拜兄弟十幾個也死到剩兩三個。老人要死很快，要小心，至少，要知道怕！什麼都可以就是不能跌倒！老人啊，七十歲跌倒要七個月才會好，六十歲要六個月才會好，我們都八十多了，千萬不能跌倒，不然要八個月甚至一整年。所以剛做八十歲生日的你四姑可以這樣恢復，應該是有菩薩保佑的……才三四個月，算是快的。但是，你二堂伯這回大概過不去了，已經插管昏迷了二禮拜。癌細胞第二次發作，很難過得去，唉！就跟你爸爸一樣……再走進醫院，大概就會是抬出來的了。

唉！姑丈大腸癌第一次開刀堅持要留下最後一截的末端，不做人工肛門。但是，第二年癌細胞就從那末端擴散了。他極痛，又極逞強，一直罵，一直說……我不會死，我欠人家那麼多錢……我不能死。就這樣……我和姊姊在那神明廳裡繼續聽八十多歲的老人們說起所有的病情，互相漏氣求進步般的種種病情……有的走不動，有的聽不見，有的失憶到誰死了誰還活著都記不得了。最後，還講到三十年前我父親死掉的好多事，伯父說：那時候你爸爸身體不行了，背了太多債，錢都是借來的，怎麼辦……家裡當年最悍最操心的二姑一年瘦了十公斤。最後一回我去探病，你爸爸在醫院的病床上還拉著我的手哭得很傷心，說著，事情怎麼會變這樣……伯父說：「我自己的這回大手術中，其實活不太回來了，但是，好奇怪……恍恍惚惚中，看到了遠方，你爸爸有來跟我擔心地招手……又拉著我的手哭得很傷心，還是說著，事情怎麼會變這樣……」但是，奇怪的是他後面還一直有一個模糊人影，在一個像佛龕的暗黑深處，就在最裡頭有一個神像坐著，對他微笑，而且仔細看，竟然是他們當年常去爬山看到的八卦山大佛，黝黑而神祕，但是也很莊嚴而沉著……跟他說：「你四姊，她八十歲以後就不能去爬八卦山了。」伯父說：「那就是這回我回去探病的那跌傷到不能走的剛做完八十歲生日的四姑。」但是。越來身影越亮但也越模糊的大佛最後用一種奇怪的笑意對他說：「不過，你做了很多好事……所以，這回讓你過得去。」

因此，我想了更多了。或說，即使，我提早了我的「人生」，趕回廿年前的我父親的病床邊，或這回提早而從容地趕到榮總現場，也仍然就只能陪著伯父，待在那裡，一動也不動，和電視裡CSI的他們，一起專注地在看一具屍體。但，在某一瞬間的閃神裡，我忽然哀傷地在幻念中，覺得，那屍體可能就是我伯父的。

或是，我父親的。

我好久沒有夢見我父親了。

他最後一次出現在我夢裡的時候，頭髮是染成金色的，很短很時髦那種。像電影《劍魚》裡面約翰屈伏塔的金髮，那種恐怖分子頭子成功詐死而脫逃成功後在片尾出現的那一幕的時髦髮型，站在港邊的豪華遊艇上，穿全身白的昂貴西裝、戴名牌墨鏡，在陽光中露出從容的微笑，等著漂亮性感的女主角荷莉貝瑞把一整箱的現金從銀行裡開心地帶出來給他，而且，成功地逍遙法外。

因爲，所有的追殺的人都以爲他們已經死了。我父親在那個夢裡也是穿著全身白的西裝，而且露出從容的微笑。這個夢，對我而言，是那麼奇怪那麼不可思議。

因爲二十年來，我所多回夢見的父親總是憂愁的，窮苦而寒酸，甚至是躲躲藏藏的。甚至，在夢裡，他總是穿得很破，很潦倒，即使有一回他穿了正式一點的衣服，也只是像業務員式的不合身西裝，而且是舊的。多年來的夢裡一直如此。他回來的時間都很匆促，也急著走，或是，我聽到他的聲音，但沒有看到人，畫面老是停留在彰化的老家，光線很暗，他從某窄小的走廊式門側走來交代一些事，也有點擔心我們，但總是在全家可以更歡樂或更明亮地聚在一起吃多點東西之前就離開了。

其實，我父親已經去世整整二十年了。我甚至也已經好久沒想起他了。其實父親在他活著的人生裡一直是很體面，很講究，在每一個場合都是……尤其在生前最後十年正派的生意人的輝煌時代。他總是打扮得整齊有精神地如此正式而得體，但絕不太過華麗，更不會過火趕流行。那時代是如此保守……甚至還沒有女人會染成金髮，更何況是男人，還是有年紀的男人。

「你終於原諒你父親了！」有一回很晚時她聽完我說的這個夢對我這麼說。

「你不是說你父親當年去世留下了巨大的債務，讓你和你家的後來完全不一樣了！」我楞了好一下，也來不及解釋，或說多些什麼。

「你本來是個王子的，至少是個少爺的。」她說。

「你憎恨你父親，因爲他把家弄垮了！即使他是傳奇式地白手起家，也曾經把家撐到那麼輝煌過，但最後畢竟垮了。」

「而且……」她說：「你的後來因爲家垮了，這二十年，你和家人從故鄉離開，過著貧乏而被家族瞧不起的日子，甚至，還發生更多的流離困頓的事。」

「或許，夢中的心情不同了。」我說：「我寧願他在廿年前的去世是場騙局，寧願他和《劍魚》裡的頭子一樣是假死潛逃，變成一個金髮的歹徒、痞子或惡棍，但卻在另一個人生過得很好。」

「或說，你覺得現在的自己已經不再像過去那麼害怕，不再覺得你父親生意的失敗拖累了你或你的全家……」她說：「所以，他現在你的夢裡，變成了另一種面貌。不再是那個潦倒的、逃走的模樣。」

「但，終究是被遺棄了。」我心裡不得不因此面對了內心的這種情緒。所以，發現自己似乎從來也沒有在內心中承認過自己是責怪父親的失敗。而且，甚至就這樣，在一種沒辦法承認自己被遺棄的悔恨和沒辦法重新取代父親把家重新輝煌起來的焦慮之間開始擺盪。或就再坦白點，承認自己是少爺，曾經是「被寵壞的少爺」那種方式的成長。

我急著要忘了那些被寵壞的小時候回憶，所以不願意承認。因爲，這樣才比較容易從故鄉或從家族中逃離。在夢裡面，父親總是很瘦、心情不好或有點生病。但他並沒有對我們發脾氣或遷怒，雖然，他總是眉頭深鎖，有心事，也不願意說。

夢裡，我總還是小孩，大概是小學生那時候，我們還住在長壽街那老房子，和伯父、姑姑、伯母住在一起那大家族三代同堂的比較辛苦比較擠的時代。尤其是我們剛從臺北搬回彰化那幾年。其實那幾年是父親輝煌前最辛苦的幾年，在臺北的生意失敗了，向姑姑借來的錢賠光而回到彰化的時候。二十年來，在每回夢見父親的早上醒來，我總有點很深的失落。但也無法明說。一如濃重霧氣中看出的窗景，一如某些老式恐怖片或科幻片的畫面，始終沒有更駭人的鬼怪出現，但卻更陰森而沉重，也一如多年來另幾個我的父親有出現的夢的場景，是在陌生的房子的。總也往往是黑白暗淡的像被廢棄多年的古宅，而且一定在黃昏或在晚上，但卻也是荒涼而空盪的，只開了幾個燈，但有幾個房間總是暗的。

還沒變成金髮的父親在陰森而沉重的走廊中走過去，腳步聲總是很輕，但夢裡的我總是聽得很清楚。

顏麗子是如何把寶島大旅社蓋起來的。首篇。吃大佛。

那個夢……太恐怖了。森山跟顏麗子說：他太擔心了……在寶島大旅社懸吊那佛頭老是出事的那段時日，終於在某個晚上他作了這個恐怖的夢。那夢太龐大又太血腥，但是卻仍浮現著另一種更令人不安的荒誕……像是一隻抹香鯨擱淺於海岸而被屠殺的血流遍野到無法收拾的慘烈，或是在斷氣前勉強自己走向叢林深黑處象群墳場骨骸那麼認命的巨大老象死去仍然要回到其種族承諾的悲傷……森山是那麼的落寞，甚至流露出前所未有的不解與沉痛，對著在旁撫慰傾聽的顏麗子，他說：「或許我們在做會遭天譴的事啊！」森山無奈而緩慢地從頭說起……

在夢裡頭，他還只是一個小孩。而且是全家流離失所於一個打敗仗的逃難狀態。但是，他還小，還不明白什麼是逃難，只是就這樣跟著家人一直走一直走……過了很長的時間，已然快要失去耐心了，但是他還是極度忍耐地跟著走了好久。後來，才明白他們眞的是在逃難。提起大大小小的沉重行李，緊緊跟著人群，不知還要走多久但是仍認命地走著……而且沿路看到太多雷同在逃難的人。有些人走不動了。就躺在路上，甚至就死在路上，好多蒼蠅就在他們的屍體上飛來飛去，有時就停在開始腐爛發臭的傷口上貪婪地吸吮舔食他們的血肉。

森山在夢中看了這種慘狀並不傷心，他也並不會害怕，奇怪的是，他卻只是覺得好餓好餓……就這樣又餓又累地繼續前行了幾天。最後，他們全家終於勉強算是獲救……但卻只是跟著逃難的人潮走到了另一個仍然在敵兵環伺的危城狀態的老城裡，而且，一路全家老小就踉踉蹌蹌地趕路，最後僅僅依著一個恩人的安排，匆匆忙忙地躲進一個危樓裡。那是某個廊道極後端的小房間，甚至那裡還不是房間，而是一個臨時搭起的狹窄極了的閣樓夾層。那裡頭幾乎所有家具陳設都是半毀的，破落的窗台、木櫃、床鋪都殘破不堪，整個房間狼藉得近乎沒有棲身之地。甚至，夾層的木頭牆角被炸過而太殘破了，陽光從窗台照入的光束中仍然看得到木頭灰塵飄浮於光中的微弱粒子。那顯然是一個不得已的臨時的安排，他們就在這一個很不尋常的狀態裡，打尖而睡死過去……一家人很疲憊而害怕，但是至少是已然逃難了一段時日而好不容易找到的落腳的地方的很微薄的開心。所以，即使那是一個角落裡極小極暗的違章建築，他們還是有種莫名的感動……就這樣，趁大人還在忙於安頓時，森山等了一陣子，就忍不住地偷跑出門，他也僅僅只是太餓了，太想找些餬口的食物回家給家人吃。那是一段奇怪而未知的路。他不知道他即將看到什麼或遇到什麼。只是餓壞了，餓慌到心慌，甚至不知道有多久沒吃了。就這樣，爲了找吃的。他往那房門外更尾端的暗黑廊道走進去，發現了更多的鄰居，更多的老街的怪異角落，更多面目模糊但繁忙的人群穿梭其中，就在窄小而擁擠的街頭，還走了好一陣子，才聞到了氣味，他竟發現了某家似乎是極有名的老店。

店裡是那麼地煙霧瀰漫，碗中熱湯揚起異香，好多客人圍坐於窄小店面裡少數幾張破木桌前，雖然人臉和桌面一樣黝黑，但是所有的氣氛是那麼的熱絡，櫃邊有噁心的蟑螂在爬，地下還有肥大的老鼠在跑，但是大家卻仍然不分心地端詳著胖老闆當場下麵的手藝……就看他手拿老菜刀砍出的刀削麵條……這麼地一條一條近乎雲層或雪花般美絕地砍入下麵的大鍋裡，像個跑江湖刀客偶爾客串雜耍的過人絕技。下刀是那麼地渙散又精準，緩慢又迅速……好看得令人目不轉睛。但是，所有的客人仍然是越看越餓的，大家都那麼地專注，一邊在湯碗冒出的濃冽香味前，又一邊大口而大聲地喝著嗆鼻的辣麵湯，但是唯一奇怪的是那一大團的橢圓體刀削麵團，遠遠地打量，怎麼看，就像一截被勉強削下的巨人的還帶血漬的手指。後來才從這一家這裡著稱的老小吃窗口看出去，更發現他們所住的這一帶，其實是一個很落後的老城區，但是看得出來過去曾經風光過，蓋起過好多密密麻麻的高樓，有很大量誇張而炫耀的老式招牌和店鋪，裁縫店、剪刀店、米店、中藥行……但是那立面極爲華麗的雕琢過的大建築都已然很老舊了。

其實，巷道看過去……最驚人的，卻是不遠處斜對面的一個近乎是破敗壞毀的老摩天樓。因爲從地面往上都只剩下殘破的混凝土結構體的梁柱，橫陳於整座數十層樓高的建築底部，也就是近乎挖空七八層的水泥樓板、隔間牆、走廊……而變成了一個龐大而很難描述的廢棄許久的廢墟。或許是一個始終沒有完工的太過困難的工事的老工地……但是，更奇怪的景象卻是在更裡頭，有許許多多草率撐起的竹製鷹架橫過梁柱之間，變成了臨時的走道，還有破爛電線、露出管道、舊金屬纜索、鬆垮的巨型痲繩……混亂地穿梭其間。

就這樣……從電線尾端若干小燈泡亮起的微小但繁密的光影看進去，森山說，他完全不相信自己的眼睛，因爲他看到了一個大佛般的巨人就坐在那裡……就在那細細微微電器纜索的像是叢林深處濃密的攀生蔓藤長出的迷亂之中……竟然出現了一整個巨大到二三十公尺高的人，活生生的人。被太多古怪的粗大線索亂綁而坐困在那裡，他神情索然，甚至像在打坐或昏睡，還是失血過多而昏迷的近乎休克的狀態。

夢裡的他還沒從太深的驚嚇中回神。他甚至還不確定他看到的是不是真的，這個巨人或許只是一個假人，一個爲了某個祭祀而用麵團所做成的巨大人形，犧牲，或是一如牲禮，用麵團做成的牲禮，用來祭神的神豬或牛或羊……但是，他是人啊！而且，更仔細打量，還是眞人。而且，再靠近地端詳，竟然還活著，還沒死去，因爲龐大的胸口竟然還緩緩在呼吸……

但是，更奇怪而更荒誕地殘酷的是，他的身體在每一個部位都好像被挖過，被刮削過，肩膀脖子都有太多的刀砍入骨的傷痕，臉部更慘，像是被毀容般地充斥著一道一道的極深極狠心的疤。血液緩緩從疤縫淌下，有些血漬已然凝結，有些還在流動，從鮮紅的液態慢慢地沉澱成暗黑的殘碎血塊固體……森山往更裡頭看去……光景更爲奇異地殘酷。巨大的他雖然近乎盤坐著的身體末端竟然也沒有被放過。因爲巨大的混凝土廢墟角落還堆滿了那許許多多偌大的手指和腳趾，那麼大的肉身竟然被用斧頭所勉強砍斷，切成歪歪扭扭的一截一截……還在淌血……他好像在呻吟，在低沉地呼救，但是，完全沒有人理會忍受極大痛楚的他……就像一個被破壞的古董石刻巨大鎏金佛像，可以將挖出來的祂的身體的殘破部位當成碎金塊賣到黑市……那種不堪。

可是他只是一個人，而且是還在呼吸的人啊！

在夢裡，森山完全沒有懷疑起怎麼有這麼大的人，也沒有追問這巨人是如何被抓，如何被放入那個危樓的廢墟，如何被綑綁，如何被凌虐而傷害，那龐然的肉身即將如何被殘忍地切割刮挖，甚至，爲什麼他要這麼忍無可忍地忍受，這麼地不抵抗，不哀痛，不呼救。難道他是眞的大佛的化身，刮肉餵鷹般地修煉祂的慈悲，難道，這只是餓昏了的森山的幻覺，他也越來越沒把握了。其實，這個古城，這個危城，在這時候，大家都餓壞了，跟他一樣，大概什麼事都做得出來了。但是，森山還是有點恍恍惚惚地望向那危樓的深處那大佛的人的肉身的最裡頭，仍然發楞地端詳著。簡直無法相信他看到的……他到了這時候，才發現，才想起來，原來剛剛那麵店的麵團……眞的是這大如大佛的人的手指。這個城已然斷糧太久了，所有的人都餓昏了。他們最後竟然餓到開始吃人了。

甚至，就開始吃大佛……

森山說，他始終凝視那肉身大佛的越來越虛弱，凝視那祂所在的廢墟的更加壞毀，凝視整個危城的種種龐大建築物只剩混凝土骨架，種種屋身、鐵皮、鋼筋，都已炸成殘破的波浪狀地全然摧毀，雖然，他仍然沒有看到這城市被轟炸的現狀……只是一直聽到轟炸機飛過的沉重低音的震耳欲聾中……凝視著整個人和城在歷劫後的莫名慘狀。但是，在裡頭，他凝視到了餓！這就是建築的餓啊！這就是城市的餓啊！這就是人的餓啊！甚至，這就是這個時代的最悲慘的種種的餓及其引發的惡德啊！

森山說，他並沒有那麼地害怕到想完全放棄，也總覺得還有點可能可以找到路出去，找到一點食物吃，因爲他還是很餓。但是，更後來，他沒想到，他的餓變成了另一種完全不同的更恐怖的呼喚。因爲，路上，還有很多死去的人，倒在路上的，炸斷四肢的，壓倒在破爛的屋身下的，死法都很慘，屍體都很糟了，像腐肉，像殭屍，像支解的發臭牲畜，發青的臉或手腳長出屍斑像痲瘋病，壞到已然完全不能吃了。

森山漸漸地發現，整條大街的恐怖。不在於那裡像是被轟炸過了的現場，而是，所有人都餓壞了，他們從尋找倖存者變成了尋找死者的屍體，大多數是老人的屍體，他們年紀太大，無力逃脫肆虐。然後，活著的他們想吃剛死去而屍體還新鮮的他們。森山只好注視著好多因燒死而雙手扭曲的焦黑屍體，這種慘烈景象，使他因爲從來沒有看到過也不忍心注視地嘔心著，這樣，他會比較不會被自己的餓所糾纏。就像陷在一個艱難而且正面臨巨大的災難和可能完全無法離開的恐懼之中，只好想法子離開，森山想著，別再看那些人在吃的新鮮的屍體，他還是就趕快地繼續趕路，回去找自己的家人。就像他一直沒聽到轟炸，也沒聽到空襲警報，只是，一直看到人死去，一直看到人在吃死去的人，這使他變得很不安，好像這一切都只是一種幻覺，一種殘忍的體驗，一種他也沒辦法解釋的困境。

忍住餓的森山終於找到路，回到他們落腳的地方，但是家人都不見了。他好著急，可是也沒有辦法，只好在房間裡的更多角落到處搜索、打量，但是，並沒有發現他們……反而更陷入另一種困境。因爲，他到這時候才發現那個房間，其實是很危險的，很多角落極爲殘破，彷彿隨時都可能倒塌，似乎，只要外頭有點影響，整個地方就開始晃動……森山很擔心，從窗口一探出頭，就剛好看到，好多好多巨大而黝黑的轟炸機飛過，近乎把天空都遮蔽了那麼誇張。

他只好勉強而急忙抱起唯一發現而還在但已然不知爲何昏迷的母親，跑到對面的大佛廢墟裡頭，想要求救。但是，似乎沒有人能挽救他們。森山想著，至少那裡是那一帶最高的建築，也有最多人在那一帶出沒，或許是爲了支解那肉身大佛的殘忍念頭，或許也只是把那個龐大的廢樓當成防空洞的無奈。但是，事實不然，到處都是驚慌失措的人，到處都是斷手殘肢的屍體，他費盡周折地奔走，才抱著母親，勉強到達那個廢墟的最底層，然而，就這樣非常吃力地一階一階往高樓層爬上去，爬了好久，卻仍然只走了一小段路，因爲，落難的人太多，路上殘破的石塊灰燼甚至屍體太多。

那是一段好漫長的路，森山對顏麗子說，他已然想要放棄了，因爲，進了廢樓的大門，太多人驚惶失措，太多人也往樓上逃，但是，到後來，許許多多無力登梯的老人家坐以待斃，躺在屍骨扭曲慘狀旁。那路中，他只看到殘破的樓梯上全是難民、夫婦相擁而泣地灰心、哭泣的小孩、更多已然斷氣的老人，所有的他們已然完全絕望了，就這樣有的坐、有的躺，在樓梯間，疲憊極了的他們似乎已然沒有力氣再繼續往上攀登。但是，他們的口中，卻竟然都在吃。這時，森山好餓，只好更忍住，他雖然無力去分辨，他們到底在吃大佛的肉身，還是旁邊的親人的屍體。但是，他眞的好想吃，好想搶他們手上的帶骨帶血的肉來吃啊！雖然，他還是忍住了……

森山就這樣，爬了好多層樓梯，到了混凝土大樓斷層所撐出較突出的竹製鷹架旁，在那裡喘息著。並從較高的高空下看。彷彿是從一個洞口。那肉身大佛竟然變成了好像在某個龐然的某一個半透明塑膠布撐起的半圓半方形的塌陷的洞口。底下極大極高。像某些他小時候看過的古代的佛教石洞窟寺廟的毀於一旦的大殿。

而且大佛肉身旁邊除了祂自己被緩慢支解的殘骸，底下有好多好多屍橫遍野的其他死於轟炸或逃難的老少男女的屍骨。慘不忍睹，又隱隱發臭，有許許多多的蒼蠅和蛆已爬滿了他們的肉體，還有一些野狗也爬進來咬噬那些來不及掩埋的殘肢。

走進樓梯頂端的某個門口，往裡頭走得更深，到處都是逃難而躲到這廢墟的悲慘的人們。但是，奇怪的是在那一層廢樓的最末端，竟然出現了一張還算沒有太破爛的大木桌。桌前，並列排坐著三個老婦。她們的神情非常的悲傷但又非常慈悲，在那骯髒的桃木桌上鋪上了一大塊帶黃穗子的厚厚的紅布，上頭放著兩串泛黃的念珠，一柄黝黑的金剛杵，一本線裝印漢字的古代經書。中間那較老又較沉穩的老婦，一直念念有詞，一手舉起一個深漆色一如法器的舊木盒臺，然後放下。一邊念一邊沾一滴紙杯中的水，之後再從木盒臺裡拿一顆米到一個盤子，再把木盒舉起，故意敲一次桌面，紙杯上印著某禪寺。她們放了很多東西裝在很多舊布袋，排成一列。看起來像她們勉強攜帶隨身的更多法器或祭品。有些已然破爛不堪的布袋上還印著很多他也看不懂的經文。還有一個婦人會拿小掃帚和畚箕，邊念經還邊把掉落到地上的米粒掃起，放回一個袋中。

森山說，他雖然很好奇，但是他實在太疲憊了。就倒在牆邊，和許許多多的難民一樣地昏睡或害怕，不知道再來會發生什麼恐怖的事，或只是發呆地看著整個空曠的樓層。到了後來，整個空樓只剩下兩種聲音，一快一慢，一高一低，那就是在廢墟外的轟炸機飛過時有時無的低音，和那三個老婦拿著的舊木盒每一回敲桌面的又短促又尖銳的聲音……這兩種聲音形成那麼像鬼魂想奪魂的催眠，和想法子救回他們的法器法術的莫名干擾。

使得整個恐怖的現場，彷彿在這種相互干擾又相互聯繫的音域中，形成了一個受到深深地保護的結界。

那時候，森山已然發呆太久了，在那三個老婦的附近，和可以看到那肉身大佛的有好幾層樓高的廢墟高樓天井旁。他始終無法集中精神，有太多的可能再持續發生的災情。

這時候，他在寤寐之中，感覺到空氣彷彿凝結成果凍狀地死寂，四處的光影越來越混濁而昏暗……就在他正開始擔心是不是下一波轟炸又即將開始，或逃難的人群是不是又要更深入地支解那肉身大佛……種種不安如影隨形地漫無邊際地侵入越來越心寒的他時。突然，他看到了一道光，有種溫暖而平靜極了的氣息從光的周圍展開，也越來越接近他。這時候，突然在光裡頭，走出了一隻一點也不慌張的母猴，牠是那麼從容而謹慎，甚至是有種說不出的優雅，牠用雙手抱著一個小孩，往他走來。那是好小的一個小孩，但是，雖然還太小，但是無論從什麼角度看起來，他竟然長得就像那個肉身大佛，頭髮微捲，寬闊的額頭，挺拔的鼻梁，雖然略方但近看又渾圓的兩頰是那麼地沉穩而平靜，年幼的他濃眉下的眼睛仍然還緊閉著，呼吸緩慢，並沒有意識到他已然來到這個世界，這個殘忍的危城，母猴抱著他，顯得很小心，但是，並沒有那麼地害怕，小孩整個身體好像還包著胎衣，但是，那胎衣很奇怪，不是薄膜，而卻是竹編的，像一個精密的人形竹簍，編織得極細膩繁複，近乎把整個胎兒的肉身緊緊密密地包裹，竹編裡還有一件襁褓的紅布，上頭卻寫滿書法，只是書法字寫得潦草極了，看不出來是哪部經，只有某些小字的如果報、般若、涅槃的佛學字樣，勉強可以辨識。森山細看才發現，那可能是某部老佛經的經文。但是，最奇怪的事發生了，那隻母猴躲開了旁邊也來避難的人們，甚至，躲開那三個做法的老婦與奄奄一息的肉身大佛。牠最後就坐到森山的身前，用一種難以形容的眼神注視著森山的眼睛，看了好久好久。

最後竟然對他緩慢而慈悲地說：這是你的小孩。你要帶著他好好活下去。

但是，森山對顏麗子說，他看到那像大佛的小孩，唯一閃過他腦中的念頭，竟然是：這小孩一定好好吃啊！

旅社部。首篇。瞳孔。

一如瞳孔……那是一種顯微鏡放大調焦到近乎停格的凝視狀態，在我們待在這裡太久之後出現的某種接近完全停頓的緩慢中。

我在小庭院的古怪弧形繁複一如雕出不明獸身的桃木椅身上抽菸，和她一起凝視著天空逐漸地沉湎於夜色地暗淡下去，像一種舞臺詭魅打光成極炫目又極精密到每一秒天色變幻都像在炫技表演的小劇場現場。

那是我們從又髒亂又斑駁的老城老街走出來所住進的那一個太新太時髦的設計旅館，待了一會兒才緩緩地感覺到這種新還是窩心的，尤其從迷路在旅館旁又髒又舊的古城區太久之後走進來，更可以深刻地有這時代才講究得到的很多細節，種種悉心打理出奢侈細膩到令人驚嘆的細節，昂貴的花崗石地輕輕敲出高跟鞋一如鼓鳴的餘音繚繞，玄關的冷紫光暈是某種奇特角度所折射成昏暗剪影的投影，清冽薄涼空氣中的某種溫度濕度都恰到好處舒坦得不冷不熱，check in櫃檯裡的女人臉龐上很認眞描畫到很細的眼妝和眉影，大廳走動的人們穿著質地剪裁講究的西裝洋裝那種奇怪的流動感的奢華，連所有風格化地團簇雛菊丁香紫玫瑰團花插花端景都被小心照顧打理得如此繽紛過人地美麗著。

她有一回問我，爲什麼我們老是要去住那種很昂貴的設計旅館，設計得好像在太空船或是在一個幻覺裡的講究的新派旅館，你不覺得這樣子太做作了嗎？

我不知道怎麼回答她，我只跟她說，或許，這種做作也就只是一種補償，在我過去住過了太多爛旅館又髒又醜的旅館之後，一如這個城老了的某些廢棄而腐臭般地方的這麼髒又這麼醜。但是，或許這也不過是某種自欺的虛榮，我只是想依賴這種虛榮來逃離自己始終又髒又醜的身世，或許也可能是我的一種太虛榮到近乎虛無的遊戲……只是想要忘記我們正在這個越來越腐臭的老城裡。

我心中想了更多，但是我並沒有說……這種虛榮的狀態或許也只是一種刻意的失重狀態，一種連根拔起的無家無城無國的虛無，一種抵抗切換並植入夢境般的補償。

後來，我們進了房間，一如旅館大廳，那房間竟然也有一個彷彿一直看著床頭的眼睛形狀的天花板，而且那種圓形凹陷越看越感覺像瞳孔，甚至瞳孔的部位懸下來一個血紅色的半透明美術燈，珠串的玻璃圓弧有種珠簾狀老派美術燈混亂光暈的又美又怪，但是始終有種極度迷離的華麗感，難以明說地聚光又散光，漫散而恍惚。

她在那瞳孔般的床頭對我同樣緩慢地說到她小時候的某些迷離的故事：「我的方向感很差，速度感也很差，甚至常常看不到移動太快的東西，從小就完全沒法子騎車或開車，連過馬路都有問題，或是還有很多惡習近乎某種強迫症般的傾向，心情不好或太不安的狀態就會發作或更惡化，一如我就一直想要關窗戶，即使知道窗戶已然關好了，但還是想要再去把它打開然後再關一次，一如我就是一直想掃地，一直想把房間再弄得更乾淨點，其實已經很乾淨了，可是我還是一直想掃地。」

她說，但是我很會想一些人生裡很難的事，很會問別人問題，所以好像也覺得自己很會或很容易可以因此找到答案，但是過了很久的我才發現或許這才是我人生的真正問題，打坐更久以後，那個始終在回答我人生問題的上師後來就不跟我說話了，只是過來叫我回去自己慢慢想。

有時候老覺得心裡好害怕，但是那上師會安慰我，甚至，只用很平靜的聲音告訴我，你不用害怕，其實每個人都在害怕一些東西，有人害怕水果，可是有人害怕莫札特的音樂，有人就是很害怕孤單……可能是他在吃水果那天狗死了或媽媽跳樓了，可能是小時候她被車撞斷腿或被哥哥非禮的時候遠方有莫札特音樂的聲音，甚至是她孤單的時候瞳孔老是會看到某些幻象某些人影或某些壞東西。或許，所有的害怕都有背後發生過的什麼，你不是應該害怕，而是應該找出背後的什麼。

我聽到上師跟我這樣說的時候，背脊發涼，全身一直發抖。

因爲我始終沒有找到我害怕的背後是什麼……使得我一生中每次覺得我要變好的時候，那個黑暗的什麼就會出現，而且把我往下拉沉。

這種狀態使我一直很暴躁。

上師說，在打坐時他有感覺到一個很憔悴的穿老軍裝的日本人始終站在我旁邊，但是內心是善意而溫暖地想念我的。這使我想起小時候的一件遺忘了很久的往事。我想到我以前在日本的時候去京都參觀過一個古老的地方，那是一個二次大戰時代老軍事基地所留下來的一些古蹟，那時代的老軍營裡的士兵宿舍和訓練場最底層有一條地道，通往一個黝黑的祕門，底部有一個石洞穴教堂般的祕密房間，最後一面很大的牆上面有一幅日本軍人像神衹地變成神話般的畫。她跟我說，我感興趣的不是日本軍人，而是那些軍人背後滄桑的什麼，他們一定也是人家的父親或是人家的情人，他們也有自己的家族或是他們自己的子女，他們也會有痛苦、快樂、悲傷、祕密……種種人的背後滄桑的動人。

那一回打坐了很久以後，入定在黑暗的房間裡，我嚇壞了，因爲突然聽到有人在我耳邊講了的一句日文，「你可以跟這個上師找……找到你要的。」

那個上師在我打坐時的身邊，也一直打嗝打了五六十次還感應到停不下來，他說，或許，那個日本士兵始終沒有離開過我。她老是說，我太害怕而且那時候的我也太不清楚自己要的是什麼，而且，她的滄桑太多，爲了找到內心眞的想要的東西，她甚至有時候就反而一直在丟掉東西，老是想把家裡的所有東西都丟光，都清理光，一陣子丟掉太多太多過去的衣服，甚至丟掉情人。

那時候天快亮了，她說，但是我並沒有好轉，只是變得越來越瘦，變得完全不想吃東西，而且睡得越來越不好。一如幾個月之前結束這幾年的愛情，現在想起來都空了，就像上輩子的事，甚至只像一個別人的故事，或是就剩下故事，那種懸而未決但懸空的故事，某種後來的我就也不太在乎的故事，這些故事一個來一個又走了。

不知爲何，這個旅館房間在天快亮時出現了某種怪聲，一如低沉機器晃動或不明蟲鳴顫抖……地若隱若現，也老讓我想起自己更多過去種種從在乎到不在乎的懸空故事。

但是始終聽不清楚是什麼聲音的我爲了讓她可以分心就只說了一個前一晚作的夢，在夢中，所有的狀態都那麼地混亂，我被找去跟一群人聽命令做一些動作用以發出一些古怪的不明聲響，爲了某種不明任務，但是，在夢中的我還是一直找不到路，而且也過度緊張到不知如何是好，我被囑咐過不論怎麼緊張也始終不能露出那種擔心，因爲，那是一種出祕密任務般的狀態，還要在一個陌生的老日本房間裡頭找出某個像古鐘那種老時代罕見計時器的古物，而且要在找到後確定一個緊急閥口的機芯最深處隱藏按鍵小心翼翼地按住，因爲近乎死寂地寧靜，所以所有的怪聲都太逼近而惱人，我好像擔心做錯了動作心裡非常地著急，一直在想之前被囑咐是怎麼拆解，然後再趕快調整自己的拆解程序，雖然我老是在想那個過程一點都不合理，但我還是只好照做，所以就更爲不安的小心而緊張。

我跟她說，我甚至還在夢中跟她一起出任務，我在拆解時還跟她在一直解釋了很多我小時候家裡的事可是她始終聽不清楚，甚至也不在乎。一如我跟她說從小我就是家裡唯一個男的，但她好像一直覺得我是女的，一如我說我們就會一直困在那裡，雖然我們像是很好過但是已然變不好了，一如我們過去好像一起去過那裡也困在那裡過，一如我們在夢中的那個城市被困住了而一直出不來但我沒有不開心，可是她卻很不開心，一如我彷彿可以看到窗外的一個日本古廟及其廟前很老的廣場和參道最末端，所長出了一座既古老又龐大的鳥居，但她卻只看到古廟的另一端某棟華麗的老派巴洛克建築及其大門口屋檐上鑲嵌上的另一種更龐大的怪計時器械。

在瞳孔底下的後來，我就陷入一種恍神，本來只是想更單純一點但卻更擔心的是不小心又會受傷，一如一種做瑜伽充滿汗流浹背的暗示地如何在某種崩潰邊緣停留更久呼吸更穩，姿勢更放鬆才更有法子找到力量，但是，我沒放到也沒找到，只是繼續恍神。

或許，面對她，我是一個需要很多幻覺的人，但是，幻覺需要力量，我缺乏某種更深沉的天眞來支撐這種力量的發生，折騰的夢境有時候會摺疊出這種輪廓的可能，但是太脆弱，我太晚發現了，也太想留住但心裡知道是留不住的，夢的邊界其實不是邊界，是一種潰敗的先兆，潰爛，潰不成軍的潰瘍感，從肉身的病態進入腦子的渙散，那甚至到後來已然不是幻覺，是太眞實的逼供，太不可能心安的撤離，天啊！沒有死在現場更慘，因爲倖存者會有罪惡感，而且會不斷地蔓延而放大，後來就更進一步地進化，用一種古怪的類似退化的狀態才活得下來，忘記了或迷糊了，或就是整個人都有意無意地壞軌或當機，甚至，就是得了老人癡呆症般地變傻了。不然，早就死了。

關於她和那些我們過去的日子，對我而言，或許就像那《神鬼認證》之類的那種電影裡那一個一直被做藥物激化人體潛力實驗但後來出事而開始意識不清的祕密情報員的困擾，他太犀利而近乎無敵地驍勇善戰那般強大，但是，後來出事了，他要很痛苦地戒藥才活得下去，戒藥會有後遺症，但他在恍神裡不確定自己是在戒藥還是在用藥中發生的幻覺。我就一如他一直在想辦法讓自己忘記或離開或完全地消失，但是，沒辦法，時間越拉越長，所有人甚至到後來連他自己都已失去了耐心，最後快支撐不了的那時候，他被帶回實驗室，全身是他也不記得的傷痕累累，而且鎖入了一個暗黑的極小房間，他始終在多年以後還是會一直回到那個時候，就在殘酷的逼供審問之間，他還問那些拷問他的人們，這是一個測試嗎？如果通過，我可以留下來嗎？其實整個過程，我就一如他是在一種意識不清的不斷恍神的狀態裡，唯一的鏽蝕燈泡照出的光暈始終亂晃，冷冰冰地下密室的灰暗牆垣彷彿越來越逼近緊縮，他快失去意識的那刹那，有人打他耳光或搖晃他的頭顱讓他不要沉睡昏迷下去，而且所有的越來越失控到近乎刑求的現場，死白的強光直射他太多處瘀青傷疤而太多腫起得近乎變形的臉龐上那唯一還有一點點眼神的瞳孔，但是更後來更恍惚的他所記得的畫面裡只有一個尖銳刺耳逼問的低音。

因爲和她在一起這幾年的我一直有一種感覺一如有人不斷反覆地問他就像在問我：你是誰？你叫什麼名

字？你的生日是什麼時候？你是哪個地方出生的？你多久以前開始記不得的？

甚至……反覆地問我：你還記得你自己的什麼？

但是，醒了之後還在寤寐之中的我們，好像仍然只能一直看著床頭的正上方，瞳孔的部位懸下來的那一個紅色的半透明美術燈，珠串的玻璃圓弧燈有個破洞般的球狀的圓盤托住環繞在燈的弧形邊緣，仍然顯得那麼繁複華麗地空幻。一大早醒來還沒完全回神時的我們就只一直發呆地張望著天花板這個眼睛形狀的部位，這個瞳孔形狀的燈，就像是被一個巨人窺視著，或是我們在窺視那個看不到更後頭更龐大的身體和臉的巨人。

然而那彷彿眼睛形狀的房間天花板其實仔細看就會發現……那弧形天花樓板和牆頭壁縫間有一道沿著圓弧牆形的凹陷，那使得後來看久了就感覺不再……

因爲那個圓弧燈的部位不再像瞳孔，反而只像挖空了眼珠的眼洞。

所有夢中的建築都有種結構上的不完整，都有一種很難以描述的抽象又疏離的等待狀態。

滲水，那是一種滲透般地滲出，她說，一種一如潮濕到近乎潮解中的狀態，或是滲出某種像是水的不明液體，用來填補裡頭的不完整，但是，卻越填補那液體卻越慘烈地滲出，越填補那不完整還更不完整。那滲出的不知哪裡來的水很恐怖，但是我最害怕的卻是房子自身的不完整，說不出來的缺陷，然而在夢裡卻彷彿都還是自然而然地合理的存在，甚至每一棟我夢中的建築都有滲水，但是那種滲水，就只是爲了讓你知道它是潮濕的，我在夢裡的心中是平靜的，因爲明白那種滲水是不會惡化也不會淹沒人或房子或整個城，甚至，我感覺得到，那滲出的水和房子是兩種平行的狀態，或許有點相互不自覺傾斜的干擾或牽絆，像湯和碗，像雨和雨傘，或甚至就像靈魂和肉體。但是，每回想到這種夢中狀態的種種難以明說的變幻，一如氣溫遽變的天候在暴風雨前夕或荒山深谷的惡夜裡，那往往是會一瞬時就完全失控的可能，某種令人不安的徵兆或暗示，也常就不免會分心想到滲水和建築再傾斜的種種可能的惡化，有時就沒法子睡，而進入一種很可怕的擔心。一如在廢墟裡常常會由於太久的廢棄而崩塌到出現了這種狀態，出現了種種可能的裂縫，而有了雷同的這種滲水的暗示，但是又不太一樣，因爲在我的夢中有時候只有滲透的暗示可是沒水，但有破洞，或有缺口，或更不明龜裂的裂縫，或是我夢中的不完整房間的滲水始終有種更模糊的破裂的什麼，也可能在等待什麼，但我心中卻覺得不是塡補。但是，有時候滲水的可能太多，太惡化，所以種種可能的這些等待的狀態也是就更激烈，但更分開，也更模糊。

她說那幾種不同版本的極差異的老舊建築體在我夢中都已完成，裡頭沒有什麼額外特殊的設計，唯一奇怪的反而是連接的部分，因爲仔細感覺，會發現那些老房子都用了某種有點神祕的方式連接起來了，雖然一開始怎麼看都還是不知道到底是怎麼連接起來的。後來，過了好多年，我才明白，那種結構不完整的滲水，或許就是那些老房子的連接，甚至，更久以後，始終無法解釋這種潮解破裂狀態的我，就慢慢地在內心中隱隱約約地承認了，或許，那些老建築，一如那些夢也需要這種模糊的不完整的連結，自身的狀態才能完整。而你的寶島大旅社是我夢中好幾種不同的老房子的其中一間。她說，我本來並沒有發現，後來，有一段不短的時光，印象特別地鮮明而深刻。因爲我連續好幾天都夢見寶島大旅社，或是好幾天夢見不一樣的老房子，但是仔細端詳，這些老地方我都去過，那房子裡都還有自己的舊衣服，坐過很多年的胡桃木雕花的舊式圓椅子，書桌上的童年的上鎖日記或已然破裂一角的老音樂盒，甚至，我養過而死去的貓屍。那幾個夢中的老房子所有的古怪角落和隱匿的地方，仔細打量，就可以發現都有我用過或藏過的老東西在裡面。

她說，夢境開始之後，裡頭的建築設定，相對於河流、山洞、崖壁，或許，才是最完整的，最充滿精密細節，最充滿繁複隱喻引發的可能，所以，或許夢中的建築也才能進入最後的完全，才發展成所有潛意識的洞口，所有坑坑窪窪的祕道走入的密室或盤根錯節的角落，可以用來藏匿所有不同的害怕或喜歡或從來都沒發現的餘緒。但是，想到這些畫面，我後來的幾天都睡不好，自己一個人在臥房很不安，只好都睡客廳。夢裡的這些老房子其實在腦海中越來越重疊的，但是我唯一想起來的證明。仍然充滿看不清楚的混亂，所以我才用心地在刪掉很多條件。刪掉窗洞的動人光景，刪掉屋身的講究輪廓，刪掉氣味和光影的種種揮之不去，才發現，天啊！那房子我去過，在我還小的時候。那老建築雖然老舊，但是沒有滲水，或許因爲那不是我蓋的。但是，我蓋的這些房子的出現都是跳著來的，或許是和現在的現實中一直無法專注的我有關，因爲和一般建築用橋梁或長廊或陽臺或斜坡甚至鷹架的連接是不一樣的，那種連接終究很難描述。就是彷彿缺乏什麼，或感覺上更內在地被抽掉了什麼。

其實，我曾經在更早幾年裡每晚會重複進入一個夢境，那種夢並不是可怕，只是很難描述，因爲我在夢中會始終看見她，那種看見，是充滿了溫暖的光，但是光暈是那麼地模糊，所出現的那老女人始終穿著和服，感覺裡是那麼地過人地溫柔體貼，雖然我看不到她的臉，但是，每回在夢中就會看見，而且每次看見就會覺得很窩心。

但是，到了這一年，我看見的她好像有點不太一樣，雖然所有的形貌或感覺都很接近，但是，我內心知道她已然改變，變得有種說不出的更內在的悲傷出現了。

那幾年的夢的時間感就像是一種每天都一定會看的連續劇，但是裡頭的故事卻完全沒有前進，因爲不知名的緣故而完全停滯了。一直少了什麼心情，直到了遇見你，才明白，那老女人是你的姑婆顏麗子。她一直用這種法門在守護，一如我也用這種法門在守護這個古老的建築，這個她夢中的寶島大旅社。

我夢中有一間的建築最怪異，正立面竟然是黝黑鐵絲濃密羅列，甚至形貌繁複古怪得像那種老時代的雞籠，完全地漆黑，建築體懸空架高的木頭製老房子，狀態最差，又破爛又骯髒，凝結的空氣裡散發的揮之不去的怪氣味中有種腐蝕廢五金混合了動物排洩物的惡臭，但是整個老房子卻有一種出奇完整的形貌及其內在結構，最後，走過了那些黝黑鐵絲環繞的長廊和樓梯，拐入了屋末的幽暗入口，我也就眞的走入了那一棟老房子裡的那一個不完整的房間，那裡的滲水也聞得出雷同的令人作嘔。

另一天，我走入另一棟夢裡的透天房子，那是中間長出一棵老蓮霧樹有兩樓高的洋房，斑斑駁駁到所有的建築都已然破舊到像鬧鬼的那種，但是我卻放心地走進屋子裡，竟然越走越深地進去確認每個房間。心裡一點都不陌生，在那裡所有的建築的細節都不太對勁，但是，還是沒有讓我太吃驚到在想房子彷彿始終不合理的問題。我還一如我小時候那般躡手躡腳地攀爬上那棵樹蔭濃密的樹幹，在採了一顆鮮美多汁的蓮霧之後，還就瞬間進入到那一棟老房子裡的那個結構不完整的房間。

我有點悲傷，因爲整個房間卻充滿了採收蒐集得小心翼翼但卻已然腐爛了很久的成千上萬的蓮霧，腐敗的酸臭味瀰漫在潮濕的密室裡，那些我小時候最愛吃的這個寶島取外號是黑珍珠或黑鑽石的最甜美水果，卻完全被這種蒐藏和等待所摧毀，這麼地珍貴的寶物，在這裡，卻這麼可憐地被遺棄，那麼多那麼小心地收藏，但是，或許是我到場地太晚而使所有的寶物變成廢物，一如破鞋，一如焦屍，我在那裡好不忍心，越看越心疼。

還有另一個老房子是老菸房，我小時候曾經住在京都附近的農村，那是一種種菸草的田，小時候在那種老時代的薰菸房長大，因爲那是外婆的地方，整棟老房子只有這一間是半樓的地下樓，也就只出現在房子正中心的一種廟埕或稻埕的埕。那埕是有屋頂的，就像一個採光井式的合院天井，一種老時代木建築圍繞的死寂的中庭。那接菸房的窄小入口只容納一座破舊而斑駁的老木樓梯，沒扶手而且要爬到半樓上的二樓夾層。那菸房的老房子，已然是現代風格洗石子式的舊房子，是某種那老時代的老洋房，在這建築的這個結構不完整的房間裡，三面是正常屋子的混凝土粉刷白牆，但是古怪地滲水的是第四面牆，因爲是大石頭末端那種不規則的，由於那後面是一座山的山腳山壁的那一面斑斑駁駁的長滿潮濕青苔的長牆。那房子旁那個農村就在一座巨大的老山入口旁邊，常常會有要入山的獵人會拿他們的獵物來交換一些米或茶。他們常常會說故事給我聽，有太多傳說或他們自己遭遇過的魑魅魍魎在故事中出現。那是，某種山中獸或蟲的變形，或許是還沒有形體，道行修煉還不完整到可以成人形的妖怪。那一帶有很多獵人，每一個獵人都有自己的獵法，或是他自己入山的路線。有一回她提到了那是一個工寮旁山壁前的水瓢在舊大水缸旁，那獵人把獵槍放旁邊要喝水，但是，卻在水的倒影依稀看到了身旁的暗影，他一看到就摸槍對那陰影打。一開始，只是他累了要喝水，但是一路他感覺到一直有什麼鬼東西在跟他，快速移動的那鬼魅般黑影一路都如影隨形。

後來，她說，那山邊長滿潮濕青苔石壁的第四面牆在這個夢裡，變得出奇的色澤鮮明，空氣凝結而沉落，慢慢暗淡的光的層次是那麼繁複，因爲她說她在這個夢的最後，頭顱的正後方長出一顆眼睛，而且還在那刹那間開了眼，可以看到太多房子裡種種太細膩到近乎特寫所有角落的最精密細節，就在這時候，她看到那影子。那一間密室裡第四面牆石壁上滲水中的倒影，她說，我竟然看到我背後的眼睛打開，一如我小時候看過的鬼太郎。怎麼可能，但是，我卻竟然眞的看到了，眞的看到我後腦門那打開的眼睛，我的眼睛是黑的，瞳孔邊緣是藍色的，沒有血絲，老人眼睛變淡。上眼皮的上緣比較長，橫過整個後腦門的。心中一驚，我就醒來了。

或許，我的這些夢的解夢，都那麼地誠實近乎不可能，所有的推理，沒有教訓，沒有揣測，沒有信仰，沒有宗教的勸世或救贖，甚至始終在問不知道答案或不可能有答案的問題，無法套用別的解夢法，所以更深究就只會更不安。

沒有答案也無法更心安地相信，往往到了最後，就只是等待。

那是我從小最常發生的狀態，那就是始終一直揮之不去的……等待。

一如我的小時候，有一天母親把我帶去外婆家，我就在那裡待了好多年，待到我好不容易不會不安的另一天，母親又去外婆家把我帶走了，我的內心都有著我也不明白的震盪，不知道爲什麼，或許她們都不知道我在想什麼，時間久了，連我可能也不知道自己在想什麼，更後來，不管發生了多麼激動的事也不知道如何感覺了，只是不知爲何心中始終沒有那麼想哭的情緒。直到，有一天母親又去外婆家幫我拿留在那裡的最後舊玩具回來，我整理了好慢又好久，最後看到那個舊音樂盒，打開之後聽到那盒身因爲搬的過程破了一角而音樂變得有點走樣的悲傷，那時候的我才眞正地哭。或許我的一生就只是。等待。那是一個算命先生這麼對我說的，一如他說母親的病到了四十五歲就會好。但是她就死了。

我心想，或許這樣病也算好了。但是，對外婆，對於一個失去女兒的媽媽而言，這樣的說法太難接受。一如我的等待對於我的太難接受。一如我始終明白自己沒有悲傷到眞的想哭。一如人死了，人肉變硬，變冰冷了，但是屍體沒有到眞的像冰那麼冰，只是不會動，只是有一種味道，一如我母親，一如你姑婆，會慢慢地在我的等待中或在那些結構不完整的房間中滲水般地滲出。

「我曾經夢到過一個很講究的木製日本老房子的夢，裡頭有個管家跟他的一個老婆婆主人，那個管家是一個非常世故而謹愼的中年男人，穿著很整齊乾淨的西裝外套白襯衫，在和室裡用最細膩的生活細節服侍著那個病重的老婆婆。可是過了幾天，我又夢到同一個依然講究的日本老房子，但是，病重老婆婆的病床旁，那個管家變成是一個髒兮兮的流浪漢般的長工，全身衣服都破爛到近乎發臭，長滿亂髮的臉上還長膿瘡到有點變形，我在那木製紙門口一直覺得他對那老和室和老婆婆都充滿恨意到彷彿隨時會發作而燒掉那房子。這種變化我有點擔心，但是卻也沒那麼擔心，不知爲何，我心裡清楚感覺到，那個老婆婆是你姑婆，而那個管家就是你。我彷彿感覺得到，這個夢其實是一種更潛意識的投射及其折射，有點像你常常在回憶你的童年中提及的那原來是正派的父親和反派的你，可是到另一個夢境，又變成正派的你和反派的父親。

可是這個夢可能就在另一個夢的隔壁房間而已，既反派又正派，既隱藏又不隱藏，有時我對我夢見的你的過去彷彿越進入就越不清楚。」

「但是我卻彷彿越來越明白你在講什麼了。」

「其實，我卻越來越不明白我在講什麼了。」

「你的夢往往穿透了我的盲點，藉由祕徑找到我的潛意識，夢裡的我期待變成一種反派，一個更深的防衛機制，是一個自己就是病毒的防毒軟體，那是夢神的神通。」

「我或許不是你想像的夢神，你只是在找一個夢中的替身，一個特技演員來演你過去所不敢進入的一如夢或電影裡那極限運動式的極限。」

或許我沒跟她說，或許在現實中我太怕變成反派，所以我跟她說過的所有老家族故事才會那麼地吞吞吐吐，在裡頭更扭曲或要花上更長的時間來隱藏自己，隱藏到後來都像在夢裡頭，一如夢的隱喻那麼地錯亂地眾說紛紜，才能躲在裡頭造反。但是，更久以後，所描述的家族故事的眞正複雜並不是我原來想的，因爲，接近回憶中的家族故事的現實並不只是一個已被說出來的既成故事，反而病變了，長出病毒，繁殖出怪物般變種的變形。像夢跟電影般地長出潛伏的歧出線索，甚至長出不斷而不同版本的前傳外傳來改變結尾，故事被理解的正派反派都變混亂了，所有的正派越來越虛弱而遲鈍，反派卻反而越來越値得同情和敬佩，甚至，只要這個故事依例病變了，正派遲早會變反派。甚至，時間也不是從小到大到老地線性的，老家人好幾代跳來跳去的前後關係其實也模糊不清了，反而比較像某種鬧劇般的謎團。不是很清楚地翻案了某種老家族的父慈子孝兄友弟恭的想像歷經了清朝到日據到民國歷代的老故事版本，甚至，所有的老身世彷彿出現了更怪異的歧出，自相矛盾又自相殘殺，糾纏不清地快轉又慢轉，迴旋封鎖入類似同一個旅館的很多個房間的同時出現，甚至像在迷宮的巢穴裡同時演出很多種太實驗性的小劇場，所有家族的人全部都變成是演壞了的演員，劇本也不斷地改寫甚至重寫，原來在描述的八卦山下的那一個老家，長壽街裡面的一個老房子，我的百年來的家族故事中的祖父姑婆父母兄弟子女，可是切換到另一個場景，就變成一部日本偶像劇或一部HBO影集或一部好萊塢電影般的更古怪又更煽情的歪歪斜斜亮相，太子龍變成互相謀財害命的命案，長壽街變成殺人現場的推理劇版本的《基度山恩仇記》，或是祖父變成一個瘋狂的科學家不斷地做奇怪生化研究，把全家族子孫都實驗成吸血鬼或變種超人的追求不朽失敗的落魄而變成是一個科幻小說的幻起幻滅，然後類似這樣地不斷的自我凹陷又自我膨脹然後完全亂掉的被追殺的過程，就像一個被誤解的民間故事或教養寓言，之後，就更混亂了，變成是老家族以訛傳訛的謠言或耳語，太迷信廟裡求來籤詩或流年上影射的諸事大吉或不吉的命運多舛，甚至，就只變成像是一個線上遊戲角色設定的攻略本，還沒有破關戰鬥的出現或消失。或許，已然過去太久的老家族故事在這些夢裡始終還沒開始。

或許，她說的一個個的夢也是如此的等待更充滿隱喻的解夢。或許，那一個個我們一起去過的旅館，其實也可以更滿懷混亂奇想地去找尋裡頭充滿病變可能的病理學。

一如我們一開始老以爲那只是一個可以去check in之後打尖過夜臨時落腳的那種旅館，但是，後來往往會發現每一個旅館房間都可能是一個更病態的入口，其實都是通往另外一個地方的密道，或許是可以從那入口進到每一個別的房間或每一層別的樓層，只要進入的密碼按對了，咒語念通了，那房間跟旁邊的房間之間就不是一道厚重的石牆，可能就只是一道倒映月光的和室紙門，一塊魔術師舞臺上的分屍箱前布幕，一種甚至開一個門不是走到另一個空間而是走到另一個時間，多年前還是小孩的我和多年後變成解夢巫婆的她就在走過一個門之後就走進另一個更歪歪斜斜的超現實，所有的病態的變異狀態都可能就在旁邊。一如，旅館就是一種鬼地方，住進去打開一個門，才發現自己很久以前來過，或是很久以前就住過那裡，而且還竟然就困在裡面沒有出來，或許我心中的那種最動人的旅館就是這樣，一如鬼屋或聊齋屋般地每個房間都有一個惡鬼，就算勉強最後出來，人也已經變得很老。或是變成了另一種狀態。在這種旅館裡，打開了一個門就會到了一個完全不同的時空，或許那根本不是魔法，而是一種更複雜的蟲洞。但是，這個旅館卻在某種程度上解釋一個充滿破洞的故事或是一個更歪歪斜斜的家族史。或許，那個時代的人，百年來那些老家族的人都變了，在這個老旅館裡，眞正的可怕或可笑……不是我變成一個被流放的孽子，而是那些祖先的故事都只變成是我的幻術中的傀儡戲。

一如在幻術可能切換的時差裡，每一個旅館都變成我的夢，每一個夢都是一回深刻的靈魂出竅，我或許沒有變成長生不老又法術高明的陰陽師，而只流落成長不大的老是故障的小叮噹，從簡陋的那任意門出入夢一如出入所有的蟲洞般的房間，或許旅館的本質就是一種夢，技術面和意識面都是那麼迷幻而混亂的夢。

或許，回到我帶著她去很多奇怪的旅館的奧德賽，事實上每次她講的那個小時候故事或是我講的小時候故事，都像一種反派發生的可能，我們一起看的一部恐怖電影，我們去過那旅館外面的老城那一帶吃的那一種噁心的小吃或是拜了那一個陰廟，都是這種反派的暗示，因爲那些我們後來一起去的地方都跟原來我在講我老家的故事或是她老家的故事有關，可是那裡頭的更內在關係一開始我們都不知道。

一如我和她的一個個夢中反諷的種種，或許在剛開始的時候，我會以爲自己的過去是一個偉大家族在偉大時代的故事的自詡，但是，後來家敗了產破了，留下的只是所有的遺族變成更花果飄零的那種孽子們的悔恨。從我那日本時代當小學校長一生憂國憂民的祖父後來受牽連而變成了囚犯病死，我姑婆是個千金小姐飽讀詩書但到後來變成巫婆害人，我爸爸變成一個大生意人，做了很多很大的生意到後來敗家之後變成一個流浪漢流亡，所有的後代子孫一如我都逃離老家的這故事可能是完全走樣而顛倒了。

因爲這以訛傳訛般的家族史，對我的病態而言，往往後來只會變成是一個所有老家族的人都不斷變成是反派想追殺我的線上遊戲。

她跟我說，養變形蟲在燒杯裡，或養黴菌在麵包上，都很好看也很好養。因爲，牠們都熱愛陰暗和潮濕，一如你。她說，其實我最喜歡養變形蟲，餵牠吃肝長得最肥美，吃各種動物的肝臟都長得很快。就這樣，吃的都是最噁心最惡毒的內臟，但是卻能變形成極美的怪物。而且，更詭異的是，變形蟲截肢會長出另外的身體，身長出腳，腳長出另一個部分的身，種種更大的而且是無性繁殖的肉身所分裂出來的極恐怖而華麗。我跟她說，我覺得我們好像在一種結界裡的同門煉金術士一起噼哩啪啦地劈開一種時差裡的邪門時光。但是，潮濕如養黴菌，藉著陰暗和溶解來長成某種蔓延的菌體但是卻又練就體術兼幻術般地浸透進入空中與地底的無名角落，我們也不明白爲何出現了一個又一個的發光卻又暗淡的房間，一段又一段的旅行，時間那麼短促緊湊的摺疊又折騰，但是一禮拜就好像一輩子地過濾地過，潮解過，進入又出來過，恍如隔世地恍惚過。像被溫泉魚咬腳底皮屑深深淺淺地深刻，又哭又笑般那麼深而癢，難過又舒服，或是我們也不曉得爲何這麼怪異的療癒。打開了那麼多層，像高架橋體交流道數層般那麼多曲道升起落下彎路歧出，老河畔的老夜市底線，下午的誤入空街，所有的店家都還沒開，攤子還沒登場，雨下大又下小，撐傘又不撐傘，我們都淋漓盡致地淋濕了。六月雨季的蛇般死前最後心願的最後一枚，病態而變態，她說我怎麼還吃得下，那麼餓又那麼飽，一如偷窺，盜攝，跟蹤，威脅，她問我這一生還沒有做過我想做的事就死去我甘願嗎？

大抵是精疲力竭，但是又好心滿意足，幸福感和飢餓感，因爲變態的惺惺相惜或同病相憐而更爲病態，更爲感動，我還是不知道怎麼說，我也從來沒進入到這麼深這麼斷食又暴食的雨季，操心的操練，龜式的深深淺淺的深呼吸，內傷未癒的小心翼翼，氣竭又調息但卻完全無法跟上又始終跟著做的體位法是一個與神對話的祈禱修煉那般。她做到我始終做不到的姿勢，卻完全輕易如此，我在她的斜後方，緊盯著她。不知如何是好，但又充滿幸福感地繼續汗流浹背。

或許是守住更後來的潔癖的我們怎麼會這麼入戲地感動到好像我們也完全被淋濕在大雨很大又不會停的雨中，像蝸牛地緩慢扭曲爬行的肉身重複出現而困惑，像內心的黑暗變形蟲被割裂又變形重新複雜地復活成另外兩隻變形蟲那麼恐怖，於是我們一直吃肝吃內臟吃病態的什麼，然後成長然後變形，越來越發華麗美絕。

一如變形蟲……我總是太過軟弱。即使假裝很強烈地又強大又強硬！但是，一下子就被她看穿了。我跟她說，我們的相遇本身就是災難，最好打點預防針，但是我們其實沒救，因爲我們自己就是病毒。其實，我不是嫉妒你過去的或別的男人幹你或愛你，而是我雖然知道我們都是變形蟲，雖然可以支解還會分裂地繁殖，但是我不知道我們可以割裂多少回變多小塊還可以活著，或就因爲割裂太多回無法挽回地死去。因爲，變形蟲最可怕的是，牠割裂變太小到某種狀態就會眞的不見。

不知道牠死了或逃亡了。

或是我們在全面啓動的夢的植入或打開的那一層，你是情人還是敵人，你是解藥還是毒品，你是活了多久了，我們曾經進了多深過，這回的遇見是有任務的嗎？還是我們要去一個地方，可是我們不知道要去哪裡……那是因爲我們要一起去……那種眷戀到回不去又出不來了的困境最深處。我們的聽了會醒來的音樂和桌上在轉的陀螺會是什麼？那入夢的迷藥到底下了多重，我們到底下了多少層。

或許，我跟她說，我們好像是困在一個古城的那兩個人。一如那電影，故事是在拍一個老殺手帶一個年輕暴躁的出事的他的門徒殺手到比利時著名的古城布魯日避風頭，跑路了，而且有人追殺來了，因爲，他們涉入陰謀太深，要被滅口。但是上頭沒說清楚，只叫他們在布魯日待命，不能離開，等候下一個指令下來。所以他們在亡命的惶惶不安之中，完全不能做任何事，不能出任何事，所以兩個人就只好在那太美太古老的城市裡晃盪，無心也無目的地漫遊或散步，有時不刻意地遭遇了就是跟觀光客們無心地走來走去，在那些極老而極美絕的廣場，極舊而極細膩的教堂，古怪曲折的中世紀遺留下的石砌路面窄巷，光暈昏黃的夜景使全城風光更悽悽慘慘地淒美。他們越來越緊張而疲憊不堪，兩人陷入極度地敵意對峙。雖然仍然一路爭吵，一路無路可逃地逃命。最後大殺手殺到了，更極端地追殺對決，一路亡命對殺追逐，他們就這樣更慌慌張張地誤入那迷宮般的老城的所有迷亂，那老街老屋老廣場中絕望地一再一再被困住，而不再想要離去。最後逃入一群侏儒的古慶典遊行的混亂歡樂人群中。在廣場最著名的圓形弧面噴泉石雕前，煙火亂竄，侏儒們的表演誇張馬戲的繁複，在古城老屋立面數百年的斑駁前，顯得太過荒謬而超現實地……唯恐不亂地唯美。有一度，他們還曾跟著走進一個最古老到中世紀前期留下來的數百年古教堂深深底層的石刻壁畫，跟著導遊的解說，冒險地把手伸進壁畫中惡魔血盆大口嘴巴的洞口暗處，據說，就可以看到末日前夕的天堂或地獄打開的光景。但是，就這樣，極度好奇又好累的他們蹲在那古教堂最漆黑深處的黝暗光暈中，向斑駁破敗的古石洞口裡頭端詳了好久，但是，看了好久好久，依然什麼都沒看到。

旅館，一如寶島，其實只是一種烏托邦，不存在的地方，太美好而太像夢的孤島，一如賣火柴女孩的火光的充滿虛幻的幸福感，駭客任務的救世主不可能任務般地駭人聽聞。但是，我也是到很晚才發現自己是一個依賴這種病態才能說服自己沒那麼平庸的病人啊！尤其是肉身的烏托邦。那花房人妖的故事，是一種肉身的烏托邦，那種肉身的試煉太深，太像是我的某種想做而始終沒做到的寓言。我甚至都不好意思對自己承認，幸好現在夠遙遠，而我現在夠不要臉，可以原諒或僅僅接受自己的唐突。一如唐突所占領了所有的失眠的夜，那晚上睡不著的某種非常暗黑的時光，有時候會跌落某個死角完全地不相信自己或這個世界有什麼值得活著的，有時候會用各種說法或觀點或電視電影裡的恐怖與災難來安慰自己沒那麼慘，但是，有時候暗黑的時光太漫長，會以爲自己重複這樣的狀態只是一種自欺。或是，彷彿有個不明而玄奧的肉身更裡頭的閘口或暗門的機關就一如天陰下大雨前低沉雷聲的嘶吼的隱隱約約的什麼……在暗夜的這種烏托邦的時光中被打開了。一如那晚看到一部叫做《花房》的日本怪異色情電影。即使那片子裡的狀態都其實沒拍好，很多太快跳過的橋段都無法更曖昧不明地模糊不清，無法更銳利也又可以更隱藏。尤其那女主角太像女人，沒有那種半男半女或又男又女的又怪誕又美豔的妖嬈，但是，那電影終究還是關於肉身的烏托邦的動人故事。那故事的一開始是一場意外，東京的一個年輕男人撞到一個美女，她一直叫他再撞她一次，把她撞死，這一切就反而容易去面對了，就這樣他們陷入一種既悲傷又詩意的沉默，兩人沉浸在難以言喻的某種人生的困境裡出不來，因而就越來越依賴彼此，後來男人就因爲長時間而且愧疚地在醫院邊照顧她就慢慢地愛上她，但是，這些狀態始終是迷離的，一如她從醫院出走後就失蹤，一如男人再找到她的時候，卻發現她在一個人妖酒店當小姐。之後，他就回不了頭地陷在某種矛盾中地更入魔，一邊因虧欠的補償一邊因執迷狂戀她的美貌，最後則是完全的肉體的陷溺。那人妖極美又極妖幻，完全看不出是男身的女人那種風韻動人不但讓他如癡如狂，而且雞姦他，甚至，在某種奇怪的瞬間，是想啓蒙他，喚出他的變人妖的可能。其實，那人妖一直和所有人都若即若離。後來那年輕男人因人妖放棄的戀愛多年的未婚妻追蹤到他的離異，也找上了那人妖要談判，但是，卻在某種迷茫的痛哭與依賴傾訴下被人妖撫慰了，再來找她的下一回，還跟她回家，動了情，而在恍惚之中做了愛，甚至還有另一個店中的人妖也在場3P了，但女人並不懊悔，反而安心地沉浸於某種怪異的療癒感。後來年輕男人找到未婚妻，兩人陷入了更深的兩難，但是也無法挽回什麼。但是，最後他下定很沉重的決心地才載人妖又上了車，要開向另一個遠方，但是，在路上冷淡極了的美女人妖對他說，你不用帶我走，你若愛我，就只要再撞我一回，眞的把我撞死吧！其實，最後雪中太美麗又太迷幻的那段路，是年輕男人下了最後最心痛而艱難的決定，終於變得太夢幻的他無法回到過去的情緒或情人，他選擇了人妖，選擇了他肉身的烏托邦，而且，就是因爲他愛上她了，而要帶人妖回他大雪深處的老家看他在一個離島上常常下雪的雪國故鄉的家人。但是，那人妖無法進入他的烏托邦。家的，婚姻的，老的時代和老的雪國的故鄉的……離島那種太眞實的喚回。

那最後一段路還在森林中大雪紛飛，那男的接近瘋了地往前絕望地開，開到快到通往那故鄉離島的古老木橋前頭了。那人妖說她想下車看看那座也覆滿了雪的古橋，她和那老木橋都美得像一種仙女的夢幻，雪白的沒有血色的臉龐繞過極昂貴的極品白貂毛圍巾，像傳說中那種美得致命的雪女，難以抵抗魅力的倩女幽魂，所以，她一生所一向想要的更自暴自棄的死亡，才更切題地迷幻，更烏托邦。因爲，她就是什麼都不要了所以才什麼都要得到的那種妖啊！但是她什麼都要到的最後還是什麼都不要了，就在大雪中選擇了完全放棄的自盡，而就從那美麗的古橋頭躍下。

那個夢彷彿是一枚多年前就開挖出來但是始終還令人不安的未爆彈。她說，或許多年前發現而開挖的那一次我早就炸死了。甚至，到現在回想起來，總還是那麼會不寒而慄地凝神以對。

那個古怪的噩夢竟然永遠是有味道的，因爲那舊木桌上竟然充斥迷迭香的奇香的，那是小時候不曾做過餅乾的老媽那一回不知爲何將烤好的餅乾倒入托盤，那種種在老家做餅乾的過程所瀰漫的迷迭香的香味實在太過離奇卻又太過栩栩如生。她說，但是，那是我小時候最可怕的一個噩夢，到現在依舊那麼逼近地鮮明，尤其是夢裡那個黑眼男人的臉。

夢裡是小時候老家房間的最末端，那是窄小走廊的最深處，如果刻意地從中間走入屋裡，那麼推開門就能看見走廊末端的那張做餅乾的舊木桌，那個角落那麼地不起眼，在我整個童年彷彿都不曾留意過的死角，髒亂破舊，堆滿了某些已然長滿蛛網的破碗碟和舊物舊書，在那已然有缺口傷痕的舊桌腳還就側靠在旁的斑斑駁駁的老牆壁，磚牆上有扇太久沒清理而滿布灰塵的舊木窗，那是面東單面如果小心用力打開卡榫還可以向左緩緩推開的老窗口。

我小的時候太壞了，致使所有壞的記憶總是極不客氣地占滿長大後的老快壞軌了的記憶體，解不了的噩夢是多餘的產物還是某種缺乏的提醒，到底我用什麼樣的態度面對那個黑眼男人。

到底我在害怕什麼？或在害怕那個黑眼男人什麼？

最恐怖的狀態，是他的令人不安極了的眼睛，因爲那種偌大眼珠的全然失神又失色，甚至，更仔細端詳會發現他的眼球是完全漆黑的，沒有隱約還可以折射光影的瞳孔，也沒有可能爬上渺茫血絲旁邊慘淡或晶瑩的眼白，整個漆黑眼珠就像黑洞般地吸入所有接近的光，吸入更多使環繞在其周圍的空氣都凝結成沉重暗黑的所有可能。

他那漆黑的眼珠始終注視著我，他的身體也始終沒有移動，就這樣僵持了彷彿那麼多光年已然消逝而去般地那麼久，忽然間，那張舊木桌彷彿一種更劇烈又更緩慢地晃動了起來，但是只有在一如我那般全神貫注的端詳之中才能發現那種極可怕的內在剝離崩解般地極限晃動，但是，整個太離奇地晃動過程卻沒有人發現甚至是完全地死寂，只有我，感覺到某種更深又更沉的窒息感，像是暴雨將至前的更龐然的空氣壓縮下的古怪寧靜與空蕩。

就在那種令人完全恐懼到無力以對的死寂中，舊木桌底的如瀑布垂落的布幕突然彷彿被刺穿般地從中心點被割裂切開。甚至，他的身體正以某種近乎不可能的凝重穿過撥開的太深沉的布幕，完全沒有移動地移動，一如他所從舊木桌底的某種極底層又極黑暗的國度的邊陲極不容易又極不明顯地滲出而來到這種有光的人的國度，那種極緩慢地刺穿割裂才能切開的黑洞缺口，就像某種從未出現過的冥界玄關般的神祕莫測的洞口。

不知爲何從那恐怖洞口出現的他，全身都竟然完全沒有味道，卻擁有某種完全不像活人的氣息，或許因爲他的極其枯萎無神的形貌，或許因爲他穿著太像前一個時代的人，但是，他身上仍然充滿了懾人的某種令人無法描述的害怕。瘦長的骨骼撐起的又高又銳利的身形，赤裸著的上身枯瘦一如惡鬼，只穿一件接近黝黑而厚沉的西裝長褲，捲起皺紋如國畫中山巒繁複千山萬嶺疊摺般的褲管，竟然打赤腳而且慘白的腳踝卻爬滿了血絲。我被他的出現嚇壞了，完全不能動，也完全發不出任何呼救的聲音。他更後來就朝著我睡的那和室單薄的紙門房門用更緩慢的腳步走過來。彷彿碰觸到他肉身的空氣都化成了冰冷的霜降，整道走廊的光隨著他的移動而逐漸閃閃爍爍地低隱而去。我仍然完全無法忘記那種黑洞彷彿隨著他而逼近過來的令人不安，甚至，在回頭時，還感覺到就在轉身那剎那，他那漆黑眼珠上的某種髮尾揮過速度極緩慢地在眼前落下的空氣晃動，甚至還能感覺到他那髮絲滑落臉頰的極小又極癢的觸感。那男人逼近的姿勢仍然那麼地遲緩，暗沉死灰色的像福馬林浸泡太久的屍體肌膚，留著彷彿有靈魂般垂墜滿肩的微卷黑髮，他那瘦弱枯薄到可以清晰看穿肋骨內臟器蠕動的胸膛，極濃鬱的眉毛底下是極單薄的單眼皮，甚至是完全沒眼白的眼珠。

多年之後想起這個夢，完全沒法子解釋的夢，裡頭還有種完全沒法子解開的害怕，我至今還是忐忑不安地老會回想起小時候的我爲何會遇到他，爲何在夢中會那麼怕，有時甚至覺得小時候我是故意忽略害怕，一如我預知母親死去的夢。解開夢一如解開謎語的謎團或棋局殘局的突圍，需要比神通更多的滿懷同情的不忍與不捨。或許小時候的我太害怕了，害怕未來的一生不免會以我完全無法改變或抵抗的狀態緩緩地崩壞，那時候的我太小了，因爲害怕失去，害怕情感到了臨界點般地不得不承認自己無法不帶感情，害怕失去的屬於我的部分正慢慢流逝，害怕只能在不屬於過去的別的城裡找到自己的記憶，害怕那永遠不會是過去那個夢發生的地點，害怕一切不過只剩下薄弱的揮之不去的片段來等待遺忘。

一如夢，我過去的人生似乎是以缺少著什麼的方式前進，每一階段都缺乏某些讓生命可以更完整點的什麼，每個階段卻也都產生不同的缺乏，而以缺乏來巧妙的提醒著自己的焦躁也提醒記憶裡正要被遺忘的斷層。我一直都知道人生一如夢就應該這樣缺乏什麼地進行，這是原本的設定。就算是一定會發生，也會因爲進入不同階段就可能會遺忘上一個階段所發生過的種種，夢或許是有意無意地想把每個階段的缺乏收集完整，但對我而言，完整似乎不是最終的回答。一如，我總是還能找到那個夢發生的地點，雖然那老家早就完全重新地整修過而改變裝潢到那地點早已消失了，即使已然重新粉刷過也砌上另一道牆也擺上另一種窗口邊緣的碎花布軟沙發，像是一個溫暖窩心的可以看出窗外風光的甜美優雅角落，像是什麼也沒發生過的地方，但是，儘管如此我還是能清楚知道那夢的地點，那冥界玄關般的神祕莫測的洞口。

從那回看到黑眼男人之後，我就有意無意地決定關閉我的可以解夢或作預知夢的神通。一如，我選擇了回到夢發生過的地點，內心卻完全不需要再去用力辨識般地尋找或拼湊，那個洞口會再用另一種神祕莫測來出現，因爲發生過的事總會有些訊息留在那裡，但是我只是回去，也只是任由我的殘存的感覺流竄來找尋過去未完成而未來應該繼續完成的東西，只是這樣。也許就是這樣才對，不是要拯救什麼或挽回什麼，解夢不是爲了解釋而只是爲了解開，只是這樣就好。

最後，她對我說，眼神露出某種難以明說的忐忑，我還是有點害怕，因爲我始終沒跟你說，除了眼珠是有眼白的正常瞳孔之外，你眞的長得眞像那個黑眼男人。

所有的夢都很奇怪，一如我的眼睛很奇怪，兩個瞳孔的顏色不同，很多人跟我說這樣是陰陽眼，一邊比較淺，一邊比較深，但是有時候就看不太出來，太陽夠強才看得出我瞳孔一如我的古怪。很難去解釋，這種狀態不能跟別人討論，你跟一般人討論他們就只是會覺得你會通靈。一如我不想再解夢。

一如我不想再更進去，應該是說我沒有問，因爲我自己曾經看到的他的房子就是在三樓，以前那種老式透天厝的三樓，沒有隔間然後裡頭只有很簡單的床、櫃子，沒有電視，只有日式的榻榻米、床墊，後來經過幾年之後我跟他說那房間當時的樣子，他就說，就是那個樣子沒錯，也才慢慢想起來，因爲那也是太多年的事。慢慢地我就更不願意去跟別人說他之後會發生什麼事情，就是即使我看到這個人，應該要跟他說可是我都沒有講，因爲不知爲何我就是不太願意講，更後來我更沒有辦法說了，可能也慢慢地不會了，現在看到人我完全不講是因爲已經沒有任何想法在我的腦袋裡了，完全退化了。

小時候我開始作夢，控制夢，然後入定可以看見壞東西，但是我後來卻不想再這樣做，因爲覺得會失控，我心裡早就知道這種狀態本來就必然是冒險的。有人覺得夢是一種修煉，勸我要克服心中的魔，但我不覺得那是一個魔，那只是一種自我的更內在投射，內心的自我跟外在的自我的反差，其實過了這麼多年，我始終明白，夢和潛意識都是沒有辦法修煉的，因爲在那裡，我只能明白，也只能等待，別人老覺得我是在做很危險的事情，我不在乎，因爲去看到夢裡的別人本來就很危險，因爲所有的潛入都像那種蝴蝶效應般地荒謬，每一次潛入過去別人老把你當瘋子，因爲你企圖去改變未來，可是他們不知道，你也不知道，不知道可能因之發生的進步或退步，不知道做了之後會改變什麼或會改變到什麼程度。

一如回到過去或是進入別人的夢境，永遠是不被允許，所以如果我一直陷在裡面，自己就不免會害怕，因爲我怕會失控，怕會失控到更過分而無法挽救，釀成更大的遺憾或恐慌，可是，後來我放棄的原因反而只是疲憊不堪，只是有種我不想要再看的感覺，內心就只是累到不想知道，最後，甚至就完全沒有那種想要知道更多點什麼的衝動了，所以我就放著。

一如你醒來，你以爲你已經醒來，其實你沒有醒來，你是在另外一個夢裡，一直在另一種夢中的夢裡。一如更早以前的某種電影裡的夢魘的殘忍，所有的夢你都不會醒，只有在最後醒來的時候才會發現自己已經死了，某種恐怖片的特徵，鬼始終只在夢裡面殺人，最具代表性的恐怖狀態，是主角始終不斷地被追殺，而且當他醒來的時候，那個鬼又出現，然後繼續追殺，他才發現他其實沒有眞正回到眞實世界，他只是又到了另一個夢，非常絕望地恐怖，往往到電影的最後，或說夢的最後，我們才發現，其實第一個兇殺案的現場主角就已經死了，後來的情節都只是他自己以爲沒死而就在那邊一直跑一直跑，然後到了另一個夢，另一個地方，另一群人，他們想要救他，但是沒法救，因爲即使電影裡在最艱難曲折的狀況中突圍，在每個最不能逃離的地方逃離，到最後還是會死，因爲他一開始就死了。

她老是說，解夢太複雜了，而且一如我的瞳孔有種太複雜的異常，始終沒有被別人或自己更深入地理解，因爲，在那夢裡的密室裡，我甚至不是我，因爲我殺了人，但我不會覺得不安，或許也不是覺得很開心，但也不覺得擔心，那種情緒在那種狀態都變得混亂得難以理解。

一如我遇到一個危險或討厭的狀況，我就會把狀況轉換到另一個狀況，但其實只是我進入了夢的下一層，並沒有離開，沒有眞正地離開夢而回到現實，我可能只是進入我的下一層，那一層還可能更有另外三個入口，然後隨便開啓了一個門又變成更另外三個入口，充滿了歧路花園的暗示，進入或離開的路徑可能是垂直也可能是橫行的，就像一種更複眼看到的迷宮一樣，更容易迷路。或許我眞正的現實只是在隔壁，可是我沒有去隔壁，還反而繼續地往地下室的門開，不停的往下開，然後不停的轉換，夢裡的自己因此而始終沒有醒過來，因爲始終沒有找到。最後才明白現實可能就在隔壁，但是慌慌張張的夢卻是亂往下長，可是眞正的意識及其潛意識卻還可能就在隔壁。

所有夢的差錯的轉換不太容易閃躲，也可能每一次的夢都會誤判，以爲自己終於到了安全的地方，其實只是往下跑，所以一定會有錯，設定了什麼但在另一層的狀態下才發現，而且往往到最底層才終於知道是哪裡錯了。

甚至，還在夢裡的我始終還沒有回去，還在夢裡，但卻以爲自己已經完全逃離而安然回去。

或許，從另外一個地方，可以透過一種方法，在某一種狀況，我可以進到另外一個人的夢裡面，或是進到另外一個人夢中歧路最終的密室。她說，所有的夢都可能有密碼鎖，但也都有可能被破解。雖然大多時候夢的狀態設定不會那麼簡單，有時候會失控，甚至，更令人擔心的是，我爲什麼那麼擅長破解別人的夢。所以，更後來，我反而擔心起自己，因爲我老覺得在夢中我以爲已然轉換到了一個安全的地方但其實並沒有，我只是又開了一個門往下走，每一道門都可以連接到每一個夢裡，因爲那個密碼鎖是我設定的，因爲我太害怕別人可以進到我的夢。但是夢的密碼一如迷宮卻永遠可能會失效或被破解。一如我的瞳孔彷彿看得到古怪的什麼，但也好像有什麼永遠看不到……那或許眞的是天意。她說她的夢裡的主角不像是她自己，而比較像是一種有妄想症的植物或動物，但牠也是一個一直幻想自己是人的怪物。牠眞的想做的不就是她想做卻始終做不到的，那就是某種更內在的改變。

她就一如一個夢神，和被釋放的睡魔的牠周旋對抗，那彷彿是一個始終困惑的法師在找尋一種神通可通往另一種不可能的夢中的狀態，近乎失樂園般的永滅或永生。在那裡，沒有滲水的結構體，沒有破洞或裂縫的建築，或許在那裡，她就可以不用再……等待。

但是，她覺得牠喜歡的是開發人們害怕和憤怒的最深處，用很囂張的描述建築的結構，像一種迷宮的反效果，一種轟動但是越來越深沉的黑暗，用迷宮的迷亂來抵抗無法看到光的困境，抵抗更黑暗的夢也越來越稀薄的時代，一如抵抗解夢的所有可能，不是那種土地公講了什麼籤詩或把夢摺疊成棋盤棋局或塡補建築破洞的可能結局或破局，因爲她始終覺得每個尋常的夢一如那個作夢的人都有其黑暗的一面及其被救贖的可能，那是一種對自己人生更尖酸刻薄狀態的敵意，一種解碼更潛意識的密碼，可以描述更深的善念或惡念，來自更不可能的神，英雄，超人，精靈或幽靈的祝福或詛咒。一如滲水的更滲透性的暗示。

所有我夢裡滲水得最慘烈的那一個老房子其實就是寶島大旅社，她說，我老是會一再地迷路在一個迷宮般地困在裡頭，一如一種太期待結局來臨的等待。但是一走進那滲水的巴洛克式華麗的大廳，我卻彷彿是到了一個完全陌生的地方，雖然我心中知道這裡是寶島大旅社，但是，走了好久已然迷失的我卻只竟然像闖進一個大廳後頭的紀念品店長廊深處的老玩具店。我在那店裡拿了一個狂歡節的面具，那是一個死白的能劇哭臉，躲入人群，人們正在狂歡中還聽老掉牙日本演歌的那種大聲喧譁的老情歌。

她更後來，還從那寶島大旅社大廳二樓窗口看出更遠方長壽街，發現了一個極長極誇張的佛祖繞境般的出巡遊行隊伍，夢神已然失控了，那些巨大的花燈花車上有很多很多睡魔變出來的恐怖神像，歪歪扭扭相擁相摟的觀音和媽祖，長出兩個頭的瘋濟公，全身出現痲瘋疹子的彌勒佛，在花燈舞台上扭打成一團的八仙過海，甚至活生生站在上頭的全身都發出LED紫光跑馬燈的怪八家將。甚至，她說，那些瘋神佛都彷彿是你老家族的人賣力出演的，你那敗家女堂姊演的歪頭觀音，你姑姑們演的口吃媽祖和披頭散髮何仙姑，瘋言瘋語的堂弟演的全身異形變形狂派金剛刺青的三太子，還有你的叔叔伯伯演的老嚼檳榔又穿木屐老摔倒的關公彌勒濟公，甚至是你父親演的穿全身窄版○○七雪白西裝式自以為風流的呂洞賓。

在夢中，她說，我姑婆不耐煩地對她說，這個城的歷史，是那麼地容易令人不耐煩，一如太多的老城的老故事，一部不斷用吸血鬼或用外星人或用線上遊戲妖怪版重演的冷門古本歌仔戲，一開始是一個太子他開始載來太多的日本人，太多的軍隊，商賈，學者，還有潛伏或落跑的罪犯，瘋子，流浪漢。他們在這裡落地而繁殖成另一種人種。

他們在這個城一如這個島活下去很困難的戰火水災震災後的窮山惡水中活著，更後來一如這一百年來持續地出的事，殘局的不斷重下棋局的僵局，所有後代既亂倫又敗德的被永遠放逐，隱約進化卻又不免混亂理論蝴蝶效應般地重來而始終退化，所有的幸福感都必然會慢慢地潮解到一如滲水般地緩緩撤離，破產了，腿斷了，病重了，傷殘了，失智了，終究會因為身世中太多無法挽回的種種，人就變了，對所有的事感到麻木，最後，就在那一個老房子找到出賣了自己的一生的出口。

一如在那滲水的大廳窗口看出的那夢中的狂歡節般的出巡，太吵吵嚷嚷到連在巷中尖叫也沒人聽到，大街全是狂歡的怪人們，她說，那是在你故鄉那一個大佛凝視八卦山下老城的長壽街上，那彷彿永遠走不完的老街上，而且街上都是像八七水災完留下來始終清不完的潮濕到近乎潮解的泥濘，但是，所有的人和陣頭花車彷彿都不在乎，一個又胖又老的長翅膀拿弓的老頭雷震子，千里眼，順風耳，巨大的蟠龍，穿著清朝官服的鍾馗，判官，牛頭馬面，穿著紫色羽毛衣人妖般的金童玉女，還有全白的肥仔拿流星錘一直打得自己滿身噴血的乩童。

她說，我有看到你，你瘋了，還一直惹事，一直在陣頭花車上串門子般地挑釁，一直要搗毀所有小時候母親教拜的佛祖及其神壇，鬧到後來你的笑容很詭異。像是起乩般瘋了，使得後來你老家族的人在忍耐太久之後就不斷地威脅要殺你，所有的人都戒備地一整天耗在路上待命，甚至是在長壽街走廊中，還有你未出生的兒女或孫子們變成了跳恐怖慘白舞踏的倒立走路小孩們，都要砍你。

最後所有的陣頭花車開進了八卦山腰那一個大佛旁的廢棄的老遊樂園，在老鑄鐵製的雲霄飛車骨架下，所有的老家族的家人彷彿都變成殭屍或花燈般的假人傀儡，他們一直在追殺你，你一直逃還逃不掉，整個過程太恐怖了，嚇壞她了，她說，我一直想要救你，不要死。不能死。在那個夜空下的老摩天輪早已破壞而停工太久的陰影蔽天前，我們覺得我們終究是逃離不了了。然而，最後到了一個八卦山大佛旁的老墳地，她說，你父親死了就葬在那裡，你還記得，那是一個山上的老橋頭，舊木橋，你們老家族大多的人都葬在那個八卦山頭，都死得很慘。

雖然你是最後一個死的，但是，殺到最後，她說她一直聽到倒數的聲音，你的呼吸很喘，那些老老小小的老家族的人都仇視地向已然趴在泥濘近乎潮解的長壽街的你砍下一刀一刀，直到你的肉身被支解成一塊一塊的里肌肉塊。

最後我把你帶離大佛旁的墳地，下山，還想就葬在寶島大旅社裡那地下層始終一直滲水的那密室裡。但是，好奇怪，彷佛是夢神的玩笑或祝福，你的遺骸血肉卻自己爬起來彷佛是神通被喚回，變成了一道古怪的料理。

一如哪吒割肉拆骨還父母而以蓮枝藕重新還魂般地復活那般奇幻，你的全身肌肉竟然像是某種極品的肉團。好妖異也又變得好唯美，那竟然變成是最頂級的主廚打理成的一盤懷石料理手工陶盤上的生魚片或生和牛的最昂貴奢侈的生肉，或就是像吃拜拜大廟埕辦桌的那種所有烏魚子三層肉鯊魚煙螺肉鮑魚帶刺龍蝦頭放盤頭那種很台很生猛的大冷盤，更後來還甚至把你所剩下的一團枯骨搭成那寶島大旅社的結構體鷹架，用你的潮解滲水的生肉一如陶土交趾燒般重新捏塑了那老建築的立面，窗洞，玄關大門，連那洗石子蛇雕的山牆或門柱都重新打造出來了，那般生動地精雕細琢，那般令人心動地栩栩如生。

她說，露出某種恍惚而神祕的嘲弄眼神，那生肉在夢裡卻看來是那麼鮮美使我老是想著：如果沾芥末……好好吃！

寶島部（第1篇）姑婆託夢。

我一直想死又死不了，大概就是因爲這張古怪的百獸床……姑婆老是嘆氣地提起，送我這古董木床的那群當年幫我做寶島大旅社的最高明的鹿港老木工師傅們說：百獸就代表百壽。但是，對我而言，這卻像是一種詛咒啊！我始終記得姑婆的那張上頭繁複雕琢著滿幅木刻百獸的古董床，一如那我老是會去找她那在長壽街老家閣樓神明廳旁可以看到極端歪歪斜斜屋簷古檀木架的老房間，太華麗又太神祕，太古老的迷信也太古怪地炫目，有種彷彿太過冒犯地端詳直視眼睛就會瞎了的那般氣勢逼人。

古董木床的層層檐面與床柱上頭漆滿了開到荼靡般的鎏金漆不明動物肌理那弧形肉身賁張，又充滿種種中西合璧又不中不西風格花鳥蟲獸的栩栩如生，怎麼看都好看但也好古怪，那床身造型爲典型的中國傳統床檐的層層疊疊，但是圍欄彎處卻有種種古怪的像西方建築的教堂山牆的西方建築裝飾上頭的造型圖案融滙少許的雕花或巴洛克式的西方元素，但是，最古怪的圖騰般的正中央如眉心處卻出現了一尾扭彎捲身的巨蟒蛇身就盤踞於百獸擁護之間，蛇身鱗紋還蔓延到淹沒過那老檐層一如洪水氾濫成的河流，也就像如此淹沒了那整座古董床頭和床洞的深處，那麼地恐怖妖異卻又那麼地華麗動人。我仍然記得那張古董床是那麼妖異到近乎不可能地破壞規矩地拼湊了太多不能被雕刻在一起的花鳥蟲獸，多年之後的我才知道，那種種太過繁複的不明動物肉身賁張裡還出現了太多不可能同時出現的規矩和規格，太多層出不窮的掛落，床檐，圍欄，床頂床底甚至踏步面上頭種種穿雕，圓雕，浮雕，陰刻，鏤空的近乎花腔女高音般炫技雕工的華麗。多年之後想起來，這些近乎失格的種種太高難度的破格工法，一如當年她所精心又苦心打造卻又同時壞毀的寶島大旅社，一如那老是失控的當年蓋寶島大旅社的那時代的那些謠傳般的離奇故事那麼地可歌又可泣。

那古董床身圖案太複雜了，雕刻通體貼金，床體上檐落太多層。床體上檐前後左右均懸有掛落，其中前檐後檐左右檐都有同層的彩檐，也都用最昂貴的泥金、朱砂、石綠、石青、赭石種種顏料著色，那古老的漆色雖然已然褪色，但是仍然那麼地斑駁迷離。最上頭的黃金朱砂大漆的漆繪貼飾古怪地富麗堂皇的一整層的掛落卻雕刻著愛情的百隻造型複雜的蝴蝶，還有上百顆弧形修長的絲瓜，正中間出現了金雞既歡笑卻凶險地鬧芙蓉，那種民間最胡鬧的諷刺著又歌頌著的圖像。再下一層床檐上卻雕刻百隻鳥擁簇著正中間的鳳凰和牡丹，乍看是百鳥之王和花中之魁的那種榮華富貴，但是仔細看又好像是百鳥圍攻著那隻彎身彎翅膀的鳳凰快哭出來了。有一層是福從天降，此床雕刻上檐通體爲百隻碩大猙獰一如吸血鬼變身前的人臉蝙蝠，而且空雕和高浮雕地那麼栩栩如生。下一層則滿圍全封閉圍欄形制，床體貼金內壁裝飾傳統冰裂紋，正中拼組花瓶及罕見的滿圍空雕裝飾所雕有歲寒三友梅蘭竹，細看卻像是那種委屈在暴冰雪圍伺中的可憐盆栽。更下一層是是百隻麒麟送寶，太做作的那麒麟吐玉書的麒麟所拼湊的四獸之龍頭、魚鱗、馬蹄、鳳尾，雖然那麼美那麼華麗，卻那麼像是《山海經》裡最古怪的怪獸，我還記得，小時候我怎麼看麒麟都太像妖怪。但是，我更老記得姑婆她這張古怪的古董床前屋中的同樣古怪也刻了百獸的古董桌。桌側也是雕工太繁複的種種月洞門四柱，如意瓣花紋裝飾。也就是那顯赫的整架床上所雕刻的百隻看起來像狂歡卻又像暴動中的一如野獸的瑞獸。而且好奇怪姑婆在古董桌下放養了一個巨大的魚缸，裡頭養了好多熱帶魚，姿態形貌美麗地那麼鮮豔華麗。

但是，有一回我竟然在夢中夢見了那整缸的魚都變成人面魚，身體是一如金魚般的魚鱗閃閃發光，弧形優美的魚鰭魚尾都翩翩晃動，像是和服的衣裾那麼地華麗，但是臉的五官竟然還都長得像我也像姑婆，而且最奇怪的是口中都滿嘴獠牙，像是食人魚般地想跳出來咬噬我。

我嚇壞了，不知爲何在內心最深處，我始終感覺得到那些上百條的人面魚都是我和姑婆在某種古怪的半人半獸的結界狀態中用不知何種法術交歡才生下來的亂倫野種，就在邊餵人肉邊看著牠們的獠牙狂咬的同時，心中卻有種不知名的無比恐懼又無比亢奮。

那麼多年來，我在那張姑婆古董床的臥榻上聽她說故事，也是充滿了這種無法明說的恐懼與亢奮。她彷彿和我們那個老家族完全沒有關係，她老是說你姑姑、媽媽所熱衷搶看的那些楊麗花歌仔戲裡演的《薛仁貴征東》、《穆桂英掛帥》、《七俠五義》、《施公案》、《彭公案》，都是亂演的，書上根本不是那麼寫，她有時候心情好還會用臺語念一兩段線裝的原本小說給我聽。但是我仍然記得她最喜歡樊梨花移山倒海的小說橋段，尤其是痛宰二路元帥薛丁山那故事，常常邊念邊笑，她說在夢中教她法術的那仙姑師傅也就是驪山老母。那些撒豆成兵或通鳥獸語的法術她也從小就學會了，還有那些法器一如誅仙劍、打神鞭、混天棋盤、分身雲符及乾坤圈種種寶物驪山老母也有傳給她，但是，姑婆說，後來她老了，沒有力氣呼風喚雨到移山倒海了，不然八七水災不會那麼慘，她可以拯救長壽街的所有被淹死的人的。那時候還那麼小的我始終沒懷疑過她說的那些話，一如那麼多年以來每回小時候的我去聽她說故事，說到最後，她老是會跟我說，你的命不好，但你卻不可能反抗你的命，或許，那只是她跟自己說的，她跟了一個日本人私奔去日本的叛逃，就一如樊梨花的那種命，在那種時代叛了家又叛了國，只因爲她的某種太頑強又太不安分的命。一如樊梨花自幼隨驪山老母習藝道法高強卻依了她的命而開關降唐，叛了父親樊洪兄長樊龍樊虎所鎮守的西涼國寒江關，殺了自己指腹爲婚的原來西涼國猛將楊藩，還下嫁給敵軍大唐國那手下敗將的沒用薛丁山。她老問我，我是不是應該要告訴你，不斷地提醒你，你只是一隻小動物，不要想做人。她怎麼相信那麼小的我，一如有個和尚告訴他的愚蠢小和尚，老貴族始終告誡他的駑鈍笨僕人。其實有時候人很慈悲有時候又很邪門的姑婆一向都出名難纏，但長大以後的我才慢慢地回想起或許她當年內心是充滿矛盾和悔恨，一如她那仙姑師傅百般囑咐地告訴她的傳人那一個像樊梨花這種古老的寓言，然後教她如何逃入她的命。

但是小時候的我仍然還是只喜歡聽她說的怪故事，吃她做的怪料理，所有的菜都聞起來好怪，又香又甜，永遠不辣但我吃起來卻老是流眼淚，她常幫人收驚偶爾幫人解夢或用更古怪的方式託夢，在夢中她還會救人還會收妖、打小人或壞人。

但是我還太小了分不清夢和現實，分不清夢裡好人和壞人的差別，一如在夢中的我有一回被綁到不能動，但完全可以感覺到痛，被打腎上腺素不會昏迷，但卻知道完全無助的絕望，風景太可怕了，因爲我眞的在夢中親眼看過我像一隻動物被可憐地虐殺，看那個女屠夫把我切成二三十塊，切下四肢手腳，放到屠宰工廠和廢棄場，她在她的肉店牆上還掛著她的怪興趣所做的最高難度的機械動力飛行器模型，我太害怕那一個看起來已然瘋狂了的亂髮女屠夫。她是無心的，我告訴自己，這不是眞的，這只是一部恐怖片，因爲那個女屠夫還幫我手淫到勃起射出精液後還邊舔手指邊剁我的陰莖時開心地唱起一首日本民謠般的兒歌，「迷路的盲目小鳥快回家，千萬別跟陌生人說話，我討厭你，因爲我眼睛完全看不到！」她把我分屍然後把碎屍塊分別賣給好多來老市場肉攤買菜的人回家做菜，還把內臟倒掉棄置到老市場尾最深的陰溝裡。女屠夫老是邊下刀邊對被剁但還是邊勃起的我說，你以爲你躲得了嗎？後來我醒來才發現夢裡的那個把我當動物宰殺的女屠夫就是我姑婆。一如小時候，我老聽老家族的人指斥姑婆是妖女，人們無法阻止她，因爲她要你死你就一定會死，一如所有故事的開始，所有人和獸在變身前彼此的懷疑和打量，或許，一如我也從來就沒有從獸變成人，一如或許我從小就沒遇過姑婆，那麼這個恐怖的夢，一如寶島大旅社這個恐怖的故事，或許就完全不會發生。

姑婆最後答應帶我去玩，因爲我幫她燒掉她在老家裡所有老東西，彷彿她一生有過的回憶的那些書法極美的寫著日文漢字的信，太多舊書，華麗的老和服，還有好多老照片。

收拾到後來，有點傷心的姑婆最後嘆了一口氣地低聲問我，你眞的要變成人嗎？像我一生這樣做嗎？她說，或許，太開心了也太傷心了地那麼古怪地悲慘，從動物變成人太苦了，我一直沒法子說我知道我是誰，所以我不需要任何一生裡的老東西來提醒我。

一如我小時候常問姑婆，還老是吵著要一些怪東西，一隻沒有過的三頭猩猩，一臺自己會飛的車，一種會無故發光的玩具，一本失蹤太久到大家都以爲從來沒存在過的家族老相簿。她常說，你讓我想起你父親，和更多你爺爺拍的小時候長壽街那老相簿裡的黑白照片。但是，如果你看到，那就表示你也可能會沒命，一如我這個神經病就可以隨時會沒命一樣。

後來，或許，姑婆說，所有的人都不免最後都會發現，叛變是沒有回頭路的，從獸變成人，從親人變成仇人，最慘的是所有的故事到了最後，終於還是會變成陌生人的，那是一種古老詛咒般的寓言，一個人回到老家，但已然完全不認識那老房子，甚至因此就擦身而過了。

那就是她，也可能就是我，或許變成了一個忘了家族的人，或許甚至變成一個忘了自己的人。

一如，寶島大旅社的建築圖都不只是施工用的，因爲只要念對了咒語，圖就會發光或發熱地散發迷香，或許，那一種圖就還是一種符，甚至那建築，也不只是蓋給活人住的，因爲裡頭終將發生了那麼多離奇的故事，反而像是要把人活埋起來的。

一如那裡頭所有故事都是要倒過來看，那寶島大旅社的施工圖或許就是一張更迂迴複雜的等待啓動的符咒，要想法子前前後後翻來倒去地讓裡頭時光像卷軸打開般地看，那平面圖一開始就不只是要立體化變成一個現世的旅館建築，而更像是一張封入吉凶修煉種種神佛的唐卡，要宇宙化成一個曼陀羅的壇城般如夢幻泡影的宇宙。

那種符一般的圖是那麼充滿奧義，裡頭畫的是一種從未揭露過的宇宙祕密圖籙，一如二十八星宿擇吉凶才能降世的神通投影圖，一如道士以敕字開始運氣凝神起乩之後才能下筆的鬼畫符，那種種亂畫看起來充滿缺陷但更像是無懈可擊的金剛不壞之身。

一如某種更倒行逆施的詩論修煉，不壞反而是就要會壞，因爲，人不可能知道什麼是假的，所以要面對自己緩慢垮掉或腐爛的部分，才可以讓自己長大或讓自己參悟。

因爲，人只是那麼脆弱地活著，金剛不壞一定是假的，人就像是一生修煉般地日夜晨昏地拜拜，還是不會堅強到不會壞，只是可能因此接近可能可以參悟到某種缺陷是如此充滿玄機的奧義。

一如姑婆曾提過她在日本曾經聽過有種藏教祕術，死前如果那高僧一生的修行是虔誠而高深，那麼可以閉關七天，念對了咒，坐對了古卷軸裡的壇城建築圖，那個高僧會漸漸地萎縮，到了最後一天他可以縮成七吋小人，幫他完成死亡祕術的徒弟會進入那密室，再爲那高僧誦經七天之後，可以用那張圖捲成一個弧度，將他極小的七吋人身慢慢地裝入一個西藏密教的寶瓶，他自己後來修煉成了還把那祕術用在建築裡。這樣，他就可以算是完成這一世的業，而才能開始去找下一世的活佛投胎。

因爲，這種修煉是要去面對人世的缺陷與無常，因爲所有的狀態都不免是「這個殺了那個」的過程及其下場，那麼地殘忍無情，要閉氣才能開始做法，要關掉一種才能打開另一種，因爲身體是有缺陷，那才和邁入更完美的建築有關，一如一定要有什麼不見了，不說什麼很重要，有缺陷才是對，自然是需要什麼才能跟祂接連，那像是一個神殿的聖堂，像她當年在森山做的寶島大旅社和東京御苑臺灣閣的池底亭中所封印的，一定是需要符咒的，一如一個用古老陶片做的封神的暗箱，是要有符才打得開，但是打開之後也要有符才關得起來。

或許，這個世界的缺陷太眞了，但是我們在找尋的卻不是眞的，更困難，不是找眞的，而只是在找可能做什麼，還可能做什麼，還可能如何不斷修改，做更大更好或做更不清楚更好。

一如姑婆所說，晚年的她，肉身的缺陷越來越清楚了，一如睡魔找上了夢神的侵蝕與偷襲，在她那麼老以後，後來出的事太大，身體支撐不了就越來越不行了，甚至，不是老化，而更就像是一種潮解，某種從更繁複的物理變化走向化學變化般地潮解，在長壽街的老病院躺了一段時間，已然搬回到長壽街的老家，本來有點好轉，但是老沒法子見光，只能躺在昏暗的房間死角，後來就慢慢地全身枯瘦下去，萎縮越來越嚴重，一開始是受傷而動作遲緩，後來雙腿無肉也無力到不能走路，連下體都完全不能移動，又過了一陣子，她習慣了偶爾坐上輪椅在房間裡繞著那張桌底有魚缸養人面魚的那張古董桌繞圈子，更後來那種癱瘓更爬上了上身，肩膀沒法子舉到手肘手腕沒法子提，甚至，最後在某一天醒來時發現所有的四肢都慢慢地僵硬發涼到沒法子動了。

那種極度緩慢地失去自己的過程是極爲殘忍的，她全身癱瘓到全身完全不能動，只有頭還可以輕微而幅度極小地晃動，但是更後來連頭部也不能動，而只能低度地說話和進食。

那時候的眼睛本來還看得到，但是還有一層層的霧狀膜遮蔽，像是後來的白內障，還不至於全盲，但是她天生眼球有問題又太深度近視的，然後拖了更久，問題越來越嚴重，後來就完全看不到了，一如全身的慢慢不能動，動手術就算要忍受極度的痛也不一定會好。更後來她就放棄了，她說人都那麼老了，因爲全身也不能動，所以也不想再看到什麼了！

更後來我就每天看著瞳孔不斷放大但是越來越看不見的她，每天說故事給我聽，甚至，最後，連話也不能講了。

就在她完全不能說話的前一晚半夜，我正在長壽街老房子她那百獸老古董床上陪著她，但在我太過疲憊不堪的寤寐之中，昏暗而死寂的房裡，突然聽到了奇怪的笑聲，那時候，姑婆變了聲，變成了一個兩三歲的小女孩卻在病房裡大聲說起她的願望，我在三歲的生日堅持一定要辦一個盛大的派對，一定要請所有人來我未來要蓋出來的寶島大旅社跳舞，她甚至要穿全身刺繡金蛇的紫色的和服來出場，而且來賓都要是名人，所有日本總督府衣冠楚楚的精明又好色的長官少佐們，潛伏在人群中找門路的說著濃重廣東腔的西裝有點皺的孫中山，甚至連化裝成登徒子的還是年少輕狂太子的明治天皇也帶著幾個武士服隨扈溜進大廳了，還有那幾個穿著破舊唐裝打綁腿的廖添丁和他的兄弟們也在那裡打量想鬧事，但是我勸他給我一點面子別亂來，而且我叫了我那些當年美若天仙的穿和服的姊妹們來當他們的情人。

一如所有的客人外，我也要帶自己的日本建築師老情人森山，還有我那還沒有妻子的弟弟，你祖父，我也會幫他找一個女人，她會生下你父親和七個兄弟姊妹，然後在長壽街生出來你們這整個短命而充滿缺陷的家族。

寶島大旅社到底是什麼？是一塊塊那個時代倖存者的碎片所重新拼拼湊湊出來的馬賽克建築拼圖，或是一場場那個破敗的大家族的殘餘者種種殘念般的夢中的逼眞現場。或許，那個家族或那個時代都完全消失了，所以必須被描述成倖存者或殘餘者的殘念般的早已完全刻意失憶或刻意洗腦的清除狀態。

因爲，在這個老旅社裡，種種被不斷提起的過去及其膾炙人口的過去感，或是更認眞的涉入歷史性和集體記憶的更像陰謀或祕而不宣的祕辛也都已然完全消失。一如在過去這個老旅社仍然殘存的地方竟然動工了，因爲種種差錯的動機而重新打理整修的更古怪工事，竟然使得這棟古建築得以用某種更差錯的風貌完全被移轉或插枝地變形般地長出來，就出現到所謂的現在，就像那幻覺般的另一種截然不同的所謂的建築。

一如那一個夢，有一晚夢見，我家要搬了，我做過好多次這種要搬去某陌生的新家或工地的夢，搬去一個在高樓中一層的新房子，極大，上百坪，但尚未完全完工，我和姊上樓去看屋內的裝潢狀況，走到半路，我卻想去上小號，姊說，可以借工地廁所，帶我往上一樓先去，她好像對路和走法都很熟，於是，我就跟著走了上去，之後，繞過很多鷹架和管線，轉了幾轉，走了好久，但，還算順利，雖然一路上都有積水，仍有模板鋪地可走過，看到有些工人在工作或吃東西，卻沒人留意到我們出入，奇怪的是，再走一段路，竟然，在許許多多未完工的混凝土牆壁和樓板之間，我竟看到一棵極大的像神木那麼大的茄苳樹，樹幹粗大，樹身直徑超過兩公尺多，很多枝莖蔓延，而且長滿樹瘤，樹皮雖斑駁，根盤更大茂密根部大半裸露出樓板。

我覺得極爲不可思議，那樹太大，而這樓太高，我站在那裡看了好久，還是不像眞的。甚至，因爲這種景象，它使這大樓看起來雖然還沒蓋好，就已經像是廢墟。有種像吳哥窟般的既人工又野生、既壞毀又重生的詩意。

姊跟我說，樓下我們家在這大樹的樹根盤結處有一玻璃屋可看到它繼續向下長。仔細端詳，其實那樹好老好美。雖然這株樹一定已超過百年，但仍非常地高，甚至看不出它穿過幾層樓。雖然看起來是有遭到災禍傷害而傾倒過，但已被加以塡入高約數公尺的土石，在四周堆累巨石，來鞏固它巨大的根莖，而且，由於時間太久，有多種爬藤、長葉蕨、山蘇之類又陰又濕的植物糾纏地攀生於其上，甚至又在有些半枯半爛的莖身上長出更青翠的新枝和嫩葉，而且，在這些混生的異類枝葉的蔓延開展中，竟然還有鳥雀昆蟲在此地築巢盤旋，有的吱喳，有的嗡鳴，用某種低音頻率飛行著，飛進飛出如入無人之境，好美。一如花開到荼蘼式地繁盛華麗。

或許，就因爲如此，這巨大的老樹在這半廢墟半工地的混凝土大樓中從祂自己身上長出了一個活生生的生態，好怪異地熱鬧太妖氣，像「樹神」那般擁有某種有靈性的又莊嚴又陰森、又可親又可怕。後來，繞過這棵樹往回走，工人們完全沒發現我和姊的進出，他們甚至沒注意到這神木，好奇怪，我們下了樓，進家裡，一看，眞的有那斑駁的樹根長下來了，而且還很誇張地龐大，甚至從玻璃牆長出去，長滿到一整間客廳和餐廳，極妖幻地華麗。之前我完全沒有參與這房子的事，甚至到那時才知道有那房子，但夢中那還是小孩的我並沒有沒被告知的遺憾或情緒，反而有點高興。我姊招呼著我，還有一些親戚，大家坐在餐廳吧台上，喝下午茶，開心地說話敘舊。看向那棵神木，在玻璃溫牆裡像溫室又像實驗室，但極美，它有一截巨大的根莖叢甚至長到沙發旁和電視上頭，極像園林中稀奇植栽及石景，但也像沉寂的古生物或有法力的妖獸，不經意地淺淺呼吸，沒有表情，也沒有動，張望在身旁的我們。

我靠近一點……去仔細打量，祂好像在對著我們說話，但我聽不到。

另一個夢的時間更早也可能更晚，那是回老家前所住進的一個長壽街末端的老旅館，就在一個秋初還悶熱得有點悶悶不樂的黃昏末端，出奇疲於奔命後疲憊不堪的我剛落腳到這個老木門口，不知爲何，我竟然是穿全身父親留給我的不合身西裝在老舊的櫃檯跟一個說日語臺語混合親切口吻的老內將客氣地說我check in，老內將跟要刷卡的我說，你媽媽交代櫃檯已然付過，我有點納悶，才在那裡想著到底怎麼回事，母親已然去世那麼久了。但是，就聽到入口大廳有幾個老人坐在那裡在聽一個人現場彈鋼琴即興演奏某首日本兒歌改編的曲子，大廳旁的長牆上有整牆的黑白老照片，裱框著許許多多的這棟老建築的過去寫眞，當年極爲華麗盛大的落成慶典，日本太子蒞臨過的風光，八七水災淹沒大半樓層的災情，第二次世界大戰大空襲的燒夷彈炸垮的塔樓廢墟，後來數十年就完完全全地廢置而荒煙蔓草到甚至榕樹根都從地面馬賽克長出，枝葉繁茂到戳破玻璃花窗……。後來，我也就坐下來在那沙龍的老沙發上發呆了好一會兒，彷彿邊聽音樂邊看著這個滄海桑田的旅館所歷經的種種不可思議的奇幻的故事。

後來，過了好一陣子，我被帶進到了旅館房間的和室裡，那房間還有另外兩個堂兄弟或遠房親戚的親人，我們正在敘舊，說到很多同輩的小孩已然陸陸續續考上大學，說到長壽街這幾年的演變越來越激烈而離譜，最後還談起一個剛死去的老家族裡小時候看著我們長大的長輩的墳墓蓋得出奇奢侈地華麗。

那時候，不知為何卻突然有人敲門，竟然出現了一隻扮演著火雞或鴕鳥的全身誇張可愛戲服扮相的人進來找我，叫我猜猜她是誰，我說我認不出來，和她一起來的人暗示說她是我情人，但是，我說我沒有情人啊！那個人只是客氣地緩緩鞠了一下躬道歉，但是看得出來她是哭著離開的。我有點意外地吃驚也有點抱怨為什麼在我們正難過著的時候還會有人會如此胡鬧，但是，他們用眼神叫我小心，那在哭的情人可能還躲在牆旁門邊還沒走。

後來，我去拉旅館房間入口那斑斑駁駁的破舊紙門，想看看那個人是不是離開了，但是，卻在拉老木把手時不小心戳破了紙門的糊了很久很薄弱的和紙。那時候的我很內疚，但是一拉紙洞卻又破更多，也拉不太動，天色變得昏天暗地了起來，彷彿有些什麼被喚回……

那時候，我心裡突然閃過一個念頭，難道，這裡就是那老舊失修多年最近又勉勉強強地用其殘留廢墟的房間重新局部開張的寶島大旅社。

一如我回老家前繞過去看了好久的寶島大旅社，那裡完全走樣了，現在已經變成一個被整修過但又破敗的破房子，那石柱上貼著枯黃破裂的「觀世音菩薩班彰化永安參宮恭請天上聖母擇於農曆九月三十日遶境平安風調雨順國泰民安」的符咒。看不到太多以前我小時候記憶的模糊模樣了。欄杆上竟然重新漆過有點古怪，轉角竟然安裝了兩個路燈。石柱的部分倒是還保留得很完整，通柱長到三樓延續那轉角的斜度有一些很特殊的曲線，現在變成了歪歪扭扭的折線，我好懷念這個始終一再重建又一再塌陷的那曾經是這個城這百年最惹眼的傳奇而妖幻的古建築。

不知道爲什麼我覺得已經完全走樣了，或許是我自己也完全走樣了。我感覺到某種更深沉的光慢慢地暗淡而去的狀態，顯得不再柔軟地那麼古怪地硬硬的但是時間卻拉長得更爲遲緩，或更爲慢轉式地近乎停格，嬰兒哭聲響起時期待母親的擁抱但是仍然被孤單地遺棄在某個破屋角落的昏暗光暈中的那種不忍與不捨，但是，也來不及了或也挽救不了那一百年以來快轉的不斷發生的病痛般的死亡。一如，每次回去長壽街老家的最深感覺是……他們眞的都已經很老了，而且，他們眞的都很疼我。但是，或許顯得有點遲了。對死亡的恐懼，或說對長壽街的恐懼，使我想到更多更裡頭的情緒，一如我在寶島大旅社的最底層，所有人的時間感和存在感變得不得不的這麼坦率，這讓我有點驚嚇。因爲我們的家族是一個所有情緒都不會說出來的人種。我太難以想像這麼多年以後，我能做自己想做而不是那家族想要我做的事。爲了不辜負老家族對我的期望而使我過得好辛苦，但是最後陷入寶島大旅社迷途的我不免還是讓大家族失望了。那像是一種僭越或潛伏，在某種默契下所有的人都只能做家族裡的人能做的事。太多幫派規矩的黑幫，太多武士道操守的武士，太多教養行情的世家，太充滿禁忌的古老部落，或所有的家族都有的集體潛意識般的害怕，對於貧、夭、孤，的恐懼。我始終不曾深入過的眷顧或遺棄。我很懷念那個地方。寶島大旅社。一如某種愛，某種「我不想見你是因爲我太愛你所以沒法子見你」的那種更深層的愛。或許，我是應該放手了，就讓寶島大旅社消失了。

現在就相信就算所有老家族的人對我苛責對我講惡毒的話，我也不再受到傷害，他們不會打算原諒我，因爲我爲何一直在做令他們不安而可疑的事，所有的故事應該是要從想念老家族的善意開始的，但是我卻可能是從充滿懷疑的惡意出發。

一如姑婆，一如她那種人生的輝煌或挫敗及其隱喻，一如一個繁殖中歧出的身世所干預的她的一生或我的童年。那一百年前，大部分的人和身世，一如那個老旅館要存活幾乎是不可能，但是，就像奇蹟一樣，我想我和她一樣正在瀕臨某種無法描述的龐大而緩慢的改變，最後已然變不正常了，我心裡明白，那是寶島大旅社改變了我，像種必然傷害的可怕的副作用，或甚至就像種詛咒或像種報應。但是，我還滿喜歡我現在這樣子。

其實百年來我的家族也不全都是敵人，也不全是故事裡的人，或許，我才是整個家族在這個時代最惡劣的人的標本。但是，彷彿託這個老家族的福，那是一種沒有麻醉的開刀手術那般清醒地面對痛苦，免於這種血肉器官翻騰的痛苦，我好像就只變成了一個好人，所有的好的陰謀都太完美了，但是好像少了什麼，彷彿少了某些童年的碎片，一個沒有發現過的黑洞，一個腦下垂體的時差，一種從未來找來的對靈體的修補，對決另一個現實的始終被干擾但又不能撤退，一如一隻瞳孔破裂的脫毛又脫皮的絨毛玩具熊，一個找不到的放我三歲時流口水又裸露下體老照片的舊相框。那彷彿是種召喚，是叫我再用心去遺忘我的過去一生的夢魘，或許叫我對於懷舊溫馨感人部分的過去再用力點，或叫我心存感恩地想像平行可能發生的災難而對現在自己仍然的倖存多有點誠意。

一如每一個家族都有破口，破洞補不起來，哥哥說，撒旦要攻擊就從這裡進來，我們自己能補多少，家族裡的缺陷，永遠的兄弟裡潛伏的反派。每一代都會有一個敗家子，從小的使壞逃家，一生的惹事做亂，一如薛仁貴薛丁山一門忠烈家裡的大鬧花燈誤殺皇太子而惹上滿門抄斬的不肖子薛剛，那也是來自我們家族的另一種更深的逆子的遺傳，一如我。

一如小時候那最精明聰慧的伯母，晚年卻得了怪病，腦開始萎縮，看精神科又看神經科，後來發現她更緩慢地失智又失憶，這種症狀和某些老了太久就會找上門的病很像，那是越來越慘的阿茲海默症，她記得的都是很久以前的事，但是眼前發生的都馬上忘了，小時候的我們家族的開心或傷心的事反而都記得更清楚，後來的幾年越來越常無故地笑或哭泣。哥哥說，伯母就一如他有一回去教會前在某個車站看過到一個老人，很多人來幫，有人問他，但他記不起來要去哪裡，也忘記從哪裡來，他一走出來到最後就一定忘記要怎麼回家。不只是忘記的有分爲長期記憶和短期記憶的模糊不清的種種，而是持續地在忘記，忘記的速度緩和下來就不錯，不可能好了。那是一種破碎的人生的倒帶，或許，我們自己身上都有一種失憶的可能，或已然忘了太多太久，只是我們從來都不明白，有時忘了，但不知道忘了什麼。

我感覺到他們是那麼的衰弱了，姑姑或伯父他們那一代八十歲了的肉身的慢慢地轉換成胖、病、傷、醜，這使我內疚，我始終都不在他們身旁，那一個時代或那一個世代已然在撤離了。所以那一陣子一有同一代的家人過了世，伯母心情很不好，常常一個禮拜沒法子睡，有一晚吃了兩顆安眠藥第二天就起不太來，勉強醒來就連走路也好像失神。她露出一種古怪但豁達的微笑，在老家那個一樓的房間，那裡就是姑婆當年過世停屍的地方，在同一個天井旁的長壽街最深處的房間。甚至，開始有種更古怪的混亂發生，有時半哭半笑又有時完全空白的老了太久的伯母說：這幾天好多家人都回來要接她去玩，你媽媽、二姑、祖母、姑婆，都在樓下按門鈴叫她，有的，就直接到床頭，大家都穿得好漂亮好像是要去八卦山大佛那裡去拜拜。她講得很激動而開心，但是，堂弟說，她已然分不清楚了，那些她提到的家人都是已然死去的人。

那是一種業。小時候的我跟姑婆說過：我看到了一個傳說，有一個八卦山深山裡的老廟，一個拜五府千歲的宮，盛傳……人吃神明。傳說如果吃這宮裡神像金身的任何一點點木屑都可以保佑任何的事，呷平安，但是後來太多年來太多人來挖，從神像底的木頭底座挖起挖過頭。那個宮很有名……位於八卦山大佛殿後頭再往更深處走進的山裡，那老廟已有三百餘年歷史，香火鼎盛奉祀五府王爺千歲十二尊，聖誕各有不同，宮由於歷史久遠，所以建築雕刻，十分奇特古怪。古殿內分三進，其中古物頗多，特別是年代久遠的匾額，呈現特殊的古樸風雅。廟的正前方有景福門、慈恩園、八卦殿……種種景觀，庭園裡還有好多奇怪的雕像，有假山、奇石、噴泉、水池、觀音、大佛及各種動物雕像……還有好多亭子在其中，因為馬龍山是海蝕礁堆成的小山，山頂上還有座又像龍又像馬的怪動物銅像，象徵龍馬的吉祥，據說若登臨騎在上頭，可以遠眺大肚溪和大肚橋，以及一覽無遺整個宮的全景，如果是看到夕陽可以變長壽又可保平安。

最奇怪的是……每個老雕像、老景觀、老亭台、老樓閣的只要是木頭做的，連木屑都被挖過，也就是像廟裡神像金身般地被挖過被來拜拜的人偷偷挖回去吃過。雖然乍看只像是被蛀得很慘的老廟廢墟。但是仔細打量這古蹟，會覺得這陳年廟身卻有種令人意外的過人氣息。有種很奇異的亦正亦邪地肅穆莊嚴、既殘缺又完好地有看不見的神祕的什麼在駐守的坦然安詳。最後，有個報導的深入追蹤引發廟公嘆氣地說，吃多吃少其實一樣，有吃就好，有吃有保佑，但是，也吃太過火了，有的還甚至剪神明鬍鬚頭髮回家吃保平安，但是在這宮，這很多尊都快被吃光了。最近，被神明託夢說這樣子下去不行的廟公開始擔心了，他說木頭的神尊快挖穿幫……甚至就快挖到屁股。姑婆只是笑……

我又跟她說，我作了一個夢，夢中的我在長壽街老家後院倉庫所改建成的一個黝暗又空蕩的巨大畫室，角落充滿堆疊太多太老的髒兮兮到積塵攀滿成汙漬的破損木製畫架，顏色形狀都很假的畫靜物用的水果模型，希臘神像翻太多回翻成的諸多爛石膏像，到處都太久沒有打理到髒亂不堪地滿布蜘蛛絲或蟑螂足跡或又黏又黑的老鼠屎，就這樣，有時待在畫室裡太久，會覺得那些汙漬又多又誇張到像那麼多個慘白人頭，有種難以明說地古怪，像是臉孔或後腦勺不知爲何但卻長滿的不同黝暗胎記，下咒的符籙，封入的封印……的那種古怪。但是，其實我並不在乎那個長壽街老家裡那麼多近乎又哭又鬧般的年久失修的舊畫室。

在裡頭待太久的那個我正聚精會神地看著鏡中的自己，著手在修自畫像畫面裡最細節的光影，太仔細地潤修出的炭筆痕跡正繪聲繪色出種種層次陰影中的那個自己的臉，但是，輪廓線逐漸消失，最後竟然看到了一張疊上下兩個人頭的鬼臉，那是怎麼畫出來的，我本來不就只是在畫自己的臉，怎麼會畫成這樣，甚至，整個過程畫了好久好久，但是，怎麼畫都不對勁。

我後來恍神了，邊畫邊打盹，但清醒以後，這張畫卻就畫出來了。畫面中上面的人頭有點太大，甚至有點歪，那是煩惱到眉宇深鎖甚至印堂發黑的臉。但下面的人頭更慘到皮開肉綻而肌膚腐爛到可以看見帶血長蛆那受傷黝黑頭骨的裂縫弧度了，但是，兩個都是我的臉卻緊緊連在一起，彷彿原來就長成這樣，而且因爲畫久也看久了就更不覺得那麼奇怪。一如最古藏廟裡密宗怒目金剛多身多頭半神半鬼人獸同體的玄祕佛雕，或最老派馬戲團裡怪人秀帳篷裡展出的矮子侏儒白子雪女雙頭連身兄弟，《X戰警》或《星際戰警》裡好萊塢特殊效果做出來的多眼多口的外星人或超異能怪人……但是，那明明是我，看著鏡子畫出來的自畫像，怎麼會畫成這樣。難道恍神那段時光使我的潛意識浮現來作祟般地作畫，或是我元神出竅到使妖魔鬼怪附身而起乩鬼畫符般地亂塗鴉。或許都不是，但也或許都是，這臉孔無論多麼正常或不正常，古裡古怪或扭扭捏捏，從容地容光煥發或病態地神衰骨毀，都是我啊！

在那夜路中，我老覺得自己一直當別人的菩薩，但一直還以爲可以幫人念經做法，但是，其實只是泥菩薩，應該更小心也更安分點，不然會被沾黏一些壞東西之類的鬼東西，幫人幫不了，到後來連自己也陷入而困住到走都走不了。在那夜路的更後頭，我發現自己走進了一個夜市，往前走了好一陣子，還是認不太出來路，也認不太出來是在哪裡，好像來過又好像沒來過，更奇怪的是我竟然完全看不出來那些夜市裡的攤子到底在賣什麼，甚至，又走了更遠更裡頭，只覺得又像另一個夜市，那畢竟是一條旁邊有很多日據時代老房子的老街，一如這個島上很多的小城，但是，我沒想到是這麼離奇，因爲越走越久，只是發現路還越走越長，而且一路還是有很多怪攤子，很多來逛夜市的怪人，就這樣，夜色剛上，所有的狀態都開始了，極度地熱鬧又擁擠。我始終不知道他們的賣法，仔細看還是看不懂的種種切換動作拍打推敲揉指作響的誇張手勢，怒目或調戲或妥協或哀求在瞬息萬變的眼神，他們那麼熱絡而逼迫又逼近地討價還價，甚至，我完全聽不懂他們叫囂喧譁的太多種方言混合出來極吵吵嚷嚷的語言。但是，彷佛我記得的夜市在賣的更多烤什麼、炸什麼、什麼煎、藥燉什麼……種種的攤子卻都不是我記得的那樣子。還有更多我沒看過的野獸支解過的屍首，一如蛇鞭、山羌腿、羊頭角、牛胎、鹿茸、猴腦、熊掌般但仔細看又都不太像的古怪動物殘骸懸起成排的屠戶案上的帶血的肉，嗜血的蒼蠅還成群揮之不去地飛來飛去。但是，走到更後頭，我卻發現太多路的末端的另一些老闆已開始疲憊不堪地準備收攤，就這樣收拾所有攤底的餿水廚餘，蹣蹣跚跚地折起簡陋的舊桌椅，緩緩倒出又濁又髒兮兮的水不甘不願地亂洗鍋碗瓢盆，還邊在老攤上蓋破舊塑料布，邊嚼著檳榔還叼根長壽菸亂噴煙……

甚至，往路的更後頭打量，還有一整個已然燈火熄了黝暗下來的搭棚下完全沒人的攤子，更多更古怪的形形色色的雜貨南北貨擁擠不堪地堆滿路旁的老騎樓，長相奇怪的核果蕈菇蜜餞之類的乾貨，甚至海馬乾、烏魚子或鯊魚翅之類的水貨，甚至還有賣南洋來的東南亞特殊更古怪的我也看不懂的雜貨，印滿泰文、越南文、印尼文的種種洗髮精肥皂日用品，甚至還有怪果汁、泡麵、粉絲、魚露、辣醬料放入種種又老又舊的陶罐。

而且往往髒兮兮到放多久也不知道，或許只是因爲他們是早市而到了晚上就收了，或許是我走錯了路或走錯了時間，而看到不該看的更多乾貨濕貨，後來卻不賣了。太多這種怪物般的怪東西。

最後，我還發現了有些攤子賣的東西更離奇，那是賣普渡用的東西，水沉香、香爐、臉盆、冥紙日幣台幣美鈔、米酒頭、紙製人形傀儡。太多太多鬼東西。

難道這裡就是傳說中極有名的那一個鬼市，彷彿一直都在，彷彿已然賣了好幾世了，所有好幾世的活人死人都來過也都還在。但是，最後的這一代卻出事了，出了太大太離譜的差錯，所有的人都完完全全地落跑了，消失了，而且還沒有人敢提及也沒有人敢過問，被不知爲何的威脅所裹脅，忐忑不安到無法落地生根地做生意，太離奇了，彷彿所有活人死人都因爲我不了解的更大的隱情而撤離了，就這樣，使得更後來的更多鬼市的故事就慢慢被遺忘了，像所羅門王寶藏古城或吳哥窟佛塔古建築群或印加帝國古金字塔城變成廢墟的至今無人知曉的神祕莫測原因，或就像冰河時代極低溫遽變或侏羅紀生態滅絕或中世紀死亡瘟疫那般無預警地開始，使得整個活人和死人的文明裡從最華麗崇高到最卑賤瑣碎的種種都一起完全消失了，一如被神祇遺棄而近乎不可能那般轟然地……人間蒸發。

最後我從最末端的路尾死角所看到了破爛不堪的老路牌的模糊不清字跡才出奇地發現，這條夜路，這條後來都空了而變得快完全辨認不出來的夜路，竟然就是長壽街。

那是姑婆的名字，顏麗子，在那祖先牌位拆開裡面有一張極舊的紅紙，毛筆寫的書法字，應該是祖父寫的，我以前從來沒有注意過，一直到這次，眞的要處理牌位，神桌，找到紅紙時，牌位後方的木板上有祖父的手跡，寫著歷代祖先的名字和忌日，姊姊想把這個有父親親筆字跡的木板留作紀念，還有那張上頭寫著姑婆名字的舊紅紙。姊說在神明桌裡找到有一些父親當年留下的古董：古玉石雕的很奇很瑰麗的假山、象牙雕的很細很複雜的古船……種種。但是，我說，那些都留給哥哥吧！除了拿二十多年前的自己爲媽發願而還願所抄寫全本《金剛經》的已老舊得泛黃的宣紙手卷之外，還有櫃子深處我保存多年原本用當年的泛黃老棉紙仔細包著的姑婆的長髮。拆祖先牌位是難過的，但是長壽街分出來的姑婆留給我的老神桌最後被敲得支離破碎，讓我更有點無法明說的難過。一開始，我正在清理神桌內的東西，找到了好多長壽街的老東西，泛黃的黑白舊照片，媽媽的老擲筊，舊《普門品大悲咒》經書，外婆留的鹿港舊念珠，甚至，還有那一包極不可能才留下來的姑婆當年過世時剪下的頭髮。但是我對於哥打給我的那個電話一直耿耿於懷。「有件事應該讓你知道一下，我並不是要你接手，只是這件事和你也有些關聯。」他說的有點迂迴也有點不安，主要是因爲他受洗了，而在臺北的房子要搬了，所以祖先牌位要「處理」一下。他說他會請教會長老來「處理」。「那應該會是一個好方法，」我跟哥說，「畢竟有很多後來信教的人有遇過這種事，他們應該知道要怎麼做比較好。」雖然我並不知道他們要怎麼「處理」，但我也覺得有點不安，也總覺得我幫著哥哥要負起些責任之類的東西。倒不是我對基督教有意見，或對哥哥信了別的教……有意見，只是這變化太大，好像大到和過去某些很重要的東西切斷了，但是，也說不上是什麼。只是，我想到我媽，她是個一生那麼虔誠拜拜的人……而我們變成完全不拜拜的下一代了？她應該會很傷心吧！雖然我其實是一個完全不信教的人。或是，我的人生曾打從心裡……信過什麼嗎？更尖銳的是，我內心清楚的是，在現實上，我也沒辦法承諾將牌位移到我家來，這只是一個租的公寓，很簡陋，其實，更只是因爲一直太忙的我家一向太亂太髒了，我已經太久沒有整理我家到客廳只剩下一條僅可一人走過的路，其餘疊滿書、衣服、東西，很糟，但也沒辦法，那畢竟只是一個我落腳多年也還沒決定我下半生要怎麼過……

而暫時落腳的地方。如果要像小時候的模樣，我的客廳應該要有一個神明廳或甚至祠堂的樣子，那時候，長輩他們每天都要在照顧得很仔細的神明桌前上香，初一、十五要特別地拜，清明、中秋、過年要祭祀祖先，要普渡好兄弟，要家人和子孫都團圓的那所有一切⋯⋯都更講究，都應該要在牌位前面發生。

從這個角度來想，事實上，我家是見不得人。其實自從我父母去世，每年在他們忌日左右，在彰化的長輩常會上來臺北，到哥那裡的祖先牌位前幫我們準備拜的儀式，和需要的東西，甚至教我們怎麼拜。這大概是我最擔心的，「處理」以後，那些忌日怎麼辦，那些「拜」的比較對的講究和規矩怎麼辦？而且，因爲我是男的啊！我應該要負起責任的，要出面處理，至少是面對⋯⋯雖然我是老么，不是老大，但除了我和哥，中間只有一個姊。這些家族的事，這些「拜拜」的事上，我總是聽話的，聽長輩大人做決定，我從來沒拿過主意。甚至我還沒有小孩，也沒結婚，所以有很多規矩不曉得，在關係和角色的認定上，對家族而言，其實我還是小孩，常勸我趕快生的長輩其實不知道我內心裡早就知道自己一生一定是一個人了，也就是我是「斷後」的，以後是沒有子孫，沒有人會拜我的。我知道，但我不在乎，甚至，我在乎什麼呢？或在乎過什麼？但，就這樣，在這裡，相對家族而言，沒有後代的我是沒有未來的。那，我的過去呢？我的過去對不在乎沒有未來的我而言到底是什麼？我想到一種越來越常出現在科幻片的某種問法，像《攻殼機動隊》像《銀翼殺手》像《駭客任務》那種未來世界裡機器人和電腦和人分不清楚之後對回憶所往往會出問題的焦慮：我的過去搞不好是像電影裡主角常被某單位下載些什麼進我的腦子裡的，偷灌什麼進去的，我原來的關於回憶的「資料」檔案被動了手腳，中毒過被重灌，被塗改。甚至，被完全洗掉了。像這種事，家族的長輩，他們一定覺得我很幼稚，很不負責任，很不像個大人。這些都和信什麼教？怎麼拜？怎麼「處理」祖先牌位無關的。但也都有關吧！那些親人那些鄰居那些小學時代那麼遙遠的同學朋友⋯⋯想起來已記不太得，記不太清楚，也好久不見了的⋯⋯可能也被「處理」也被完全洗掉了嗎？過去的那些人，對我而言，是什麼意思？這種「處理」是個「決定」嗎？這些「過去」會是可以因爲我的「決定」而就改變了嗎？

想到那袈裟，也想到姑婆留給媽媽的那老袈裟，想到好多事，和過去有關也和家有關。

但，我覺得很慚愧，因爲，從很久以前，我就一直會爲一種類似「殉衣服」的人或事感到著迷。會爲某個人因某件衣服而怪異地活著或毀壞的故事感到著迷……爲這種種衣服因主人無法停歇的困境而彼此的糾纏感到著迷，和怎麼穿的感人有關，也和怎麼與穿的人擁有著更內在聯繫的更難割捨……有關，例如：有些是某人對穿了幾十年沒更洗過補過破制服的不捨，有些是某人家對祖母傳母傳女的壓箱寶嫁妝的自詡，有些是某收藏家對收的更古老到清代的明代的穿起來好像會被附身的古董衣裳的驚悚，但，也可能是傳說中更神祕更流傳的……和神通有關的「收驚」、「卜米卦」的貼身衣著、戴上會眞有神佑的嬰孩虎形斑帽、諸多禁忌規矩纏身的壽衣、孝服、落紅布……之類的種種疑雲，甚至是更遠的關於活佛加持過的老天珠腰帶、耶穌顯過靈的痕跡仍存的裹屍布、埃及古夫王金字塔裡被下咒極厲的木乃伊……的規格更高陰謀更深的離奇……有關。但，這些關於「殉衣服」的故事，都是「引用」別人的故事的。

就只像某些書的典故的「引用」，對「衣服」離奇的可能的……一種釋疑，一種祕術解祕，一種古代奇聞式說法的辨識，就算有的更深入一點的，也只像從小說、詩歌、俳句、寓言……之類的某些時代的尋奇故事集中，找到一些關於遭遇「衣服」的謎般的探究與打量。但我一直沒講到關於我自己的，關於遭遇「衣服」的謎般的探究與打量。

移牌位那天，我只跟姊要求留給我那一件姑婆當年給媽媽的舊袈裟。那袈裟本來還是要給四姑的，但後來因爲移牌位的事仍不太敢讓她知道，就沒提了。其實媽去世後，四姑來臺北幫我們在祭日做祭、普渡，或做早晚課，她都會拿媽這袈裟起來穿……雖然是舊的。看不懂的我們或許覺得所有的袈裟都雷同，而且布料、形式都仍算是普通，但對生前的母親而言，那袈裟卻是極要緊的。

在晚年，她誦經，或參加比較慎重的儀式，和其他信眾阿姨姑姑她們聚會，法會，朝山，甚至只是早晚課自己在家裡客廳神明桌前，都會很小心地穿上。其實，在過去，我從很小就看到她常穿這件袈裟在誦經，通常是很早很早，有時天都還沒亮，我剛睡醒或寤寐之間走到廳去都一定會看到，從當年在彰化到臺北換了許許多多住的地方她都依然如此，通常，家人也都還在睡，她會自己打點拜拜的所有事，倒水杯、供四果、點香或香環，誦經誦一陣子，整個神明廳都氤氳起來，彷彿有神靈降臨在保佑著，至少是有些什麼在發生，但我看不到，而且，更重要的是，那種種氣味、光線、角落必然的莊嚴與肅穆，已變成我童年至長大的回憶中一個極重要極動人到揮之不去的畫面的令人懷念……

更後來的去世前幾年，她膝蓋痛到無法跪拜，媽非常自責，即使一起拜拜的師姊們勸她不要勉強，她還是硬要拜，常拜到受不了，才坐在蒲團上休息，等到比較不痛再起來繼續拜，那時我感覺到她心裡是受到極大的折磨，在她去世十多年後的去年，我也是在西藏看到許多人在藏廟外磕長頭三轉五體投地那麼雷同近乎折磨自己地虔誠，才回想起來這些，回想起更多關於我自己的因爲母親而遭遇到對「衣服」的謎般的探究與打量。

那時她都穿這件黑袈裟的。

至今有時我在夢裡仍會看到母親一如姑婆閉眼喃喃唸著的神情，穿著這件我拿回家去……就收到櫃裡深處，就不曾再打開過的……黑袈裟。

我仍記得當年安神位的時候，請一個老風水師，帶老文公尺，仔細拿捏幾個尺寸的他一邊安神位時還一邊跟我們說所有的細節都要很細心，用一種近乎神明附身般的口吻那麼靈驗而誇張，牌位的供桌要緊靠牆壁才後有靠山，牌位不可緊靠牆壁才後有退路，牌位要面向門外，牌位右邊是虎邊不可以緊靠牆壁，否則會發生逼虎傷人對家運不好，安放牌位牆壁後方最好不可以是臥房，左邊及右邊的距離都要能合這老文公尺上頭數字的吉凶，而且你們家這種舊佛桌要更換新的佛桌時，神明與祖先牌位處理都要交代，我有幫你們家先選好日子是出火日或安香日的子時到午時之間，還要擇吉時可不能衝到你們家裡人的生肖和祖先的命，年月日時都不能煞神位座向，燒香向神明祖先稟報換新桌，我看到那風水師最後擲筊應允，還要先準備好另一個木桌請神明過爐和祖先爐，然後淨桌和淨神位，再請香爐於神前，再放你們老家傳下來佛具的種種舊長明燈、敬茶瓷杯組、老燭臺、古銅淨爐。最後，還要請祖先牌位依序移動。

他還更繪聲繪影地半炫耀半說起他曾經是許多神佛寺廟神明指定開光入靈的第一把交椅，在問神明金身要替他開光的人選放在桌面上並且擲杯，要道法深厚才能深得神明信任來替祂們開光。他說他是武當道教傳到臺灣的嫡系地理師傳人。但是，到家中的安神分靈又是另一門要看風水的老本事功力，陽宅中安置祖先神位講究的風水對後代子孫的庇蔭很深，因爲神佛安置對位而祖先受了香火可以收財氣，安置神佛祖先不但是孝順，裡頭愼終追遠的意義重大，而且安置好牌位的福報應驗很快，牽涉到一家可能的平安順遂大發大賺，甚至涉及更後幾代的興旺衰敗。

那老風水師說到一些往事，露出奇怪的有點神祕又有點炫耀的神情。「今天這種狀況算很順的，以前我曾在別地方安的時候，出過事，所有的狀態都很誇張！有一回到了一個老房子，才進去我就覺得有問題，如果不是我去，別人可能會出事！我去幫的那一位事主安牌位，所在家裡的那房子很老又很陰，甚至那位仙主自己就是位乩身也就在自家開的宮壇辦事，寫他的牌位過程中，我老感應到他是死於非命的陽壽未盡，我轉頭問她先生是否突然意外身亡，太太點點頭說他是雙手緊縮抽搐翻白眼，我說那是被『拉走』的，太太點頭才小聲說應該是，她提到先生這兩年身體就很不好也變得很瘦，做過太多法事得罪一些壞東西所以就神經兮兮地常說有人要害他，還說都會夢到有人半夜來拉他去……」

那老風水師說他就此打住沒再問。「但是那老房子跟你們家有點像，門口進來的方位和老家的舊神桌有點衝到，梁下還有點發黑……突然在牌位神桌旁的一隻原本安靜躺在地上的黑狗鑽過我在寫牌位的神桌，用力咬著我放在腳邊的公務手提袋。我知道那位往生的乩身過來，我就在那發黑的梁下，對他說你生前辦事也有功勞，但不知道要好好保護自己也分辨有些事是業力深重無法干預而損自身之陽壽，今後就可以在此牌位裡繼續在陰間修行。我約好要幫他超渡，才完成那老房子的安牌位。其實，我不只幫這位開宮辦事的仙主處理牌位，也幫過好多個乩身，他們都是莫名暴斃，心肌梗塞，也有乩身幫人挑了墳地下葬，就突然意外地往生，因爲天地之間都有陽德與陰德，做五術要像我要有先天命格的，尤其是陰宅與祖先，非有不斷積功累德的，才能扛下如此重擔，有的只是貪求宮廟辦事好多香火油錢的，亂插手陰間事，這就很讓人擔憂，還有一些只是讓外靈一直上身而自身陽體不懂修煉，最後不是肉體耗損就是精神耗弱或癲狂地置身於無明的危險。因果不是隨便說，也不是有神就可管的，招惹靈界，誤插手因果，有時怨念業力的反噬，才是一種擋也擋不住的災難。但是一如你們家的房間裡神桌牌位上的屋頂和梁身發黑實在是令人不安。」我心裡想著，難道那老風水師眞的也感覺到了我也是個乩身，或姑婆當年在我身上留下了什麼業力深重的仙主的因果。

我老是記得那老風水師說的話，但是，我更想起更多後來發生的另一種更怪異的乩身與仙主般的因果往事。那已然是多年後拆牌位的那天，哥哥和姊姊改信教後的教會派人來的那天。所有教會的人都很盛重地穿著襯衫和西裝褲，看起來都是極溫和的他們開始唸禱告，也開始了他們傳統拆除偶像的聚會「聖別禮拜」，老教會牧者和弟兄姊妹前往參加祝福唱詩歌敬拜讚美，用神的話語宣告，「基督是我家之主，我和我家必定事奉耶和華。」在禱告聲或唱詩歌聲中，他們要求將所有相關偶像物卸下去除，平安符令，香燭紙錢，佛經書，香爐燭台，供桌供燈，祖先牌位歷代傳承的牌位，要請牧者禱告用油膏抹分別，一切祭祀的用品都要去除，牌位中的「神」字要去除，牧師堅持那老觀音菩薩佛像要直接丟垃圾車或拿去焚化，而且在原來供奉佛像處掛上聖經經文和十字架，教會還用橄欖油請牧師禱告分別爲聖抹於門口及房屋四角一如象徵性的宣告這個家已然屬於主耶穌，最後牧師爲所有我們的家人祝福，哥哥和他的小兒子，姊姊和我，都呆站在那裡，都有某種奇怪的心情，他們提及求主耶穌寶血遮蓋使偶像權勢離開時，我老是想到那老風水師也提及過雷同的狀態，但是，我始終把眼神停留在那張姑婆留給我的已然壞毀的老古董神桌上，充滿難以明說的餘緒。最後哥哥姊姊也跟著他們再唱詩歌祝福，唱耶和華祝福滿滿，禱告宣告後將桌面擦乾淨、打包拆下的東西。傍晚，牧師還送來「基督是我家之主」木匾，晚上，教會牧長陸續來到家中，牧師以《出埃及記》20章4至6節，嘹亮的歌聲與堅定有活力的勸勉，這裡已然成爲我們家的宣告。末了牧長們一同上廳堂，由哥哥掛上十字架，宣告基督是我家之主，一直到牧長離去。但是，之前，我始終擔心的是要開始拆時，那張姑婆留給我們的當年在長壽街她房間裡的底下放水池在我夢中還出現人面魚後代子孫的古董神桌就在那裡。那神桌上雖然已經清空，開始要拆上面的三四片三寶佛祖像圖，因爲有固定住而拔了很久，站在上面拆的時候很驚險，一旁的人說那個拆不掉就不要那麼用力，但是最後是用鐵槌敲才分開，那個人繼續用鐵槌敲打上面的木雕區，上面有暗紅小燈泡，但是一旁有人又說：那個不要敲，會有玻璃和木屑很危險，結果那個人還繼續敲碎，敲完時他一個人站在高處要把上層弄倒，我看不對就過去幫忙，有點怪異的是他一踩到老神桌的桌腳就有一端毀壞斷掉，上層三寶佛祖像放倒之後，他們沒注意到神桌一側有玻璃，就撞成碎屑，後來搬到樓下時，玻璃沒包好還刺到麻布袋外面來，搬動時鐵釘還把樓下的地板刮花。所有的狀態都太混亂了。但是也太令人不安地不祥。最後他們還要把家裡所有相關祭拜祖先佛祖的佛器都處理掉，門上的安神符和裝飾葫蘆和佛寺送的春聯都要拿去處理掉。一如，我最擔心的是母親拜了數十年的觀音菩薩老佛像，那是母親過世後多年來留在哥住的地方，當年安神桌安祖先牌位就始終在那裡的最古老的我們家族的見證，卻看到他們爲了作法也想燒掉。雖然牧師說所有相關東西其實應該都要處理掉的，但我說留下只是爲了紀念過去，其實內心很不安地懷疑若處理不好不知神明會不會怪罪。但是哥哥說，教會有專人會處理。最後要我出去幫忙買了一些水果要回來招待他們，但是我回來時才發現已然出事了，一如所有的災難都像意外般地來不及招架，本來說好要留給我的那張古董神桌的側邊竟然被敲得像搗毀的蜂窩，那老神桌被無情地敲碎到古董桌側中國傳統屋檐和西方教堂山牆巴洛克混合得極美麗的奇幻建築縮影已然破滅。我在那敲碎的神明古董桌前，突然想起那曾經嘆息她一直想死又死不了的姑婆，想起她的這百獸古董桌，對她和對我們那長壽街老家族而言，還是就像是一種逃不了的古老詛咒，那最上頭也繁複雕琢著滿幅木刻百獸的古董桌的太神祕，一如長壽街老家閣樓神明廳旁可以看到斜屋簷木架的房間的太華麗，都已然被搗毀到近乎廢棄多年的廢墟，而那木刻雕花的中心最玄奧的盤踞於百獸之間的巨蟒蛇身也已然斷裂地頭尾異位，種種更可怕的狀態仍然無可挽回地發生了，那麼令我不捨地荒謬絕倫地碎裂，一如我想起我夢中像狂歡卻又像暴動中的那整缸的上百條的人面魚的幻滅，那彷彿都是我和姑婆生出半人半獸的亂倫野種在那彷彿洪水氾濫成的河流中的肆虐，但也因為這災難般的意外而已然被完全地撲滅，甚至那老古董桌一如當年寶島大旅社傳誦的那麼的恐怖妖異的動人也都不得不地消逝了，那當年種種穿雕鏤空的近乎炫技的雕工的就這種拆牌位的混亂狀態中變得破爛不堪，也就這樣地被摧枯拉朽地摧毀……

我的心痛其實更是這百年來家族故事老糾纏心中的那種更不知名的無比恐懼，一如被不同神明不同祖國所曾經既保庇又遺棄的過去，一如不肖子孫的越懷念越忠貞地往回看就越精神錯亂的可怕又可憐，一如長壽街的人生一向如此短命的自詡又自嘲，一如姑婆那些老是失控的蓋寶島大旅社的那時代的那些謠傳般的離奇故事老是那麼的嚇人又那麼的動人。

一如所有的儀式最後必然出現的荒謬及其玄奧，那崩塌壞毀的姑婆古董神桌送走之後，整個神明廳彷彿就出奇地變空曠變龐大到連說話竟然有回音，從頭到尾看拆牌位儀式的哥哥那好動的小兒子也竟好像有點失落，最後，他也累了，就始終到所有房間的角落去找另外的可以玩又可以躲的死角，不想待在那好不容易才已然平靜下來了一個太空空蕩蕩的鬼地方。他從小一向太好玩地太好動地找我和他在哥哥家到處玩捉迷藏，一向躲在那老古董神桌下的他，一如當年在那老古董神桌下躲姑婆的我，但是，多年以後才在這拆牌位的儀式後突然發現已然沒有地方可躲。也因為還老覺得怪怪的，老覺得有什麼消失了又說不出來什麼消失了，就這樣，他那麼小也那麼像小時候的我的身影就一直在那空曠的神明廳無神地晃來晃去。

顏麗子是如何把寶島大旅社蓋起來的（第1篇）機器。

在那古老的演講裡頭，森山正在盡力但也明知無用地跟一群人解釋。一如這個……他拿起老長木桌上的某件小型馬具，比馬鞍鞍具更細膩而繁複的古董，用更吃力的語氣來舉例，緩緩地說起，一如這件歐洲古典時期那種貴族用來炫耀其家族富可敵國的華麗行頭，當年是名物，嵌入馬的長型臉部，半飾物半面具的貴金屬鑲寶石的收藏，現存的不多，而且是皇家的，上頭有家徽，工極細膩，但是，卻已拆解了而且摔過而變成好幾團塊需要仔細端詳才能組接回原狀的碎片。整個解釋的過程極冗長而沉悶，不論他仔細地怎麼組裝怎麼描述。但是，所有的人就是已然辨認不太出來原貌了，但是又不願意離去……他就只能困在那裡，一直一直地重複地說。

他，還一直想起前晚，太清醒的他整天喝了太多杯太濃的咖啡，累極了，又睡不著，像在眞空包裝的容器裡，光線太清晰顏色反差太明亮鮮麗但是空氣被抽乾到完全沒辦法呼吸……那種清醒，就在這種疲憊不堪的清醒中入夢而夢見了的如此栩栩如生的碎片。

那裡有點黝黑，小演講廳，很古典的木製老講堂，但是，整個氣息只是像尋常的友人或團契聚會，不太像正式的演講課，但是現場還是有近十個人。他好像仍然困在一種情緒，不是談笑敘舊，而只是想盡力地勾勒所有的當年至今的餘緒，一副就是想要大演說地入魔了……彷彿，陷在一種情緒裡。

一開始只是想要跟他們描述寶島大旅社的模樣，但是，後來牽涉入太多內情的糾葛，甚至，說到深處還吞吞吐吐起來，或許也只是要說出當年他小時候看到的時候……某種很難明說的情緒，但是說進去了，又馬上逃離，想起了當年那些現場的更多出事的難過……

這建築華麗高聳到驚人的地步，當年是全城最體面的旅館的奢靡，出入的客人都是當年傳奇的富賈、世家，尤其是最講究的布商，到彰化來談生意，都一定會落腳在這裡，才算有面子。像他情人顏麗子眞的去過的……巴黎的麗池酒店，曼谷的東方酒店，香港的半島酒店，在那個城市，尤其在那個時代，像是狂歡節慶裡煙火拔最高最璀璨的那一抹光芒，像名媛胸口最昂貴誇張的珠寶珠花中光澤與尺度都最奇特的那一顆夜明珠，但是，一如石崇的綠珠樓，在那最富庶時代競富到最高度華麗的必然悲傷收場。爲什麼他的情人顏麗子要蓋寶島大旅社？或是這旅社蓋了多久？蓋成什麼樣子？這些問題都沒人再追問了，或許因爲更後來發生了更多的事，跟那個時代，跟那個城，雷同地崛起而閃閃發亮到最後，這老旅社畢竟是更傳奇式地倒了，轉手了，多年來易手多回到一直出事，甚至還曾經廢置一段時日到變成了廢墟好久好久。他想，那像是一種詛咒，最工者愁，紅顏薄命，人間的對最美最璀璨絢爛那一刻的必然遭嫉，更光芒四射之後的必然更暗淡而去，那反而是更深刻的。對建築而言，某種隱隱約約而更鑽研的探究，一如在種種撕裂傷般傷害，接續攀生而來的，侵入性的治療，療癒得那麼難以想像地緩慢。更逼近地逼問，寶島大旅社怎麼了，身世的太多輝煌的後頭怎麼衍生的暗黑……不只是建築的形貌有多麼地奢華而精美，重要的，更反而是裡頭出過什麼事？像鬧過鬼般地陰森或駭人般地也該更往下追問……在那老演講廳天色越來越陰暗的現場，他正想往下說，但是，現場的人都睡死了……

那是一種機器。森山對顏麗子說……一種令人不安的機器。頭部有著會噴出蒸氣的噴嘴，機器主體是一種像燒杯或培養皿式的古怪玻璃瓶身。看起來像一種煉金術甚至是法術的完全令人不解的法器，上頭的蒸氣出口是一個金屬的東西，然後它一燒就會噴出蒸氣，然後有某些藥劑會噴出來……那種東西一看就是惡魔才會有的一個很奇怪的裝置。可是小時候生病的他就要跟著病房裡的每個人坐在那裡。張開嘴。靠近那金屬吹口。就這樣。然後機器就開始一直吹一直吹……像一個噩夢的現場。森山說他已然許久沒看過那種鬼東西，那個年代的一種看似很蠢的怪東西，怪異地用器械強迫患者吹氣般地灌入的漱口鹽水那個蒸汽機器發明。那是小時候才會有的一種過渡時期的醫療器材……甚至對他而言，就像打針，像拔牙，或像灌腸或吃噁心的蛔蟲藥般地無奈，反正就是很可笑又很無聊的雷同懲罰的古怪狀態。

一種完全不了解又不能閃躲的醫也不知醫不醫得好的反效果，一種極濕又極熱的幻覺般的眞實。一種太不可思議的氣體變換成液體的某種無法解釋的變態……在裡頭，兩眼發白到……一團團的蒸氣。煙霧。雲朵。雲白的幻影。浮現在鼻孔下，從下巴、兩頰往上慢慢地昇華成某種讓他一直眼睫、眉毛到眉心都像大哭般地潮濕。但是。他太無辜地無奈著。由於嘴巴在打開太久地太疲太累之餘……什麼都不能做。甚至不能動。甚至。他卻更煩躁，因爲只是一直想笑……荒唐得太可笑了。整個過程的眞實困境並不是那煙雲的奇幻變換。而卻是更難堪的……令人氣竭。因爲蒸氣持續一直吹一直吹，然後他口水就一直流一直流……甚至，因爲他太常生病了，所以太常這麼難堪。太長年地如此就醫，一如被莫名的虐待或性侵犯式地無言以對，使他童年留下了難以抹去的怪異陰影。

他說他永遠記得那種口水流下來的感覺，從下唇沿著下巴的弧形，很多氣泡所凝結成的液體……往下流下滴下……一如一種鐘乳石洞窟的水滴，太多的岩壁因爲太久的風化或液化，竟然變得那麼地形體奇怪到像人的口腔內部咽喉的肌理……潮濕而黏稠的唾液。噁心極了。但是又無法離開這噩夢的始終一直流動。因爲，他是只要一感冒就會扁桃腺發炎那種人，然後在那怪機器前已經夠難熬了。而且。那個看耳鼻喉科的老醫生又脾氣暴躁的像一個暴君。見人就罵就訓話，一直就是整個他長大的那地方傳說中的名惡人。一個當年最有聲望卻也最凶狠的醫生。所以，噩夢還有更多陪伴的苦主們。而且都很年幼而無辜。一如他，有太多的小孩都會扁桃腺發炎，還有很多小女生。一被罵就一直哭一直哭，那時候……他其實是常常去看病的，一年大概都會受寒三四次。無法閃躲。像一種人生某階段裡最莫名又最惡意的嘲弄，或許就是詛咒……所以人都超怕去那個地方看病，可是每個人都還是得去，像個活生生的煉獄。那蒸氣機器，對他或對那時候的小孩子而言……就是刑具。

「你的扁桃腺。你的病。或許就正是你的隱喻……」顏麗子安慰森山說。「你有沒有想過……我們所活著的這個世界，我的身體，我爲什麼會投胎變成這樣出來？爲什麼會活在現在這個時代？爲什麼得這樣的病？」「其實，更荒謬的是，你得的病就是你……」沒有得病之前，人們往往是對那個器官完全沒有概念的，如果你沒有得過扁桃腺發炎，就不會知道什麼是喉嚨。

那個年代過去了……而森山卻是在長大才了解這個隱喻的。那是他曾經在很久以後去看了一個關於工業革命的博覽會的展覽。在最奇特的疾病博物館裡面的最後一間，就看到有一個雷同的器皿。正是當年最新潮也最具實驗精神的醫療器械的發明……才明白。使得他不得不常常要去那個噁心的機器之前受刑的他小時候最奇怪的時刻，那眞的是某種隱喻，對未來的遭遇的必然荒謬而逼眞。

那遭遇必然就會像是一種自相無窮矛盾的隱喻。病與醫。善與惡。內部與外部。潮濕與乾燥。機器與肉體。固體與液體。流動與凝結……無窮繁殖的矛盾隱喻。一如他後來。承認了自己的病就正是自己的隱喻，而竟然眞的大膽地引用了這種小時候感覺到無窮矛盾的隱喻，在臺灣蓋了一個水的建築。那是臺北水源地的建築。裡頭充斥了機器，沉澱過濾設備、幫浦、水管的所有水的機器，都是由工業革命的源頭英國進口來的前所未有過的建築。由於機械體積龐大，需要容納這些水的奇怪處理的設備，因此請森山設計建築。他出奇地把整體建築爲前所未有的扇形平面。像咽喉內側的弧度。而且將水的機器刻意安放在半地下式設計的廠房內，低於地平線……水的機器在當時是屬於尖端科技，因此竟然就以森山這種奇怪的建築出現……並且使用當時最新的建築構造工法，甚至是由國外進口的水泥、混凝土和鋼骨構架……森山在當年將那些奇怪的建築材料、工法，甚至咽喉內側扇形的水的建築形態……都縮尺過地也放入了後來的寶島大旅社的後院庭園之中。也做了一個旅社內部的水的機器。使得他小時候噁心的生病受刑時刻所形成的狀態……可以繼續地凝結又流動，可以繼續地繁殖成他更荒謬也更逼眞的建築隱喻……這個水的建築其實還有一些當年的水的機器的荒謬典故，當年，日本人認爲臺灣太落後太骯髒了，而且有太多的傳染病的感染的威脅。所以有一個英國的水的科學家巴爾登就在後藤新平邀請下到新殖民地臺灣，整頓規劃臺灣的上下水道系統。那幾乎是當年所有都市在工業革命後人口密集化的傳染病威脅的縮影。日治初期，巴爾登和其學生濱野彌四郎一同來到臺灣，由森山陪同而到處勘查尋找乾淨的水源，以作爲上水道的水源地，也同時思考下水道的處理方式。他革命性地置換而安裝當時的重大都市水道管線和機器。地質的孔隙做過濾器，可供雨水下沉滲透入的儲存槽，或更多有過濾、沉澱的水的機器，有的水源有許多個湧泉出口。有水槻頭、雙圳頭，有兩個湧泉，和三空泉，種種和森山一起完成的水的建築。巴爾登在來台後的半年就因瘧疾而病倒，有很長一段時間都在療養，因此還住過半完工寶島大旅社的最華麗套房一段時日。在此短暫而重要地決定了水的機器的未來的時日內，他們到處勘察尋找水源地，包括臺北、臺中、臺南、高雄的郊區。一如田野調查的人類學家。找尋水。找尋水源。找尋位在較高的地勢上的水源地域的更多更複雜的引用，不用太多幫浦輔助而可以運用重力的方式將水引到都市內部，那是當年他們的熱情。像一個夢。對科學。對未來。對華麗的未來的更多可能。當年他們也跟森山和顏麗子到彰化的八卦山上勘察過，從山上看到彰化火車站前寶島大旅社那華麗的建築的奇幻……而讚嘆不已。巴爾登太中意森山這種從臺北水的建築到彰化寶島大旅社的病態美學，所有的機器和肉體都溶解了，一如水的奇幻，可以凝結又流動，可以繁殖成更荒謬也更逼眞的建築隱喻。巴爾登在當年時便完成了在臺灣的這些水的機器，但是他在臺灣奔走過程中卻得了瘧疾，之後療養了一年後，就不治過世。當年，日本政府爲了感念巴爾登的貢獻，還請森山幫他鑄造了一個紀念銅像，森山就用他那種看似抽象藝術但其實是他自己當年機器受刑的奇怪隱喻，銅像的身體和臉是那麼地模糊而掙扎，既潮濕又乾燥、既固體又液體、既流動又凝結，無窮繁殖的矛盾隱喻。

森山也留了一座那銅像的縮尺模型在寶島大旅社的大廳櫃檯桌上。他騙所有人說那是一個受難的天使，雖然顏麗子覺得比較像是受傷的蛇郎君，但是這座銅像後來的遭遇也同樣充滿那個時代必然更荒謬逼眞而無窮矛盾的隱喻。

因爲在後來太平洋戰爭後的金屬管制時期，這座銅像被日本軍隊徵收而鎔鑄成轟炸機的金屬炸彈。而且據說，正也是當年神風特攻隊臺灣分隊前去偷襲珍珠港那一批……

旅社部（第1篇）圓山大飯店。

我錯了。

我一直誤解圓山飯店，一如我一直誤解了亡國的亡，誤解了這種不祥又不古的古蹟一定是古的……其實不然，因為古蹟應該更是一種精神狀態……一種精神狀態的迷離。揮之不去的是什麼？沒有原鄉的鄉愁，沒有古代的或沒有過去的歷史，那眞的是一個夢，噩夢，古裝片的噩夢。我該更用心點還是更不用心點地去面對這一場夢呢？

這裡，這飯店，不免是一個歧出而岔開的風景。像是不該看到的有些該絕種的動物在某些奇怪的島嶼殘存下來，而仍然用牠們古老的惡習般的鼻息在理解這個世界已然完全不一樣世界全新的呼吸。讓後人的我們打量，或打量我們，打量我和她……這裡，是這個時代所殘存那個時代的，也或許是我們的……最後的據點。

那時我們就坐在飯店那裡，「我老是記得那次大火……」我跟她說，「那年圓山引發的大火，好慘又好美。」

因為這飯店建築外觀為仿中國傳統建築式樣，是一棟龐然巨大的紅樓，一棟極復古的琉璃瓦宮殿式摩天樓，燒起來，極不祥……因為，那時候，像天火，像厄運，像國難，那種觸目驚心地濃煙密布，把藍色的天空都蓋滿了，火舌還往上竄升，極誇張地漫蔓延展，像是極大的災難的災難片的現場，甚至，因為這種古蹟的樣式，還引發了某種「火燒圓明園」那極巨大的恐慌，好像這個朝代，這個國，都快亡了……

時差，時間感及其所有可能的差錯，這是我最困惑的也最好奇的。

但是，我只告訴她，我正在寫一本關於臺北的書，關於臺北的時差，時間感及其差錯的持續發生，時間差的擁有太多的可能……同時間在不同地方或同地方卻在不同時間……種種發生中的差錯。但是寫了一些章節卻寫岔了，越寫越遠也越差，到現在甚至已然完全寫不下去了……

我所想像的古蹟是太遙遠的差錯了：一種追憶似水年華式的懷念，一如聽說的太多那個時代的華麗傳說的差錯，一如金閣寺是一定要燒的而進金字塔的人是會被下詛咒的，甚至一如在對吳哥窟的某一個古牆的洞口說悄悄話可以永遠地封入一個祕密那般苦悶……但卻一定會應驗的那種迷離。

甚至，到了更晚的現在，古蹟的差錯更離奇了，變成了一種應該老掉牙的時髦，一種刻意的古著，一種借不到屍體依舊的還魂，一種很多很潮的名餐廳美術館精品旗艦店很愛入侵入住甚至寄生的重新引用與揭露。古蹟，已然是一種老派的收藏狂加戀物癖式的執著，一種越古越迷人的古董的令人迷惑，是一種「廢棄空間再利用」式的以廢棄爲榮的再用心用力點的最後孤注一擲。

但是，事實上，並不是如此。古蹟，或許在這個時代就一如圓山飯店在臺北的差錯，早就變成了另外一種充滿時差的痙攣現場。

圓山飯店，原址是臺灣神社，下方可見明治橋與基隆河。日治時代，中山北路名爲「敕使街道」，一九四一年才整段落成，一九八〇年代後，在此則做爲圓山公園和神社紀念碑以保護圓山神社遺址，但是卻有很多傳言是因爲仍然有很多日本惡鬼惡靈至今仍然常在神社遺址前前後後徘徊不去……

一如晚上，我們在房間裡看到的電視上所演出的那些充滿古代但又充滿時差的節目，令人痙攣極了。我們轉到了台視，《靈珠》，有一個穿著盛裝的花美男，演著那一個古國的大祭司，完全沒有演技，但是一直拋媚眼給皇后。《胭脂雪》，民視，「老太太，我是下人，配不上四小姐。夏管家，就抬著我屍體嫁給他吧！」「娘今天說的事你是怎麼想的。」另外有一部古裝戲是，《秦俑情》，童女你們要好好伺候神仙，神仙很好伺候的，遇到祂們要馬上跪下。徐福正教她們怎麼伺候，茶道，花道。你們如果惹惱了神仙，眼睛會瞎了。還有一個頻道一直在播大陸的電視台節目，有的是，廈門、江蘇、安徽的，有一直出差錯的省級雜耍團比賽，有極土但極花俏的民族舞蹈表演更可怕。我停在一個橋段，那是深圳台的一對現代打扮的夫妻，先生對太太說：「以我的經驗，肚子尖尖的，肯定是男的，這藥喝起來，雖然跟鐵釘子一樣，但是他喝你的血吃你的肉，一定要補啊，不補，你吃什麼都不夠？」「我不行，那味道，我受不了，那年，有人送羊骨頭吃了補鈣，我聞了就吐了，反應這麼大，別逼我，別逼我……」

「別逼我。」她用一種極怪的聲音學她說，邊說邊嘆氣……但是，過了一會兒，終於忍不住。她大笑了……我也跟著笑，心裡想著，這些頻道，這些故事和這些不斷搬演的現場，就一如我們在的圓山這裡，都是古代，但也都不是。

但是，這些時差，這些痙攣，一定都是逃不開的。反而是HBO所正上演著的《珍珠港》，顯得不太一樣。我們剛好切入了男女主角訂情那一晚，他們很甜蜜但也很慌亂，但送行的過程還是錯過了，因爲失望地沒等到她送而只好上車的男主角最後在火車出發前的窗口看到她，但是趕來送行的她仍然很難過地始終沒看到他，火車就走了……接下去，就是那個時代的快轉，德軍轟炸倫敦，男主角是美國人，但志願參加了英國皇家空軍，跟著上飛機盟軍空戰，更之後是更龐大的珍珠港事件的現場，日本的神風特攻隊轟炸了美軍的太平洋艦隊，轟炸的過程，非常地繁複，鏡頭，場景，特效，爆炸，那麼逼眞曲折，甚至像科幻片的太空船的，像在現場，那種栩栩如生的災難的逼近……那時候我才有點回到了這個時代的感覺。

但是，在圓山飯店裡，所有和「古代」有關的行頭，所有的被引以爲傲的，都變得那麼地突兀。那麼地理所當然，卻又那麼匪夷所思。

像一樓二樓之間，被稱爲V樓，有許許多多的店。有一家有點做作的茶藝館，提供現場品茶，寫著「九龍搶珠」大字的，一樓後的土產店，在玻璃櫃中陳列著巨大的紅色近乎血腥的怪形珊瑚，誇張而俗氣極了的白石、玉印、玉劍、青銅器。還有一些等級很低的白水晶簇、紫水晶、大水晶、五指山、雙龍搶珠、觀音送子，但是都號稱可以防小人，還有血紅珊瑚，奇花系列，還有用水晶刻但沒刻好的怪佛頭。還有些命名爲八駿騰達、鯉躍龍門、白衣大士、古鶴的印泥盒，彩色印花磁鐵。另一個柱子旁的很大的區，法藍瓷，號稱是，「中華之光，世界名瓷，臺灣消費，大陸取貨。」所有的命名都好像還在滿清末年，綠夢，飄帶，飛花，流雲，還有更花俏的，蝶舞豔焰輝煌，福蝶戀花，旺富木槿，鵲躍，種種系列，極俗豔，又極昂貴到令人難耐。但最奇怪的，卻還是另一二樓樓梯剛上來的區塊，而且，還有一個更大玻璃櫃裡，一個巨型的翠玉白菜，故宮博物院的那個最著名玉雕的放大版，除了翠綠漸層光澤，就連白菜上頭二隻螽斯，也雕刻出來，乍看之下，很多人以爲這就是長大的翠玉白菜。但是，看介紹，卻是用鹽做的，旁邊有很大的說明牌，「以鹽爲素材精細雕刻極具典藏，白菜象徵招財納福、日進百財（白菜），葉上雕塑螽斯、蝗蟲，象徵多子多孫之意。」但我怎麼看，卻只像是一個假的巨嬰，一個完全地走樣了但卻無比用力使其放大神物贗品的那種玩笑。

那展出的玻璃櫃中的十二獸頭像，就是圓明園那大水法最著名的銅雕的復刻，乍看之下，以爲是石雕，或瓷器，但更仔細看，都不是，像塑膠灌注，公仔放大版。我跟她說，我想到了那年去圓明園的現場，所看到了大水法和獸頭的另一種也完全地走樣了的玩笑，也無比用力使其還原但還是回天乏術了的那種玩笑。一如在這裡的匪夷所思，那回去圓明園是去北京的最奇幻的時刻，像默劇，像國王的新衣，像當代音樂四分三十三秒，傾聽完全沒演奏出來的音樂。大家都假裝在看一個風光明媚的傳說中的盛景，但什麼都沒看到。

尤其，那裡這麼有名，萬園之園，那個時代最大的帝國最有美學素養的皇帝用了無限制的預算，要蓋出全世界全歷史上無人能及的園，蓋了康熙、雍正、乾隆三個皇帝，和後來更多皇帝，蓋了一百多年，那園的建，眞是動人地無比傳奇。雖然這園的毀也一樣傳奇。我跟她說：「我本來以爲我知道的很多，但去了，才明白我知道的很少。」我還曾經演講過圓明園，在臺北，在比起來就像贗品的中正紀念堂裡的咖啡廳中。那時候，有部名叫《圓明園》的片剛要上，我被找去演講圓明園的建築，種種園裡的美學講究，也談那部電影至今還常被討論的諸多傳說紀錄片中全園的庭台樓閣山川壯麗在電腦動畫中重新從廢墟中長出來，拍得栩栩如生，加上在許多其身世的披露中，從清朝的極盛到極衰到洋人的洗劫，令人不免感傷而沉湎，太傳奇了的這園也因之而更傳奇。因爲，在整個電影的畫面中，太逼眞的園是生動的，國仇家恨更是生動。而且，到了現場，就在園裡一直播，每一個入口、展示點、紀念品店，一直重播。甚至是，到了出口了，最大的最後一間史料展覽廳看的觀眾還是爆滿。

她說，她有看過那部片，但印象不深了，好像整個園都走樣了……我說，其實我也是這樣覺得，甚至，圓明園那裡和圓山這裡一樣，所有的「古代」好像都走樣了……一如，進圓明園我是從側門的綺春園入口進入的，一開始很失望，建築全部都是嶄新而潦草的，之後，有些重修的假山、水池、路徑，和重栽的花木樹叢，也是很陽春而輕率。但是，更慘的是，還有小販、冷飲店、垃圾桶、路標，這些更糟的，也就只是看到這些。只看到很多名字四個字的像一句成語的園名，但，始終沒重建。那裡，變成完全空的，像一個沒有設計好也沒蓋好的景觀公園，工地，騙局。剛開始，一路走，人很少也很多，大家都沒什麼耐心，因爲沒看到什麼，太陽變大了，變得更難耐。大家都不知道要看什麼地往前移動。我終於走到最後，看到了，那西洋樓區，那就是最著名的大水法，海晏堂，這裡大概是中國走向現代的主題樂園的鼻祖。甚至看到了，傳說中，皇帝第一次吃西餐的地方，一個柱列層次繁複的主殿和兩側演奏西方的古典音樂的石亭。再旁邊是爲香妃蓋的華麗石造清眞寺，上面刻著關於阿拉眞主的中文禱文，但都只是石頭傾圮的廢墟，尤其是唯一重修好的黃花陣。那迷宮，令人眞是心動又心悸。所有的人走在裡面，都自願迷路，但又沒有迷，因爲，那牆的高度不高，是看得到另外的牆和路裡的人的，只是不確定走的那條路的末端是不是可以接到要去的那端，或是，會進入另一個更彎曲更遠的路。正中間有一個高起來可以看到全景的石造涼亭。這裡純粹是用來玩的，用來給聖上玩的，因爲，在當年，對皇帝而言，讓宮女、太監們在裡面跑，而他居高臨下地看，看全景還看他們怎麼走都還是困在裡頭出不來的那種好玩。

當然，這好玩的洋玩意兒，可有別的來歷上的高明，因爲，這其實正是巴洛克時期，西方建築的最高度發明之一，造景、花園，變成世界的核心的縮影，如凡爾賽宮，象徵其法蘭西帝國對全球屬地的控制，其完美的軸線放射，迷宮、水池、樹景，編織如阿拉伯地毯或唐卡做爲其文明最深的全景圖錄。但，郎世寧想的是，在北京，著陸，讓歐洲當時最新的科學和美學的高度，進入這古老的帝國，完成一種混血的藝術奇觀。從現在看起來，這眞是太夢幻了，也竟然完成了。

我記得還有所有圓明園還留傳有流出的透視的西洋版畫，一如郎世寧畫的那些十駿圖、百駿圖，以精細西方素描功力所用中國工筆畫出連馬毛馬身馬瞳孔都栩栩如生的國畫。一如大水法是中國第一個噴泉，最早的機械水法，和過去中國山水或園林的觀念和技術都完全不同了。「一如最著名的每時辰噴水報時的十二生肖穿官服的銅獸頭身。」我指著那些現場鹽做的公仔，說「就是這些贗品的原版。」那些銅獸可是很考究的，甚至這些考究還都是當年雍正自己想出來的，要和西洋不一樣的做法的獨特到雕塑動物頭像爲了更生動更孔武有力還找出北朝以前的風格去重新打造，這眞是那個時代最奢侈的講究，甚至後來前兩年喧騰一時的這幾個仍未出現的牛猴豬頭像的國際藝術場子天價拍賣，更涉入高度關注，到竟然威脅不能拍賣國寶或外國當年掠奪中國之類的爭議，這是更奢侈的爭議。但我更好奇的是：至今，龍、蛇、羊、雞、狗的獸首一直杳無音信，其是否存世，一直是個謎。後來也發生了太多事，發生了太多歐洲也一起帶進來的悲劇。但是，當然有更多更多的這些雕刻巨石塊被偷走了，軍閥或大戶閥，僱人用車載走了，更多後來自己人也繼續掠奪的悲劇。事實上，無力的我那時也只能站在那些殘存的奇觀的遺址之中，看著那個龐然的廢墟，諸多巨大的雕工精細的漢白玉石柱殘塊，完全不同於去看希臘或羅馬的古代遺址的心情，雖然同樣那麼美，但卻那麼地感傷其滄桑的無可挽回。

「去圓明園，什麼都沒有，走那麼久，只爲了看那幾塊破石頭！」我記得我在路上聽過有觀光客憤怒而嘲弄地叫囂著，那時的我更可以了解這種荒謬。

一如，我在出口前最後的展覽廳。在那展覽廳，我還看到了全園的建築模型，做得很糟，很草率，像一個極大騙局般的建案景觀區，或小小的空空的現場卻號稱有史以來最誇張的遊樂區。但是，那裡可眞是古今中外最早也最有野心的主題樂園。看到更多史料、老照片、古書、拓片、石碑，及其密密麻麻的遺留在現場的，壞了的缺角西洋假山，還有很多開挖出土的建築碎片，殘餘的某屋脊、剪黏、磚塊、琉璃瓦、局部、焚毀的木棟木梁，有些還看得到上頭還有圓明園鮮藍釉色字樣浮刻。還有一段登錄自雨果的話，控訴當年英法聯軍的攻陷與掠奪，那段話眞感人，也眞具有當年西方最高階知識分子的高度。但是這段話在今天看，眞像輓歌，一如刻這段話的石碑就只放在園的某一角落，和雨果石雕頭像，躲在某不太明顯的地方轉角，某分歧的兩條小路之間。「但是，最後，我只買了一張古圖，仿古的古地圖。」那時，心想，或說，應該算是一張古畫，畫了……關於園，關於中國，關於清代或所有的更遠的古代，關於北京所擁有過或想像過的夢的所有可能。

聽到這裡，她說：「你老是太天眞了，也太懷舊了，但是老懷錯了舊，像這圓山大飯店，我一直想笑，但怕你難過又不好意思笑……」

我們走到V樓更旁邊，最深處，竟有一個更大的特展區，那是故宮博物院的數位藝術特展。我看到一些很難了解的畫面，一開始，是一張臉，一張性感、豐腴、豪放的臉，那種唐朝的女人往往所擁有微笑到太有自信的臉，眼睛瞇成一條線，雙頰有誇張的腮紅，梳又高又多團到深入雲端般的髮髻，因爲，那種又妖嬈又天眞的世故本來應該是……盛唐最盛世時的風格，那眞是一種奇觀。

但是，在那一個展場，展場解說上寫著，這裡展的是另一種用電腦來做會動的國畫，重新去打量……故宮。但是，我想到的，卻是另一些困難，因爲，這些古代，這些唐朝的后妃相，仕女圖，飛天，歌舞伎，那種極古典而優雅的氣質，唐三彩的弧度女體，宮廷最高御用的畫師之肖像畫，或雲岡石洞的莫高窟壁畫的沉靜又悠揚，是很難被考究地打量的。所以，我所看到的，在這裡，就只是很怪異的停格或更怪異的緩慢重播，所出現的荒謬。因爲，在現場，所有這些古代的最考究的美學拿捏，都變成了被嘲弄的靶心，那女史箴畫像中貴妃變成了一個像是減肥失敗的胖女人，而且還全身是裸體的，臉很大，雙手卻很細，故意的是，在身體前，用毛筆畫成的薄薄的幾絲雲片，一片一片飄過胸口，剛好遮掩了私處。面對這一個胖女人，更尷尬的是，雲是和觀眾可以互動。

如果用互動的方式移開雲，就會用手來遮，那過程有點難以明說地哭笑不得，而且是小朋友最喜歡過去玩，一移開雲，他們就笑得呵呵地更大聲，而且，一再地玩，一再地和另外的小朋友一起去玩，像小學男生去掀起女生的裙子那種惡作劇式的戲謔，就在那裡，一再地重來，就像一個又尷尬又恐慌的噩夢，卻在那裡不斷地重播。雖然，那畫，是故宮博物院的珍藏，但是，就像某種廉價古裝喜劇的港片，極力挖苦那些老時代最著名的花鳥蟲獸英雄美人成像如花那種醜女的鬧劇式的胡鬧。旁邊，還有另外幾幅，有一幅老國畫裡，有一個老書生在搖手，對著另一端一個女樂師在彈琵琶，肩帶掉下來，兩人邊搖頭邊調情……另一幅是好幾條龍穿過雲端，有的用Z字形飛行，有的用S形盤旋，在潑墨的山中，忽快忽慢，像《功夫熊貓》的片頭特效畫面……另外一幅是極小的光景的放大，在池塘的低低的水面，像某種動物星球頻道介紹昆蟲的顯微鏡頭的滑翔，在大荷葉中的小蝴蝶，飛，躲雨，都很潦草而膚淺……還有很多幅，在很多液晶螢幕裡。有些是像線上遊戲的開機畫面的場景設定，從樹枝上飄下很多很多的葉片，而且那麼多的落葉就一起飛入一個古城的空街上，鏡頭也跟著燕子，飛過櫻花的枝頭，飛過雲端的開闊炫目……紅頂的兀立白鶴頭的鮮紅在左右轉動，翅膀的飛白在逐漸展開……還有那〈谿山行旅圖〉的松樹，松針也如雨般掉落著，但是可能是更多的，栩栩如生的野兔，跳入更野的野草叢之中，一個穿大紅宮廷官服，仰角，用毛筆往下點了一滴黑墨。大抵，都是在展出某類很炫目地流行著的「古代」的另一種特效式的胡鬧……

我跟她說：「這好像做給從小在國外長大的ABC的人看的。」但是，給他們看這些，就當成是同學家裡在過去那個時代是開廟，開當鋪，只提供某種的極度荒誕或異國情調的好奇，提供某種可以比較明顯，比較不一樣……地對「古代」被理解和被想像著的方式，胡鬧。或是，在這個時代，就只是更像在外國臥底太久已忘了母語的中國人，尤其是，我還更想到的是那些穿上改良式開衩到不像話的旗袍，梳成蒙古民族風誇張髮型變成外星公主或吸血鬼的造型，甚至，像現在更刺激的流行，有的還是刺青漢字，在後腰，在乳溝，在任何不堪的部位上，而還有穿刺的耳環、乳環，竟是設計成有竹節的，這些，比畫，比動畫更激烈……而且，看得越多，反而就越在想著，中國是什麼？我們自己是什麼？在這種中國已經落漆又重上漆的時代自己到底是誰？但我想到的這些懷疑，或許就只不過像某種黑心飲料的那種黑心，這些會動的古畫動畫，表面上好像是用現在日常生活來激發過去，激發老派的經驗，但是往往沒用，卻黑心地收集到太多的、反面的這種長期的來自古代的種種怨念。更拆解、更分析地更進一步地去找，只會引發惡的動機，一種看來是有點古怪的老人文，但是卻用更沉入如中邪般的行動知識來表達古代的鷹架或來搭建起問錯問題的現代，或只會發現歪歪斜斜的問題的現代。因爲，到底「過去」這件事要關心什麼，再怎麼關心，也只是假的情境，也只是像「載入」，像僅僅用古代的風景當主題，將古代的故事拆解再重組起來，但是只變成家裡的家電，而且往往是一種玩樂家電，像變成古畫中雀鳥形貌的吹風機，一拆解就只是向外看向內看都不是鳥也不是畫的小型機器。但，還是古代，假的古代，只像用一張照片，一本護照，去複製出一個人，一個國，那麼膚淺。我們因而面對的「現在」，眞實的現在，眞實的臺北，也可能只是在擔心著像爭取世界第一之類進步的說法。這個城市的現在所擔心著的是飛碟，恐龍，颱風，地震，有毒的食物，廢墟，種種「現在」這些沒什麼氣質的地質。但是，我心想，這樣反而不錯，擔心著鐵窗巷弄招牌的種種混亂，種種沒有詩歌沒有典故的現在，或許這種「現在」反而更不荒謬地切題。

雖然，我還是覺得臺北的「現在」仍然也有更多難以明說的荒謬，但是，那比較眞實，比較不胡鬧。不像故宮，也不像圓山這個宮殿風的旅館。反而是像烘爐地般那種巨大的像摩天樓那麼高的土地公雕像，像十八王公、城隍廟的牛頭馬面七爺八爺，甚至是到處可見的三太子、陳靖姑之類的怪佛像。不要理會古代，也不要理會所有的關於那些古畫和那些年代，不管會不會動……我因此想到，這現場，還有另一幅更大的畫做成的銀幕，那是很大的千手觀音像，那是莊嚴神祕極了的藏畫唐卡式的觀音法相，千手及其手上法器所象徵的無限大的神通和般若，但是，在這裡，也全走樣了，因為那些手一開始擺動，所有的神祕都消失了……那無限大的神通只變成是一種玩具的玩法，因為是和觀眾一起動的，有家長帶小孩就一直在那裡玩，而且一開始亂動，竟然就像在跟著帶動唱舞步或划拳般地玩起來，那菩薩法相的莊嚴，那千條臂膀的般若……一旦忽上忽下，就變了，變得荒謬而可笑極了。但是，有一個爸爸把一個還很小的小女兒扛起來跨坐在肩膀上，對著觀音，舉起雙手，一直揮動，一直揮動，那千手觀音看起來也很辛苦地用盡神通配合著揮動，過程中，小女兒開心極了，一直尖叫起來般地大笑……

我不知如何說，卻因而想起了天黑前的某些更怪異的遭遇，所有常來這裡的人往往都心裡有數……這一帶，還有更多奇異的古代的什麼會出沒！

劍潭山為臺北五指山系的北側小山丘，標高一百五十三公尺，連其山麓緩坡蔓延約二．七公里，為臺灣小百岳之一，該山因為臨劍潭故以劍潭山為名，該山區域約在臺北圓山與士林之間，劍潭此地名與十七世紀的漢人鄭成功息息相關，後人為紀念此事件，故將該河段與所涵蓋流域皆以劍潭命名，不過經後代考證，相傳一六六〇年代，鄭成功及其所屬軍隊行經此河河段時，遇見神怪與神怪造成的大風浪，為伏怪，鄭成功拋一身邊寶劍始降伏神怪，因此稱為劍潭，但這一帶仍然不時有神怪出沒……

她說，圓山本身還沒有山後頭可怕，其實是往後走的，上百個山後的羽毛球場，那裡充斥著一塊一塊的歪歪斜斜卡在上山階梯旁的空地，小攤子，像亂葬崗。她說她有一個朋友提過小時候會跟她爸爸上山來打羽毛球，好多人，好多場子，像法會，像山寨，像一群荒唐的山鬼，每天的上戲，搬演。而我們當時就在那山路中，山寨的現場，而天依舊昏昏的，奇怪的是，空氣中混濁地，不可思議地……竟傳來了一個歐巴桑的歌聲，令人難忘極了，那是完全走音的卡拉ＯＫ，臺語歌的清亮，晃動，歌名我彷彿記得，叫〈追追追〉，本來應該是黃妃唱的，又高又怪的女聲才對，但，在這裡，卻荒腔走板地，唱著又甜又裝漂撇的鬼叫。仔細聽，竟然還有好多處，好多臺語歌，遠遠近近，江蕙的，謝金燕的，在喝茶的地方，某台廉價的伴唱機伴唱回聲，麥克風，爛喇叭，山麓的回音，形成一種俗又沒力的完全不合音的合唱。而且天就快黑了。還有一座不小的廟，弧形的樓梯，欄杆旁有石雕大象，刻工刻得粗糙又不好，但卻反而又有另一種怪異的傳神。往上走，正中心，有一座二米高，用黑石雕的觀音，四大金剛，金童玉女，好陰的廟，在山側，大樹的深蔭中，就這樣，巨大梯階旁的白象，柱頭水果盤，都是不太正常的行頭，像印度教的邪廟，有些怪動物的或怪植物的更令人狐疑的印象的陰影。甚至，旁邊的不鏽鋼板圍牆上，竟然鏤空地用最上緣，鐫刻了一整排的卍字。而路旁，還有葉很大的雜草，還有蔓生的爬藤，沿著路旁爬上了廟緣，移動迅速而混亂的昆蟲和爬蟲，而那些小心的蜥蜴、蜘蛛，正攀上了更多的怪異的地方。我發現了比陰廟更陰的怪地方。那是一個凹處，小篷下，某些窟洞，都是撿來的破家具、陶缸、佛像、動物模型，而入口，有個低階的石塊像欄杆式的排著，那竟然是忠、孝、仁、愛、信、義、和、平的大字，偌大的每個字都被寫在一個立方體石柱礎上，排在小廣場的側壁，但是，奇怪的是，石柱上都有一尊又髒又舊的彌勒佛，大大小小，金色的，洗石子的，但看起來都是撿來的，落難神明。更後面一排良心傘，像神明的令旗令箭，在山壁荒蕪的爬滿的爬藤前，更爲詭異。

我看得出神，那麼小小的像流浪漢逗留盤踞的路旁野地，卻變成一間彷彿有神通的小廟，一個像萬應公的鬼地方，一個像巫毒教派的收破爛祭壇，或就是，養了流浪狗很多像惡獸一直吠陌生人們的某異教聖地。那種彷彿藏住了怪誕又不堪的過去，有著守護者式的又小又眾的邪神們，但仔細看，卻又只不過是鬧劇式那麼瘋狂地現身又隱身的某種混淆傾斜又光明正大的古怪所在。

就這樣，越走越久越深的我越覺得不太一樣了，那使得不遠處的圓山飯店，看起來，竟反而還好，竟反而變得像個較容易辨識或信仰的神祇的大廟……那般地令人心安。

那天，去圓山其實我是從車窗看出去的「臺北」的光景開始的……車子飛快地駛過堤頂大道，一直走河邊，沿堤防走那裡的高科技大樓是內科的科幻片場景。而更過去是大直的邊緣那更頂級的豪宅區，再遠一點的後方的美麗華摩天輪光影。那都是最新的最未來的也和過去離最遠的，臺北。還有一些更零星而更怪異的，有一個招牌很大的水蛙魯餐廳旁邊有一個軍方宿舍，門口仍有一面寫著忠貞兩個楷書大字的白牆而陽台的鐵皮加蓋仍用和忠烈祠斜琉璃瓦屋頂的黃。再往前一點，就是另一種光景。沿著河堤再往前，就到了海軍總部了。大門口前面的巨大的錨，那是經過北安路的某種更龐然更肅穆的暗示，軍方的遙遠的不要靠近的。然後是忠烈祠的憲兵前觀光巴士觀光客在旁邊拍照。中央廣播電台或美軍俱樂部慘白夾雜冷灰的那時代的遺址。再旁邊有空地有小亭台座椅和綠蔭所剪成動物很大但沒有人的公園。

臺北圓山飯店有兩條極著名的密道……是因兩蔣時代有很多國內外政務官元首要來此參加國宴的極祕密設計。這兩條密道位於地下二樓，萬一發生空襲，貴賓可就近至地下二樓防空避難室躲避；若一旦發生威力更大的核彈空襲，即可迅速進入防空避難通道。這兩條密道往東可達北安公園，全長七十八米，共有四十五個燈座，八十六個階梯；往西可抵圓山聯誼會劍潭公園，全長八十米，七十五個階梯，內部蜿蜒曲折，一直到出口處可以見到兩扇長期深鎖的金屬門，打開後還會見到兩座高約五米的石牆遮蔽，外界根本看不出這是坑道出口，兩條密道皆為二點三米寬二點一米高，有如螺旋一路向下盤旋，寬度可容納二至三人同時並行，最特殊的是西側的密道旁還設計成約一人寬而以磨石子為底類似溜滑梯的滑行道，由於滑道兩端距離約七十米又是一路往下盤旋，就被戲稱是全世界最長的「溜滑梯」。

更後來過山洞和很多高架橋，那車開過頭到竟然過中山橋，到了北美館花博的現場好多人仍然在排隊，這是我們這個時代的庸俗而熱鬧。本來是要去圓山站，司機走錯。錯過了上山的路，上圓山神社，卻是經過橋頭而到了中山北路上的大同工學院，到了捷運民權西路站附近十幾個出口。我決定下車，坐在摩斯漢堡發呆等她。旁邊，有一個娃娃音少女和一個業務，在看蘋果電腦說日文，在上日文課，那男的有種日本人的年輕客氣。「你沒有男朋友嗎？」另一桌的三個熟女穿花洋裝怪黑絲襪在大聲聊勝於無地聊天，每個都穿超短裙短褲拿機車包LV包而且妝極濃。另外在寫Samsung的pad的一個包包上別一隻小熊左前方的少女在仔細地看她的指甲。我心裡只是老想著這個時代和圓山那個時代眞的很不一樣。就這樣一直到要去捷運站出口接到她才離開的我在上那個時代的圓山前，好像就迂迴地先這樣停住地先在山腳下感覺了這個時代這個地方這些更晚近的民風民情一下，有意無意地……那裡是現代也是現在。離後來進入的圓山的「古代」雖然不遠，但其實好遠……更後來，check in之後，我們就先在大廳旁吃下午茶時，她說到這裡舉辦過國宴的故事，她說到她朋友們曾經來這裡表演過，那時候，她朋友是女校儀隊，被邀請到現場對國外貴賓表演，就曾在一個很大間的像總統套房那麼大的房間裡休息集合準備，她說她記得的不多了……那時候太小太緊張，好奇的一整群穿制服的女同學一起趴在欄杆上向外眺望看著整個臺北的風景發呆。

更後來我們就坐在松鶴廳比較靠大廳的座位裡，往旁邊看有一個廳海報是一個國際的近代生化機器會議，有另一個廳是名爲本草綱目兩岸中草藥的老產業會議。又新又舊地同時出現又同樣招搖，我們只是低頭吃著有上百道菜的buffet，但菜很難吃得令人掃興，所以我跟她說到昨晚作的一個夢。

夢中她在排隊的一個大賣場當場抓到一個小偷，有人就指他拿走了一包包水餃用的那種絞肉，但已然找不到，他面貌淒苦，在大熱天，仍穿著很多層很破的衣，又髒又舊，像流浪漢或叫化子那種，好多口袋翻都沒有了，就是找不到，但是越翻開衣服，就越臭，一層一層翻開到裡面，卻沒發現他偷的肉，他也沒抵抗也沒辯解，只是保持一種恍惚地笑……

更後來，被人搜身時，我們站在旁邊的人，才發現，他那些衣服都是撿來的，上面還沾滿了很多不明的印漬，餿水或尿液的殘留痕跡，但是，更令人吃驚，反而是他腹部有一個很大的瘡，還滲出濃稠的血水，很可怕，還有蒼蠅還在皮膚腐爛的傷口附近飛來飛去，他仍然不在乎，繼續地笑。

我說，或許我們該講些和吃有關但好笑一點的故事，然後接著就說到了前幾天在計程車上，所遇到的另一件事。那是車上小螢幕的電視中，一個很灑狗血的談話性節目。那時在窗外的街上，大型看板，有三個很顯目的招牌，都髒髒舊舊的，寫著很庸俗的大字，分別是，希望城堡，禿頭檳榔，臨水三奶夫人，我說，他們在討論北韓，有一個老社會版記者當年混進去過，繪聲繪影地，在店裡會吃到某種流傳中的無名肉。有另一個人說：是狗肉，但是更可能是人肉，很多人吃過都這麼說，很香，但吃起來很腥。這種事很多，他說，其實，臺灣五十年代也有，有店賣人肉，那年代甚至有小孩常不見了。聽說是喪盡天良地拿小孩心臟去做烱香，烱肉。他露出賣弄的神情說，古代更多，連《本草綱目》，有人肉為藥。戰爭，更沒辦法，以前大陸在八年抗戰時，傳說過，村子裡，沒東西吃，就吃一種粉紅色的土，叫觀音土，吃到肚子都脹起來了。沒鹽，就從糞坑挖出石頭來燒，從那些又臭又噁的排泄物中殘存的雜質燒出的碎碎的髒髒的結晶，重新拿來當鹽巴。古代的戰火連年，沒食物，常常把戰場的屍體也拿來吃，甚至，行軍帶人肉乾，連曹操，也這樣。安史之亂，有些城被困太久了，完全斷糧，弄到後來，城裡百姓只好易子而食，守城的將軍還殺自己妻妾給士兵吃，那些太太們太可憐了。但是，全場的人越談這些就越淒涼沉重時，只有一個年輕一點的特別來賓，反而有點開心而揶揄地說：還是現在好，沒那麼慘，但是，在我們這個時代，吃人肉的問題，可是完全不一樣了，前一陣子，有一個很有名的新聞，那是在國外，有人登報，反而想要被吃，是徵吃自己的肉的人。

「為什麼我們都喜歡這種噁心的玩意兒？」她笑了，接著又說到一個貓屍的故事，也在計程車上。車窗外，我坐的計程車正停紅燈。看到騎機車的兩個女人，看起來就是母女，長得很普通，不好看也不難看，就是那種看過就會忘的臉，兩個人都有點胖胖的，都戴尋常的安全帽，就騎在同一台機車上，兩個人面有難色，一直在回頭看柏油路上……看了好一下，又一直看紅綠燈變燈了嗎？本來以爲她們要撿從機車上掉下的東西，但母女在嘔氣冷戰，又在大馬路上，所以忐忑不安。

那裡，就在南京東路、敦化南路口的附近，又在地下鐵施工工地的旁邊，停著等紅燈的機車汽車公車都非常多，下午二點，太陽很大，空氣燥熱極了，大家都在一種想趕快離開那裡的不耐煩之中。這時候，我伸出頭，從車窗口往外又往下看。發現那對母女回頭看的柏油路上……不是她們從身上掉的東西，而，竟然是一隻貓。還就靠在我坐的計程車前輪旁的很近很近，還像剛被撞傷。我嚇了一跳，一開始還以爲已然撞死而變成是壓爛得面目全非的扁身貓屍了，但是，仔細看，牠還只是躺在路上，身體的毛極度紊亂，頸部流出的血漬雖然不明顯，但是卻已四肢蜷曲瑟縮，甚至還有點不自主地抽搐，但是全身仍然不太能動，大概有很慘的內出血那種難過。那看起來，比貓屍更令人難過……就在那時候，那媽媽從摩托車上已經走過來，很小心又很不忍心地蹲下來，她看起來是要抱起那貓，但又停在那裡，有點不知如何是好的停滯，大概是怕牠有內傷，身體有內出血之類的傷，或更深更難測的看不出來的骨折。

載我的司機說：「這可不是我撞的。」從前一個紅燈，遠遠地，他就有看到了……應該是被前一個變燈要搶過馬路紅燈的車撞到的，那車一定是開太快了，沒看到。因爲，對司機而言，一般如果撞到貓是很不好的，太不祥了……

甚至，這種車太多的市區裡，是不太會看到貓，大多看到的是狗，那些狗，連綠燈也會看。我說，「大概是看人停了或車停了才走的」，「動物在這種市區要活下去，是要很行的，不靈敏不行的。」他說，「這種動物都是有人養，那貓是虎斑的，毛滿漂亮的，應該是有錢人養的。」車太快了，沒辦法……就在那時候，一邊覺得牠不知如何，或她如何送牠去哪裡，我正有點悵然，也有點不安地心虛著的時候。看著那貓，我還正想下車去幫忙那媽媽，但正在趕路去找我姑姑的路上，紅燈也快變燈了，而且車子又在大馬路中，實在是有點遲疑……就在那一剎那，車突然開了，就完全來不及了。

太晚了，她不能過夜，最後我就送她走下山去搭最後的捷運。我們從圓山走下來所走過的那一段路，那很暗一如鬼鬼祟祟的鬼魅埋伏的舊樓梯和保齡球館旁的老隧道都很奇特，有種時光倒轉的效果般的華麗光暈，尤其是經過那隧道的洞上邊的牆壁已剝落的髒髒亂亂……咆哮一如疾風飛過的車，暈黃反射投影的光，彷彿是時光機器的轟轟作響，那種時差的轉換使剛剛圓山裡所有的現場都像是前世，像是我們已然過了冥河的冥界，喝了孟婆湯而已然回不去了……那麼惘然。

所以，她走了以後，我自己一個人走到了士林的夜市時，心情不太一樣，像《神探狄仁傑》那電影中的鬼市，從長安京城宮中的華麗森嚴的宮殿走入了地下的三教九流鬼蛇混雜的混亂……我越走越晚，夜市越走越遠。有些老店我還認得，我看到了好大的字，三十年老店的花枝羹，蚵仔煎，天婦羅，綿綿冰，老地方，還有一些有典故的名店，我家泡泡冰，豪大大雞排，陌生人乍看都不知道是什麼鬼店。甚至，有些店我不認得了，在賣塵蟎殺手，賣超辣背心，爆裂指甲油，還有些店在賣又髒兮兮又臭不可聞的麻辣魚蛋，綜合煎，青蛙下蛋種種怪東西。這夜市變成了鬼市那種……鬼祟蠻荒而充斥了魑魅魍魎覓食的餓鬼般的角落……的令人迷惑。一如整個臺北在圓山飯店山下，在那種皇城下看賤民的市井的眼光中，都如此地台如此地野，如此地蠻荒而充滿怪物般的氣息……再過一會兒，午夜的店開始收了，有些攤子也撤了，巷子變得更暗，但是很多個穿得很辣還染金髮的少女還一邊吃一邊用手機自拍。陽明戲院，在上演《糯米歐與茱麗葉》，後面是夜市旁小廣場上有一個三百六十度螢幕正播放著電影廣告，週末上映，很科幻又很古代的新動作片，《雷神索爾》，很短的預告片，講了一個神話，一個英雄從天神被父親放逐謫貶成凡人，畫面的特效很誇張，打雷，彩虹橋，巨人毀滅者，會從眼睛噴火。我心想他也是困到這種餓鬼的老市井裡離不開了。我走得太累，就準備叫計程車回山上的圓山大飯店，離開這個鬼市，就這樣，甘願一點地……回去，回到宮中，回到古代。回去時，已然有點晚了，那古代的飯店門口的服務生一點也不古代，他們正開心地玩耍，有的在混鬧聊天而調笑，甚至看客人送行也不理。

上樓前我故意繞到V樓後頭的那一面老長牆，有很多黑白照片充滿了那時代的歷史和這飯店的過去，蔣宋美齡和很多極高階官員有的我認識的或不認識的種種名人都在，所有的玄關，大廳，宴會廳，甚至入口斜屋頂二樓名花圃是用來招待那時代重要的外國總統或外交官的地方，所有的黑白模糊照片裡的現場都非常地盛大而壯觀但是對我而言卻又那麼地遙遠而陰沉……

這裡是主題樂園嗎？我心裡想……後來我就坐在大廳沙發，在那空曠的晚上，看到的那時代更多不一樣的餘音繞梁，大廳的梅花藻井，大樓梯，大廳，地毯上的印花，牆上的大山水畫，有一區叫金梅齋。櫃檯後的福，金字，宮燈，木櫺窗，中間大盆花，藻井的光，等候區的大木椅，紅墊，印字，福祿壽，花草紋，圓苑，文化，尊貴，品味，好高的大紅柱，三隻龍盤旋成的天花板塊，像國慶牌樓。而這麼晚的這大廳竟然還有很多個日本客，有一對有點年紀的夫婦，丈夫左下巴有一顆很大的痣而且長白鬍鬚，還有同團的始終在互相拍照的少女們還在拍。那時候的我還正坐在大廳候客區的沙發上在看那幅很大幅的國畫，松鶴廳前的松鶴圖，那些工作人員的夜班極像公務員。還有某些奇怪出入的歐巴桑來借廁所，還有來開會加班中的保險業務會議，穿可笑制服的員工，竟然還有一個戴牙套的中年婦人站主櫃檯。但旁邊一直出現很煩人的吸塵器聲和第一銀行提款機的廣告配音，「下午茶，是養生茶，老公你要什麼呢？」

這裡……好像聊齋，一個夢境，走不出的古裝的夢。

圓山，古名圓山仔，位於臺灣臺北市士林大直間，為基隆河南岸的獨立小山丘，標高約三十六公尺，面積則約有數公頃，該土丘原名為「龍峒山」，其名來自此區域本來所住的平埔族分支凱達格蘭族「大浪泵社」的閩南譯音，後來因山丘平緩，被後人另取名為「圓山」且沿用至今。民國五十七年獲得美國《財星雜誌》評為世界十大飯店之一。在飯店的中國式建築上採用相當多的龍形雕刻，故有人稱此飯店為「龍宮」；除採用龍形之外，亦有石獅、梅花等中國建築常用的圖案，金龍廳的百年金龍，是日治時期留下的產物，本來為銅身，圓山將其披上黃金外衣，更顯氣派，地下樓牆的九龍壁，與大陸故宮的九龍牆相似，在飯店內外的龍雕約有二十萬條，也因此讓圓山大飯店有龍宮之稱。建築內外都以龍做為裝飾的主要題材，極具輝煌尊貴的氣派，飯店大廳中央的天花板上，有一梅花造型之藻井，雕有金龍、鳳凰，取其「龍鳳呈祥」之意。而內部的裝潢陳設，以及家具擺飾，無不皆具中國傳統的藝術色彩，極見匠心獨運，尤其遍懸各廳的畫飾與浮雕，如〈唐人雪山圖〉、〈洞天山堂圖〉、〈清明上河圖〉，以及周公與禮作樂浮雕等均屬自名家手筆，其他如各色各樣盤根錯節的盆景奇石、連綿的大理石階梯欄杆，號稱世界最大的旅館大廳與房間內部的明式紅木家具更是代表著蔣中正時代大中國思想之表徵，表現著要搶回大中國的雄心大志，決不偏安於一角。

在當時的圓山飯店是中華民國對外的國際招待所，其半官方機構的神祕色彩，裡面所用的餐點不是標準貴族西餐就是中式宮廷大菜，當時的圓山飯店是如此的尊貴，簡直是王公貴族的後花園，是蔣夫人的私房錢、私房菜、私房花園。

回房間的走廊上的我仔細看了一幅房門邊的〈康熙出獵圖〉，木蘭獵場是複製的原尺寸輸出裱裝，原畫在故宮我有看過，裡頭有很壯麗很多騎馬的八旗軍將領和侍從整齊排列圍繞在一山林中，很典雅但又很殺氣騰騰……另一端，有一幅國畫是眞跡，畫名是〈孝感動天〉，有一隻大象在田的旁邊，孝子在耕田有鳥在他的附近盤旋著的那種老派的溫馨感人。走進房間裡。天花板的刻紋是仿古典的過多裝飾的條紋，很像是甲骨文或饕饕圖案之類的圖騰，但是倒在床上不動發呆好一陣子之後的我看久了，卻覺得好恐怖，好像會動到一如長蟲爬行而永遠不停歇地蠕動變形……但是越來越累的我越來越沒辦法辨識眞僞……最後我只躺在仿古的床頭看著電視，上頭正在播杭州市中心有一座山上的靈隱寺。有一個湖叫西湖，有一種茶叫法海指月，功夫茶，龍井，焙茶葉，那是一個名叫《瘋臺灣》的節目去拍的大陸，那女主持人叫Janet，一直用一種英文腔的中文，用一種外國人的腔調在拍在談一條老街，或是用影像剪接和高難度攝影種種極新極繁複的現代腔調在打量那古代，越看就越覺得和這老圓山老旅館裡的古代好不一樣……但浴室是空洞的，看起來剛整修不久，新的，沒有雕梁畫棟，沒有龍紋圖籙。

我泡在缸中好久，感覺著……完全的停止，不再想去想太多太遠的，只是昏。但，眼睛張開還是發現，這新的浴室只像三流的小鎮火車站前的旅社賓館，便宜的粉色亮光壁紙，二流的沐浴用品浴簾地磚和鏡面，正在泡的浴缸也是淺藍塑膠製的尋常……我並不想面對這些，也不想太挑剔這裡，我再閉上眼，只當成是很個人的泡湯的缸。這是一種逃離，一種空，一種無品味也無國仇家恨的……放棄。畢竟，這裡還是古代。

因爲坐在那裡，我看著旅館的一本叫《圓訊》的刊物，裡頭，寫著好多歷史花絮，國宴的故事，艾森豪總統套房，這裡本來只招待國賓，這飯店從四十一年蓋好，至今已六十年了。但我仍然只是泡澡抽菸開窗。想著前面的高架橋大概破了這裡的風水，像某個巨大遊樂園的巨大雲霄飛車，這裡不免已退化到只像一個大型的香客中心，老式的救國團山莊。但是，這裡仍然令我緊張，因爲某些房間裡的樣式，一如浩氣長存的《禮運大同》篇種種的題字碑文書畫。但是最後才好一些……因爲發現陽台的燈終於熄了，突然那古典樣式的場景暗了下來，變得陰沉而隱隱約約地……我反而喜歡這樣地變成了壞毀了古蹟那種廢棄感，一如《神隱少女》的那種半舊而懸空的巨大湯屋那種好像可能會有些神祇或妖或幽魂從某些房門飄出來的氣息……那般神祕了起來。

此時從浴室出來的我反而老是看到房間裡所有死角清楚的倒影，而我的裸體就映在落地窗的長空夜景，疊著窗外臺北的建築燈火的天空線上，像長了好多怪異的紅斑。使我想起有人挖苦這裡，來之前跟我說過，「圓山很老很潮而霉味很重，希望你的背不要起疹子。」

這使我想到我們剛進房不久，我洗完澡出來時她也在那古典樣式的床頭躺下來……她說，電視有個節目，好變態。那是在巴西，在拍照時手上拿著的那一條蟒蛇咬了那一個女人的大胸部，就死了，但是死的是蛇，不是女人，因爲咬到矽膠。另一個頻道，一個旅遊生活頻道的節目叫《幫我做造型》（How Do I Look?），我看到的這一集，是一個拉丁裔的中年胖女人，在這一集被邀請來，要被改變穿衣的造型。鏡頭中，她穿bling bling的爆奶裝，超短褲，絲襪扯破好多洞，頭髮散亂，但她其實是五十多歲的歐巴桑，雙下巴，腰很多層，皮膚極不好，眼圈很黑，但臉上妝很濃很怪，每個穿法的焦點都在強調自己的缺點，在主持人訪談她的時候，即使她在場的妹妹和女兒都受不了，但她卻自我感覺極好，也強烈爭辯，即使對著三位評審造型師。我吃驚的是，她不認爲自己錯，雖然我也不認爲評審那麼沒錯，那三個造型師要改變她，節目到了中間，甚至，還對罵了起來。但是，我最好奇的是，她穿很暴露而且很庸俗這件事是不是有問題，是怎麼被決定和討論？很久沒看過這麼尖銳的對罵！有一件她從家裡拿來現場的低胸金色鑲片迷你洋裝，她竟是用來穿去教堂，這樣穿，才能榮耀我的主！

我說到剛上山時，坐的那輛計程車……那車有點髒，開門時，還發現旁邊落漆，有個零件還掉了一半，用膠黏著又沒黏好，看得到膠的骯髒的不規則翹起的一團。天色要下雨了，但又沒下，那種很燥熱的狀態，潮濕，悶到發汗，全身也黏著又沒黏好……的不舒服。計程車上東西很多，吊了些奇怪的小飾物，但是，又不是求平安的符咒香包那種，而是另一些不太容易辨識的花樣，器物。我想到有一部叫《人骨拼圖》的那電影，故事是有一個連續殺人狂，老是用計程車去找被害者，片子剛開頭，就是這樣，鏡頭停在後座往前座的某種陌生而莫名的緊張，再來就是，切割到好幾個畫面，座墊的汗漬，窗邊的裂痕，司機後腦勺的怪帽緣，我印象最深的，卻是，照後鏡下吊的巫毒娃娃類的看來又髒又舊的極不祥的吉祥物，是用人骨某殘塊精密切割雕刻成的一個極小的像現代抽象藝術式的不明雕塑。但是，在我看到的這個司機，好像沒這麼離譜，但是還是有點恐怖，在他擋風玻璃前，有一個白的圓筒狀金屬，像老式的照明燈，又像小型吹風機，或不知要測試什麼的測試器，阿波羅十三上頭故障的那一個零件那種老時代沉沉的鈍鐵器械的調調……但是，旁邊有一個水晶做的天使，眞的裂痕很多，正前方陽光照入再折射出的光變得慘白暗沉。他的頭有點禿，胖胖的臉是圓滾滾的，很不起眼地笑笑的，笑的時候眼睛只剩一條線，那般又和藹又說不出哪裡有問題地令人忐忑，就是那種谷古實漫畫裡變態大叔的標準模樣。旁邊有一根金屬桿，底下有個桶狀的容器，但充滿細節，螺栓，接頭，再仔細看，竟然是一台直升機，縮小版的，是一台眞正的會啓動的模型飛機。這是《阿凡達》裡頭那一台喔，他說，眞的可以飛的，遙控器在後面，飛起來的時候，超帥，公園裡的少女都一直看著我吔！

這時候，電視上，某新聞台又播了一個新聞……「搬家了，但是那家人在原來房子裡，爲了報復房東，把一隻白色柴犬綁在流理台，活活餓死，一直到發臭，才被發現，隔壁的人才叫警方來開門。」

最後，我們打開落地窗，又躺在長椅上，繼續發呆，打量遠方，看到那座巨大的爬滿龍的紅色牌樓。而房間外的陽台欄杆，是全部漆紅的，柱頭是漆金蓮花，混凝土灌成的雀替，五彩畫梁，小而精巧的斗拱，陽台上頭，那天花板嵌的燈，還設計成五葉梅花的形狀，是極繁複裝飾的裝潢……那太古典又太繁殖的陽台，怎麼看，都還是太大，太亮，而且，燈沒辦法從房間裡關，爲了成爲整棟圓山飯店建築體的立面在夜裡像一座發光的皇城樣本，一個關於「中國」又關於「古代」的標本，對整個臺北宣告著，閃爍著……

就在我房間前的這陽台，欄杆，杆柱上的金色蓮花頭，種種古代的縮影的場景中，我還是很迷惑，但是旁邊有對年輕情侶，也走出來了，也看到這些景象，但他們可是一點也不迷惑，反而開心地一直拍照。這時候，我不想跟他們問候，甚至，我完全不太想動了，只是在那裡抽菸，所以就坐在那房間最靠窗的仿古董椅上，木桌，發呆。就這樣，看著遠方的高架橋，車聲，飛機，還有更遠方的河，天空，越看越遠。做愛的時候，我讓她用騎乘式，我坐在古董太師椅上，她再坐在我的陰莖上，一起往外看向遠方，凝神。但我仍抱著她的腰抽送著，她流著的汗，和淫水，滴到我的兩腿之間，滴到太師椅上繡著盤旋成圓形的金龍身的紅椅墊圖案，有經血，紅色滴到紅色上……更後來，我把她的臀部拉高，從後面插入她的兩腿之間，我們仍然激烈地肉體撞擊時，我突然看到那古董椅墊的血漬竟染滿了整條金色的龍，像紅雲，也像牠受傷了的淌血，染滿了本來是如此肅穆又威儡的牠的臉和牠的眼睛，變得好恐怖又好荒誕……

後來，我拉她到了外面的陽台，兩個人的肉體仍然纏在一起，她就趴在那裡，好露骨，就扶在房間外的陽台欄杆上，那些漆紅的柱，漆金的蓮花，雀替，畫梁，斗拱，在我用力地進入她，用力地抽插的時候，種種古代的華麗五彩，突然都開始晃動，開始更荒誕地模糊了起來……這時，我才發現，其實我們就在其中一個房間的陽台，站出去，向兩側看，都是另一些同一層樓鄰房的紅柱和紅欄杆，完全一樣，排開，因此，越遠的柱列越小，就像在電梯兩側鏡像重複而往遠方最深處延伸進入的光景，那種萬花筒式的消點太遠的鏡面的鏡像，令人彷彿跟著無限地展開但又也無限地迷惑……使得正在旅館房間陽台做愛的我們，覺得好渺小，尤其當人站在陽台時，發光的一切，使得，這一個色情的場景，變得十分荒謬，所有的時間好像摺疊進入了不存在的空間裡，在那裡，一切的淫靡不再那麼尋常地淫靡，就是變得好怪異，好眞實又好虛幻。整個做愛的過程，不知爲何，我一直聽到一些奇怪的從陽台來的聲音，是隔壁房間的陽台，還是梁上的鳥築巢，或鄰房的人，或從樓下翻上來的竊賊，還是二十年前來過正在看前面二樓花圃的某外國元首徘徊不去的幻影，所發出來的……

回房前，有一段時光，我們是往外走的，走了好遠一段路，後來從後山走到前頭來了。就這樣，看到了圓山飯店建築體和牌樓之間的那個廣場，其實比想像中的龐大，有花圃，植栽，梯階，羅列著……最前端有巨大的石獅一對，左側有著于右任的字的石碑，車道，地上的字，好多白漆漆出的字樣，寫著箭頭前行或左右轉下頭出現的金龍廳，麒麟廳，圓山聯誼社……有點髒但仍然極爲顯得十分巨大而突兀的字樣……在漫長的步道，走出牌樓，經過也是古裝的入口警衛亭，可以隱約看到樹梢之間的遠方是花博，北美館，劍潭青年活動中心，名叫十八標的高到快三層樓高的混凝土高架橋墩，而且正在塞車。那廣場越走越遠就越暗。再往下走……她說她小時候跟小學老師來過天文台上課。只剩下了日晷，整個怪建築完全不見了，以前的天文台，變成一個土丘，和底下的地道。那時候不像現在的天文科學教育館那麼多設施，宇宙探險區、宇宙劇場、立體劇場、天文教室、圓頂天文觀測室，種種建築主體旁邊的圓頂式全天域劇院直徑很長，表面被覆著象徵宇宙神祕感的金黃色鋁錐面板，館區四周放置了黃道經緯儀、天球儀、赤道儀和赤道日晷，那麼盛大，但那怪建築反而有種極素極工業感的吸引力……

她說，那時候看到的天文台，那麼單調，奇怪，但反而印象很深。因爲，那是我人生第一次看到了建築體的屋頂竟然是圓的，就像陰莖的龜頭，她笑了，接著說，底下是混凝土的沉重的塊體，上頭是巨大到極端古怪的採光罩所構成的屋頂上有圓頂觀測台，放置某些赤道儀折射式望遠鏡，一些奇怪的外國翻譯名字的機器，什麼蓋賽格林式反射望遠鏡及二十公分庫德式折射望遠鏡。圓頂觀測台就像極了一艘太空船，或飛碟，對那時候那麼小的我們而言，實在太奧妙了。尤其裡頭所回顧的許多人類進入外太空的事件，一九五七年，蘇聯發射了人造衛星進入繞地球軌道，一九八六年，哈雷彗星的回歸，都令人印象極深，但是，那並不是我喜歡的，因爲實在離從小就只喜歡社會而討厭自然的我太遙遠了。

但是她們班上某些男生，竟然，激動到離開後回到學校，立志要當太空人，彷彿這座觀測星象的古怪建築，令他入迷到入魔了。但是，現在已完全消失了……原來的地方，只剩下一個日晷，爲一個水平式日晷。像太空船已然離去……而且離去很久了。就這樣，我們有點遺憾，只好靜靜地往後走。但是，竟然在消失了的太空船的不遠後方……就發現了一座不太像廟的廟。

上頭寫著，太原五百完人塚，那是一處認眞地在紀念些什麼的碑，旁邊還在兩座小牌樓上，寫著，成仁，取義，這裡，太空曠而荒涼了，只像一處幾乎被廢棄很久的遺跡。我們走到太原五百完人塚下方的參道的更下方，就已然是緊鄰大量車潮的馬路，步道中的牌樓上的字是于右任所寫的書法，更前面已經變成停車場，紀念碑，在吵雜的車聲中，很難有莊嚴的感覺。另一邊的一塊石碑上刻有當時的陸軍總司令孫立人的名字，不過有曾經被塗掉再重刻的痕跡，看來應該是孫立人事件造成的影響所致。荒涼到，連大樹橫在中間，這裡，太久沒人來了，總有一種香火不盛的偏遠廟宇的感覺。內部沒有開放，但四側屋簷下掛滿了匾額，來自當年許多的高官，黑底金漆的大字。最後方就是祭台了，更荒涼，大概也是太久沒有人來。我想起來了……我跟她說，當年，有關太原五百完人塚的歷史由來及其爭議，很多，一如吳鳳的傳奇那樣，在當時的戰爭情勢，或許是必要的，不同的政治立場有不同的政治解釋，或許在多年以後，一如圓山飯店，它也可算是一個奇怪而歧出的歷史古蹟。有一段文字在牆角上：「太原五百完人，係指一九四九年國共內戰後期，中共解放軍華北野戰軍進攻山西省太原市，中華民國山西省政府代理主席梁化之（閻錫山的姨表侄）等多人抵抗失敗後，自戕殉國的事蹟。二〇〇九年臺北市政府文化局公告「太原五百完人紀念建築群」為市歷史建築。」當年的這裡還是風光過的……一九五一年二月十九日舉行落成典禮，時任總統蔣中正親率五院院長及軍政首長前往致祭，閻錫山撰寫「太原五百完人成仁紀念碑」碑文、祭文，另還撰寫〈太原五百完人歌〉；孫立人則為塚題詞，〈太原五百完人歌〉歌詞如下：

「民族有正氣，太原出完人，海天萬里招忠魂，歌聲悲壯動三晉，何以為完人？生而能殺賊，死而不留身，大節凜然表群倫，誰能為完人？男學梁敦厚，女學閻慧卿，死事壯烈泣鬼神，赴湯蹈火全忠貞，救國救民重死生，五百完人齊盡節，太原今日有田橫，民族有正氣，太原出完人，日月光華耀國門，萬古留芳美名存。」

她好玩地看著石碑上的字，「好壯烈喔！哈哈哈！」她慢慢地邊笑邊念……就在這歌詞所歌頌的紀念建築群前，那些慢慢暗去的牌坊、紀念碑、紀念堂、招魂塚……之前。

「我想在這裡幹你……」我低聲地對她說。

四周太安靜了……安靜得像暴雨前夕那種太寂然又不祥的無聲……她沒回答，我感覺得到她很不好意思，其實我也是，天快全黑了，完全沒有人，很多巨大的濃蔭的樹包圍著，就是在這整個圓山山丘的最前端，五百完人塚的小廣場前。整個過程，我也有點忐忑不安，甚至是相當害怕的，我們從來沒有在公共場所做愛過，甚至在這麼高度被監視的勝地，聖地，太多的可能……我們會被看到，甚至逮捕。我心裡盤旋著，眼睛也打量了四下的暗處……我們該擔心的實在太多了……不小心也走進來的路人或觀光客，高架橋駛過的車上的人，圓山飯店的警衛，隱藏在某草叢中的便衣警察，或更不可預測的軍方。甚至是這裡的亡靈，太原五百完人塚……這裡的正氣。「我們會被詛咒的。」她笑著跟我說。

我讓她坐在背對高架橋車潮的可坐的混凝土矮圍牆上，讓她舔我的陰莖，把龜頭握在手中，用一種很奇怪的遲疑與溫暖……含住，雙眼端詳著我，我好不忍心，她的舌頭纏住了我的馬眼，我的勃起更誇張，但也更晃動，但又好不捨得放棄這種好奇，對性愛的冒險，或許是隱隱約約的冒犯……對這個地方，這段歷史，這個城市……的更深更暗更歪歪斜斜地冒犯。但是，這時的我卻站起來，而把她的身體移向前，雙手趴在座椅上，脫下她的內褲，把勃起的陰莖從後面插入，她的陰唇好濕，我們變得好激烈，不斷地抽送。橋上的車因爲有點塞車而車速慢了下來，好多人看向我們，有人甚至搖下車窗，拿起手機，從車裡的暗處對著我們拍了起來！她有點緊張，但我反而陰莖更勃起，更亢奮……

「別擔心，他們拍不起來，我們在的這裡更暗……」我從後面摟抱著她瘦弱的身體，但雙手伸向她的乳房，揉著她的乳頭，她開始扭動她的小蠻腰，越來越快……我們越來越瘋狂了，眼睛一直出神看著遠方做愛，不遠的遠方是交錯斜亙的數座巨大高架橋，快速道路，上頭是不斷穿過飛馳而過的車群，速度，一如《銀翼殺手》科幻片般現場的極其陰暗而極其華麗，更遠一點，就是中山橋，河，花博，那正在展露其現在的某種怪異地庸俗與花俏的現場，最遠，就是一○一最高摩天樓和整個臺北的建築天空線長出全城的某種在初夜的既暗淡又閃爍，既專注又迷離……

在那迷離的光景前，我彷彿看到了這五百完人，而且是那種三D式幻境般地在場，既眞實又極不眞實，甚至，還是用某種變態的日本A片的版本，好多人被邀請來參觀一個做愛的現場，既尷尬地疏離又沉溺地投入，露出的極度羞愧難堪但又極度好奇驚嘆的種種無法置信的神情，在那林中，依歷史的進程遠近的逼近，最外圈的是穿滿清官服的像住在圓明園的古人，仍然帶著蛐蛐兒罐和辮子的裝束的拘謹，再進來一圈是穿軍裝的，或中山裝或毛裝的，聞得到戰場的汗臭味如那戒嚴時代的守護者，最近一圈才是現代一點的，已穿西裝和旗袍進出早年圓山的跋扈官員和官夫人，散發明星花露水和紙菸的氣味……他們就這樣，團團圍住了我們，像是我們在現場進行了一種高難度的性愛特技表演，他們在暗淡樹林中注視，而且在整場做愛現場出奇的迷離中，所有的他們都變得好瘋狂，好入迷，彷彿是從時光的摺痕中重新被喚醒來這裡，看到在這五百完人碑前廣場，這場子的我們的肉身出演，那麼激烈像冒犯又像犧牲……那麼色情地暗淡又閃爍……最後，我射精了。「天啊！我的月經也竟然剛好來了。」她驚叫了起來！我看到她的經血流出來了，沿大腿兩側流下來，而我的已軟下來的陰莖上也都是血。

「我們會被詛咒的。」我也笑著跟她說……

顏麗子是如何把寶島大旅社蓋起來的（第2篇）密室。

那是顏麗子小時候的夢裡的某個場景。在她仍然無法回神之中顯得太過傳神了……甚至，她還看到了她死去的父親所託夢的大廳，她希望那個日本建築師就完全像她夢見過的蓋出寶島大旅社的大廳的模樣，那夢裡兩個弧形樓梯的正中間，那兩扇雕刻得極美極繁複的日本時代異人館風的玫瑰木門，又厚又沉的木雕門扇上完完整整地刻成一大株枝葉茂密甚至是繁花盛開的榕樹，枝幹曲折到極具妖嬈如蛇的妖氣，盤旋，侵擾，讓整個古典莊嚴的大廳……變得有點不安……甚至，那門扇的把手是一隻木頭刻的蛇頭，猙獰極了地吐出蛇信，而且，埋藏在蛇眼側面的最旁，才是用來插老鑰匙的孔洞。顏麗子的父親也在夢中，他正小心翼翼地打量那個木門時，才發現，那妖樹木雕門扇後面的那面牆是空的，彷彿那後面有一個地方，她父親問她：「你眞的要打開嗎？打開這個古老的密室嗎？」顏麗子跟著森山去參觀一個老的異人館，但是已然廢棄很久了，在陽明山深處……那是一個很奇怪而空曠的華麗豪宅。但是，顏麗子印象最深的，卻還是那陰森的地窖，曾經住過一個著名的只畫極寫實動物的日本老畫家，甚至在廢棄很久的那充滿霉味的地下房間裡，仍然有一種神祕的令她著迷的魅力……樓梯下的側牆有刮痕很深的木頭裝飾，而且，那地窖看起來極不安全，那壁爐的灰坑，甚至感覺上好像有聲音叫她的名字。木頭長桌上……有動物骨骸，蟲屍，羊頭骨，乾的鳥身，灰塵極厚的木桌，破玻璃的油畫框。更往裡頭走，更令人不安，有種深入到不知有多深的洞……的忐忑，老式但仍然華麗的曲度樓梯，石砌的爐灶，連接古式的通氣口，那古老的銅鑄面有很多美麗但扭曲的花草紋，底部連接到鏽蝕得極深的鑄鐵板，滿布的牆角一如蛛網。森山打開了有一堆畫具的舊包包，裡頭還有更多暗示，舊式小羊皮封面的素描筆記簿，很多怪顏色的色鉛筆，靛青，藏藍，鵝黃，血紅……還有更多更碎的繪畫的器物，或更奇怪的不知什麼用途的小物，動物臉已然爛掉的獸面人身的老時代娃娃，裡面有很多小動物的爪子做成的老式項鍊飾物，像印第安人的捕夢網，或臺灣原住民部落的徒手雕刻……木製的……長相模糊的山鼠、野豬、黑熊、梅花鹿……但是細看牠們的獸臉卻仍然栩栩如生……到好像都有眼神也都會說話。繞進地窖最深處……還仍然有個又髒又舊的桌子，上頭還有他的畫作和鉛筆和更多削鉛筆的刀具、鉛筆屑……彷彿他的人、他的畫、他畫的動物……都還在。但是最令人不安地恐怖的……卻是桌上另一側的一個不明的餐盤中的不明動物帶血漬的牙齒、皮膚、毛髮……彷彿是某些不斷被改拍成恐怖片的那種畫面中用來作法用的。

森山說，這個老畫家原來是獸醫，有很嚴重的憂鬱症，自殺過好幾次……幸好後來迷上了畫畫，而且只畫動物……從東京上野的老動物園和自然科學博物館到戰時跟著大東亞共榮圈的皇軍分發到臺灣這個島的山裡……除了一直也在軍隊中救人，一如他救動物，但是，他心中最入迷的……還始終一直是在畫畫。那牆上有一幅壁畫，都是所有他開過刀的動物畫像所拼成的，像動物的家族畫像，全家人都在，但是很奇怪，動物的臉都像人的臉，神情也都很蕭索落寞……那裡好像是一個全部都染上憂鬱症的諾亞方舟……他的畫，太寫實了地……令人不安到近乎窒息，所有動物的臉和身體都充斥著種種極逼真的皺紋，抓痕，傷口，甚至被他開過刀的帶血漬縫線……有時候，他還會在枕頭下放十字架，彷彿開始害怕自己畫出來的逼真的獸……一開始畫畫對他而言是補償、是救贖……但是，後來變成是強迫症式地入迷、入魔……所以，晚年的他無法抗拒地就仍然一直畫……甚至，什麼別的都不畫了，他晚年只畫這種動物般的妖怪，或妖怪般的動物。一如……就是被入侵了地……上了癮般地上了身。他很愛他的動物。但是他也不知道怎麼辦？每回他開始畫或看到手稿上的圖，就好像可以聽到所有的動物都在哭……一如在那全黑的陽明山老屋，如果他在半夜要起來走，就會一如被切斷電源，所有的動物都在哀嚎般地呼喚他……每晚那醫生都很難入眠，越來越依賴藥物，後來鎮定劑往往太強，他有時睡著了，就會一直睡，而完全起不來。那獸醫最後幾年，越來越病情發作……他甚至會聽見，所有的動物說的話他都聽得到，也聽得懂……他那老房子華麗的走廊晚上常是全黑的，只有用小型手電筒照路，加上走廊旁繁複的玫瑰花窗透入屋外花園的微微燈火，走過去……就可以清晰地聽見。因爲他聽到了走廊最底端，聲音最明顯的某個最後的角落……那是一個漆黑的房間，他還看見了從房間門扇底下的餘光，就鎖在太多層的老鐵門後頭，動物們交談得很小聲，但是有很多動物的很多聲音，牠們正傳著，說著，焦慮地討論著……

很危險……只要走進屋裡，一出現到被人類看見的就會被帶走，但是，後來，反而是獸醫被帶走了。他瘋了……一如他最後幾年畫的，有時在牆頭、屋邊、窗臺、角落……上也有類似的半塗鴉式的素描畫畫，那是吊滿兔子、雞、狗、貓、種種小型哺乳動物的屍體的巨大妖樹。但是，另一類所常常出現的另一種場景的畫面，反而更恐怖……那是他自己被吊在樹上，所有的小動物們反而把他抓起來了，恐怖地懸吊他的肉身，在林中的雷同的妖樹上……而仔細看，樹下卻到處都是，想復仇的小動物們，牠們露出獠牙，伸出爪子……發出惡意或敵意……就像怪物，甚至，牠們站在獸醫院的手術台旁……正用他的極銳利手術刀來解剖他，支解。動物們正血淋淋的拉出胸腔的心臟、肺腑、胃、腸、肝臟，腦漿溢出塗地……甚至當場就開始生吞活剝地……舔噬起來他開胸腔的屍體。

就在這地下室很大的地窖，好像所有的古代的、老時代的氣味都還在，卻是用一種怪異到甚至令人恐慌的方式在對他們暗示……在那地窖裡……森山對顏麗子說，有一個老朋友最近才從老獸醫畫家的後人把這老房子買下來了，他希望我來幫他重新整理，讓他隨時都可以來，甚至，他說，我也可以來，而且，把這裡好好地整理，等到施工完了，我也可以偶爾帶你來住這裡，就當我們自己的家。他說，這裡好多暗示……老書房原來的酒櫃和書櫃極厚沉漆黑的重櫃後方，有整排灰塵布滿的極大本極老舊的英文日文原裝書，動物學，解剖學，工業革命初始的病理學，臨床實驗古笈……都裝幀成老時代的漆紅皮書，上頭有燙金的古英文或拉丁文書名字跡，這是整個房子他最喜歡的地方，好像有太多暗示，歷史的，老科學的，活生生的……老文明的種種氣味。走了一整個庭園及走近出簷的建築長廊，在那廊柱延伸出的一個弧形的魚池前頭那池畔參差長滿的荒煙蔓草前頭……

森山對顏麗子說，這裡頭還有妖精……他指著那濃濁而長滿苔蘚的蛇身環繞池身的妖嬈詭譎造型的曲形水池裡，時而湧翻游出池面的顏色極鮮豔到有妖氣的鯉魚，牠們的優點就是牠們的弱點，鯉魚太有靈性，太像人，太不容易活下去……在所有變化太劇烈的地方，這些魚身那麼花那麼美又那麼大尾的鯉魚……有很多傳說，聽太多朋友有意無意謠傳的……那是原來的主人從日本進口來養的，沒想到後來廢棄到現在竟然還活著……好像在守護原來老屋主在這老房子裡密藏的，或封印了的些什麼。顏麗子對森山說，我總覺得寶島大旅社也好像是爲了封印些什麼……而蓋的。但是，那是誰封印了什麼在那裡？

夢中，顏麗子發現自己困在一個小旅館，在某個歐洲的小山城，風光極美，但又極淡，整個城像籠罩在一種含糊的光暈中，很迷人也很動人，但是她卻覺得自己被困住了，甚至，心情的深處是……完全不能動。所以她的那些日子都只能待在那旅館大廳的老沙發上，成天無心地看著那些又厚又沉的老雜誌，聽窗外小孩在玩的笑聲，或遠一點的庭院及其連接到更遠一點的森林傳來的鳥的優雅輕啄、牛的渙散哞叫、馬的疾速嘶吼，或是更多……獅子老虎花豹的更凶狠的咆哮。這些獸的啼吟……對顏麗子而言，卻好像音樂，甚至就是天籟般的美聲……太多日子都這樣懶散地過了。已然心裡熟到好像哪裡都去過了也不需要再去……那般地自我放浪，恬靜，安然到沒有罣念……的某種很難描述的幸福感。

一如某種她遙遠的童年在八卦山下那小城長大的光景，所有要去那裡的路已然走得好像太熟太清晰。其實，也不全然那麼地深入，因爲一旦要找路卻又好像有點分神也開始覺得又不太明確，就一直困在這種種恍惚裡頭……所以，顏麗子竟然也就在走的前一天，才走到旅館後門，然而，才驚訝地發現那旅館的後院蓋出成列的老舊房子，而且房間就一路延伸入蔚藍的近乎晴空的海邊，而往更低的長滿青苔水漬的青石階梯旁，石梯最底部有一條蜿蜒的彎曲水道，裡頭有好多顏色鮮豔的野生魚群，那裡的人和動物的野生感……使她內心洋溢著很淒美的老時代痕跡。雖然，或許也沒那麼野生，因爲，仍然有很多小孩在水邊嬉玩的，水濺起來讓夕陽更龐然更昏黃。那路旁也仍然還有一個馴良的老頭在那裡……待了一輩子的老雜貨店聽他的收音機播放的老歌。但她並沒有過去和野生或馴良的他們說話，甚至也沒有對那些美麗光景的某種神祕淒清有更多的打量。只是一如過去幾天以來，整個人恍神而淡然……就一直在老岸邊看著遠方的海天一色的迷人發呆。

那裡明明是一個太不起眼的小城，而且就在歐洲深處的某個不明地方。但是，顏麗子卻覺得自己是在寶島大旅社裡頭……而且對好不容易找到她的森山說：「我不知道我怎麼會在這地方，或怎麼到這地方，或怎麼遲遲不離開這地方。」

寶島部（第2篇）小學校。

一

那像一個不斷重播又揮之不去的噩夢，多年以後，仍像一個完全離題的空鏡頭，但是卻又在空洞的怪畫面裡彷彿擁有了太多飽滿的寓意，一如流出太過飽滿的光暈的山上天空的雲彩卻仍然令人忐忑地陰沉，山路上的風景也就這樣地封凍成那永遠可憐又可笑的隱喻。那一個空洞又飽滿的怪畫面，我始終記得的所有父親那一輩的長輩都說過的那個怪畫面，關於我祖父的怪病和怪子孫，也關於那個怪時代，那個祖父在八卦山上日本小學校當校長的怪時代。

怪畫面裡，那是祖父帶父親下山那段路，從幻象走進人間，從陰暗走進光，從山走進城，從古代走進現代，從戰爭走進被戰爭遺棄的後代。在多年以後，我始終無法忘懷這個小時候聽過太多次的祖父下山的怪故事，一如某種充滿疑惑又始終沒有懷疑過的童話或神話，一如摩西帶十誡下山或耶穌下橄欖山，一如法海下山或驪山老母下山，彷彿是某種最巨大的犧牲或懲戒要發生的某一種前兆，一種救贖不了的乍看輕浮但卻無比沉重的寓言。

甚至，我在多年來的除夕或清明或中秋的家族聚集的不同的時光聽過好多長輩說過雷同的版本，那個父親那一代的每個小孩都跟著祖父走下山過的那一段古怪的時光，所有的伯父、叔叔、父親，姑姑們也都有講過從八卦山上的小學校走下山的不斷重播的怪畫面。

每回都會從當年那在美軍轟炸機轟炸時落在小學校的日式木製老房子走廊末端的炸彈未爆開始說起，繞到被炸毀八卦山頭神社的廢墟的令人嘆息，走下山的山路上的殘破到近乎沒路的斑斑駁駁，林中的蛇蟲侵擾的始終小心翼翼，滿山低沉咆哮著的某種魑魅魍魎窺視環伺的不懷好意，他們都會拿出姑婆畫給他們驅妖的符來懾心的忐忑不安。

但是，所有的他們在種種有點出入的情節場景的最後，總會滿懷一種同時出現同情和戲謔的口吻來提及那個畫面的古怪，那一幕祖父抱著下體躺在路邊或田邊忍住劇痛又可憐又可笑的古怪畫面中的那種無限恐慌。

那段下山的路的一再重演，是那麼地令小時候的父親和小時候的我們充滿了雷同的恐慌，可憐又可笑的害怕，從來無法療癒的這種餘緒這麼古怪地重演，或許就像四郎探母或林沖夜奔，像蛇郎君或樊梨花的苦惱，他們即使神通蓋世仍然落陷困頓的那種種人間命運多舛的兩難，甚至就像我們家族這近百年來故事的序曲，像是一個充滿迂迴曲折寓意的寓言，一個無法逃離的歪歪斜斜災難的前兆。甚至，重新找尋起這種種後來家族故事的繁殖，對我這種本來以爲只是補破網舢舨補到後來發現是在補一艘引擎外漏輻射的核子潛艇或外星超級戰艦的爛水電工子孫而言，像是一種從福音變成的詛咒，一種想蓋成的某種懷舊體面的紀念碑工程變成另一種草率混戰中挖出的掩體壕溝工事。

或是在我也從小時候的夢裡的碎片拼裝來補當年的坑坑窪窪，但是，比較不像是用土法捏陶只像揉麵團的老法門去修補石窟寺塑佛金身，拆長城巨石塊蓋大雁小雁塔藏佛骨舍利那般不知死活的用力找尋種種的玄奧的互補，無法是用那種蓋摩天樓般防震鋼筋一層一層硬幹硬施工地建起家廟及其紀念碑式地風光講究。彷彿只是在流亡的惡夜裡偶爾沒命回頭地邊逃邊找，有光就跟，無光就睡，但是，夢還是多得又哭又鬧，收了夢中的故事多了也還上道。有些夢裡的工地最後的收工中角色拖延到令人沒耐心，老是在無故地一起砍砍殺殺，老在反間或反高潮或翻轉的最後通牒，因爲在夢中，我彷彿始終是趕不上大人們的神經兮兮的小孩，始終太相信這段祖父下山的故事是一種徵兆，是一種有些超度太久的鬼東西在鬼不鬼人不人的恐怖片最前頭作祟著。

爺爺帶著父親下山，這段山路充滿了暗示，複雜不只是從山上走到山下，從荒野走到城市。那段路是那個日據時代臺灣政權轉移的陣痛中，被殖民地轉換殖民國之中最難講的某種歷史差錯。

那個時候的歷史很糾纏，日本進入臺灣的某種很深的聯繫不得不地斷裂了，一如所有的亂世的流離，所有的古代與現代的斷裂，祖父帶著自己的病，疝氣的校長帶著自己的小孩，下山，但是失控了，不知出了什麼事的父親就站在田埂旁，在路邊哭，看著我祖父，一個家中他尊敬愛戴的父親，一個小學校威嚴肅穆的校長大人，一個殖民母國佩戴徽章的文官，一個他從小就最信任崇拜的大人，但是，卻古怪地出了事而生了病，完全不能動，只能躺在路上田埂旁，甚至那麼自重的老文人還猥瑣地抱著下體，像死了一樣地不動，很痛又不敢叫出聲地呻吟，就這樣，老撐到天快黑了，還沒辦法回家又沒辦法離開。

這古怪的畫面或許就是這個島在那個時代的縮影，有一種更歪歪扭扭的國仇家恨的可憐，不只是那個時代要改朝換代換了皇帝換了語言文字的困難，而更是那個時代無法明說的古怪近乎猥瑣的陣痛。

一如忍著自己猥瑣的病痛的父親還是不得不帶著兒子，還是得走上了那下山的山路。對我們這些不肖子孫而言，這陣痛到底是什麼意思？這種祖父下體陣痛的經驗眞的是那一個時代的紀念碑嗎？他眞的用這種古怪的狀態來呼應更後來的子孫所面臨的他們那個年代改朝換代的陣痛。

我有一個晚上甚至夢見自己變成小孩，和穿小學校長軍服的祖父走那段下山的路，天快黑前就出發了，我們沿著八卦山後山中山澗溪水的聲音，極清晰的鳥叫和蟲鳴，森林深處的更隱約的某種古怪的音響效果，往更遠山上的路上，或是一路在路上被咬，三斑家蚊，蜜蜂，或更多不明的蟲子。還看到彩色斑斕的蜥蜴。下山的路上，還有一路上打招呼的天快黑已經在掃地的小學旁的雜貨店老闆阿桑們，豆漿店老闆，山路上走進更深山前正在休息的獵人，風始終持續緩緩吹過的那種撫過但是充滿了更多很難明說的暗示，在這種沒有人的地方，所有的時間和地方的狀態都顯得出奇地變慢，壞掉的老時代水管的聲音，過橋的弧形，看到了祖父的小學旁某些像日據時代祕密軍事基地防空洞旁的那黝黑而巨大的一樓高的機器，和更多的老舊送風機在那老時代的坑口。

還遇到很多日本人從小學校門口樓梯上山到這一帶最高的日本神社去祭拜，有人要上去有人要下來，他們說，上回全城被美軍B52轟炸機恐怖的大轟炸之後，那山上的神社非常地悲慘，完全沒有辦法想像地荒涼，連鳥居入口前最後的階梯都始終長滿了可怕的鬼東西，後山還有很多廢墟，很多還沒修好的廢棄的房子，太破碎的屋瓦，牆壁的夾層，木頭柱子，窗框門框，巨大的榕樹長進去了，亂草亂石，毀壞而頹圮的現場，磚牆外破木門還鎖著。那山上神社的鳥居走進去的石柱群，近乎廢墟。

最後我在神社底座的最邊緣撒了一泡尿，因爲尿急，或許是因爲夢中的我想要像吳承恩藉孫悟空被自己愚弄那般自嘲，那般好高騖遠地想證明那神祇神通的邊界，或是純粹顯露自己的無心又無禮的愚蠢，或是更不自量力地妄想對神明的褻瀆，但是，看到那些日本神社裂柱廢墟上的那些補丁的痕跡，有一種奇怪的好像補償了一些什麼的感覺。

我想那裡眞的是那個時代的盡頭了，我該跟著下體始終在痛又假裝不痛的祖父繼續地往山下走。

那天黃昏本來只是跟祖父一如往常般地在小學校的後花園散散步，沒想到就往山下走了，走了一陣子之後祖父又想到去山旁那我從未去過的老神社，雖然我已經想去那神社好久可是始終因爲種種原因而都沒法子去，或許是因爲那地方太高太難上山，或是我太膽小或我也沒那麼好奇，在夢中的我好像已經住進祖父的小學校日本宿舍裡好久可是又好像不久，但是，我們上路時的山路上常常都沒有人，我覺得那種死寂眞是整個八卦山最好的時光，因爲太小的我好像一直錯過這種時光，甚至有點在逃避這種時光的太過令人不安，而且，那夢裡彷彿也還有很多別的事情一直讓我分心，或許，那麼小的我還並不知道我怎麼會來這山裡，不知道這日本小學校到底是什麼地方，或許不知道也沒辦法解釋我爲何後來在這邊住下來，一如山上的我始終不知道後山上的風正疾起快速的飛跑而天上的雲正形貌猙獰黝黑到可能隨時會下雨，不知道登頂俯視可東眺臺灣海峽的黑水溝，不知道還可以看穿可切斷臺灣腰腹那大度溪上的大度橋，不知道綿延山脈令人擔心的變天的風已然越來越大了好像快要下雨了，甚至更遠處的八卦山的種種人的風暴也已然激烈地開始搖動。

那夢裡還小的我只是陪祖父往山下走，走下的這段山路是八卦山後山在美軍轟炸後所勉勉強強開出來應急下山的路，亂石砌的樓梯有些地方已經裂開長出雜草，或是雨漬的痕跡，泥土的碎塊高低起伏甚至大小不均，有的石塊破土而出很難走，兩側的走道有很多沒有整理好的小樹根長出了嫩芽，甚至有日據時代留下來的某個路口的刻石，刻著我祖父那小學校的名字，或是奉納那神社的老石刻，舊燈柱外還有一個洗石子做的鳥居，我們就這樣地站在山頭往下望，祖孫一起抽著菸，在煙霧瀰漫的尾端還可以看清整個八卦山下那些矮矮小小的建築群，奇怪的是也還可以看清那遠方黝黑的雲彩，看清更底層更過去的大度荒溪，看清小學校旁的這神社是八卦山頭的最高神明的方位，所有的視野在我們徐徐噴出的煙中竟然反而看得異常地清晰。

更後來，在我和下體始終在痛的祖父繼續走在下山的路上，我始終擔心他的痛也始終擔心大雨快要下了而且在坎坎坷坷的樓梯上隨時有會跌落的危險，其實我心裡明白好強的祖父的病一直沒有完全好，勉強好一點也還是在一種病懨懨的狀態，我從來沒有想過大轟炸後我們還可以下山，路還可以繼續的往下走。

所以下山時會更感覺山在小心打量我們，或是離開山神的巨大保佑會更感覺到恍惚跟害怕，或許是我太擔心祖父在一路上隨時會踏空跌落，因爲到處是修護轟炸過山路的工事，地形地貌殘缺得異常崎嶇。

更後來，我們彷彿到了一個山腹可以眺望山頭的路口，風景和之前在山上看到的感覺極不一樣但反而極清楚，那時候，我祖父還不知道後來那本來祭拜日本太子的神社竟然就蓋了八卦山的大佛，或許，那裡是風水好的勝地，在另一個時代有另一種神祇保佑。

但是，那時候的我和祖父一路走一路往回看，然而越認眞認路往下走的時候反而就完全看不到路，而只聽到祖父和自己喘氣的聲音夾帶著風呼嘯過臉龐的聲音。

我們一路還要小心種種路上的麻煩的水灘和亂石，我們的步伐零零落落，不斷地因爲旁邊的狀態而分心，我老是感覺得到祖父的擔心。

尤其剛剛在那神社的最高點時，有種很奇怪的感覺，因爲我們就坐在神社的最頂端的某一個詭異的地方，一個最高或是最好的方位，因此竟然可以俯瞰整個城的每一棟房子、每一個廟、每一條路、每一個角落，甚至每一個人在每一個時間的移動，或是每一棵樹長在每一個山巒上的輕微的晃動，或是更遠方的大度溪和黑水溝任何一個細小波濤的震動，天空中每一個雲朵的緩緩的而黑黑的移動。

但是，那神社卻早已被轟炸得完全廢棄了，變成一個只剩地洞長出芒草和野花的廢墟。最後我們打量起靠牆一公尺深的石牆旁還有一個正方形的洞穴，前面還有幾塊大刻石，還有一個上頭漢字刻著「奉納」兩個字的神祇殿堂遺跡。

「奉納」其實是為了敬奉神的一種狀態嗎？結果現在敬奉的卻是一個神已經撤退的神殿，撤走很久以前來過的，文明的，巨大的，日本人崇拜過的地方，但是，即使如此，這裡完全只剩下空的柱列的廢墟仍然是迷人，廢墟裡的古臺古祭壇或是曾經支撐過什麼，但是現在要支撐的只是一種看不見的狀態，祖父對日本看來非常認眞但又不知道要撐起什麼。

這裡不免就是所有日本的武士或武士道或大東亞共榮圈的邊陲了，我們彷彿在這裡潛入了一個日本當年在開發過的東南亞遠方的島，來這邊找尋他們寶島的夢。後來戰敗了也因此付出他們也沒有準備好的代價，我們跟著也付出了沒有準備好的代價。一整個島都被挖空了，一整個時代都被挖空了，一如這條下山的路的荒廢，只留下來了這個不太壯烈的這個島的破爛現場。

一如我們一路往下走所看到八卦山後山深處所有的山崖近乎垂直的峭壁，所有頁岩上長出了層層次次的蕨類樹種，所有我無法辨識的樹蔭及其翻飛或入地，所有地上的石塊已經龜裂剝落得非常嚴重到僅僅能勉強的修修補補，所有柱上的破洞還看得出補丁的傷痕的無法挽回。

但是我們在山路上所看到的這些「奉納」字刻上的舊石燈，上面寫著大概百年前的日子，神社樓梯邊長滿青苔的弧線、石砌扶手上面，圓柱上的一個獸頭或是有一些連燈都沒有的脊柱，依然在此排列出一個古代，一個不太遠的古代，那可是一個工業革命初期致命地不斷擴張的野心，也是我祖父所信仰的那日不落國的某一種信仰，那一個太子後來變成了那一個天皇，來過然後又離開這個島，留下了這些在這個島裡的遺址，爲了支撐一個找尋寶島的夢想，可以在這個島挖掘到他們夢想的寶藏。

但是夢想落空了，八卦山這廢棄的神社所守護的那種那個時代的哀傷仍然不免是空洞的。一如在夢中那颱風快來而烏雲壓迫的空洞感。

一如我不小心跟著祖父所潛入而不小心誤入的這個天快黑的裂縫中所看到的過去，那遺跡所無法回首的搖搖欲墜，那百年前的古代鑲進山裡的搖搖欲墜，那神社和那小學校同時不免的搖搖欲墜。

作爲祖父他的後代子孫的我們始終沒有到過他這個高度來想這些事或是到過這空的神社做過這些搖搖欲墜的空想。

一如在夢裡還是小孩的我彷彿忘了曾經是那麼地懼高，但是，我仍然記得我們下山前和祖父曾坐在神社前那麼高的地方邊抽菸邊眺望，坐了更久之後的我才發現我內心跟祖父是那麼疏遠，我害怕他那種太嚴肅的沉默，也害怕那種登高望遠的感覺，害怕那種近乎幻覺般的大志，或許我從來不了解祖父，也離他在那個亂世的擔心太過遙遠。

當年的我祖父曾經常常就在山上神社一如大佛般眺望遠方的恍然之中，或許曾經想過更多這個寶島還沒有發生的煩惱，想過我們整個長壽街老家族還沒有開始的煩惱，想過他那個神所統治的帝國慢慢式微的煩惱，想過帝國被慢慢揭露後來變成是世界大戰的某一個軸心的野心的煩惱，想過那個時代無限開發無限把臺灣當成寶島挖空的煩惱，想到一個被殖民的民族後裔如何被補償的煩惱。

祖父到底是如何忍痛地帶領他這個龐大家族要往下長下去，長出這個寶島大旅社的盤根錯節的子孫的夢。

後來，就這樣在已然完全沒人的下山的路上，下體痛的祖父仍然躺在路旁痛得不能動，我在路旁等他，但是，天色越來越暗的夜路旁竟然有很大聲臺語放送的廣播的主持人聲音，那麼荒謬的口白那麼地逼近，有些朋友說狐臭很煩惱，要開刀，放尿也臭，不然就要吃薏仁，鯽魚，綠豆，仙草，苦瓜，芹菜加蜂蜜，可以除老人味，不能吃榴槤上火。那是臺語電台放送後來的一首歌：咱是漂丿的豁鬚人，我阿爸是日本人，故意用大舌聲唱的，檳榔拿出來，人趴卡過，一輩子捉龍的我家已經破產，福州煙抖桑，煙抖到嚇笑人。更後來還有日本演歌風的臺語歌：歌名是，〈我是男子漢〉。

我和躺在那裡下體痛的祖父，慢慢地看著山下天全黑了的再前頭就是月光下發光的大肚溪。聽到更後來放送的電台就開始用臺語賣起藥，卻是我們這時代那種可笑的藥的賣法。純中藥的保安堂出品，安腦定心丸，好睡好記智，清血丸，通血路，面紅，便閉，頭昏，早晚各八顆，吃二十天，內行的買三罐，不含重金屬和農藥，有檢驗合格，最後是最厲害的鹿標壯雄丸，活血提神，壯元氣也可壯陽，專治疝氣，還兼治不舉，早洩……

那是一個關於一個小學校的夢。

夢中，我還年輕，剛轉去教一個很古老的小學校。之前出過很慘的事，然後只好重新開始，但是對新的地方很陌生，所有的狀況都不清楚，老擔心一些彷彿也不需要擔心的什麼，忐忑不安到像是一個轉學生。後來，遇到了之前就到那學校的一個以前我念書時代的學長。

我記得他當年是個風雲人物，在學校種種表現都太夙慧過人的學長。什麼狀態都極沉穩，對所有的狀態也極能入手，對所有人都很照顧，但是和所有人都保持距離，就不知哪裡有種莫名其妙的古怪。

後來，就在我所剛轉去的那一個小學校，我人生重新要開始的某種切口，他又出現了。雖然好心但也已然疲憊不堪的已然不太有心的他有點想幫我。他人生也進入很不安的狀態了。而我才又要低調地再用另一種安分再開始在那裡教書，但是，那裡其實很平庸而尋常，太接近現實的焦慮，有太多的勢利而忙忙碌碌的其他人和其他老師，我都不認識。整個地方不知爲何對我而言都有點奇怪，或許是我自己有點奇怪，因爲他們所在乎的教和學生和他們的人生都好像和我不同，那麼地急於兌現些什麼，成績或競爭，秩序或井然有序的掌握，對我老有種太逼迫的急躁的張力，一如欺生，他們有點我說不出來的敵意，或只是我的過度擔心。但是，就在那小學校，一直令人有種窒息感，彷彿是一個太多魚的池塘，泥濘的沼澤，演員太多的舞台，很小的場所容納太多的演出，那裡甚至不是舞台。但是所有人都在這一個很小的地方爭奪些他們或許也不清楚的什麼，用一種內在的張力在潛在地威脅彼此，笑臉相迎但充滿了惡意。更後來，發生了外來的威脅。整個城受困，像一種傳染病或災難發生，或就是某種惡兆的開始。所有人都不能離開學校，都困住了，所有的外頭的狀態開始失控。但是後來裡頭也出事了，大家都彷彿很不安，不知爲了什麼原因，所有的人的威脅都突然都更發作了，大家做了一些不尋常的事，或許，也不是各顯神通般地做了什麼，而只是不一樣的神經衰弱地發神經。更後來，感染更惡化了，但是，所有人被迫擠入在一個極小病房的許多窄小的病床上，很多人被困住了，我旁邊的人都很無助，但也只能在那裡發呆，等待，所有的狀態正在惡化，或是用更難理解的可怕在蔓延，發生了。

後來，那個據說年輕時也曾出家當過某種法師的老醫師，來幫大家想法子，但是，過了太多天都沒有起色，有一天，所有人幫他找了好久，才有一個病人從病房某個死角的老櫃子底層，找到了有一枝古怪的傳說中的古老木棍，棍身上有很繁複神祕的刺青圖騰，像龐然樹蔭一如雲層中的某種藤蔓在爬行吞噬或更恐怖妖獸臉孔發狂了。後來，所有人討論了好久，就把古老木棍拿給那學長，才發現他手臂上也有雷同詭魅的古代刺青，大家都期待他一拿，好像應該突然就變形成什麼可怕的武器，長出怪物般的召喚，但是沒有，就只是空氣突然不太一樣了，凝結了某些奇幻而詭譎的氣息，我不太明白的什麼在發生。

雖然沒人發現，老法師和他也沒說，或甚至他們也不知道，只有我發現而在凝結的空氣中感覺到了什麼……

我老是會想起寶島這個名字是怎麼來的？那是來自一個大航海時代的太離奇的嚮往或杜撰，或是，這個有很多寶藏的島，還是這個島本身就是寶藏。寶島其實是多麼可笑的概念，充滿了詐騙集團式的口吻，我想像的寶島不一定是島，不一定是有寶藏的島，反而，可能或許只是在不正常的地方，做正常的事，或在正常的地方做不正常的事。一如有點病態地整理自己，我最裡面的自己，一如挖出一個很深的怪物的蟲洞，放入每個可怕的內心角落。

寶島到底是什麼？寶島是福爾摩沙，是那個時候西班牙人、葡萄牙人、荷蘭人、英國人找到的鬼地方，寶島其實是某種偉大帝國傳說所分歧出來的一個大落點，一種打探金銀島的神話預言。寶島只是一個迷宮的入口，做一艘船要去找某個島，找想要找到的，遇到但又好像沒遇到，但是或許遇到就生病了還死在那裡，不然也可能遇到當地的土著，留下來，生下後代，最後也沒回去。或許不是完成使命也不是某種取得了經書回到祖國，改變後來的信仰或是取得了黃金變成是一個偉大帝國的傳說。沒有人回得去，而多年過去了不得不就只好留下來了的那種忐忑不安的委屈又不甘。每一個古文明都有一個這種字可以形容這種狀態。印度的，埃及的，或古中國的類似更內在更歪斜的鄉愁，就是某種說不清的愁，對某種回不去的鄉。

或許，就不免是一種充滿了擁擠而懷念失去的那種對一個不成地方的地方……種種感情的寄託與不捨。一如太多後來不知何時一如流行疾病而流行起來的這種找尋寶島一如找尋鄉愁的更離奇的版本，在更古老或更未來的傳說中種種離奇場景的動人，在更魔幻或更科幻的故事裡種種人和神的更糾纏不清……。

雖然，寶島大旅社是我家眞的開的一個旅館的名字。

其實更離譜的就是……寶島。

那個寶島可能是一個古代的廟宇或修道院也可能是一個個公路電影般落荒的風光及其死角，等待更多的人和神的詛咒找尋找上來，災難的或使命般地登陸，預言的發生與消失。

一如種種電影，在不知道是未來的某一年，地球經過了戰爭和病毒炸彈的攻擊之後，人們最後竟然就躲到他已然是廢墟的老家。他們的內心最後寶島般的鄉愁是一座遠方荒涼的廢墟。「拯救地球是上帝的旨意。」摩天樓的影像在建築的螢幕牆上，最後的大祭司的身影出現了，她對整個黑漆漆的全城說，一如所有的愛情電影或災難電影，他們內心裡的呼喚，是那麼地脆弱而虔誠，一如所有想要找尋寶島的妄念，都不免是充滿必然悲慘的早已寫就的下場。其實，那種舊預言往往是……到了這個寶島，人們會全部死在那裡。

在夢中，我到了京都的一個拜天神的古寺，但是卻好像在我學生時代去過的當年彰化正在修的一間老廟，天宮壇，我好餓，一直想繞到那個老廟後頭的老市場找老小吃但找不到，後來發現行李不見了，只好回去找，但是我只找到了手上的另一個塑膠袋，沒有皮夾和行李中其他重要的東西，只好回去找去過的一家一家的老店，還只從後巷不打擾人家地邊走邊找，找了好久，變得好疲累又好煩惱的我在夢裡並不緊張。只是想去住好一點的和式榻榻米旅館多待幾天或就直接回家。但是，我仍然只還在找行李，甚至只在找路，找回去原來的店的路，卻走了好久，一直找不到，甚至就迷路了。

我始終記得那天宮壇的工地，那個老廟是我們小時候去上學路上一定會路過的一個很大很怪的地方，高聳沉重的暗紅門扇上畫著猙獰長相的將軍門神，空曠華麗地起翹屋簷上站滿了剪黏天兵天將，甚至，正殿祭拜的那數十尊巨大神像，迦藍聖尊，十八羅漢，彌勒，觀音，都圍繞著正中央的一尊最高最大的天公佛像，匠師工法極高難度地精雕細琢使所有的神祇顯得形貌莊嚴而神情肅穆，在我小時候，在那煙火裊裊的拜殿前頭，永遠充滿了一種神通環伺的神祕感。

但是，在夢裡的那時候卻已然破敗成一個工地的廢墟，挖了極深的廟埕底還出現一個大洞，廟口是撿來的舊木塊所做的臨時圍柵，歪歪扭扭地很草率搭起，彷彿隨時會倒地，我想法子攀身進入到最深處，從木片斑駁的夾縫中看進去，那古老主廟身的兩側牆垣都殘破到露出磚砌的碎塊痕跡，而巨大的青瓦斜屋頂完全消失了，只剩一根主梁在天公廟的主殿頭，上頭橫著的破爛不堪的梁身還有很多突出的扭曲鏽蝕鋼筋和木屑。遠遠地端詳老廟的最深處，就只剩下的那一尊天公老雕像，在裡頭淋大雨，怎麼看，都像在哭。

我跟哥哥提及了這個夢，那時候的他正在認那上山的山路，因爲那天我們好不容易跟老鄰居借到了一臺極小極舊的摩托車，就趕路要載我去我們以前念的那個八卦山後山上的小學，因爲也念過那裡的堂哥說，那小學裡頭把最老的那一排老教室的古建築，重新整理成了一間很多史料古籍的校史室，裡頭還有祖父在那裡當校長時代的照片。

但，到了那小學校門口，才發現那裡的全校教室幾乎全改了，大多設計成可笑的仿古的新建築，只留那一棟最老的我們以前六年級教室那最古老的巴洛克式舊建築沒拆，我望進二樓教室改成的但裡面沒開的校史室窗口，歷任校長可追溯到日本時代，而且是一百年了。

我一直坐在哥哥他借來的又小又破摩托車後座，我戴著過大安全帽，一路疾風般地騎去，因爲那天色已然有點晚，怕小學快關門了，因此一路上的流逝風光就像時光最古怪的倒轉又快轉，那是當年我們小時候每天要走去的或走過一如奧德賽的最遠，路過那八卦山下最老的那天公壇是少數還在的遺址，其他的街和建築都幾乎改的修的完全走樣，而且像是縮水太過度般地縮小了，尺度全縮減到某種難以描述的狀態，而且我們騎著那借來的破車還是一會兒就把那小時候往往要走近一小時的山路走完了，一如一部快轉的也已無法停止的悲劇卻以極喜劇的輕快重演一次，在裡頭所有的街道，一如這個城，一如我的童年，全變得像布景，像那部一睡著全星球就換全部的人地事物重來一次身世的科幻片那種驚嚇。

在破車上我沒跟我哥哥說的另一個故事卻是同時我想到了另一部電影，《所羅門傳奇》，其實那部片實在很難看，故事鬆散得只像線上遊戲的開機畫面，一直殺人還一直用特效噴血，但是電影裡那種中世紀歐洲的暗黑感還是迷人的。男主角在夢中常常回到他的童年，那個從小他那貴族的父親不疼不聽話的他的童年，後來他失手推了哥哥下懸崖，而離家亡命，被家人和自己遺棄，還充滿歉意。後來流浪中的他逃離了小時候長大的古堡，練武術和法術而長大後變成了一個專門殺鬼收妖的怪術士，後來殺人殺妖殺太多，他放棄了，而想戒除躲開，躲到一個老修道院，但是後來還是被神父請求離開，而且苦行般地旅行許久，還仍然被一路的妖魔鬼怪所逼迫，而不得不爲了救一個救過他的小女孩，重新殺入魔窟總部的山頭，但失手被捉，關入地下深深的死牢中。更後來，他才發現那裡是他小時候長大的城堡底層，而且在死牢中遇到他那極老但已然被關太久到半死不活的父親。才跟他說了當年找僞裝成巫師的大惡魔爲了救摔下懸崖的半死的哥哥，雖然復活但是卻變成了惡鬼頭目。而且老家中的這個古堡完全地陷落，整個他童年長大的所有地方都已然被那個大惡魔占領了。甚至，他哥哥也變成祂手下惡鬼般的頭目，率領其他妖人去屠殺所有的村落。其實，一路上的大惡魔一直想收他變成祂的人，從當年到後來一直沒變過，但是，他始終沒有妥協過。完全失去人性的他哥哥仍然不認他，而且所有的狀態都到了末端，他們兄弟最後就眞的在他們小時候一起長大練劍的城堡中最高聳華麗的加冕廳中對決。他殺了他入獄太久太想求死的父親，也殺了他入魔太久太想殺人的哥哥，後來，雖然他驅逐了大惡魔離開了他們家的古堡，但是，其實，包括他自己，沒有人被拯救。

在那小學校的後來，哥哥給我看他找到的老相簿裡的許多小時候的照片，裡面有一張我們就在小學校園角落跳那荒廢的後花園那破舊彈簧床的照片，有好幾張照片，有一張是他自己跳下去，有一張是堂弟和堂哥也跌下去，甚至有一張我也在裡面，我們兄弟們被拍到跌落的姿勢都很怪，明明是所有人一起摔下去但乍看卻又像所有人一起飛起來，身體的姿勢都非常的奇怪歪斜，老照片顏色太暈黃，但是感覺上我們都很開心。

我已經不太記得是什麼時候去過那裡了，還有我們堂兄弟都在那一起念的那老小學校的時光。

一如以前我們小時候放學常常去的那個老建築的屋頂最高水塔，辛苦地爬那鏽蝕的鑄鐵樓梯，要爬到最高的塔頂，然後可以靠在八卦山後山小學那邊看風景，看八卦山頭前方的大佛，但是，我和哥哥爬上去那時卻很失望，小時候的那極繁複精雕巴洛克風曲弧形鐵欄杆現在已然歪斜到崩塌而快壞掉了，不能再靠在上面看風景了。

在那裡，我跟哥哥說，我曾經在長大後作過一個關於這老教室的可怕的夢，夢中的一開始只是一個太漫長的旅行中，我到了一個陌生的大城市，有很多行李放在兩個地方，我還來不及去搬，我心裡在想第二天要去機場，叫車要怎麼去拿，或第二天再去，但是，那裡在什麼地方很難描述，司機都還不一定找得到那地方。甚至，我也記不太清楚那條街，只隱約記得是在一個巷口，有一棵古老的榕樹，樹蔭極大極深，而且陰涼得有點古怪。後來，就到了另一個地方去找人，遇到一個眼熟的中年男人，他長得像某個小學時代的老同學，但是又好像是我哥哥，他和很多不太熟的其他人在一個畫廊開幕，那是一個很大很空曠的老工業時代廠房改裝成的假裝時髦但還是有點老舊陰森的展覽場子，很多不認識的人，他有點怕生，但是太正式拘謹西裝外套下身卻穿了一件古怪的六七分褲，而且兩腳還竟然穿了一雙兩隻不同顏色的漆皮鞋，黝黑的，慘白的。我印象中一生靦腆的哥哥怎麼會穿得這麼招搖而出現在這種地方，所以他一路就顯得有點不好意思，而使我也跟著有點不好意思。後來，就又遇到一個我們都認識的老女人，也在這展覽開幕的人群中，那一直以大姊頭自詡的她很愛打扮，但卻都穿很怪到令人不安的衣服，使一向客套而拘謹的我們都怕她。但是，她卻一直招呼我們，走了好一陣子，看完全部古怪的展品。有動物和人在獸交的巨幅寫眞，一群穿華麗球衣的侏儒們在打棒球的錄像影片，當場吃墮胎死嬰油炸後出鍋沾花生粉吃還一直微笑的大陸行動藝術家。太多太多變態又那麼地華麗現身的所謂藝術品。最後，她帶我們去參觀那個展覽最好看的一個地方。當年在戰爭時代，這個老廠房被用來當囚牢和刑房，日本時代關過好多人，也死過好多人。

仔細看那最後一棟老建築，竟然是我們以前上過課的那最老的日本建築教室，那狹窄長型的一個個教室隔間都已經被改裝過了，所有課桌椅家具都被仔細的重新設計跟處理成畫廊，還跟我說，這裡好像變很久了，在那一張張舊課桌椅前，有些角落仔細看還是跟我們以前只是上課的感覺就不太一樣，那裡是我以前小時候那麼久地待過的一個地方，以前是，廉價搭起來的一個鐵皮屋，後來改建後感覺上好像是進入一個石砌山洞的一間間密室。

就在那一間間密室最後一個陰暗角落，打開更裡頭的那個更陰暗的鑄鐵的充滿鉚釘的老金屬門後，我們就跟著她往地下走，樓梯好像一個螺旋往下了太深太遠的旋轉舊鐵梯，之後連接到地下層一路上的長廊步道更爲離奇地荒廢，又窄又深的小徑裡髒兮兮到充滿了龐大到近乎無窮無盡的蜘蛛網和塵封多年的蟲屍或遺物，整個地方都極昏暗而近乎看不清楚，後來連呼吸都有點困難，整個太像廢墟般的現場越來越狹窄，就這樣最後走到了最後的一排舊工廠老式巨型機電設施廢零件儲備房的老倉庫的小型囚間……

那一個一個木製沉重的門裡，以前都關最重刑的死囚。那大姊頭，回頭對我說，當年你祖父就是在這密室裡頭被砍的。

這裡是放沒有頭的屍體的地方。

我有點懷疑但沒有說話。

「一如小學校的校長是我們祖父，那麼如果我們家族這個故事後頭有一個全知的神，那會是誰？」哥問我的時候，我嚇了一跳。雖然，我知道我哥的問法是從教會來的，那是一種他對神的理解所延伸出來的解釋他所想像這個世界的方式。我也不知道如何接他的話，但他只是繼續說：「每個人有他的角色和他的困難，或說就是他的使命。」也和我們從小在長壽街長大所經歷過的人生所理解這個世界的方式不太一樣。「或許，大佛就是那個全知的神！」我心裡這樣想但卻沒有說出來，因爲小時候拜祂的我們現在已然都不信祂了，哥在說這些話的時候，我才深深感覺到現在他信的是耶穌基督，但我呢？我心裡想，這種叛教式的叛離反而比較像是一種充滿自嘲的老寓言。「恐怖地下鐵，日本祕教教主殺人如麻。」在經過小學校後頭那一家當年我們常去買零食的老雜貨店時，才發現，現在賣的都和我們小時候的不一樣了，而且還突然看到路旁一本暢銷的雜誌封面上標題有這行字而嚇一跳……

哥哥沒有發現我的心驚而只是繼續說：「或許現在我們所難過的事都只是在反映之前的內心的結，內心黑暗的困難，這些困難有的可以解，有的沒辦法解，或許我們都做過一些錯事但也不一定有機會補救，但祂可能也是用某種我們也不一定能了解的神祕法門在幫我們。」

哥說：「一如，你知道當年當兵時爸曾用祖父去世當理由而請假離開部隊，因爲要出去找媽媽，但後來就被抓到，而受到很重的處分，因爲長官在他的資料上發現，其實爸在當兵前，祖父早已去世多年。」但是，我一邊聽卻一邊想著剛才我看到小學出口外路旁有一大幅名爲「蓮華世界」的靈骨塔廣告輸出海報，上頭出現了很多畫質很差的像快倒了的拜大佛的高塔，塔底有很多小小和尚的可愛光頭擁擠在念經，然而四周都是猙獰的亡靈惡鬼圍繞環伺，畫面中那大佛所坐著的用塔的樓層做成的那蓮花座還因爲雨漬或年久失修而彷彿隨時會完全塌陷。

我不知道怎麼接下去說，只看到下山的路更蜿蜒也更曲折，那小時候的小學校越來越遠而另一方的大佛也越來越小，再往下騎了不久，就天色越來越暗，最後，連回頭也什麼都看不到了。

我最後想起了另一個多年前和那古老的小學校有關的夢，夢中，所有的狀態所有人都出奇地投入而專注，太不可思議地龐然而盛大，那竟然是我們整個老家族的人都來了，爲了參加那一個小學校老禮堂中的朝會，這始終令人不安而不解，從剛開始是一種唱完日文國歌再唱中文國歌的升旗典禮，之後司儀依照所有程序大聲宣讀小學校的校規和過去百年歷史的輝煌，最後由一個侏儒長相的老校長出場上臺進行一場冗長的訓話，好不容易結束之後，大家鬆了一口氣，接下去就由一個不稱職的諧星來當主持人，他始終在那裡裝腔作勢地再說了一段中文日文都有的老校訓，諷刺一下剛剛太嚴肅的侏儒老校長的太用力，然後，就開始胡說八道起來，後來還一直以某種非常不好笑可是又非常投入的姿態在炒熱氣氛，甚至，最後，整個禮堂朝會的肅穆就變成像一種很多人只爲摸彩才來尾牙的吵鬧。

其實，這兩種太多人而太投入的氣氛都是我小時候很厭倦而害怕的場合，人永遠那麼多，開始太肅穆，後來又太吵鬧，在小學校的老禮堂裡，現場的我還是個小孩子。在底下跑來跑去，也跟著假裝很開心，但其實已然招呼得筋疲力竭的，像小時候去吃辦桌一樣，但是現場所有遠房親戚的媽媽姑姑姊姊們，竟然坐滿到大概好幾百人，整個非常大的禮堂就像朝會一樣坐得非常滿，除了校長訓話以外，大家都在私底下聊天，變得非常吵吵嚷嚷，摸彩時也很草率而可笑，摸彩叫到的號碼竟然都是老家族裡的老人家出來領，尤其是白髮蒼蒼的姑姑堂表伯伯姨婆或是更遠房的老表親，有些斑斑駁駁的老臉孔都太久沒見，我甚至記得有些長輩已然過世很久，但是，奇怪的是所有我小時候看過的老人家都來了，也都在現場，他們皺紋極多的老臉上都上了極厚的粉，很白很厚到像慎重其事地粉墨登場，而且不知爲何，大家族的所有老人們在那小學校禮堂像是家族聚會，都出奇地開心，都說好久沒看到那做好久校長才退休的祖父了，但他爲何變成了侏儒，或老家的老人們爲何都穿小學制服，並沒有人懷疑到底過了多久了或到底發生了什麼事，只是偶爾有人會開心地提及，那制服還眞好看，有的還是日本時代的，有的是光復後民國的，但是都很整齊乾淨，白色制服上都繡了學號，名字的第一個字都是「顏」。

二

夢裡，我不知爲何到了那一個南洋的孤立無援的島，完全地封閉而困頓，走了好久沒遇到人只遇到一條老狗，後來還一路遇到很多怪事，因爲，那裡從頭到尾都是走不完的海邊，我走到後來就迷路了。

一如一部電影中鏡頭畫面裡成團湧入的浪組會詭譎地移動，天還暗淡地近乎是黝黑的，太猛烈地拉長，可怕地深沉，一如浪潮的終結的入口，是很緩慢而巨大的浪如弧形長牆般拉起而放落，那蔚藍的天空和浪花是如此地龐然到難以明說。令人不安到快崩潰地只想要疾速地避開。

我一直躲，後來遇到了一個老人，發現那人好眼熟，但是又記不起來是什麼人，後來才認出來竟然是我外公。

他說他要帶我走一走，繞著島一路慢慢地走，我才想起來，我從來沒有跟他說過話，但是他好像在那個島上待很久了，所有島上的人和地方他都太熟了，所以後來他就像一個不客氣的老導遊，跟我說這個島的繪聲繪影的鬼故事，有時還指著路上的風景說著更多古怪的瘋言瘋語。路上經過太多有名的怪地方，是這個島最古老的一直鬧鬼的港邊百年小學校，這裡是什麼魚都可以吃到的怪海產店，從水母、河豚、鱸魚，連鯨魚都有，這裡是看風光的海邊夕陽最好最美的地方，潮汐最深地漲潮才能淹入的祕密鐘乳石洞，尤其夕陽西下折射日光反光極美到近乎半透明色澤的老山洞偶爾甚至因爲霧氣太深入還會出現彩虹，外公說，當年他逃兵躲在這山洞裡好久好久，沒人發現，不然他早就死了，要躲過他服役的日本大東亞共榮軍團支部的盤查追蹤，後來還躲跳島戰略麥克阿瑟美軍的B52轟炸機成天的轟炸。

他說：這島就是我的了，只要我最後還是活著的。

但是我老有預感我不會活很久。

或許，我們一如所有最老的人類可能也都是從大海來的，不一定要想回去，不然會更傷心難過，我常常站在山洞暗處的崖邊看浪數浪，無法上岸，我在那山洞裡用完了我的一生的好運。用壞掉的海上漂流進來的鬼東西做要用的爛床爛桌爛器具求生，想法子說服自己活下去。

後來，他只能練習種種活下去的怪方法，練習更深的呼吸，練習往更深海裡滑去，完全找不到就每天練習跟著浪飄走，不能一走了之就只是練習只要仔細看就會找到。因爲這個島太不祥，始終沒有寧日，一直在出事，一直在下大雨，也一直在死人，我只能想到最好的可能，別像以前的自己和大多軍人都想到的萬一，或是收集種種失敗的藉口，我害怕的最深處是我眞的要回去嗎？但是更後來就放棄了，也完全不再對自己苛求地問問題，也不爭辯，能活著就已經是近乎奇蹟了。

剩下的最後活下去的人往往是最害怕的。死在海底，埋在長浪底，深度加倍地淹死，死在海底還常常看到的五公尺長的鯊魚游過自己的屍體。永遠的面臨害怕與恐慌，不是不怕死而是如何面對你的恐懼，面對恐懼的完全和不完全變態，我更後來多年就一直在變。每天注視亂流的浪，練習硬碰硬或找到方法。練習要游更深逃離到近乎最好能長出鰓，不然根本就不可能活著伏潛過那山洞底的繁複水路。練習觀察水路細節的所有可能，起浪點，捕魚點，沒有人用我發明的種種海洞求生的怪方法來看這個世界，當年我來到這個島還只是一個像小孩的年輕人，沒有耐心，跟著坐上一台破吉普車走，後來，到了太遠的這裡，一生後來充軍了戰敗了逃兵了受傷了到完全垮了。

但是我後來每天在海邊看著浪花變成了捲起的雲朵，練習從偷出來的軍用星象圖在夜裡看星星，來認出並辨識方位，看著獵戶星的肩膀的星星一如八十八個星座那般變幻。練習感覺在越來越冷的潮汐與渦流中划到最深去感覺無底洞般的海底，練習一旦遠方來的熱帶暴風再更強一點，外頭的軍隊就會找到我的話，我如何從後頭更祕密的洞口逃離。練習進山洞就要進入得更深一點，練習注視自己內心深處的到底在怕什麼，我不知道的自己一生最害怕的終將面對。我不知道怎麼告訴子孫們，告訴你們眞相。外公說他爲何離開我們，是那個時代的錯，他只是離開我們那個島。

外公說，我們臺灣也是一個島，其實島嶼旁也都是海，他覺得自己不可能回家，也不可能是好外公，這使他傷心，他甚至沒想過會和我這外孫在一起走這段近百年前他流亡的島的海路。

但是，外公說，那時候要活下來根本不可能，逃兵躲在那海洞深處的他有時候太疲憊不堪到什麼都沒吃睡了好幾天，有時候飢不擇食到什麼都吃，再腥的魚類，再硬的甲殼類，連發臭的海馬、海參、海臭蟲都吃，有時心情太不好還會拿海膽柔軟的內肌裹住自己勃起的陰莖來想著你外婆手淫。射精到海水裡。那整個太平洋的婆娑裡充滿了我的精蟲長出的子孫，變成某種……人魚。或許有的只是臉上或耳下長出鰓可以在海底呼吸變成的水族，那是你的表叔表親。有的手指腳掌長出蹼膜，游泳如有魚鰭助游可以順游逆游一如魚類，那是你的堂伯堂姪輩。有的甚至染色體出了差錯而變成魚頭人身，雖然肉身長滿鱗片，但是頭腦極小極蠢，存活困難地躲在深海苟延殘喘地活下去，那是你更遠房的親戚。有的甚至變成了某種小隻但長出獠牙的人頭魚身怪魚種，生性像食人魚般凶悍殘暴一如我夢見在姑婆那長壽街百獸桌下的古怪惡魚群，是我的近乎嫡系的子子孫孫啊！在這麼多這樣離奇的島的流離身世中，我好像感覺彷彿找到另一種近乎回到故鄉般的鄉愁，遇到從未見過面的歧出繁殖同父異母親族家的種種奇特的親密，或許是更龐大更難辨識的未來生態系的糾纏不清的古怪血緣。因爲牠們物種始源於百年前大東亞共榮圈逃兵的外公手淫，這種奇幻而頑強的演化一如所有生命甚至無性生殖或同性生殖般地那麼怪誕地繁衍，一如在另一個更高更深的生命遠方的回音式的回響與餘震，人魚，及其變種，那或許是我們所未知的在另一個歪歪斜斜的進化論或另一個人獸共榮的結界裡所演化出來的另一種婆娑的家族史。

戰事有太多猜測，太多敵方，太多死法的離奇，那是我外公在那個南洋小島的生命盡頭，山上密林裡的不祥近乎凝結的空氣從來沒有消散，一如他的怨念從來也都沒有消散過。

這裡是以前的第二次世界大戰留下來的老戰場，瘴氣橫癘到令人不安，太原始的叢林裡還有太多戰死屍體殘存的枯骨和半腐敗的骷髏，種種不明的蟲和蛇緩慢而寂靜地爬過了腐爛的肉體，聽說戰時的殺戮更可怕到完全不是人可以理解的狀態，有海上太進化的軍艦坦克的美軍，但是，還有山中太古老的無名土著，我的外公和他被拉伕而加入的那群日本可憐軍團完全被殲滅了，他們連小孩都殺，事實上所有的深林中的廝殺，已然是災難般的狀態。對決一死戰到了最後已經變成完全盲目的狀態，他們顫抖著刺入彼此受傷的身體將對方的血液越來越濃稠地放出，甚至一直到最後的抽搐停止。

甚至遭遇到了比死亡更離奇的魂飛魄散般流離，因爲土著太殘忍了，他們把死者的腳砍掉讓他的靈魂無法走路，他們把日本穿軍服的將軍頭顱在石頭祭壇上砍掉，人還活著的時候挖心臟，你不知道有多恐怖，土著對日本神祇在日本軍隊身上留下的氣味極爲厭惡。

還有更糾纏的彷彿無窮無盡的美軍，和彷彿詛咒般的惡地形和惡天氣，據說，那一年是那幾年最糟的天氣，那個島上所有最可怕的狀態在最陰沉季候的陰霾都出現了，最後，又破又舊的大東亞共榮圈軍旗下的所有部隊都困在叢林裡，那是一種完全無法想像的恐慌，太黝黑的黑夜始終揮之不去，彷彿走不完的山路在老霧氣漫布的永遠氤氳中越來越深，山嵐一如山妖般地降臨，那麼令人慌慌張張地太過迅速又太過緩慢。

後來他們在森林裡找了好幾天都累壞了，好害怕又迷路了很久很久，甚至完全疲憊到走不動的激動，他們必須沿著河流行走，不然會被發現，甚至他們在洶湧的河流中躺下來逃離追兵，花了更長的時間找尋更遠更偏的出路，永遠只能在餘光中繼續前進，雨越下越大越令人不安地害怕，所有的狀態都困住了，因爲傷口越來越深，思緒也越來越沉，最後還走到了河流的盡頭，完全無法休息，趕路幾乎心力交瘁而陷入一種奇怪的絕望，那時候所有的人都覺得撐不住了，而且不可能絕對活著走出這片密林。

就這樣，外公就完全地失望了，決定要躺下來，留下身體這樣子死掉，自認爲絕不可能放棄的皇軍他們還是放棄了，所以，最後只是在想像要怎麼離開這個肉身，用幽魂走下山去。

一如所有的雨水更滂沱，路況更糟糕更潮濕，後來他在一個非常巨大恐慌的大樹根下，在斷氣的那時候聞到了金龜子和鬱金香的混亂氣味，還在死去之前躲藏而躺了三天三夜，看著自己身上的深長傷口長出了蛆，皮開肉綻的血水汩汩地流失。

一開始，外公曾經想先離開，往瘴癘和鬼霧更嚴重的山中走去，還在後來更大的暴雨中拚命的向前跑然後去找救兵。但是，後來他已陷入一種意識不清的狀態而越來越混亂。

我的外公在那島的戰事的最後過程到底發生了什麼事，他是怎麼死去後怎麼逃離後來已經變得不太重要，有人甚至說他沒有離開，而甘心地留在密林中變成逃兵，甚至留下來變成土著。

我在旅行去那個島多年後的火葬前想起我外公，在他躺在快要火化的火前，到底會想到什麼，或會使我們更困惑什麼，因爲，我想到了我的祖先原來是這樣消失的。如果眞的要紀念，那到底要紀念什麼，紀念他的亡魂還是他的屍體，紀念他的愛國還是他的叛國，紀念他出生的那個島還是死去的這個島。

多年後的我到了那個深山上，太深的深山最裡頭，那裡有太多傳說，一如所有謠傳外公在當年的山上被找去參加更多更奇怪的事件，一如在南洋的荒島上駐守一個早年又荒遠的日本野戰小型部隊那般是可能發生很多奇怪的遭遇，在深山跟野獸搏鬥或是在海邊遇到海浪和颱風巨潮汐般天災的襲擊，甚至因爲一些更奇怪的原因看到了一些更神祕的事件，遇到了更奇怪的人或妖怪。太多太多以訛傳訛的傳說，一如外公在最後的戰役前幾年，還被找去參加那裡更早年更深山裡的土著的神祕祭典，一如各種南洋荒島上更古怪原住民種族祖靈祭那般地陰森沉重而充滿暗示，所有的狀態都只能在那更深山裡用外人看不清的某種更奇怪的方式進入，一如那個祭典的核心始終沒有停歇的近乎念咒或召靈地詠嘆吟誦他們祖靈的聲音，甚至所有的族人都在猛喝某種烈藥酒來進入一種半昏迷半起乩的狀態，雖然不知情的外頭的人一直不明白那裡頭的凶險，以爲他們只是一直溫馨感人地唱歌從天黑唱到天亮。

外公是被一個當年在那島嶼上很古怪的朋友帶去的，他們在一起服役打過仗後來他調去守另一個山，後來就脫逃，更後來好像當上了更深的山寨寨主。當地的土著頭子邀請他去觀禮，那祭典有太多的禁忌他也不是很清楚，不過外公明白所有的狀態都是跟惡靈有關，和性和血有關，或是跟部落裡的最奇怪的害怕有關，涉及那種族早年作祟的老妖魔，老巫師，他並不害怕，反而充滿一種無法明說的好奇。他發現了那部落祭壇前那古廣場旁邊還有一個市集，用最古老的方式進行交換，很多人從家裡帶來他們自己採的山菜，手工織的布，山獸的動物皮革、血肉和內臟，精心苦釀的部落名酒，或是什麼不明的更迷幻藥草釀的汁液。

外公非常謹慎地緊張起來，但是並不害怕，甚至心裡卻同時還有一種奇怪的亢奮。和祭典現場的人群在一起度過一整夜，聽他們唱他們祖先留下來的歌邊祈福邊慶祝的，端詳他們鎮夜地虔誠祭拜，跳古老舞蹈，靜默而出神，最後就陷入了高唱甚至近乎尖叫吶喊的入魔。

他始終記得那晚是從天快黑的時候就出發，離開那帶他去但喝得爛醉的朋友，更後來跟著別人的破舊吉普車在山中開了好久，在天黑的時候一開始只是幽暗，但是後來自己半昏迷地往沒油車後的暗路走去，走了好久，竟然看到了更內山中滿山的星斗的天空，遭遇了更多昏暗的夜路上的驚險，最後還深入到了一個最山裡的湖，非常大又非常陰森，湖水都是漆黑的，又開了好久，才到了那山谷最深的部落現場。

那是他的最後幻影，既美麗又妖幻。最後他在離開時落單了，在那深山暗湖的最深處迷路了竟然在類似疲憊不堪的裡看到一個日本的老房子，那是一種太接近夢魘的迷惑，他迷了路被拯救到那裡，醒來的時候，就陷入某種無法抗拒又無以名狀的誘惑，就在那個老屋最深處的榻榻米和室裡，那個手工打造的老木頭門口前，他看到了一個長頭髮穿和服的女人，不知爲何，他完全被迷住了。身影衣著極度端莊但眼神出奇妖嬈的她救了我的外公給他食物吃然後幫他沐浴，疲憊的身軀在那裡昏迷般地躺了三天後，有一天早上醒來才突然發現那個女人就趴在他身上用力舔吮他的陰莖，越來越激烈到甚至插入他的下體，在長時間的做愛之後最後他發現這個女人的肉體，竟然變成一條長蟒蛇般的奇怪妖身，出奇地激動，射精，還是被獠牙咬下頭顱時，竟然內心那麼地寧靜，甚至還有種怪異極了的幸福感。

還有一個窗洞出現在他的夢裡，外公曾經被關入深山中的某個密室，圍繞太古老的亂石砌牆垣，太多年沒打理過的死牢般的窄狹房間，所有的舊空氣都彷彿凝結成糊狀已然數十年沒有更換過地沉悶，所有斑斑駁駁的角落，都長滿太糾纏的蜘蛛絲，密密麻麻的蟲屍鼠屍，黝黑的石縫和染血凝重的石頭缺口都還不時散發沉入太久尿液唾液血液和排洩物種種濃稠的混濁氣味，唯一的出口是前方有一扇極沉極重到覺得絕不可能可以打開的老舊鑄鐵厚門。

唯一的可以看出外頭的那一個巴掌大小的眼睛高度的極小窗洞，本來是唯一的光可以照入的孔洞，但是，夢裡的那時候，彷彿已然在裡頭被關太久到完全放棄可能出去的他，每天每時刻都盯著那洞口的某種期待想望早已只變成了不自覺的惡習，那種無意識地牽動，恍惚，發呆，出神，最末端的凝視端點，時間永久停止而空間完全緊閉的近乎不可能發生什麼的墓穴底層，他彷彿是已然忘了如何呼吸的木乃伊那般地沉浸於太過黝深的黑暗。但是，直到那狀態發生之前，他都始終無法想像可能引發這種狀態的恐慌，一開始是太緩慢到無聲無息地浮動，那個窗洞出現了某種陰影的陰霾的侵入，然後，在呼吸聲太沉的某種接近裡，他突然看到了那張太古怪到不像活人的死白的臉，凝在那洞口，始終沒有眨眼睛的那著魔式的瞳孔那麼長時間而完全靜默地凝視著裡頭暗黑角落中的我，又過了好久好久，那人還是完全沒有一絲動靜，也沒有一絲表情，但是，空氣中彷彿有什麼奇異的流動被牽動，一團很沉緩的微風輕撫但是卻又攜行更沉重怨念般的發生，就這樣，他只看到了那個人和那張像八卦山大佛的臉所引動的那個太令人不安的狀態發生，然而全身都不能動，時間好像停止了，這個地方陷入一種難以明說的死寂之中，那個人的尖銳指甲竟然突然變長而且還越來越長往前，一如要剝開窗洞般地伸進密室裡頭，但是，他那死白的臉仍然只是緊緊壓住洞口，表情仍然極冷眼神也仍然極空洞，有種古怪的說不出的威脅感，然後，所有剝離鑄鐵厚門窗洞的細小但又巨大的聲響與動作都令人不安極了，像快動作又慢動作同時地更激烈又更沉緩……這使得祖父心裡越來越忐忑不安，難道，那個人眞的就要進來了，他到底是來救他，還是來害他的，在無法理解的種種狀態裡不可思議繁複細節的太過神祕，他也始終不清楚。

外公說，他感覺到前所未有的害怕。

在那個荒島上，只有夢還是高科技的。

有一晚我夢見還很年輕的姑婆去參加日本的考試，用電腦連線正要參加視訊會議對某老學院的日本老教授們做最後的口試，在研究計畫中，除了夢的巫卜傳統和心理分析之外，她還播放到了一部怪電影是關於一個很殘忍的肉體支解的實驗，那是一個一如夢境的冷門劇場的演出，但是舞台上的男人都穿很華麗而體面的西裝，女人則穿上正統和服或晚禮服，但舞台正中央的聚光燈下，只有一個裸體男人被綁在一個機器上，他已然進入一種恍惚恍神的狀態，被用某一種看似完全不動卻又有小型尖刺狀機械始終在動地插入其嘴口中、鼻孔、耳洞、甚至肛門、龜頭馬眼的古怪方式，但是那男人在被刑求中卻始終閉眼微笑而露出一種幸福的神情。

我好像看到我那頭髮斑白以後的老姑婆還穿著她那套我小時候就看到的老西陣織和服，而父親穿著那套銀座手工訂製的版型極講究的老名店西裝，他們竟然也站在那群舞台上的人群裡頭，我還正納悶，他們怎麼會在那裡出現時，那電影的畫面就斷了。

年輕的姑婆的所有口試的博士班老師都非常喜歡這些描述，而且在視訊會議中還就一直提到那部電影，後來，教授們就辯論起整部電影就是在討論這種酷刑是否是道德的？這種殘忍是否是美學？甚至，只要受虐者情願是否所有凌虐到的瀕死經驗就是愛情的某種狀態？

那是一封信，她轉寄給我看，還有一個影像檔，打開就是視訊會議中播放電影和老師們邊認眞邊開玩笑邊討論起她的巫卜與SM與夢的解析的研究計畫，說她太認眞了，那回信的一個光頭男教授說，還是由他們委員會中的另一個比較狠心的變態女教授來指導她，還引用了那部電影裡的一句有點色情感的對白，「你可以放心地吃我，我很喜歡痛。」然後，所有委員會的教授們都在笑。我還有點吃醋地後來在回信中問年輕的姑婆怎麼在和教授們用這種古怪的性暗示在調情。

在我和姑婆後來的視訊影像中，她卻露出一種忐忑不安的沉默不語，有點心虛又有點懊悔。

但是我沒說心中的心酸卻還是窩心地在訊號不良的視訊模糊的連線畫面裡安慰她說，那怪電影像一種日本變態的老導演像大島渚或今村昌平的電影，那些老師會很愛的，恭喜你，一定會考上或甚至中狀元。

其實在夢中的我正陷入一種困境，狀況極爲落魄而悽悽慘慘，那時候我在用智慧型手機看那封信的影像檔的時候，我正跟另外那個土著坐破爛到隨時會解體的舊吉普車要前往那一個南洋荒島的某個唯一但也荒涼到近乎沒有人煙的小村子，車開了太久太遠，太餓的我們停車在路旁的唯一一家又髒兮兮又極不理人的小攤子吃東西，那裡頭的老木頭棚架中只有幾張破桌椅，很昏暗的角落還有一種令人不安甚至作噁的嘔吐物氣味，整個慌慌張張的吃東西過程，我們桌下和腳旁一直有巨大的昆蟲跑來跑去，有很大隻的蟑螂翻吃掉落地上的腐敗蔬菜爛肉，成群近乎指甲大小的蚊子雷鳴般地轟然飛行，還有更多奇怪的節足蟲子在蠕動，甚至看到了現場有一隻極猙獰的巴掌大的蜘蛛咬著一隻喜鵲，牠無力地想法子拍動翅膀在做最後掙扎，但是，蜘蛛無情地噬咬下了喜鵲的眼睛，而全身被裹纏死白蛛網的牠還從眼洞掉落下那咬破咬殘的眼珠，碎裂的瞳孔還正因傷口太深太殘忍而血流不止。

我跟姑婆說，對我而言，關於這個森林裡謎團般的故事，總是還有聯繫到另外一些故事，一如，這島上常常有人失蹤，總是和深入了某個島的深處有關，也總是和森林裡的土著有關。

這裡有太多傳說，一如我外公，他本來是一個在日本軍隊裡的人，但是或許後來死在森林裡，或變成是在那部落裡的人。一如土著們總是傳說是日本人老從天上的一隻巨大的鐵鳥肚子跳出來，他們身上的器官出了事，想逃出去，所以他們才在深入山中的路上被困住了，所有的日本部隊在非常泥濘的從以前就永遠一直下雨的山路，外公在所有陷入敗退而昏迷前的困頓中，一直到了那部落傳說中的巨大石塊的路上的神聖地方，有很多巨大的石頭是用來埋葬以前的人，獵人頭的人都會在那裡磨刀。而且，對土著而言，那個森林裡的每一棵樹都是藥，有的驅蟲，有的治下痢，有的醫蛇毒，但是每一種藥都有都是有神明看守也是有神明保佑的，他還看到土著入山前用樹枝葉在身上念咒拍打就可以保佑他不會被惡魔附身。

更古怪的是酋長會記得非常多的故事，然後再拿在巨石上做下神祕莫測的記號，如果是人出事的時候，或人將過世的時候，那個記號就會從石頭浮現出了。有的規矩是入山之前必須要先殺動物的血獻祭，再把帶血的羽毛別在入口路上的草上，再別在自己身上，才能夠入山，那個太巨大的山太陰森了，彷彿一個龐然的始終在打量的惡靈，總是在上山的路上的每一個細節裡試探並教導入山的人如何對山謙卑，這裡使人常常會完全喘不過氣來，只能更害怕地深呼吸或是祈禱。攻頂或攀岩，這樣的字眼，在這座山前面路線非常膚淺，考驗的時候祂會用各式各樣的試探，一如野獸，一如山路，一如遽變的天氣，進入困難的深山常下起的大雨，天災般的考驗。

讓每個入山的人一直覺得自己一定下不了山，而一定會死在那深山的路上，但是，所有的人都要在這種瀕死的狀態中重新找尋自己更內在的對山的敬意，緩慢地呼吸，緩慢地找尋。一如後來的外公困在深山裡，他就這樣地活在山中，但是每天看著這座山的感覺還是都不一樣，天空上的雲朵，山谷的回響，石牆階梯的陡壁的陡峭，從山上往下看的底下的地球那種風光，他說，每天都是向山的致敬。向天的敬愛和懷念。

像一種完美的錯誤，他繼續尋找這個部落的人是如何活下去的，太令人不安，在山上呼吸是困難的，而且用鼻孔呼吸是最困難的，他們要犯錯，不然，就只是在找他本來就知道了的東西，要和不同的世界的一種聲明也許是他給予的故事，那是對比和演化的痕跡，描述最古老的世界如何進入現在的荒謬，一如那一條一條最有名的稜線或山澗或古道或泥河的故事，一如所有土著的傳說的狀態，充滿他們祖靈的愛和暴力，或充滿神祇的詛咒或祝福。外公說他在深山中遇到過一個小孩，他在畫畫，他在旁邊看他用焦黑樹枝在沙地上畫他媽媽的墳墓。小孩畫出他從母親老木櫃裡找尋著出現過的老珠寶、那古代的手工珠串項鍊是古董。每個古珠都藏有古代的故事，山上的或村落的故事，後來他還找出母親遺物來畫，不過，錯過就是錯過就找不回來最好的狀態是可以利用這些錯誤找到新的什麼東西，他說他非常沒有耐心等待，但是他喜歡焦黑色的燒毀的樹枝，畫在地上，一如找尋自己喜歡或懷念的人和家族，在找自己犯錯誤本身的原因，甚至在尋找的過程的錯誤中。

一如，找到一種預言的出現，他可以看著沙地上的畫，會畫出過去也會畫出未來，在他隨意的畫一如起乩……總是如此的完美演出。像森林裡古代的謎團。

那裡許許多多的荒島都完全沒有人煙，一如沒有打開過的天界末端，藏寶圖的圖窮匕現那一刹那的光暈，其實，那個島早年已然充滿謠傳，變成是漁人的出海遠方的既危險又脫險的最後據點，鄰島浪人們潛入鬧事的太祕密又太招搖的無以名狀基地，遠海海盜或近海走私犯最入迷的藏身或現身的神祕石窟，甚至，那個荒島，充滿了更孤高更幽遠的某種祭祀用焚香的古怪氣味，因爲那裡大多土地都彷彿只是被用來當埋葬的墓地，由於太過荒涼得從來沒有人煙，所以即使島上風光在海岸看來極其迷離到近乎華麗地浪漫，但還是不免顯得有點太過陰霾的陰森。

甚至，太荒遠的附近某些島上的部落都也很少出來，他們有的竟還不了解外頭世界已然變成那麼繁華地光芒萬丈又自我壞毀的古怪狀況，這些部落甚至仍然沒有水沒有電，他們沒有坐過車沒有看過飛機，那些島上的人如果是熟的鄰島部落會都非常熱情，但是，陌生人輕易去那些島還是危險的，如果不是他們的種族的地方，他們仍然是食人族，還可能在某個島上叢林迷路而錯過，就會亡命在那裡，或就被狩獵追殺後分屍吃下。

他還被帶去部落的老獵場打獵，他們教他下矛要從那獸的四肢胳肢窩底下直接刺穿心臟，那是殺動物最快的辦法。打獵的時候帶武器跑在叢林裡面要極小心，對他而言，那是太過罕見的一種激烈而神祕的經驗，其實要追野生動物，要喝下他們給的某種極烈的古藥酒，這樣子才會有一種更深的提神和更深的保佑，在因此而膽量變大而速度會變快的與獸對決的剎那，他可以更逼眞地接近死亡。土著後來還在荒野中直接用古法來處理動物的屍體，怪異地放血法，切成所有的肉和器官和血管的刀法，獸肉還有的起火燒烤有的現殺現場生吃。那是一個河水非常濁而天色非常黑暗的島上。如果要找到一個小村，那麼會深入到看到某些更古老而難以想像的盡頭，他們用老陶碗裝黑土養像蛆的蟲身非常肥大又扭動。他說，那種像蛆的蟲把殼剝下，吃頭就好，吃起來口感油油的，有奶油的味道，吃下去還非常的甜，非常地吸引人，但是想到自己生吃了一隻蟲，還是太驚嚇了，後來就老反胃到想嘔吐。那是一種太突然的感覺，其實那種蟲是那裡的小孩出生後吃下的第一種非液體的食物。

有一次他跟一群當地部隊的人們去那一帶潛水，他們跟他說那裡竟然已然變成是全世界極有名的潛水之島，上頭看起來不大的，但海底卻有極巨大的珊瑚礁聚成巨弧巨柱，一如一個完全顛倒的島。一如這一帶的歷史使地理失去了方向感，上頭還有武裝部隊眞的在看守，海水越深可以看到的東西就越來越多，可是人也會越來越恍惚。他跟著下海的那個潛水土著，竟然完全不用水肺裝備，他們都說他是人魚。他跟著跳下海中有數千種海生動物魚群貝殼還有數百種珊瑚礁，有海龜巨大的深海魚群太龐大而華麗。後來游到最深的地方就看到一些更奇怪的水生動物，熱帶魚和深海魚都在身旁逼近又哭又鬧般地旋而離去，成百上千的水母一如幽魂或妖精般的閃閃爍爍，最後還在某種出神中，看到了不遠方處竟然出現了一尾血盆大口撲向他的巨大鯊魚。

那島的海域還竟然就是婆羅洲的入口。住河口的土著們，還是熱愛吃蟲和喝酒和跳舞的祭典，他跟著一個土著朋友潛入河畔的小城，走入了在當地的魚市場裡頭，聽他們在討論一種怪魚，還有其產下黝黑但昂貴的一如魚子醬般的古老魚蛋，最後他們找到了一個由古老廟宇祭殿所改建成的又大又奢華的海鮮餐廳，所有的土著料理還竟然變得非常非常有名。後來，用完全天然的調料，手工種植採收，黑胡椒只是用太陽曬變黑，白胡椒只用水泡變白，還有更多他們在做實驗性的料理，有更多奇怪的混合大麻佐料和藥酒來摻入的獸肉、動物的內臟，還有巨型鱷魚、大蟒蛇這種吃人的動物，都會加進去給人吃，乍看起來很恐怖，但是因爲摻入的迷幻藥物和古藥酒而使所有的人都被迷倒到直說好吃極了。

位在沼澤地上的小村子的房屋都蓋在水路上。那人說那是他從小就在那邊長大，好熟悉所有沼澤地附近古色古香的房子那些建築都是在所有古老時代留下，現在數百年了，特殊的氛圍都沒有改變，雖然有點恐怖但還是有點浪漫。

那種老房屋在老時代甚至還留有強大的階級制度，所以在房屋上會有很多奇怪的再提到的徵兆，巫祝的留言，上頭還有房屋前未有當貴族死去之後會有活人的祭獻，通常是殺最喜歡的奴隸，貴族主人帶著他們去陰間，這樣好像不是死亡，只是去遠方旅行。

那河口裡的河水變得近乎黃金般閃爍的橘色，非常的妖異漂亮，但是那裡是一種奇怪的染料所流出的汙染。甚至那個古老木工房中西谷米在一個泥土做的巨大的炕上頭整理一下，在坑坑洞洞裡燒起來得靠竟是那種炕洞的點燃又夾攻所有的火勢。後來，還在水路上發現堆滿了很多古老的廢墟和廢家具，幾乎所有的生活和行業都環繞在這個巨大的棕櫚樹旁邊巨大的神力巨大的神祕纏繞的生態。一如他說，古老的村落仍然是有階級之分，貴族過世還會用他們最喜歡的奴隸，當活人祭獻的犧牲。那古老的木頭建築一如他們原始部落的神社，仔細端詳還可以看到神社前的雕花圖騰柱上還染滿了鮮血流過乾燥了的血漬。

太多古怪的食物，眞的吃會產生某種酸酸甜甜的口味香味都太重的某種這個島上特有的口感，祭祀用的酒有一種部落特殊的名稱來稱呼那種米變成酒的古老工法及其隱喻，一如釀，一如浸泡，一如沉澱到更沉更重的什麼，反正在他們收工的最後，還有酒要邊跑邊唱歌念咒語才能夠釀好，完全沒被鹽漬而且最後放上一個咒語在酒甕瓶口來抵抗種種厭惡妖魔的趁隙而入的可能。他們說，因爲酒和靈魂太深的聯繫了，我們如果不用這種古老的工法和曲折，甚至無法描述這種狀態的神祕莫測。

那是他，那是我曾在早年旅行所去那個島的遭遇，我和他住到了那島上一個老部落村子附近當一種奇怪的遊民般的旅人，他每天都無所事事，跟著那群土著在那祭典裡喝酒抽一種那部落才有的迷幻藥，我也因爲他而看到的好多幻覺在裡頭被催動了，那裡許許多多的荒島，那天界末端那一剎那的光暈，在那種島早年已然充滿謠傳，在太過荒涼得從來沒有人煙的風光那迷離的陰霾與陰森中。我有時候進入了記憶點最深的時候，有時候還看到未來，沒有辦法解釋自己看到了什麼，裡面太多的陌生人，不認識的人或是認識不深的人，但有些是認識一輩子的這個家族裡的人，那些老家的好幾代的祖先或外公沒死而在這島上意外地生出來長大的子孫，他們總是在那眼前演出，有太多很難解釋是悲劇還是喜劇的故事在發生或是消失，父親，母親，姑姑，祖父，祖母，姑婆……和更多那些老親戚們，還有長壽街老家的那個老房子，或消失了寶島大旅社的那棟殘破了的古建築及其故事裡的血肉模糊，突然都栩栩如生地出現或旋即又消失。

但是，在那幻覺裡，所有的寶島大旅社的故事，一如那島上那部落裡染血神社的故事，都變得異常地遙遠但又異常地逼近。一如那古老幻覺般的傳說，在島上更深的山中，在像池塘的水田中，插秧非常難也非常累，隨時都需要照顧，五個月才能熟的過程是非常地辛苦，而且和那個山上的生活種種老時代古怪而凶險的傳說息息相關。一如傳說稻米是女神，一個公主的犧牲而肉身插入土中，變成食物，所有的村落都感謝她，枝稈是骨，穀粒是肉，所有的人生的血肉模糊都是一種神的保佑。

夢裡，那是一個大霧中的小島。

我不記得我是怎麼到那裡的，不是坐船或坐飛機，反正是用一種極不可能的方法登陸的。甚至，是一種不明的超能力，但我不記得了。而且，在那個地方的人都是有超能力的怪人，所有的飄浮或噴火或隱形種種近乎不可能的神通，在這島上都只像一種基本動作。只要一提手指，一背口訣，一跳離地上，所有的狀態都會發生，所有的怪人都彷彿太常如此地看過這些也經驗過這些，而覺得那麼地輕易而理所當然，大家都會這些極恐怖到充滿毀滅性的神通，但是卻又被當成太尋常的地像刷牙或溜狗或穿毛衣之類的事。

就這樣，我彷彿在那個島上待了好一陣子了，即使我始終不知道我自己有什麼超能力，每天都繞著小島整夜來回地走，甚至一定走到天亮，一直走到遇到早上醒來的人，然後才在島上的那個相遇的路上附近找地方睡。

每天都這樣，但我竟然不覺得奇怪也不覺得累，而且每天早上雖然會遇到不同的人，但是最常會遇到的，卻是那一個胖胖的老光頭，他雖然看起來永遠是那麼疲憊不堪，但卻也永遠面帶微笑，他總是會帶我到那一棟石砌的日本小學校遺址的破房子，裡頭也永遠又破又髒，但是我總是完全不在乎地一靠到又硬又冷的舊木頭床還可以就馬上沉睡。其實還有島上另一些人也很好的另一些破地方，他們好像也常遇到我這種找不到或忘記了自己神通的人整個晚上在環島夜行，往往，他們都沒有多問，自己也很疲憊不堪的那人也一定只是對我客氣而窩心地一笑，就一定帶我要上去睡。

那一天很不尋常，天才剛亮，那個胖胖的他好像從島嶼海邊剛潛水起來，還有另一些全身濕的動物，一直在抖毛上的水珠的柴犬，長得像驢子那般頹廢的老馬，無精打采的龐大灰熊，幾隻隨行的羽翅都已然飛行太久而沾滿風沙的海鷗和鴿子，甚至，最後還跟著整群毛都髒兮兮的慘白羊群……這些顯然都不喜歡水的動物們不知為何都跟著他下了水，也跟著他在天亮時出現，或許也就只是一路跟著他在海灘緩慢地散步。但是，就好像那麼自然而然，那麼悠閒自在到令人不安，一如時間已然停止了，牠們正在享受這種狀態。

但是，那時候的我其實正分心地被另一個殺氣很重的老人纏住了。那是一個在島嶼另一邊前一晚遇到的老人說。在大霧中好像想起太多以前的餘緒的他突然大聲地跟我攀談，不知為何竟然跟我這麼一個陌生人談得那麼開心，而且，還邊抽菸邊喝酒邊聊，後來聊得太深，就竟然分析起了當年他怎麼不小心地一用心，竟然就打下了這個島。其實那時候的他還年輕，還只當一個不被器重的荒遠邊界的駐兵連長，但是，在那一次敵我兵力太懸殊的戰況中，由於他在小型欺敵的借兵調度，用幾個小型海陸和步兵連和有限的登陸兩棲武器，就眞的打下來了。

當年，其實這個島的敵方部署有太多重兵，港口和山頂都有重型高射砲和戰車，甚至還有飛彈基地可以支援的其他島營部的其他人馬，大概加起來近乎有一個師的兵力。但是，他用了險招，在一個惡夜，一如這一晚的大霧中的強風巨浪，帶了幾個有不明超能力的人上岸，摸哨，攻堅，就這樣，竟然用少數的兵力就成功地突破戰線。

那是一種近乎不可能的戰鬥，攻略是無人知曉的。甚至，沒人發現他的暗中動用的那些超能者的神通，而他之後也沒有再用過這種超能力。就這樣他在當年用了這種祕術改寫了這個島的歷史，是有被詛咒而時常會失控甚至有時就忘了他的神通。但是，更後來的更多年，他說他就從來不能再像那個晚上用超能力用得那麼地過癮。失去神通的他後來還待在軍中一段日子，但是不久就離開了，因爲他後來所帶兵的戰事再怎麼高難度，都是有限的，因爲他領悟到所有沒有超能力的人對於武力攻堅的可能性太可笑了，所有最強武器的動員集結攻防的種種理解都是有限的。因爲，那種種沒有超能力的對決都太低階了的，所以即使士兵和武器再怎麼殘忍都只是慈悲的。他們不可能了解我們這種近乎極抽象的武力是那麼瞬間就可以使那麼多死亡發生。

但是，我就這樣聽這個越看越像我外公的老人從黑夜中說到天亮時，才發現了他的不遠的後方，還有很多人，有很多極度恍惚而疲憊不堪的軍裝都泡水的軍人和毛衣全濕的發抖動物們都坐在田埂旁歇腳。

因爲，大霧的昨晚好像發生了很多不明的戰事，像是一個龐大的武力動員，演習，很多人很多動物一起激烈地進行了極久的什麼攻堅和追殺，使得天黑之後的整個島彷彿在極度攻防對決般的殺氣騰騰中度過的，而且，甚至，我好像也在場，但我不記得我跟著忘了神通的他和他們做了什麼。

顏麗子是如何把寶島大旅社蓋起來的（第3篇）塌陷的故事。

顏麗子並不知道，一百多年後……當那自稱是名叫森山的日本建築師的孫女到了寶島大旅社現場的時候，她所看到的，卻已然不太一樣了，那裡已然只剩下一個巨大的難以辨識的廢墟，廢棄太久的廢墟。

從日本來臺灣找到這廢墟的她最著迷的，反而是這一棟極華麗到令人嘆爲觀止的建築，太豪華到近乎不祥的旅館，著迷著所有裡頭的她祖父的故事，女主人顏麗子的故事……和更多繪聲繪影的那個時代的關於這個寶島大旅社怎麼被蓋起來的所有故事。

大廳太大了，有雙圓弧形的木樓梯，但是，地下卻髒亂極了，到處有發霉的報紙，鳥屎，雨漬，那是一個太老的大房子。這日本時代仿維多利亞式的古豪門異人館豪宅建築是太驚人了，也是那時代很多這種古典風格大宅在當年的美學等級最高的傑作，鬼斧神工的紅木，建於一九一一年，多次地毀壞而重修過……但是，這次重建卻完全是依原貌重建的。

因爲她祖父是一個當年來臺灣的日本年輕名建築師，正在蓋這個當年最著名建築的房子。但是，那心事重重的顏麗子的姪孫很不安地對那日本女孩說，這陰森的建築其實是很危險，到處年久失修了。大廳已然荒廢很久了，客房都積累太多的灰塵……戶外的花園裡，那很深的水池、很亂的花叢、很舊的欄杆……太多地方都有破洞、有溝渠和老井，小孩子去很容易不小心就掉下去，會出事。

那是一個塌陷的現場，和一個塌陷的故事。

旅社部（第2篇）火車站。

在火車站。現在想到那一段路，從沒人的地下道走入地下，一直到送她，上公車經過的臺北火車站，有一種像走入凝結空氣的果凍，超現實感地彷彿默劇演出，太安靜，又太焦躁，那裡本來就是所有人都在趕路，準備上路到另一段路的地方，心神不寧，慌慌張張到怕錯過，車，人，時間，一切都還懸浮，還沒法確定的人間狀態，更失序又假裝仍然上道的縮影，那種倔強，不甘，而用力地想趕上些什麼……的公路電影場景，那種荒謬但寫實，逼近又遙遠，在這裡發作。或許那裡始終就那樣地搬演，只是大家都太入戲到已忘了在看戲的距離感的可能再悶悶不樂或凝視或發呆或只是不知如何是好，假裝我們只是不小心入鏡，和那些太尋常的人們的停格，拉開鏡頭，剪貼快轉最後一波，補習後才能下課匆忙的學生，加班到終於下班的疲憊的業務、OL，準備找到地方要落腳過夜的流浪漢，而那長得像老廟但地底已完全挖空好大好多層的另一個鬼市的火車站自己也老了，支撐著那迥異的迴廊，太大的天井，數十層高，到開冷氣永遠不冷，廣播聲音永遠被回音壓過，看板的翻轉車次時刻的碎片轉動的窸窸窣窣，或，更空曠地……只聽到遠方低沉壓縮機的低音隱隱約約，光線慘白又渙散，昏暗到像惡靈入侵前的明暗閃爍。但，這一切暗地的凝結都將更凝結地平靜但荒誕而無人發現，一如那甜美放送的女聲會再響起「十一點十分往高雄的自強號快要開了還沒有上車的旅客，請趕快上車……」

因爲命運與巧合，在一九八五年，二十多年前，我也在火車站那一帶眞的住了一段時光。我也在旁邊的天成大飯店樓上某小辦公室，和我哥住了一個夏天，那年我大三，必須要上臺北一個建築師事務所實習的暑假。我們就住在一堆紙箱中，我哥剛退伍，也剛搬來臺北，在藥廠跑業務，始終很忙也很空洞。年輕又疲累的我們甚至很少時間說話相處，在那從來沒來得及打開的他的東西，一箱一箱上頭印梨山水蜜桃包甜或麻豆文旦老欉保證那些已撞得有點破損的字樣與紙箱角落，而我們就只是用簡單睡袋睡在地毯上，一人一邊，在一堆疊高歪歪斜斜的紙箱中挖開兩個人可以睡入的大小的洞，就睡。有時腳還跨到箱邊，還是沒有不開心。

但因爲至少還是在夏天吹冷氣睡，還是覺得是在住旅館式的套房。那其實是多年前我爸在臺北置產買的第一個房子，很小的大樓商辦。但是因我父親在那前一年剛去世，後來宣告破產了，所有的事都變得醜陋，困難到無法呼吸的那段時光。因爲所有的家裡財產被凍結，而不能處理，只好把這以前租給人家辦公的大樓最小坪數辦公室解約，收回來，擱淺在那裡。那之前租的公司搬走，有點匆促，所以留下的一些比較糟的辦公桌、燈、檔案櫃的家具也還在，也就堆滿灰塵，和紙箱像一個破舊的倉庫，占滿大半的那一間。

我哥本來退伍就要去德國念書，我爸甚至於已存一百萬，到那邊去了。但，就全停了，回來在臺北騎摩托車跑業務，做最低階的事。他都沒說。

那時候我太小了而且人生後來的變化太大。那時候，我還沒意識到那正是我人生中的某個懸而未決的轉捩，也就是懸浮在那裡要上路但上不了路，一如某種流浪漢式的流浪，而不知自己的身世已完全剝離而被遺棄了的密室。

我卻只在每天去事務所上班，坐公車去台大附近的ＭＴＶ看一些那年代盜錄的大師電影，柏格曼，費里尼，庫貝力克，安東尼奧尼，小津安二郎。還一定看到他們關門。那些片剛進臺灣，錄影帶還是大片ＶＨＳ，畫質很差，有些甚至只有英文字幕，但卻極珍貴，有些片子都是書上看到太久坎城威尼斯影展大獎太久的又大又怪的片子。大多很難看，看起來很累。

那地方又髒又黑又小，也貴。我還因白天上班太累，還常邊看邊打瞌睡，但我卻開心極了。我是人生第一次看到公路電影，愛麗絲，那片，溫德斯拍的，一個黑白的單調的故事，一個想自殺的攝影記者帶著機場被遺棄的小女孩去找她祖母在荷蘭的老家，只憑一張小時候拍的照片，一路上每個房子都長得和那照片上的房子很像。一直換車，船，火車，鏡頭只拍窗口，窗框外風景一直變換，但也好像都沒變。就這樣，黑白的片，乾燥極了，但充滿詩意，無奈，低語。一直找路也一直迷路……

想到那年去日本，在火車站的一件事：關於JR的伊豆線有一種最貴最快的豪華車種就叫「超級踊子號」。日文，舞孃漢字是踊子，在中文感覺上不是在說人而是在說物，像毽子或桶子或一種傳統的鞋子。一開始，我也不清楚，但後來才知道，那小說《伊豆的踊子》已有名到所有的導遊書與路線與玩法都不斷提及一如主角和踊子一起走過的某個橋、某個風呂、某段山路，還有最有名的……天城山舊隧道的路，連JR的伊豆線有一種最貴最快的豪華車種就叫「超級踊子號」。

我沒那麼迷，連那小說，我都幾乎沒印象了，好像國中拿來當小本子A書看過，反正故事也就從一個高校生偷看風呂中的舞孃裸體而迷亂而跟他們舞班去走山走到海邊坐船離去，我現在想，當然知道他在知識分子與市井在古代與現代在美與青春與困惑中偷渡他的荷爾蒙，但，後來就成名到現在。我也更想起那京都車站往祇園巷裡走去種種京都的舞孃。我也想到眼神迷惑的她曾經跟我說的一些京都殘酷劇場的離奇，充滿好多細節但卻是又華麗又空虛的穿和服跳的脫衣舞孃版。

但我倒走那伊豆舞孃的路線，從小說男主角他出海的下田市，那也是日本被美國攻打而結束三百年鎖國那我上回寫到的城，坐最尋常的公車，進山區，要去更老的叫修善寺的，有一法師在那弘法而著名八百年的老城，但，這一路都是名湯，一個半小時，有十幾個小鎮有名堂，都在深山裡，我沒那麼貪心，但一路看窗外的流動山水的風光，才想起，之前的一名松本清張還是另一個推理小說家也寫過一部改拍成電影的叫《天城山奇案》的天城山，就在這裡，甚至，連《失樂園》也是在這山裡某溫泉殉情的，這裡是，本來就是偷情、不倫、謀殺的大本營，因爲太美、太迷離了，這種希望與絕望的交替密謀的不得不……是深沉而無法閃躲的，也是到了現在我們這種進退兩難的年紀才有點感覺得到的，這種氣味讓我突然想停在山裡一個小站，叫湯島，就是川端康成長年住那裡，甚至書上還標示了寫《伊豆的舞孃》的那個旅館，也一邊覺得好笑，自己怎麼也變成興起了自己嘲笑的那種死觀光客的好奇，就這樣一站又一站過了，也還沒決定，直到看到了一站牌上寫著「踊子的步道」，才想，既然都到了這裡了，這麼虛構變成眞實的這裡了，就下車吧！

就這樣，到了湯島，好怪，在山中卻叫做島，反正，這裡所有的風光本來就像幻覺，從公車站牌往裡走，有一段路，心想，如果太遠，沒力回頭走回來，就住下來一晚也行，在這種邊走邊找的心情下，沿著河谷走了一陣子，有時有路標有時沒有，水聲很大，叫三個字的大大小小旅館也很多，但，還是還沒到，找了好久，跟著一條叫湯道的山路，有兩條跨過河流的叫做男橋和女橋的木橋，很多霧，在下午三點而已，就很冷，更奇怪的是，大多時候，路上都沒人，空的街，空的山谷，只有很少的時候，有人會從房子的深處探出頭來看一下，就又不見了。

到了幾個最後的轉角，街口就寫著《伊豆的踊子》之誕生之地，我想，今天就住下來好了，走太久，回去還好一段路，感覺一下川端那老頭在這裡寫小說的欲死欲生也好。到了的門邊還有川端的書法刻成的木牌，某某莊，這裡就是了，我鬆了一口氣，在那裡張望，其實，這也只是一個很普通的旅館，不大，不新也不老，沒有太多令人印象深刻的什麼，就這樣，我也沒更多的期待，一如這段路或這回來的動機！

但眞的奇怪的事，卻是那旅館竟然完完全全沒有人，是空的！雖然，玄關寫著一木牌，有些日文，我看不懂，但有幾個漢字，大概就是，今天休業的意思，但，總是會有人在留守或打點，甚至，只開放風呂也好，我總可以多待一陣子，和主人商量一下，所以，我喊了一下，走進到不大的廳，再喊了一下，但，眞的好像是完全沒人，所以，走了好累的我在門口的木階坐了下來，想想，是不能勉強，但，既然沒人，爲何沒關門？

我一邊有點不安也有點猶豫，但，就仔細看起入口樓梯和走廊走到廳的牆上的好多照片，有川端，有他的文人朋友們，還有多回拍成電影的男女主角，劇照（包括很多場景裡很多明星，甚至山口百惠那我小時候最紅的日本女優演的），大多黑白的，雖然很熱鬧，很盛重，但，看起來，眞的，都好像遺照，像庫貝利克的《鬼店》裡那下雪下太久的雖然旅館很大但還是令人很有密室恐懼症式的恐懼在……的不安，就這樣，看了好一下，看了桌上很多舊書舊雜誌，和伊豆或和日本近代文學家的故事有關，總覺得這裡有很多事發生過，也好像很多人來過看過的痕跡。

之前，我還去了廁所，上的時候，還是覺得有什麼會開門進來，但，仍然，沒有！

出來之後，就往更裡頭走去，走廊有點暗，沒有開燈，但，每個房間的門都是開的，也還是有點暗，我一路走著走著，不知會遇到什麼，但還是走下去，走到盡頭，還是沒有遇到人，我就走進房間裡，一如尋常的擺設，牆上有一幅卷軸的舊畫，一盆插得不怎麼樣的花和花器，一個梳妝老木檯，上頭鏡面蓋著一塊紅布……

我本來想掀開那紅布的，但是，我沒有動手，只走過陰影很深的榻榻米，走到木窗邊，那裡可以看到旁邊的河谷，聽到河的聲音，很大聲卻也很安靜，往河的另一邊看去，有一大片山，長了很濃密的樹蔭，在仍然的霧中很詭魅，我看了好久，坐在窗邊的老藤椅上，覺得很空虛但也很飽滿，好像找到了什麼，但也說不上來，此行，走到這裡，算最深的地方了，所有的疲憊好像也兌現了更多我也沒準備好的抒情、詩意，即使有些像輓歌，但我並不清楚在哀悼的或紀念的是什麼，但，應該不只是川端或伊豆的踊子，或小說這種永遠不明白是怎麼回事的什麼。

在這裡，不明白的還更多，不只是小說的，而更好像有什麼被封住了或封印住了，所以，我闖入了一種時差式的空裡頭，空間是被倒空的，或許，是時間也停住了，甚至，是空間用某種我無法了解的方式也停住了！

突然，對岸的濃密的樹林所長滿而陰影和霧都極深的山上頭竟出現一道陽光，很不明顯，但有照進房裡，可是，一下子就不見了，我看到陽光照進了空洞而暗淡的榻榻米上有一張小木桌，上面放著一些紙頁，和一本翻了有點舊的小說，封面就印著「伊豆的踊子」。

之後，我還看過了幾間，但大體上都很接近，就沒有再進去了，更後來，我回到大廳，又坐了一下，又看了滿牆黑白的照片，看了照片裡頭所有的人的臉，看了那些人所在的那些山那些路那些隧道的深沉，我有走過的或錯過的，一直在那裡的，或已然消失了的，但，都如此安靜而也看著我。

一直到我離開那裡，還是沒有人出現過。

還是……空的。

那並不尋常。這臺北火車站旁的旅館的入口，竟然在整個百貨公司的側面旁，一堆假花假樹疊成三層樓高的大廳天井玄關。光亮，有機，輕柔而自然，窗明几淨，新而切題，雪白透明，甜美極了。另一邊則是電腦門市，蘋果最新機種，金屬硬碟直接嵌入果凍般雪白的螢幕，大片透明落地玻璃。冰冷，高科技，沒有深度，入世，未來感，就眞的直接得像實驗室。

所以在這兩方之間的旅館這門面眞的很窄。整個入口就挨在這麼光度極亮晶晶的兩側，變得很難曲折陰暗，但，還是有著令人瞳孔瞬間即縮小的切割，切入點的尖銳，就從老而沉的木漆雕門兩旁開始，一排落地的，狹長櫥窗，但卻很空，只有空鳥籠般的一個個排開古銅片扭曲成的燈火，很抽象，但光卻變暗紅，很惹眼。入口上方門外，竟有極大布旗好幾面懸在廊柱間，古典華麗的像古堡掛軸的布簾，又高又深，隨風晃動，飄起來很沉，又很神祕。血紅光玻璃面之間的小型圓形旋轉門入口，走入，一樓櫃檯後是二樓高的櫃位，放大冊古書和古器皿，很考究的老派。

但，最令人吃驚的，卻是廳中一匹老式木頭雕刻的古董馬，完全寫實，完全和眞馬一樣大小，肌肉骨骼像解剖學家所精心打造，所有肩部腿部臀部的曲線全然栩栩如生，甚至頭頸背上馬鬃和尾巴用眞的馬毛做的，垂懸在那因爲老舊而有點缺口傷痕而更加像眞馬的軀體上，眞是動人，像是活生生的牠被下咒而屍骨不朽枯，凝成神獸，妖的座騎。藏廟裡的動物木乃伊，只是沒有防腐劑與肉身毀壞的氣味漫散開。眼神的玻璃黑珠，很亮又很沉。那是一種獨角馬，守護神，或關於古代或貴族的所有獸的更尊貴但也更神祕的暗示，在旁邊懸空所掛起好多玻璃片拼接成仿古式的好大美術掛燈前，在四壁深色木牆和鑲金紅壁毯之中，變得更爲古典到近乎沉悶的奇幻！像走入一個布拉格的古城牆角硬搭成的異教教堂或巴黎的老舊歌劇院的包廂密道走出去才能到的貴族沙龍區酒吧，但又都不是，只是光影昏黃，時序混亂了，而出現的詩意！

六樓在等check in的時候。陷入一種氣息。就坐下來，在又大又老的老式沙發上，每張椅身都太不同，但又同時太出奇地氣派。坐更久時，一定會注視到牆面上懸起整面十七世紀的極大古壁毯，刺繡著皇族被主教加冕的畫面，但完全手工而古式針法細節很精細繁複，是博物館等級的收藏。眞跡。珍品。裡頭的人物都有眼神。我在那老沙發上坐了很久，打量出入的人們，發呆，後來，隨手翻讀起也是老式木書架上的書，古書架還是斷了的，我假裝沒看到。這時，才發現，上頭有的，陳列的排列選書，很不尋常。大多是外國的歷史書或日文導遊書，大多是全日文，有一本是堪能故宮，藝術家圖文畫的如何進入古中國的美術深處。另外幾本是去尼泊爾、德國、法國、北歐的深度旅遊手冊，還有亨利四世和查理七世之類的精裝硬殼版又英文版的歷史，有冷門的del siglo的文學期刊，還有純英文的小本書，如，哈代的小說，企鵝叢書，far from the madding crowd，但我印象最深的是更荒涼更不經意的某一本，用日文寫中亞ozbeNiston的很多小國家，很多俄文，叫烏茲別克，出版社是在日本www.aruNiNata.co.jp或叫中央之國，撒馬爾干，王之路，日之國，老俄到新俄，玄奘去過的古代皇城，清眞圓頂，充斥回教建築的極精密的城與古蹟。甚至，有如夢境中才會看見的……很多又高又瘦到不像人爬得上去的石塔。

我很著迷於這種巧合，用看不懂的文字，去讀沒去過的國家，甚至從沒聽過的地方的不經意的更遙遠，更陌生，但，反而卻更切題地迷幻！使得這旅館某種錯覺會令人覺得很像motel，但不同的是，這裡的氣味太醇，太硬蕊，一如用典古典得太扭曲，弄到像是出事過的，是鬧鬼的，也可能就是充滿機關或霍茲華茲學院那種玄奧，至少是《花樣年華》，《2046》，或庫貝力克的《鬼店》……那般陰森但清明，陷入但喚出的種種出奇的華麗。

很法式而菜色講究的下午茶。在那餐廳。天花板大曲面鏡面，老派。誇張。剝離的異國情調。羅可可風。很道地法國醬料，菜不多，但細心。餐廳裡，有一匹不小的可前後弧形搖動的玩具木馬古董。寫實，浪漫，但眞皮製的馬臉還有傷，破損，可愛但可怕，屋頂大弧形木雕裝飾，仿古老美術燈，有種陳舊歐洲古城過氣老店的調調，燈光昏黃，很迷人。更後來的時候，我又回到那老沙發，那時已快午夜，沒人。有清潔人員用吸塵器，打掃。另外有一桌外國人，在那法國式又老又大型餐廳中的空洞裡，說著我聽不懂的語言。

遇到三個不熟的熟人。很高很壯但二十多年沒見過的大學學弟，常去的咖啡廳偶爾碰到的女的，之前去演講時招呼我的某公關公司經理。我才意識到這不是偷情的好地方。這旅館沒想到還是一個我認識的設計師做的。但和上回去的較冷較素的另一間不同，這裡更想要華麗，入世，歐洲風，但卻是鏽掉的那種，光線暗淡，鏡面壞斑。電梯裡的卡的感應有問題。怪異的電梯口裸體女人銅像，十七樓健身房外的老派石雕，六樓大廳也有又大又暗的老式古銅燈。我想到一個義大利古城Padova的高到二樓高的木製大型古董馬，一如旁邊的中世紀大學解剖劇場，很久以前去過的鬼地方的鬼鬼祟祟。

這房間，窗看出的極大天井，像空的山谷，遠方的對面只有一健身中心的輸出大字。其他都只是水塔、鐵門、管道間、冷氣口、逃生梯之類的設施就都只是背景。整個天井下的廣場，空曠到竟然完全沒有人，這巨大的院子變成是整棟火車站旁這大型建築的後院。但是，大概爲了安全考量，所以從百貨公司。從轉運車站。從辦公大樓。甚至這個高樓的旅館都不能走進去，變成是古怪地安靜。空。全空。

相對於四周人潮極多極繁忙的高樓巨站。就像一個枯燥而刻意圍成的神祕的結界。看得越久這結界越覺得這個旅館的種種地方也是如此。室外因爲如此。是有點生。室內更也是。黝暗的全新但看起來已然舊舊的圓浴缸，深色木漆上的胡桃原木製的大桌，大燈，大床，洗手台前有一面特製的長鏡，可三百六十度轉動。轉到某個角度。可以躺在床頭。就看得到，牆上那有古馬的黑白輸出照片，可在鏡中看見牠的倒影。在投射燈光下。變得幽微。像在空中飄浮起身。還向我們跑了過來……甚至，好多印刷品上都是那匹一樓的古董馬，老時代的，抽象的，質地不錯。logo是印章式的。有許多的手工藝術品式的器皿發霉像沉湎於過去的鬧鬼的店。這名叫京站的大樓是如此沉湎的，但它卻是全新而沒有過去那種好怪異地華麗著……

更晚一點，我們走進火車站。因爲她最後要離開回家了。我陪她走一段，送她去坐公車，地下道沒人，站內，我更想到以前住過的天成大飯店。走的路上，我還提到。臺北火車站前的廣場，天橋上的《你那邊幾點》那種再度被說過的故事。場合。人。時代。歪斜。無名。那是很奇怪的氣息。像提到高雄龍虎閣那蔡明亮某部片中，有一段很誇張，好多好多人從巨大而俗氣的華麗水池畔大老虎和大龍嘴裡蛆般地蠕動出現，一群人用歌舞片的方式出場移動，好假，好好笑，但又好怪異地貼切。那關於我們在火車站這場景的妖異的同樣俗氣。

在這古典風的房裡，看出，陽台有一小的仿歐式水池，木地板，但玻璃門不能開。我們變成古董娃娃屋裡的某一間房間，華麗但封閉，像貴族可是已被詛咒會變成某種動物或縮小版本的下場。

性，她不太談，不知是僞裝還是眞的害羞，未開發，或是害怕，從未玩過無從比較，沒有看法，我勸她，該找出路，找機會出國去玩，用所有可能的藉口。或就是散心，她提到之前有一段憂鬱症發作的時光，竟然四年月經沒來，近乎完全封閉，一直到遇到我。

泡熱水，我舔她，沒有更直接的做愛。後來我們只是說話，緩慢地聊，好多好多。更後來，我說的色情小說和A片的我的類型偏好的蠢。「從以前的喜歡母子亂倫變成現在的喜歡換妻雜交，」我笑自己地說著：「這算是登大人了的一種進化？」

提到網襪，她說以前曾經有一大學同學，去bar打工打到穿網襪來上課，跟一個男的在一起，把店買下來，她像辣椒，像煙火，像一個失控的我，而我從來沒有冒險到那麼遠過，雖然，我一直在想……

我們來冒險吧！我在耳邊跟她低聲地說，一面把我們的做愛中的身體移到門邊的長鏡前。在鏡中，看到我們的裸體淌著汗。一面抽送，她迎著我。更緊張但卻更濕。我就更冒險地又開了門，才開一半，走廊是空的，但變得更刺激。

下回再試，好嗎？她說，我會怕。我才就關了門，回到室內，回到床邊。她說，我對綑綁有興趣，有想過要試，但還是會怕。我把脫掉的浴袍的繫帶拿來綁她的雙手，讓她躺在暗暗的床角，然後慢慢地往深黑處插入。整個過程，我讓她咬我手指，咬得快流血了，但是她變得很亢奮。之前一天下午剛來，兩人都累，一進旅館就泡缸。第二天，走之前，時間已然用光了，才再泡一回圓形浴池，打開最後的回眸，那種種離開的不捨。Sony的bravia甚至一直沒開，因爲太喜歡這裡頭的完全安靜而沉寂。

抽最後一根菸，之後，就開始收行李時，才開始看到電視裡的一個紀錄片，旅行畫面中出現了「國境之町」，那是從中國的邊界再往北了，一路只看得到駱駝的惡地形，沙漠，荒野，那就是從內蒙到更外的蒙古。在路上，遇到了一對美國人，他問，是情人嗎？沒想到，不但是而且還剛結婚，而且兩人騎著兩台重型機車，來這三萬公里橫渡沙漠式的度蜜月。NHK台的最後。到了某荒涼的西伯利亞加油站，很多的俄國人，蒙古人村落。天剛黑，才六點二十分，又騎更久，更遠，更暗。又再度遇到那對夫妻，他們說已連續騎了十小時，也就是路上昨天遇到的蜜月情人。看到一列疾行火車，在疾行的草原。就這樣，又過了更久。停在一個小城。巨大到驚人的當年最高雕像，列寧，光頭，四層樓高，連站台都有一樓高，石塊接縫都隱約可見。那是某個西伯利亞路上的火車站前廣場。一路很多細節，坐在輪胎旁吃泡麵，拜訪眞的蒙古包裡的人的生火，簡陋，古老，人生。而男主角其實也已經是全頭白髮的老人，很少的裝備，就上路了，好天眞。路上，還遇到了初雪，在小旅館，喝當地啤酒，歡呼。沒人公路，一直向前，進入鬼域。我想到一些朋友也曾走過的這條路。車的極高難度的拉力賽，他一路寫旅行日記，作爲尾聲。在最後的畫面裡，出現了一個中國古式的老城門。在路的最末端……很舊很滄桑。但仔細看，就和臺北火車站旁那北門的城門的長相很像。而且就在黃昏的彩霞光影的炫目籠罩之中。屋脊燕尾伸入天空。好動人。

但我只是也在泡最後的浴缸，看著牆上電視螢幕裡的城門的發光。自己卻全身很熱，很昏眩。最後，就不想動了，昏眩中，只看著自己陰莖，就尿在水中，倒影液體流動，上頭的燈投射打光在腿上，曲線流動旋動，像油入水的竄流，像透明雲彩炫光的盤旋，極美。不經意地看。也像……彩霞。而我的龜頭，就像那北門的城門籠罩在霞光的流轉的炫目之中。

顏麗子是如何把寶島大旅社蓋起來的（第4篇）混凝土。

一

一九一一年，中國，在那一年誕生了，寶島大旅社的建築師，森山松之助，在那一年是極度繁忙的，因爲他正急著爲當時的臺灣總督官邸修改設計，以及開始設計更著名的臺北、臺中、臺南州廳的影響了臺灣建築史的現代……的三棟最重要也最浪漫的建築。更重要的是，也就是在那一年，他同時接受委託……開始設計寶島大旅社。

他把他設計總統府和這些州廳中被那些外行的高官改掉的他覺得最神乎其技地浪漫的建築手法，全部放入了寶島大旅社裡頭。因爲，他所引用的建築的西方古典語言手法太奇幻地繁複了。建築風格雖然屬後期文藝復興式，部分雖然也受英國建築家Norman Shaw的影響，但是他的立面充滿古典樣式的建築語彙的太過離譜地拼湊組裝……包含各種柱列、山牆、圓拱窗、牛眼窗、托座、羅馬柱式、複柱等，柱頭爲簡潔多立克柱式，牆身及杜身多飾橫帶，外觀極爲華麗，有部分塔樓關係比例呈現接近金字塔形；鋼筋混凝土構造外牆貼紅色面磚及搭配灰泥作簡潔雕飾典雅莊嚴，立面上底層爲台基，三樓爲弧形拱，四樓爲半圓拱，並有複柱，二至四樓設計有許多陽台，五樓則更爲許許多多退縮露台，有太多建築空間因爲太多曲線太多扭曲太多變形地太過奇怪，走在裡頭，就常常迷路，如同走入迷宮般地迷幻。

或許，他自稱他就是想要讓建築就像莫札特或華格納那種太炫耀又炫目地華麗著。那時候他的設計很多的裝飾或是比例其實都是充滿既漂亮又隱密地準確，甚至華麗得比那時候日本殖民母國都更繁複但是一直因太這種繁複的奇幻，常常就都邊蓋邊因爲種種緣故被修改。

從未被修改的寶島大旅社或許是唯一留住這種他想要的繁複的奇幻的建築。

森山松之助其實是個傳奇人物。臺灣日據時期建築史著上是這樣描述他的：一八六九年七月十五日生於日本大阪，一九四九年四月二日死於日本山形，他是那個年代極負盛名的日籍建築家，出身名門，從小極受寵，爲貴族院議員森山茂之長男，一八九七年即以第一名的設計作品「大學講堂」畢業於當年東京帝國大學建築系，畢業論文探討屋架之應力與尺寸，展露出建築工學與設計長才，一八九八年即任日本第一銀行建築事務所「囑託」約聘顧問，到了一九〇六年十一月受聘到臺灣，成爲總督府土木局營繕課「囑託」，同時參加臺灣總督府廳舍設計競圖，最後階段未獲選，一九一〇年十一月正式就任總督府營繕課技師，卻反而是眞的負責臺灣總督府工程實質設計及工事監造。一九一二年十月至一九一四年十一月並爲該工程之構造與設備問題赴歐美考察，森山松之助在臺約十四年，時值明治末期與大正前、中期之公共建設高峰期，其結合紅磚與白色石造感所設計出歐式古典風味的公共建築，呈現十足的華麗感與莊嚴感，成爲甚能彰顯統治威權的官方建築，作品主要爲廳舍、州廳、官邸等類型，例如總督府臨時工事部廳舍、鐵道部廳舍、臺中州廳、臺北州廳變成的監察院、臺南州廳；臺灣總督官邸變成的臺北賓館。森山松之助爲臺灣幾個最大城市留下最經典的建築，堪稱日治時期最多產、質精、具代表性的帶臺灣走向現代的建築家。一九二一年他爲了種種原因辭職返日，於日本東京銀座開設建築事務所，設計作品中最有名的一九二七年東京新宿御苑內稱爲「舊御涼亭」之「臺灣閣」。

這座他設計的中國涼亭和傳統的格局大不相同，採兩層卍字造型布局，亭前爲日式池景據說充滿古代中國風水的玄機，一如玄關有篆字又巧妙鑲嵌太多蛇形的隱隱約約的雕梁畫棟的暗示，傳說中的古意盎然卻又極度大膽浪漫……都是爲了紀念其狂戀的喜歡篆字與卍字的當年臺灣名媛妖嬈顏麗子的妖嬈建築。

總督府廳舍完工以後，按照輩分來講，他的課長同學卸任以後就要換他，可是森山是一個很浪漫的人，他不喜歡蓋章，所以他放棄了。其實是他醉心於寶島大旅社的太奇幻的設計，或許是醉心於那太風騷美麗的老闆娘，他們的緋聞和那建築一樣地著名。他一九二一年回日本的時候已經五十三歲了，他一直還是跟他的情人祕密在一起，一直等到他爸爸過世以後才跟他的情人結婚，其實他那個情人只是爲了掩護他和顏麗子的姦情而出現的。森山當年一直傳說是一個和他設計出來的建築一樣太浪漫地老會出事的人，那寶島大旅社和臺灣閣都有許許多多隱藏的玄奧建築細部，甚至某些更內行的建築史家還考證從其一樓的石造拱門騎樓，造型優雅的歐洲老虎窗，極少見的阿拉伯式拱窗，路口轉折交口原來設計的高塔……所大量運用臺灣陶瓦及其尺寸的比例和杜頭的細節……推敲出他對情人顏麗子的示愛與激情的種種暗示。

森山松之助，甚至在一九〇〇年初就發明一種防蟻混凝土，由於臺灣氣候一如所有的南洋一樣潮濕，木構造常被白蟻侵蝕，因此，他的發明極其珍貴，其實是爲整個當年的大東亞共榮圈想到了出路。但是傳說這種發明源於一次意外，其實是因爲顏麗子有一回和他在激烈做愛時有白蟻爬進寶島大旅社總統套房他們正在交歡的最豪華櫸木床上，使她很生氣跟他抱怨……如果他不想辦法來拯救他的建築的話，以後就不用再來找她。之後的一個月，不眠不休森山松之助就在總督府的實驗室努力地實驗……終於發明了這種影響極大的防蟻混凝土，爲這個島的建築做了一種前所未有的進化，從而……將這個島的未來一百年帶進了……現代。

寶島部（第3篇）大佛。

佛是什麼我不知道一如我不知道從小在彰化每天看著佛長大是什麼意思也不知道一個所有角落都可以看到山上大佛的城及在裡頭活著是什麼意思一如我眞的眞的不覺得因此有被神靈神通照顧保佑雖然我老覺得在這地方生出來了也活下來了有些不太一樣的什麼

那大佛一直黑黑的舊舊的甚至髒髒的佛身水泥漆剝落很明顯但卻還是可以走進它的裡面卻還可以爬好幾層樓還看得到佛一生的降生得道涅槃的故事被也同樣做成髒髒的舊舊的花燈般的怪怪的小塑像要啓發我們教訓我們的有意思的什麼

我還不會寫佛這個字以前的那麼小的時候就會跟家裡長輩去爬八卦山而且天還沒亮爬到天亮剛好到大佛腳下然後伯父去泡茶喝茶姑姑去點香拜拜然後我跟著喝茶也跟著拜拜然後數十年後有幾個長輩往生也葬在大佛旁的塔裡然後有的姑姑還常到大佛的殿裡幫人家往生助念

我其實跟著我那很信很信的母親從小拜到大雖然也始終不知道在拜什麼我其實也相信也不相信過拜相信也不相信過佛但我想我母親一生都有什麼在保佑那般地比我有力量使我不得不承認我的懷疑佛我的找尋佛我的打量佛我的試探佛不免顯得虛弱顯得艱難

雖然更晚的後來我在奈良東大寺看到那彰化大佛的原版精雕於銅身令人屏息的華麗雖然我在更遠的異國的廟的寺的石窟看過更大更古更著名更接近原典故的佛的現身的令人瞠目以對的巍然雖然我在更長大以後也進寺院打過禪七抄過金剛經參過禪門公案研讀過各式各樣的佛典的令人肅穆的莊嚴甚至在旅行中一再回到西遊記與

大唐西域記裡的唐僧及其門人的歷險的修行的令人不知所措

但「永遠」的矛盾是……我仍在越來越接近佛的同時也必然可以明白我的離佛的越來越遠

—

正中午，太陽好烈，但在裡頭空氣還是很混濁，很陰沉，即使從窗洞照入的光很亮……四周佛像很多也很清明……但，還是很沉悶，像潛入深海的潛艦裡即使有空氣還是快吸不到氣的無以名狀的沉悶。

所有尺寸都變了，感覺變小太多，比起從前。我太久沒走近祂，我一方面記得很清楚祂的模樣，一方面又幾乎完全不記得了，祂，一個坐姿莊嚴的黑色神明，一個太過魁然到無法逼視的雕像，一座神祕到有點古怪的人形建築，一「仙」名為釋迦牟尼的大佛，一個從我有記憶開始就在而且也永遠都會在的神明，一種不朽與神通的化身，對我而言，祂代表的，或許就是「永遠」這件事。

但「永遠」是什麼意思？

一開始，我想到的只是「我走進了祂的身體裡！」是什麼意思呢？那時候，到底是為什麼會把一個神明的身體「挖空」，變成一個空心的建築，讓每個人走進去，走到每一層，走到最上層，走進祂的頭顱……裡，從祂的眼洞看出去，用祂的眼睛看到這個世界打量，俯視，睥睨……所有的眾生，一如我們就是神明。為什麼我們都覺得這是自然而然的。可是，這不是太僭越了，太自以為是了……

但，事實上是更糟的，當我走到祂的鼻孔的洞口，看到鳥屎堆積在那裡，許久未清，有種腐臭的異味，飄盪在空氣之中令人掩鼻，或走到更高處，看到後腦勺的窗洞，所架設為了通風的電風扇和某個自助餐廳那種大型廉價又不斷發出怪聲快散掉的電扇是完全同型的時候，更有種好像走錯了房間，而走進了舞台的後台或場景的背景那麼混亂。即使，還是有一種歪斜的神祕感在裡頭充斥著，轉扇使洞口照進接近正午極強的光柱不斷地閃動而變得好美，像電影特殊的光影。其實我所記得的，真的不多了，最底下一層是蓮花座，蓮花葉片上有些圓洞的窗，上頭還有紅色生鏽的卍字鐵架……好多扇，環繞整個圓形的蓮花弧面，很對稱，又很突兀，像大型的玩具。有些排氣孔，電線拉出來的角落所有怪東西，金紙摺成的蓮花，髒髒的燭台，灰散了一地的老香爐，快謝了的花，到逼眞的動植物造型玩具般的更多佛具，堆積在樓梯邊、柱梁下、佛龕後頭的種種角落。我並不太在意這些混亂，只是，意外，開始往上走的每一層，都令人異常的吃驚，現在我走進去，有種古怪的渾身不對勁的恐慌，但，令人不解的是，旁邊零星幾個同時在參觀的遊客，並沒有任何的異狀……

「乖！要小心。」有一個媽媽還甚至跟一個開心地跑來跑去的小學生男孩解釋那些櫥窗裡的陳列是什麼意思，這是「佛陀降生」、「佛陀王子出走」、「佛陀修行受到女妖誘惑……」種種典故……和背後的寓言，但這卻也是我記得的關於大佛的某些很殘破的畫面或想像。我想到我小時候來看的時候，彷彿也是如此，對於這些場景，一切對於這些故事的太過簡陋粗鄙像三流的兒童樂園的裝潢布置，和白雪公主與七矮人造型做成的碰碰車，或唐三藏與豬八戒弟子一行人物做成遊樂區入口的挖掉臉用來拍照的看牌輸出差不多的庸俗廉價。

涅槃的佛陀倒在一邊很多子弟在旁邊哀傷地助念……另一邊是河面，我印象最深的還是那個四隻手的一尊很不同的神像，祂是唯一黑臉的神，表情不是慈悲而微笑反而是生氣而專注的，我想那就是死神，準備來帶走圓寂的佛陀。所有的現場，都那麼狹窄，就像是一個小型的傀儡劇場，每一張怪異的臉孔都在認眞地扮演它的角色，但卻又不入戲的那種充滿歉意失誤或笑場之類的差錯……因爲，那是雕工極廉價極差的佛像，可笑到像夜市在賣的布袋戲偶，刻得不太像的史豔文，藏鏡人，素還眞……但大概還認得出來的誇張表情……那種充滿金漆，頭像的模糊又刺眼的臉，來接引的船有龍頭的唇有白白的，髒髒的像發霉，東西黏在上面，還有螞蟻爬來爬去，使得彷彿在很深的角落，在神祇的最裡頭的地帶，充滿陰影，但是一種荒誕而可笑到令人不知如何是好的怪異，一如假的河面僅僅是用藍色的漆畫在洗石子的地面，而旁邊只用幾塊石頭圍繞，雖然在說明牌上解釋成那是冥河，那是通往死亡巨大的暗流潮水，但在這裡看起來就只像一個小池塘，甚至河面的漆都脫落斑駁，露出底下洗石子地面上殘留骯髒的施工出差錯種種灰漿流沙的痕跡。

這些「永遠」的風景，是用如此地既老又新、既陰沉又可笑的方式出現，但卻只是借屍還魂或只是觀落陰地浮現亡者的靈光依法術召喚而那麼閃現地「打開」，或也只是用大補帖或雲端運算般像將軟體下載到別的硬體使其可以像線上遊戲從任何網咖都可結集地照常隔空取物地打怪而仍然可以高科技式地「打開」。

那是另一種更迂迴更無限摺疊時間再打開重組的「永遠」了！就在這大佛的假的肉體裡，到處所充斥的「永遠」的風景已然是另一種打開，不再是古老的鄉愁的原鄉，不再有不死身的妖魔的永生城堡，沒有不朽到不曾有人懷疑的聖殿所繁殖出來的時間感和存在感。只有更瑣碎更荒誕的角落所堆積成的廊道、密室、暗梯、小香案神壇……所暗示的更無以名狀的「永遠」。

然而，最後的角落仍然以最荒誕的姿態等著我，因為當我終於走到了最上一層，才發現有一個更窄小的曲形樓梯用鐵鍊拉起來上面寫著閒人勿入，但是我發現靠在牆邊有更多死角，那全空的夾層充滿汙垢灰塵，有一片髒兮兮的霧玻璃斜放在最裡面，還破一個角，看來已然多年沒人上來打理過，而且中間有幾個字已看不清楚，那又髒又破的玻璃角落，還有一個洞用一條鐵鍊……綁住，好像是要掛在某個角落，但始終沒吊上去過……

但最奇怪的，是上頭有一行字，暗紅色，老楷體的字樣剝落，寫著的句子，「不生不滅……即是涅槃」。

二

大佛燒了。大佛燒起來了……起火的時候，所有的人還在歡呼，根本沒有人發現。那是一個太像鬧劇的時刻！但那可不只是尋常的爆竹煙火，火藥作用後產生火花、旋轉、行走、飛行、升空、爆音和煙霧……而是，火舌已然從佛身窗口冒出來。空氣中也一直有燒焦的氣味。那並不是普通的爆竹火花的焦味，還有劣等的金紙和環香的香氣，但卻也是刺鼻，有牲禮的肉那種有點腥又腐敗的氣味，有電線走火的塑膠聚乙烯的毒物式的臭。但並沒有人在乎這些氣味。主要是光，晚會現場的光已經太強太驚人地散射開來，有些是投射燈，有些是漫布的煙的折射，更多是雷射光束的爆發。像令人看了會眼睛瞎了或視覺暫留在那光芒散放的時刻之後就停住了完全不記得看到了什麼的光景。然後，是更誇張的煙火，花火節的大火，那種種更繁複燒起火光的煙花、鞭炮、花筒、電光花和晨光花、地雷、地禮、老鼠砲、轉輪、吐珠、火箭……般的更炫目的大火。這種炫目的光景使我更在大佛前的火光中想到一部HBO影集裡的畫面，那是一群有超能力的年輕人，想拯救這個世界免於在災難中毀滅，但問題是，他們不太清楚那災難是什麼？也不太清楚自己的超能力是什麼或怎麼用？其中有一段情節令我很難忘：「一個超能力者說，我弟弟突然不記得事情了。到底怎麼回事，我沒辦法再使用超能力了……你可以專注，我以爲他能畫未來。但，後來他被洗腦了，不再能畫了，但你必須告訴我那些事是確定不會發生。另外，我作的那些夢，是有道理的，因爲在那裡的惡靈幽魂入境或人體活埋那般恐怖的事發生了，甚至夢中到處起火。而且就在那一天，他開始畫這些畫，那一天男主角突然暈倒而進入了的那一個時空是停止的，全城的人都不見了，只剩下空的街道，空的車和這些有超能力的人。而且，我也是最後才知道，原來我竟然就是災難的來源，那個我和他們一直想辦法抗拒而設法阻止的災難。」就像當年，在很長的時間裡，我和我堂弟小時候就常在玩一種角色扮演的超人遊戲，一起要攻入一個敵人的總部，躲在柱邊，步步爲營，把所有房間裡的東西都當假想敵，開花的盆栽是虎視眈眈的警衛，歪歪斜斜的掃把和畚箕是惡犬咆哮著，沙發和地毯是惡地形，而發亮發聲的電視則是最危險的機關……我們常常假裝被發現了，互使眼色，要一起出手進攻，而屢敗屢戰，往往好混亂。即使我們不清楚任務是什麼，要阻止什麼災難，甚至，從頭到尾都是假的攻堅，我們還是可以玩整個下午甚至玩了好幾天都還一直很緊張……

又回到大佛前，好多人架著相機要拍大佛，我好想笑也好不解，一如我想到剛剛看到的那展覽，在大佛殿旁，一個髒髒舊舊的側面走廊一個房間，正在展出一個所謂的煙火攝影達人的照片，而且我越看那漂亮的夜景彩度極高天空極華麗的畫面就越覺得荒唐。那麼多那麼有名全世界的名勝古蹟，巴黎鐵塔，金字塔，紫禁城……在煙火中全變成配角，或是……我老總想到變成了某種特效貼紙，像明信片外框或室內婚紗的布景那種種大頭貼機器拍攝前可選擇的花邊，煙火的特效從背景變成了主題，變成不知如何說地好的假好可悲，但是，在這裡，「假」竟突然就變成眞的了，大火就變成像馬戲像魔術或就是那種燈光美氣氛佳的夢境式的表演，而且就是重播，不斷地重播的相聲式橋段和笑點，甚至抖包袱的時間拿捏都差不多而只是裡面某個特別來賓換了一兩個頭像那般地熟練。而且，在攝影展前，還有一個沖洗照片公司贊助的廣告，有一海報，寫著煙火攝影達人備忘：「拍攝煙花時一般都採用慢速快門來進行拍攝，不建議使用太高的ＩＳＯ，在夜晚黑色的幕布下焦點會影響。通常曝光時間控制在四秒以上，便能拍出煙火劃過夜空的景象。光圈方面建議採用小於F5.6的光圈進行拍攝。盡量採用廣角鏡頭。」這些說明，對我而言，非常像屍體處理須知，動物木乃伊入門……不太只是技術性說明，反而卻是一種阻斷，刺激性訊息的阻斷，那些火花、爆裂、聲響、尖叫、喧譁、種種情緒的濃稠……突然就完全撤走了，只留下一個停格，冰冷乾燥到好像那些現場都只是虛構而不曾發生過的光景。

最後，大佛還是出現在火的花邊，變成這個展覽的最後一張。看起來，暗夜中所有的人都變紙人，大佛到晚上變成魔咒中的黑惡靈，或許，我始終也只是被下咒壓在五指山下早已變化石的冥頑不靈的那隻猴子。但，我堂弟的小孩好開心，一直學著升空的「咻」到最後爆開成的「碰」的聲音大叫，對他而言，這是佛的光，佛的神通，佛的不可思又不可議，一點都不要緊。反正，就是好看又好玩，他帶了他心愛的玩伴楓葉鼠「對不起」來看，在廣場，他還一直瘋狂地尖叫，一直追著煙火跑，停不下來，好令人困擾。另一個困擾是很多怪畫面閃現，爆成花形的，樹形的，漩渦形的，甚至，竟然有一個畫面是從大佛的頭一直噴出一杜垂直的火光炫亮到像是綁了一束辮子，發光的辮子，使得所有炫目的壯觀卻因此變得可笑起來……

這慶典，可不是古京都的五山送火的大文字燒那種盂蘭盆會式接引亡魂的山上點火。又慢又陰森，像喚醒山神的龐然而迷離。卻反而比較像一〇一大樓的跨年倒數煙火施放，五四三二一，尖叫，歡呼，然而只是摩天樓變成了大佛的煙火秀，炫目但空虛……甚至，就只是像紐約的budda bar夜店那種舞池的窄小而故作迷亂的光的雷射表演。但，另一光景在我腦中閃過的卻反而是某一種，可怕的畫面的咄咄逼人，像一種世界末日電

法，而動工。主要是有一根叫做通天柱的主結構體，上頭貼滿符咒的紙。故事就是從揭下那長條符紙的一個宮吏遇害開始的，被謠傳是天譴。我想到我以前去過自由女神的身體裡頭參觀，那其實不是一個雕像，而是一棟建築，巨大到很難描述的建築，不是因爲裡頭有很多樓層或樓梯，有鋼骨梁柱和電梯，甚至有開窗，主要是因爲，那整個形體仍是一個人形，看得出手、腳、腿、臂，或肩、頸、胸、臀的曲弧轉折，使得，有種曲折的聯想，或僅僅的暗示，那種更幽暗神祕的腹腔裡臟器經脈的隱喻，更應該是深入活體某種活生生又血淋淋的可怖。

甚至，只是人體的模型，型態的延伸，變形，扭曲的繁複，那總是有些涉入從「活的」進入「活不下去的」什麼，在裡頭分泌黏稠些依依不捨。即使是人俑，紙做的，布做的，陶做的，多小到多大總是陰沉。或裁縫的人檯，演出的傀儡，殘缺的義肢……種種都那麼地令人深深地不忍。而佛像、聖像，這種由人變成神的變身更爲自然而然，但仔細打量卻又反而更令人吃驚那同樣的雙手雙腳，同樣的五官毛髮，同樣的大體，但卻是彷彿開光過，靈體上身過，過香加持過那般神祕，一如古代種種儀式的總是深沉，而大佛所講究的大，將這種深沉舉得更高更遠，更難以令人理解。有些掛罣關於「永遠」。關於巨大到涉及工事或工法未完成鷹架工地的迷信。涉入某種人的知識，技術的動員的更周密也更怪異。像人面獅身石像或像希臘神殿或樂山大佛那種更冥頑更巍峨到無法貼近逼視但都是很神祕也未曾被看清過，另一種困擾是現代的，工業革命以後，機械的，會冒煙的，至今方興未艾的眞科學假科學的工程工法的新之外，還滲透了更多那武則天大佛的陰謀，有這種懸疑、謀殺、篡位、下毒的高明的舊。有工部高官，大內高手，會易容、腹語的國師，大理寺密探，太醫，鬼市的殺手，在當年的長安，陰陽師般的皇族鬥爭，登基前的險惡，決鬥那麼多神蹟，鬼話，太多唐代的傳奇的，更野更玄奧。

雖然，我還一直在想我的八卦山大佛的太貧瘠粗鄙的對「永遠」的兌現方式的可笑。

但，那些「永遠」的風景已然和我的童年一般，不傳奇又不玄奧地……如風消逝。甚至，在某些時空的錯置中變成了令人欲哭無淚的玩笑。一如這巨大而笨拙的大佛的「肉身成佛」的最終奧義在被轉譯變換成符籙圖騰過程中出了意外，祂就被困在這八卦山上，就被一群後代用很廉價粗糙的施工，用像漿糊般水泥沙石……來快速灌注成形成這個巨大肖像的醜雕像困住了。祂就這樣被塑身而稀釋而無限放大成一個沒有舍利子埋藏地宮般的發願庇祐也沒有腐屍腐朽中高度解剖學講究般的精密繁複的假大佛，或許，那佛的最終金身或金剛不壞之身的傳說，就在這無限放大又無限簡化的過程裡困住了，而終究只變成一個始終沒有被理解、被深究的粗陋鋼筋混凝土做但遠遠看就像黝黑塑膠做成的……大型公仔。

我也想到之前看到的另一個更大的「處理」佛像的悲劇，那是那一陣子全球的關注……「阿富汗神學士政權爲何全面毀佛？玄奘法師描述過的大佛像除了金色晃耀寶飾煥爛外，祂甚至還是卓越的古代工程，那大佛像的佛臂爲木造各長二十公尺，它被裝上機關，每到黃昏晚禱課，僧侶即可操作機關，讓兩手抬起合十。在遙遠的古代，這是一種奇蹟。」

我想著那些昔日像「永遠」會存在的奇蹟，而今天卻崩毀得太過劇烈而無人相信是眞的畫面。「許多激進的士兵他們在佛身上鑿了數十個大洞，在佛頭下放輪胎，點火燃燒，使得佛像的眼睛部位和面孔一片烏黑，彷佛佛像在那裡晦暗的哭泣，小佛則受創更爲嚴重。士兵架著大炮加以轟擊，到佛像的鼠蹊部被轟得狼藉破碎。兩尊神像的顏面被磨平了，佛眼中的碧綠珠玉，以及那雙會舉起合十的手臂也告消失。」

退化了，「永遠」退化了，和大佛一樣，和那個被「處理」掉的我家的佛像一樣……我想，我的那些親人，那些鄰居，那些小學時代那麼遙遠的同學朋友……想起來已記不太得，記不太清楚，也好久不見了的……可能也被「處理」也被完全洗掉了嗎？

「那佛像呢？」電話裡從彰化打來的姑姑用很難過的口吻問！「你們一定也這樣處理了……我知道。前幾年，住我們長壽街老家對面有一家也是改信基督教的，他們的做法，就是把佛像用紅布包起來，用鐵錘敲碎，變成一包，像壞掉的什麼……就放在垃圾堆旁，讓垃圾車來收走，放了好幾天，還淋了雨，紅布泡了水，變得很髒，佛頭毀了一半，臉從髒髒的紅布邊露出來，法相仍隱約看得出來，還有點莊嚴，但淋濕了，好像在哭……就在對面，我有看到！」

姑姑很傷心地說：「我眞的有看到，就在長壽街上，就在我們家門口……」

三

但大佛對當年的我而言，仍是一種著迷，對「永遠」的著迷。大佛仍是一種狀態，一種完全的狀態。一如對所有從小在彰化長大的小孩而言，祂仍然是一種時光裡完全的中心，也必然是完全的邊界。

如今，過了四十年後，站在那裡，大佛的影子仍在廣場上，旁邊還有我的影子。那影子似乎是唯一還可以辨識出來的遺跡。那是和我活著這件事本身有關的巨大的暗示。我還可以那麼清晰地回想起我小時候在這裡站著所有的光線、聲音、氣味。那都是眞的在我身上發生過，而且我仍然可以感覺到那時候的自己所擁有的開心、煩惱、和對未來更多更不確定的打量，不安，混亂，一如兌現了的人生，卻也只像作了一場夢而已的這幾十年。那些被封閉起來在更深的意識裡的什麼，在大佛前，被啓動了。雖然，我的回憶就到這裡，我也正努力地想像這些都是捏造的。但，在這裡，我的確看到了，回憶的邊界。

在那些畫面裡，有一張照片。我在那裡。大佛也在那裡。

唯一奇怪的是我。

我站在人群外，離開一段距離，但還是被拍進去了。那老照片的後方，就是大佛，這一個我的身世裡頭最龐大最深邃處的起點。旁邊是那兩隻猙獰的石獅子，雖然表情漠然，但還是很巨大……顯眼。

空氣中似乎有一種甜味，一種笑，一種窩心。雖然太陽太大，致使有人戴墨鏡有人撐陽傘，有人眼睛瞇成一條線，幾乎看不到，但，大家看起來，卻是開心的。某些光線太強的畫面，使黑白照片反差更大，而且，大家都瞇著眼看向同一方向，看向現在，看向照片外三十多年後正在看他們的我。我想起來了，那天，的確有事……我正因一件奇怪的小事情在鬧脾氣，而不願加入所有人的行列拍照。現在想起來，很好笑，但那時的我有時會發生這種事，通常很乖很懂事到甚至很好騙，但偶爾就會拗起來大鬧……母親急了起來，但不知道如何是好，好言相勸不聽，但又不能在眾人前發脾氣……就僵在那裡。在其中就是大階梯展開……往下，所有照片裡的人都站在那裡，分成四五排站著……越小的小孩站越前面，大一點的小孩和母親們站在中間，而父親的結拜兄弟的男人們站在人群的最後排，大家都在笑……有深有淺。

從照片看的最右邊，就在石獅子下，我的個子矮小，應是站在第一排最中間的。一如我姊，她還戴著一頂可愛的圓頂有緣的布帽和下襬有花邊的同樣可愛的白洋裝。母親在照片第三排和那些伯母阿姨們站在一起，但卻站在右邊最外面。她是在笑的，但笑得有點勉強，不知道的人看不出來，可是，我知道……她站在離那時的我最近的地方，因為哄我哄不聽，而只好僵持在那。

「沒關係，不用管他。」我記得我爸安慰心急的媽說：「讓他站那裡就好。」媽回到隊伍……而我仍沒有動，穿著被媽打點過整齊的有領有袖的短上衣和短褲、白襪、黑鞋，頭髮剪得很乖巧得體，應該是要可愛而天眞的笑……和所有的小朋友站在一起。

但那小時的倔強的我仍沒有妥協，兩眼也因太陽太大而瞇著，有點吃力……但，我的身體僵硬，兩手不知道擺哪裡。沒有表情的漠然，一如那隻我身後的石獅子。也跟大家一起，看向前……也就是……看著現在的我。

那時候的我還是一個小孩。在那些八卦山的著名的景點前拍照，和家人，或同學，我並不開心。我不喜歡和別人站在一起，只為了一些莫名的原因，甚至，我終究是不喜歡拍照，站在那裡，只為了一個我看不見的框景，看不見的什麼，或許，我在辨識這些邊界。而且，我不喜歡站在那些名勝前，以前就是了。更何況是現在大佛前的那些……早年光鮮亮麗而今卻已老舊不斷露出疲憊的景象：屋頂歪歪斜斜的入口牌樓，地面到處是破碎石頭的參佛大道，淋雨淋太久的兩側陳列著三十二尊石雕觀音臉上都是黃漬蟻窩，龍頭每一個都受傷殘缺不忍目睹的大道的盡頭的九龍池，甚至是那雖然二十二公尺高但水泥漆剝落到像全身都有皮膚病而落拓不堪的釋迦牟尼大佛，那曾號稱是臺灣八景但卻好滄桑又好頹敝的巍巍然。

我小時候，就好厭倦對永恆，對拜拜，對敬神，對種種古老的「相信」這件事無盡地繁殖的自然而然，而且一再地重複。常常在破曉上八卦山拜拜的路上，我跟著在暗暗的山路走著走著，但我一路上卻始終是分心的，而且老花很長的時間在上山時找路上的含羞草、階梯上的裂縫、樹上的野菇……那些細小、猥瑣但卻更令我著迷而因之困惑的活生生。

我花了更長的時間來隱藏和裝乖，並和大人們保持距離，爲了克制我對大地對山川這些活生生的著迷，克制我一再想從大佛上頭的眼洞往下跳出去的衝動……爲了從那裡漂亮地起飛，在八卦山谷的大自然的活生生中，疾速而無垠地飛行……我已忘記昔日這些近乎瘋狂的衝動太久了，一直到今天，我才在堂弟兒子的眼神的躁動中，又再度看到這種著迷。

「那……吃小孩是爲什麼？」我問。

當堂弟說到自己的兒子養了兩隻楓葉鼠所發生的事時，我吃了一驚。「牠們的名字就叫做小不點和對不起。」那是那麼毛茸茸而很聰明到令人愛不釋手地想去疼牠的可愛。但有一天，他兒子變得很沮喪，因爲早上醒來時，竟突然發現，有一隻剛出生不久的小楓葉鼠不見了。全家的角落都幾乎翻遍了，但沒有用，因爲還是找不到，就這樣，找了好久，也很傷心，但一直告訴自己，或許，緣分了，不能勉強，也不能怎麼樣！像眞正的家人的失蹤！那種捨不得是很深的。全家人心情都很低沉。到更後來，才知道更離譜的令人難以置信的下落。

那就是，死因……竟然是鼠爸爸把兒子給吃了。

「爲什麼呢？」我完全沒有辦法想像地追問！

「因爲聞到陌生的味道了。」有養過的朋友跟堂弟說的，「在楓葉鼠的領域感中，只要有入侵者，就會變得很不安。」「因爲牠們覺得不是很安全，所以就自己先吃了自己的小孩當食物，不然牠們也防不了侵入者，也會變別人的食物！」他說他查網路，也是這麼解釋。「但是，」我納悶著，「這種天倫的悲劇，實在很難想像的這一切……一如倫常失序地吃自己骨肉的殘忍，或一如饑荒中易子而食的可憐……爲什麼可以解釋得這麼簡單，輕易而毫不在乎呢？」我心裡想，但也沒有再說什麼或問什麼。只是問：「是哪一隻？」

「是對不起！」他說。

我接著問，這些名字是怎麼來的，好奇怪，爲什麼會取這樣的名字？「因爲牠一直點頭，」他說是兒子取的：「好像一直在說對不起。」

「另外小不點因爲是長得很小隻。」我們說的時候，我們正在電梯裡，旁邊站著一個七八十歲的老太太，也聽著我們的談話，看著電梯鏡中的我們，她臉露出一種不解。不知道爲什麼我們會這樣來談這件事。「那小孩呢？」他說，他變得怪怪的，大概不太容易忘了。「楓葉鼠是養來陪他玩的，發生這種事他也沒難過太久。但還是在意了好一陣子。」因爲他兒子實在是太小，也太在乎太多事了，所以他以爲這事很快就被忘記了。「你兒子還記得他有帶『對不起』去看大佛的花火嗎？」其實還有更多，以前長大過程發生的不愉快的事。

「但，這回，好像很嚴重，他從此就好像變得很抑鬱寡歡，好像什麼都不重要了。

「他在自己的桌上放了一張在大佛前和楓葉鼠玩時拍的照片，我拿出來看，發現照片背後寫了一行字，雖然是小朋友歪歪斜斜的字跡，但卻是用很用力的方式寫的。『對不起……吃了自己的兒子』。」

四

最後，堂弟提到大佛最近的一個場景，像一種特效，不像真的，但卻是真的。那就是八卦山的「蝶流」。完全難以想像。他炫耀式地跟我說：「你知道臺灣紫斑蝶每年春天會飛四百多公里從臺灣南部飛到臺灣中北部嗎？」我一向對蝴蝶沒什麼特別的好感，甚至沒有印象。但，他隨口說出：「蝴蝶是……節肢動物門，昆蟲綱，鱗翅目。」他說他和兒子迷上了這種遠看很美但近看很醜的昆蟲。他開手機上網的資料給我看，在八卦山路上。很狂熱……

「那紫斑蝶有什麼特別呢？」我問他。「臺灣紫斑蝶」與「墨西哥帝王斑蝶」是目前僅知全球兩大越冬型蝴蝶喔！但臺灣的紫斑蝶竟然很多很多：有小紫斑蝶、斯氏紫斑蝶、圓翅紫斑蝶、端紫斑蝶，而且多到已有人發明了想要辨識紫斑蝶的口訣：「小紫點一邊，圓翅兩邊點，斯氏有三點，端紫亂亂點。」

「我兒子都會背！」他說，「但眞正奇怪的是：每年紫斑蝶會依循固定路線離開越冬棲地，紫斑蝶北返飛行的蝶道從茂林開始，經過寶來、月世界、臺南曾文水庫、嘉義關子嶺、茶山、達娜伊谷、石桌、雲林林內鄉、彰化八卦山脈、臺中大肚山脈，再到苗栗竹南海邊，一如當年日軍攻打臺灣路線的逆行，就像……銜接成一條蝴蝶的……高速公路。而八卦山則是居中心的要塞，」他說得很得意。「每年的三月至四月中旬前可看到成群的蝴蝶飛過。雲林以南的紫斑蝶遷徙路徑分散，有的從高雄、屏東北返而來，有的從臺東穿越中央山脈遠道而來，蝴蝶會在斗六丘陵北端的坪頂村聚集後一起橫渡濁水溪，而且更巧的就是聚飛到我們這裡的八卦山台地，才再四散開來，所以，在山裡，就是這條我們去大佛的路上的某個地方，會看到每分鐘數以萬計紫斑蝶構成的紫色蝶河。而且，我們小時候爬上八卦山的步道，現在沿途有多種新的彩色斑爛的開花植物，而且，東外環道與一三九線的交會處，上癮的縣政府種植大量馬纓丹，就連到了酷暑的七月，也會有上千隻的紫斑蝶來棲息山谷。就要一個全然不同的華麗國度，我們即使從小在這山裡長大也完全沒看過。」

我突然分心想到一部電影。很淡很低調，或更乾燥到非常素，就只幾乎是影集一集的規格而已，在一個義大利小山城裡發生的，遇到一個喜歡蝴蝶的神父的一個美國人的故事，因爲我之前連續好幾年去義大利，很喜歡在去完米蘭或威尼斯這種大城市開完會之後，會去找這種小山城，那是很令人著迷的地方。雖然只會讓人有一點點的小小心動一下。但往往很美很安靜，極完整的美學收集在聚落屋簷的老與不經意的講究，一個窗口或廣場或坡或鐘樓、河流森林山路，太樸素到幾乎沒有特色，但就是一個小城在一座小山上……應該是的那種狀態。

不誇張也不辯護，只是在那裡。那種自在和自然而然的好使我這種從小長在這亞熱帶爛天氣老爲大佛而感到心虛的人，有些療癒。在那裡，想到八卦山，但也想通一些人生的不甘願也不能怎樣的只好這樣的灰心。這幾年，我都老得好快，到也沒什麼好堅持的。我卻分心在想卡夫卡的城堡和一些雷同的迷路而後來完全懷疑起來的動機，那種歷險記式的歪歪斜斜。

反正，就是不甘心，與粗心的不甘願，但仍然上了路。一如那些蝴蝶的跌跌撞撞的飛行。想到，電影裡的小山城讓始終沒辦法樸素安靜的我有點慚愧。但，在這我們從小一起長大的小山城上，堂弟還繼續接著說更多：「太怪了。最近也一直在變。」「每年從春分到清明節前後，都會途經中部山區往北遷移的紫斑蝶，今年可能是受先前天氣不穩、連日又有濃霧的影響，讓成千上萬的紫斑蝶遷徙行程與灰面鷲鷹一樣、一再延宕，然而相當怪的是在大甲媽祖遶境之際，好像有保佑……中部天氣明顯放晴，就又發現有不少的紫斑蝶翩翩飛過大佛，每分鐘就可記錄到上百隻紫斑蝶隨著溫暖陽光、乘著上升的氣流飛過境八卦山。」我邊聽邊想像著，從蝴蝶半球形複眼的眼睛向外看到的大佛……像拼圖一般，由每個複眼數千個六角形的小眼只能看到物體的部分影像合在一起，才能組成完整的……大佛。「據說，有部分成群紫斑蝶將停留在山區交配，準備繁殖下個新世代。」堂弟說：「有一天我帶我兒子走到大佛頭頂，從祂的眼睛向外看……天啊！紫色的蝴蝶飛過，像紫色的雲一般壯觀，祥雲，飄向那遠方的大肚溪，和整個我們小時候一起長大的這個城，都在那時，夢境般地斑斕了起來，發光，像眞正的雲，像是絕不會消失一樣。」

他用一種有點出神的口吻說著：「像永遠會在那裡！」

一如後來我去的那個京都的很多古佛像的東寺，老是讓我想起小時候的八卦山大佛殿，老是會讓我在拜拜時懷疑起我自己到底在想什麼或在乎什麼？我問她，或許我只是問我自己。

這東寺是平安時代就蓋的那麼古老了，老佛像供奉於三座主要的大廟，那是那南大門進來的全院落中軸線上的三座主殿。古老到斑斑駁駁的講堂、金堂、食堂。供養許多尊又髒又陰的老木雕神像，種種明王、菩薩、藥師如來，都那麼栩栩如生到在那黝暗的老殿堂裡就不免更顯得那麼地暗黑而沉重，每一尊神貌的太精密傳神的雕工，使得所有的神祇的神通彷彿更逼近地降臨，使得走在裡頭的我老覺得那全殿裡狀態稀薄到都幾乎透不過氣來了，或說，那是一種太令人不安而肅然起敬地肅殺。

一如那座遠遠看得到的歷史國寶級的木造古五重塔，太黑太沉到使人太接近就會有快壓迫到無法呼吸的感覺，更裡頭的金堂和講堂都極驚人。大木極古極大，木紋清晰極了的斗拱，沒有雕梁畫棟的樸素而龐然大物的老屋身老屋架是難得一見宋式營造法式的極高規格，端詳更久更會有種古怪的令人不小心就會陷入的耽溺沉浸到無法自拔。甚至，更仔細打量就會發現那古廟連灰暗的方形地磚或鑄鐵燈臺或木製櫺窗都極老，然而，還有一些更怪異的古老工法的破綻或歧異，一如龐然的巨木柱在離地不遠處有一個方洞，用來安放斜插的橫木梁或桁架。而所有老石礎圓身都已然不太圓地破損，還有許多根巨柱已然有很深的裂痕。

這東寺太古老到歷經了太多朝代太多災禍而彷彿什麼怪事都遇過了，太古老到大多佛像都是極繁複地貼滿佛身的古金箔，連佛身旁的兩株荷花枝繁葉茂和長大成仙風道骨般的花瓣形貌連在兩側的古銅花瓶也是純金箔裝，一如已然修煉成花妖般地妖嬈。

金堂中最大的主供奉藥師佛身蓮花座下，更出奇地刻了十二生肖十二時辰護法神像，姿勢和表情都極逼眞於各種傳說中的不同神通，他們那麼地不同但又維妙維肖地蹲身在那裡戰鬥。我看到旁邊一本書上有這十二護法神像修護時，那數十個老木製金身支解的局部，像是古墓出土的骨骸碎裂羅列但又暗示出一個更難成形的全形，那麼地出奇。那是關於護法神金身更多的局部……扭曲的頭顱，曲張挺身的雕龍戰甲胸臆，前伸帶虎盔的左肩膀，內曲的拿斧頭的右臂，穿著戰袍的下體，小腿連肌肉腳骨，半毀的長翅膀長靴。每個木頭局部都還有插銷接榫，彷彿是一具懸絲關節人形的木傀儡，但又充滿比人更龐大更複雜更接近神的形貌，或是一如木製的古建築那般地拆解再拼回去而才能長出成形的更玄奧人形的形貌。後來，又走到更後院的國寶西院御影堂。當年弘法大師的講經堂。數百年原封不動的古建築，極度地道地，充滿原初的古老看守住的玄奧感。

到了下午四點半，竟然現場開始有人進來依古例最道地的古法誦經唱腔。但卻是極年輕的僧人。敲木魚敲銅鈸梵唱時三人一同跪拜得如此虔誠，令我慚愧極了。那御影堂旁有另一座小殿供奉，日本最古的七福神。另一座供大黑天及震災祈福的祭壇，院落完全沒人，很多通俗尋常的紙馬和祈福文繫成的木頭塊懸起的架臺。但是，神龕已然全部關閉了，我來得太晚了。

但是，之前，我曾在那最老的金堂裡枯坐很長的時間，因為發呆太久，近乎可以聞到殿裡那充斥黝暗而沉湎的空氣太混濁，甚至也因而混入廟外的雨水濕氣的潮解。我後來實在太喘不過氣了。但又覺得該做點什麼，冒犯點什麼。更後來，就開始在那寫著「攝影禁止，火氣禁止，燈禁止，素描禁止」的木牌前，開始寫字畫圖，寫寫畫畫更久之後，就甚至躲開那看守的老和尚開始偷拍佛像，那眞恐怖，因為一拍才感覺那種種天王或明王諸神像的神情都好凶惡可憎。

更後來，還坐了好久，坐到不知為何全身不對勁，或許一直被蟲子咬而抓癢但還是一直很癢。或許是因為被神明以某種不明的手法懲戒。但是，就是奇癢。撐不下去了，只好才不得已地離去。

離開前，要經過的側廡殿群的觀智院關門了。但是，我路過東寺的側門時，石頭路蔓延向前，走出去的石曲橋下的池水很黑，有手掌大小的烏龜在水裡頭伸出水面地緩慢而吃力地游。有魚身大到近乎妖怪的錦鯉，鯉身花紋從灰鐵色到白中透紅的好多條在那裡漫游，從容而優雅極了，像穿華麗和服般地輕微而動人地緩緩游離搖晃，有種難以明說的妖氣充斥在雨中的池中。

但是昭和五年不明原因屋身起火燃燒，那回失火很慘烈，過了許久許久才慢慢用極繁複的手法整修回來，食堂裡有另一座燒毀的千手觀音本尊費盡千辛萬苦才修好。所以廟僧人們好像很遺憾那些焦黑天王像的國寶資格因此指定被解除。但是我卻最喜歡那燒毀的食堂木造四天王像。那幾尊天王像只做表面補強工事，怒目惡神的賁張臂肌和矯健肉身，手舉兵器，腳踩著惡鬼，那四尊多聞天、持國天、廣目天、增長天。半毀的佛身還有木頭已燒成炭的漆黑又殘破的痕跡，連兵器惡鬼也燒焦了，臉孔神情都模糊不清到近乎神祕莫測，或許，這種無常，烈火，毀滅，重生或復活的想與不想，失神卻反而傳神，更接近祂們那好戰而殉身的可能身世。

我們一走出去，就完全不同了。古廟的梵唱越來越沉也越死寂。但是廟旁不遠的牆外頭卻傳來混亂而輕易出錯的銅管樂器聲響，試音，爬音，調音，各吹各的，法國號，薩克斯風，低音號，單簧雙簧管的尖銳一點的拔起音。所有此起彼落的音樂就出現在那廟身旁天空的那一端，那是一棟灰暗的建築。我想那是學校，後來果然發現，是後頭中學的管弦樂團輕忽的這個時代的某種氣味的練習。往後走。理極短頭髮的高校生，正在放學，三三兩兩，有的極度害羞，有的卻極度暴戾，有兩個近乎光頭的學生，幾乎在我面前就直接扭打了起來。一個巨大的完全不起眼的大建築，我想那是類似體育場的地方。因爲始終傳來有回音的運球太快而停歇扭身的那種籃球撞地外的較隱約的布鞋磨地聲，滋滋嗚嗚，還有吆喝，像劍擊練習的規律而疾速的出手要喊出的吶喊。太年輕的種種聲音的晃晃蕩蕩，不在乎地出沒，完全不同於這個梵唱永遠沉浸肅殺的古廟。

我有種被拯救的感覺。

五

「大佛也開始蓋房子了……」姑姑說：「大佛殿的師父負責的……像林口的頂福陵，那種整批的墓園，整理得很好，而且，裡頭還有塔位區，有各式各樣不同的葬法，很多種土葬，火葬，墓地一坪多少錢也有很多選擇，很周到。蓋得……好到像活人住的。」

「最大的建築很氣派，精心設計所蓋的主體，是圓形的，圓錐屋頂，圓屋身的做法，很特別，而且上面是藍色的琉璃瓦砌接得很高，下面的都是石材砌成，就像中正紀念堂那種很有名的風格。」

「甚至，還設計了很多層的階梯、廣場、水池、雕像，美輪美奐，那鳥瞰透視圖很華麗也畫得很細膩，我看過。」堂弟說，「而且延伸到很大很高的山區，但實在太誇張了，出現好多怪雕塑動物，好多怪亭台樓閣，好多怪電腦輸出圖……到看起來像主題遊樂園。」

「就是一般人說的生前契約，而且姑姑因爲年紀大了的開始常去那裡拜拜，和八卦山的大佛那廟裡的師父都很熟，他們說這種蓋法是由法人來做的，而不是透過政府的公家機關，但也不完全是私人開發商，主要是這個園區的中間要蓋一個廟會請師父來主持所有的法會，『帶業續』，這說法太不厚道了。」

「通常要有廟或宗教團體在後頭支持，還要是企業化經營，才有可能。一般的建設公司應該沒辦法做這種事，之前就說過這種生前買塔位的事，還可以分期付款，有很多優惠。」堂弟說著，用一種說風涼話的口吻。

「但，當時被一群一起拜大佛的師姊們找去看的姑姑卻很想幫忙，也問過我，這種買法會有風險嗎？我才出面，所以後來就請他們拿來看契約，果然在文件最後，是用建設公司的名義來簽約的，他們是說，這是爲了蓋廟的集資方式，用賣塔位的方式去蓋廟，但仍然有很多部分沒有說清楚……主要，還是因爲蓋得太……那個了！」

我在旁邊聽，沒有說話，但心裡了解，堂弟的「那個」是指太像動物主題樂園的可笑。但仔細想想，也沒有眞的覺得很怪，大佛現在和其他觀光名勝的地方一樣，已然變成是一種生意了，或做這種生意的最好的守護神，在八卦山的山腰，蓋更多厝骨塔或廟……我從來沒有這樣想過，但顯然這些事，這些廟要怎麼蓋都已經醞釀了很久了，不論我們怎麼想，或大佛怎麼想。但，這不就是「永遠」在這個時代被擠兌，被合法或非法都可以雷同地輕易占領它的下場。就在這時候，我看出窗口，在車窗外，有一整區的房子，斜屋頂的小屋一棟一棟，有秩序地排開。像個有花力氣設計過的某種度假村、山莊、別墅區，但又好像不是。奇怪的是門口車道迴轉的小花台草坪上，放置了一對正在交尾的銅製的巨大蜻蜓雕刻，極爲寫實，而且誇張，但再仔細從車裡頭往前看，才發現，那其實是一整個motel，有很大的霓虹燈招牌，但好像壞掉了，整區已然有點破舊，看得出來，已經沒有營業一段時間了，更旁邊，臨大街的那一片建築的立面，有些設計過的寶藍色窗台和門緣，本來是很明顯的，華麗到近乎炫耀的某種異國情調的高度想像的海邊度假美景。但現在變成了被遺棄很久的廢墟。像某種爛港片的妖怪扮像，假假的，但又很逼眞，我回頭去看，尤其是入口廣場那對蜻蜓的大雕像，更顯得突兀，因爲某些不明原因設計成這樣，也死成這樣。但我始終覺得這裡頭仍然有種難以明說的神祕差錯在其中。

這種模樣本來是一種Discovery式的更科學更健康的隱喻，雖然是色情的，但也是大自然的，是交配的，但卻是生物性的自然而然……即使是昆蟲的……放大太多，體位，姿勢太炫耀，但仍也算是一種藝術手法的呈現。雖然，一直分心盯著它看的我卻依然覺得毛毛的。

「這一帶本來有很多彰化的情侶會來，會開車經過，來這裡偷情，但這幾年都跑到臺中去了，那邊的motel更大更新更豪華也更離奇、更怪，」堂弟笑著說：「那都是同一家公司做的，交尾的昆蟲、動物什麼都有！」

「交尾中的多腳節足交錯盤接在一起像在廝殺咬噬彼此的蜘蛛、螳螂、蜜蜂、金龜子……那些巨大的像怪獸般的昆蟲，很殺，或是，互抱互纏臂腿如歡喜佛如人形蜈蚣般交歡又如肉搏撲殺的鹿、馬、熊、老虎，……各種毛皮還相接的馴獸或猛獸都有的哺乳類，也很受歡迎。甚至，什麼交尾姿勢也都行，聽說，還可以要求，指定，要傳教士式、背交式、火車便當式，還可以三P喔！哈哈……」一邊聽，我心裡一直很恍惚，不太明白這是怎麼回事。堂弟是我們家族這一輩，唯一留在彰化的，只有他知道後來或一直以來，這個我們從小一起長大的地方到底發生了什麼事，用什麼樣的方式，變成了什麼樣子。他露出有點耐人尋味的笑，低聲說：「現在公司老闆已換成出國念藝術念得怪怪的第二代接手了，那傢伙就是我小學同班的，從小頭殼就不知道在想什麼，很討人厭。」

最後，他用同樣說風涼話的口吻，對著我和哥，說：「那家地景雕像公司聽說很有名，當年還做過大佛前兩隻最有名的石獅子，我們當年還一起在那裡拍過小學畢業旅行合照的！」

「那一次同學會他帶大家去參觀他們公司，從他祖父輩們創業已三十三年，現在已弄到擁有九千坪廠房與完整設備、技術人員及大型青銅佛像製作技術與經驗。很誇張。他拿了一堆獎牌，甚至在民國八十二年榮獲金氏世界紀錄、民國八十六年獲頒什麼中華民國十大建築景觀金鼎獎。但型錄裡的佛像卻都不莊嚴，都好俗豔好金光閃閃到像霹靂布袋戲偶的放大，顏色更多，佛身與法器更凸顯，但也更可笑！我一點也不覺得那有什麼了不起！將高科技電腦與佛祖古老智慧與傳統雕塑美學之三方結合，自雕塑、電腦測定、放樣、製模、鑄銅、現場組合安裝，已然採一貫作業來做各種菩薩、各種神仙，或是塑造完美、莊嚴、慈悲、智慧的法相……本公司謹以虔誠的宗教意念，依據佛教造像量度經教理，繼承傳統工藝結合現代高科技設備和最好之技術來從事這些功德……聽來都很假！但，我唯一驚嚇的是他竟有大型的室內展示的地方，用以展覽各式尺寸或法相，一尊尊大大小小的觀音菩薩、釋迦牟尼佛、阿彌陀佛、彌勒佛、地藏王菩薩、關聖帝君、文殊菩薩、菩薩、韋馱護法、伽藍護法及藏傳佛教……好多佛像，但仔細放眼望去，展示的地方，卻只是大一點的辦公大樓隔間，輕鋼架天花板，塑膠地板都有點破舊，旁邊還有好多壞掉的ＯＡ辦公家具，破電腦螢幕，不能用的老式影印機……甚至，就像雜物儲藏的倉庫，日光燈管有的還一直閃，燈光黝暗，這些神明，在那裡，看起來，好委屈啊！就像被軟禁一樣。」

「其實，做佛像是當副業做功德的，現在主要case是那類motel外造景雕像，他很賺，而且什麼風格都有，卻也可以很不一樣，但他們公司做的，都很好認，因爲不管motel在什麼地方，雕刻成什麼昆蟲野獸，頭部都做成了人的臉，都長得很像，很俊或很美，但都是同一種交歡到某種極端的神情！」我腦海裡出現「那些巨大的像怪獸般蟲或獸，互抱互纏臂腿般交配交尾如咬噬搏鬥的姿勢……都很殺」的畫面。

「但到底是痛苦還是淫爽看不太出來，反正，就是又有點怪怪的有點好笑……」

後來，大佛拜完，回彰化的老家，就是一個很窩心又很擔心的家族聚會。

一開始是家裡的事，後來說話說太多了，就變成是切換成像對主禱告而回應的某種很沉的像告解的討論，或是，因此進入了又像家族病史式的相互療傷，更後來，更深入，才談到我們從童年走入中年後才開始回去收拾人生的雷同麻煩！

後來，從昨天講到今天，講了兩天，因爲，時間拉很長，清明的假，姊心情很不好，我們也很久沒認眞說話了，也一邊提到之前幾年回彰化掃墓的事，在長壽街老家，看年老伯父伯母姑姑的併發症，還說到那一代到我們這一代的病，都好雷同。

大家都開始笑，也同時開始怕，眞的家人的病的發生已夠麻煩了，還要追蹤病因……深入像喚回怨念並糾纏於這些病的餘緒嗎？不只是像傾聽回音，而更像開棺拾骨，不怕風水全壞地重新入塔那麼激烈，但我並沒多說也沒多閃躲，只是像一般敘舊地談著談著。

只是有一件比較特別的往事的片段，不經意地被提起，姊說得很突然，也很自然，但我卻十分吃驚，「你是在樓梯出生的」，她對我說她記得「在這個長壽街老家的一樓上二樓又暗又窄又高陡的那木樓梯上，媽走到一半，就開始陣痛」，那時她才兩歲，但我在胎內就近雙胞胎的重，由於太大，媽很辛苦，所以她記得很清楚！

本來，這話題只是因爲我開玩笑說，或許，像這種怪異地和其他家裡的小孩不一樣的我……只是抱來的，而不是我們父母親生的時候她說的！

我沒想到她會提到一個竟跟我生命開始有關的怪異場景，樓梯，而我，就在一個陰暗、歪斜、窄小，甚至是過渡性……的地點降生，這是多麼有意思的暗示，像生在山洞或河邊，生在車上或船上，甚至是生在樹下或生在馬廄……那種對後來一生的不一定重大但一定不尋常的「暗示」，或，就像時辰或命盤的小型格局解讀失靈，像路過的法師隨口的預言的不幸言中，甚至，就像不知胎生或卵生的亂實驗還是注定當草食或肉食動物的胚胎育種試管的錯位，但，這些，一如乘外星太空船墜落點或《魔鬼終結者》時間旅行出口的神祕「空間座標」作爲星艦精密算計而發射投影至「此生」「此地」的宣示，只是我更後來過多的幻想，當然，在那時，並沒有家人太留意，也沒有人再提起過，甚至，只是我姊太小太模糊記憶中的畫面像《關鍵報告》般的不確定的先知的猜測，並沒發生或只是可能發生，但，那樓梯，那長壽街老家的老角落，傾斜，陰森，一直是我們小時的怪地方，而且有種既害怕又常想待著的情緒糾結在裡頭，大概梯面又大又沉，而且因爲那是很厚的木頭做成，我還曾在階梯上擺滿玩具和積木，有角色有戰役地攻防如《魔戒》式的山崖，這種自閉地玩，是很冗長，很沉迷的，那樓梯，更細說，是更幽暗的，在老房子窄深長屋身的第一進最末端，從一樓地面起踏四五步，有個轉折，九十度，再往上爬高，沒有窗，白天還是全黑，只有昏黃的小燈，因此，空氣長時間是混濁的，有灰塵或蟲會躲在踏步夾縫，所以，待久了，總覺得不安，有種好像什麼怪東西會跑出來的感覺，或什麼怪事會發生，但也因爲如此，有時，可以躲在那裡很久很久，沒人會發現，別的小孩不太敢來，忙的大人也不太來管，但我自己卻很愛，一玩就可以玩一整天，有時被趕走，第二天又回來擺陣對殺，一直玩，甚至玩一整個月，都窩在那裡，就像史帝芬金《捕夢網》裡的美國鄉間小屋，卡夫卡小時的布拉格猶太墓園，或大江健三郎童年的四國森林的縮小版，那種糾纏了些什麼或想不清什麼卻又拉扯了更大更複雜的和另一個世界的神祕相暗通的地方！反正，就是像從過去至今仍在我心中某個暗處，而我已忘了許久，也從不知，而，今天，姊提到了更怪的這件事，我甚至不知道，也未被告訴過，在這麼多年以後，才明白，才發現，原來，我是從這「暗處」來到這世界！

但，這事，和這些事的曲折，都讓我困惑，也讓我更因之而好奇，今天說到這事，也很怪，因爲，本來是在談她的人生的困惑，或我們家人往往會因個性因教養而變成陷入這種相仿的困惑時，才提及……甚至，姊，是爲了辯護我眞的是生自這家的人，而且生在這家，她還在場，目睹這一切，這有點「曲折」的一切！

雖然，那樓梯，一如那老房子，已然拆掉二十多年了。

這些話仍使我想到一個朋友說他去印度時的另一個「曲折」，那是一個尼赫魯大學國際政治關係研究所畢業的極聰明世故的導遊說過的一個故事，他說：「在印度旅遊很久，那導遊會說中文，講了很多跟一般人一般書上不一樣的對印度的解釋，從古蹟，古食物，古瑜伽，到古宗教，都有很精闢而有意思的見解，但，有一天有一次很奇怪，因爲導遊認眞地說到：『每個人都有自己的樓梯，和別人的不一樣，在印度的古老人生觀，很特別，因爲每個人都帶著自己的樓梯在修行！』他想了好久，想不通，好奇怪，爲什麼修行要跟樓梯有關，過了一天，更仔細追問，才知道，是自己完全地搞錯了。」

他說：「因爲那導遊中文發音不太準，使他聽錯了……」

把「肉體」聽成「樓梯」！

顏麗子是如何把寶島大旅社蓋起來的（第5篇）肚臍。

或許，在極陰暗隱晦中才看得到最詩意的光，在極皺摺而塌陷的弧度裡才找得到最優雅的流動。

顏麗子有一回在做愛到一半時激動地跟森山說，在寶島大旅社裡頭，她希望每一個房間裡，都可以有一個最動人的角落，最好可以是一個旋轉燈，旋轉的時候裡頭會發光，一如燈罩上會有環繞的許多剪影的動物或小孩或神仙在跑。其實，沿著光照出那放大的動物或小孩或神仙的剪影在牆上，光一轉，它們的巨大的影子就好像眞的繞著整個房間繞起來了，那旋轉燈最好不只有光還要有音樂，輕盈但優雅而不憂傷……在幽微的光裡頭，巨大的獸或童或仙的陰影……可以在房間中黝暗但燎原般地跑了起來……

顏麗子對森山說，小時候，肚臍是她最愛的器官，有弧度，有塌陷，有皺摺，充滿暗示……

而且這麼醜這麼髒的器官，不但自己長得很奇怪，還長在身體上很奇怪的地方，人的肚子，從上而下，從左而右，都竟然在正中心，彷彿是最核心也最要害的地方，而且不知通往哪裡，往下，往裡，死穴般的穴位被鎖住，被封印，但是，人們對它的想像是那麼單薄，窄小，彷彿它只是一個廢物，報廢品，或是一個不再有洞的洞口。

顏麗子說，我們家裡的家人好疼我，即使他們完全不了解爲什麼我那麼迷肚臍，但是……她還常叫人家摸她，或給她摸，那是她們小時候的玩法。雖然大多時候肚臍的長相和味道都很怪，但是她永遠覺得那裡是肉體中最美最神祕的祕穴。她說，不知爲何，一摸到肚臍，她心中就覺得好幸福。

這竟然就是顏麗子勾引森山的方法，或說她讓森山著迷於她的祕密，就是每回做愛之前癡癡地舔他的肚臍，幫他摳肚臍裡頭的肚臍屎出來而且眞心流露她的熱愛地仔細地聞。

甚至，如同這種有點怪誕的對肉體的熱情，顏麗子也著迷森山的時常長出鼻孔的鼻毛。她開心地問他，他的鼻孔有多深，鼻翼有多寬，呼吸有多慢，鼻內的黏膜有多潮濕，鼻毛有多濃密多捲曲多柔軟，甚至，還更深入地追問他，更多的鼻洞修葺的種種細節，剪鼻毛會不會倒掉進去，喜歡用什麼剪刀，用什麼角度，照什麼小鏡子……這些荒誕的著迷……對於森山這種近乎有潔癖的日本建築師而言，他一開始完全無法理解，但是又深受其莫名的吸引。

或許，她和太多尋常的女人太不同了，有種隱隱約約的對人間的更陰暗而奇幻的想像。

森山後來就越來越入迷了。

從一開始好奇這個臺灣的美豔至極有教養的名女人爲何一直只盯著他的鼻毛看，並和他討論鼻毛和肚臍屎一樣地神祕，兩人爭論著爲何從一開始只長出來一點點到後來越來越明顯，還越長越迷人。到最後，兩人都爲了這種很難被其他人所理解的對陰暗的入迷而陷入熱戀，森山對顏麗子說，你所著迷的，也正是我所著迷的……對他而言，肚臍和鼻洞都太迷人了……那是一種暗示，一種隱喻，一種肉體的廢墟。那種著迷，一如一種最詩意的建築，拙而不藏，廢而不棄，一如禪寺般的禪機，枯山水式的枯，一如殘局，剛落成就變成遺址，那種建築的玄奧。

森山一開始有點不解受不了，但是後來反而被說服了，而變得更好奇更入迷……因爲那正是他畢生設計出來的那些往往太過華麗繁複的日本總督府或臺北臺中臺南州廳裡的遺憾，也正是他一直致力專注地想要找而始終沒有找到的建築詩意的玄奧。

而顏麗子讓森山在肉體上找到了。或許這些房間都很色情，而且很變態，但是，當他們一起躺在溫泉裡一邊緩緩泡湯，一邊沉沉說話，一如認識太久太深的朋友，她告訴他一個祕密，或許他也已然知道，我以前從來沒跟人說過，也沒有讓人到過，我的肉體的這種陰暗的玄奧，她對他說，這也是我希望在寶島大旅社裡找到某種玄奧。

旅社部（第3篇）地下室。

一

我跟她說……當年是那麼抽象又那麼眞實。

或許，就一如我們的房間裡看出去落地窗口的風光……是那麼龐大而高度奇幻的奇觀。這個城最中心的兩道混凝土精心灌注出的又高聳又漫長的橋身的無限延伸……從二十幾層高樓鳥瞰而出……一如這旅館所有房間窗外的雷同迷離的風景。那正是那兩座科幻片場景般的市民高架橋和建國高架橋的交會。彷彿電腦特效的許許多多車輛疾風般地疾速而過，不停地進入又不停地流逝……那般的房間裡看出的寂靜而美絕的幻象。仍然是那麼抽象又那麼眞實……

那地下室，一如那旅館……就是光華商場那一帶的縮影了。到處是難以描述的迷亂。最古老的和最新潮的、最慌張的和最從容的，種種亦正亦邪的場景，其中大量進出匆匆忙忙而面目模糊的人，一如這時代最入世的市井眾生，但卻又以某種墳場魅影式的偷偷摸摸地出沒、那麼龍蛇混雜地昏天暗地卻又閃閃發光……充滿危險也充滿祝福……

我跟她說。當年的光華商場……就在光華橋底層，其實就是一個橋面底的某莫名形成的狹長地下室。那必然是當年全臺北最著名的地下室。而且就在整個城那時代的最心臟地帶。垂直和水平的最大馬路的接合心口……忠孝東路和松江路相互交會。使得當年的臺北彷彿東區與西區、南區與北區……都是從這裡做爲經緯儀式的精密地切割測量標繪而重重打開的……但是，弔詭的是，這個原子核般的核心，橋心竟然因爲太多的堆積層而變成是一個飽含歧意的黑洞。那個時代，臺北。還那麼相信未來……最後，橋的出現，然後拆毀……正如所有城的寓言，都不免是某種從相信未來會更好的幻影而進入幻滅的快轉一回的特殊效果登場。

一如這個城對某種現代同時想像的憧憬和挫敗，光芒和陰影。

一如我的也從來沒有好好珍惜過的青春，在還沒有準備好就發生，在還沒有準備好就過去了。

我仍然記得我在那混凝土橋體底下的弧形夾層一如鬼市般的光影晃動中走過了我的青春期，雖然，空氣是那麼地黏稠噁心，舊書店的漬痕滿布的古冊古藉，好多隱隱約約的蠹蟲悄悄地從咬破蛀爛書頁中爬出，再隱身進入書店裡更深更暗的角落。

還有後來的更多古怪讀物……已被畫滿紅線摺角的髒兮兮的教科書參考書、印刷極糟又極老派的成套言情小說、武俠小說、古典文學、老佛經、勸世文、童話、沒有人看得懂的算命巫卜叢書……充斥整條暗淡的狹窄廊道。一如一個巨大但是早已癱瘓到被支解而論斤論兩賣的巨人看守的藏經館或圖書館。但是，卻因爲時代變了，文明毀了……而變成是個什麼都被偷出來轉好幾手變賣的鬼市……

還有更多的是……紙張很粗糙、字體很小的全部是字的小本子色情小說，女體畫得極誇張又極醜極俗不可耐的A漫畫，巨乳蜂腰套色走樣甚至已泛黃的美女封面色情雜誌……

最後是很多電腦零件、積體電路、主機板到記憶體、更多黑市的長相怪異的高科技零件。

那幾乎是一個充滿隱喻的博物館。一個時代的縮影，倒影在某個更歪邪的橋體的橋腹，某個古老但搭了很多攤販的石窟寺廟群，幽暗又閃亮，深沉又膚淺……但是卻那麼地具時代快轉到近乎失控的種種代表性。彷彿那些街頭廣告看板上的永遠嶄新卻又馬上過時的電腦機型、變成更後來更快翻新遊戲代言的童顏巨乳穿緊身黑皮衣殺手辣妹……那麼地華麗浮誇的虛幻。

我不知如何跟她說，對我而言，那老場景……老是一個那麼難堪的狀態，在種種場景與時光的夾縫……所有的雨淋風吹腐敗的書漬、便當沒吃完的剩菜餿味、A書上手淫殘留的乾燥精液、橋口叫賣的叉燒包湯汁或豬血糕沾醬的又香又辣的氣味……彷彿都還聞得到、還漫散在橋腹下弧形混凝土跨度的陰影中……久久不散。

一如房間窗口看出去高架橋更遠的彼端……那對面的校園，就是當年臺北市裡唯一的工專。我去過那裡。沉默、害羞、用功到完全不了解也放棄去了解旁邊的世界是如何運轉……一如我長大過程，身邊都是這種人。這種種……離開電腦就很沒有安全感的小宅男變成的老宅男。念工科的工程師雖然是好人一定好悶。像呆伯特或像麻瓜地對所有長大過程的被欺負一直忍耐到忘了自己在忍耐什麼的……在低壓的青春氣息中繁殖出來的這種人。

我是一直到看了日本偶像劇的著名的電車男，才知道……這種面對眞實的無窮挫敗，彷彿是不可能抵抗，也不可能改變……的一開始就注定的下場。完全不可能追上愛瑪仕小姐的死心場地，卻又不甘心放棄。那是一種必然的戳破，時代改變得太快所形成的怨天尤人。

她說她有看過電車男。在房間裡。她突然對這一切幻境有了感染……她覺得臺北這個城好奇怪，好骯髒，好躁鬱……一如她的躁鬱症患者般的不免擺盪，極度憂鬱地死寂沉溺擺盪到極度急躁地衝突激動……她在說她從小在京都長大後回到臺北繼續長大所遭遇的種種的困難與害怕……她說她陷在這個城和這種病裡頭。後來，又過了更久，久到沒人記得有多久了。她老是覺得人好累，事好多，長大好辛苦……甚至，只記得她一直在生病。一直在抵抗一些她所沒辦法抵抗的……這個人生和這個城市雷同的躁鬱的什麼……

我不知道如何安慰她。

二

我只提到一個這旅館附近的另一個地下室。

那是一個盜版A片的店。

那是一個完全沒有辦法描述的地方，甚至，完全不存在，不應該存在，像一個被詛咒的洞穴，需要某種身帶怨恨或邪念的衰人才能進入，那種斷頭谷裡不祥又不潔的黝黑深林樹洞般的令人不安又想去求救，或是十八王公廟的荒涼遙遠那種拜亭極小神格極低但香火仍然鼎盛地靈驗……那種不可思議的亦正亦邪的引誘……或說，就是一個怪到令人瞠目結舌的地下室。而且，這個店就在這個城的像核爆後核燃料還在外洩的核心這一帶……因爲，就在這個怪旅館旁，就在這個沒有光的光華商場附近。從某一個玉市旁的地洞般的樓梯口進入的……

那洞口就在市民高架橋下。玉市邊，房子又舊又糟，很不起眼，但一定開很晚。

有時候的太淺或太深的夜裡……我已然忙完到完全地失序，像怨念未消地不甘心無處可解又不想回家的恍神渙散時……會故意繞過去那一個地下室。一如去找尋某種無法救贖的救贖，沒有寄託的寄託……像去拜一種陰廟的萬應公求求自己買的絕對不可能中獎的樂透獎券可以中個小獎我就來幫您修廟……那種誠懇不已的邪念，那種完全消沉的傾信……因此，找片，就像求籤般地卑微而貪婪……那麼地可悲而可笑。然而，現場是壯觀的。他們一個禮拜有進數百部日本色情片。又快又多到令人難以相信。分類像圖書館那麼仔細而專業地謹愼，沿著櫃位的排列：口交，自慰，巨乳，美腿、美臀，迷你裙，女體，內衣、吊帶襪，潮吹，風化，兼差，泡妞，偷拍，高中女生，女大生，女教師，人妻，護士……令人眼花撩亂極了……甚至，還有些更怪而更特別的。老闆說目前還非法的，會被抓的。那些無碼的、SM的、更不道德、更變態的同性戀，強暴，色狼，亂交……也有。甚至，有的還有中文字幕。很多奇怪極了貨色是我過去從未看過的。而且還都被整理在A4資料夾，在櫃上，一本一本，一櫃一櫃。美國的，日本的，歐洲的，臺灣香港大陸的，網路抓的，盜錄的，各式各樣。太奇特地太多……

甚至，夾雜在其中……我還找到過年輕時代看過而消失許久的很多實驗性的藝術電影。巴索里尼的《索多瑪一百二十天》，大島渚的《情慾世界》、《感官世界》，貝托路奇的《巴黎最後探戈》……種種太古老的色情片，及其裡頭種種泛黃陳舊的光影……

我印象最深的，是有一陣子，抓得太緊，SM的不行。他們就把片子封面穿黑色皮帶鐵件的又性感又有設計感的內衣，全用卡通圖案的可愛動物臉蛋在電腦中沿著皮衣帶狀的線條貼滿全身有性虐待暗示的衣著配件。如此一來，就變得更可笑，會看到那淫蕩美豔的乳房陰唇側緊貼滿了卡通印花，像巨大的豐胸山巒陰毛濃密叢林深處站滿了許許多多小隻的小叮噹，Hello Kitty，小丸子……就像它們整齊地排了一整排……面對著我笑。就像某種荒謬劇場裡最殘酷又最滑稽的反諷，人生的歪歪斜斜的鏡像所投影出來反而更眞實地無法解釋碼現實。太荒唐卻反而更逼近這時代或這地方的陰影深處的光的隱隱約約……

在裡頭待太久。我老覺得像在昆丁塔倫提諾用他那混亂又嘲弄的鏡頭所拍的波赫士的小說改編的電影。整個離奇，或就是蔡明亮、大衛葛倫堡、柯恩兄弟的那種怪導演所會拍出的怪場景……不小心遇到一些更奇怪的人生的死角，小地方的小人，骯髒而幽暗。但卻很糾纏，揮之不去。這個店，就像一個入口，一個密室，一個實驗室，一個有著比一般人那種怕事又單薄的人生要尖銳而冒犯很多的迷人氣味揮發出來的地方。但是，即使如此有意思，我這幾年偶爾去，還是很低調，很小心，也還只總是和店家的人們保持一種客氣而疏遠的距離。挑完片就走，不太逗留。

那地下室其實是一個有點潮濕、骯髒的地方。桌上，空氣中，充滿菸，檳榔，維士比……雖然死白的日光燈很多很亮，冷氣也一向開得很強。但仍然有著一種隱隱約約的惡臭味。尤其是洗手間，很怪，我總是忍著，能不去就不去。因爲，有點可怕。氣味不好還好，從來不整理。有很多雜物，還有一個生鏽的老舊老鼠籠。我常在尿騷味混著某些潮濕掉的紙箱，鋁箔包飲料，餿掉吃剩便當的氣味裡。看著那空的、但有時還有鼠屍的髒兮兮的舊式老鼠籠，一邊尿一邊屏息。而且，因爲日光燈時好時壞。有時進去了很久，燈都還沒亮。門一關，就在全黑的密室窄狹空間裡。就尿了起來。就這樣，就在漆黑裡。就在有時還聽得到瀕死的老鼠撞擊舊式金屬籠身的滋滋作響那種低聲卻刺耳極了的不堪之中……就這樣，老擔心牠還會不會爬出來在黑暗中竄到我的腳旁咬噬我或就暴斃於我的鞋旁。

就這樣，我彷彿進入了比這個地下室更地下的地洞深處的暗黑，人生難以解釋的幽微……握著自己的軟弱無力的陰莖，一邊尿一邊屏息地想：

「天啊！我怎麼會在這裡……」

三

那地下室A片店的老闆長得極醜，近乎猙獰的醜……像刻板印象中的壞人、歹徒、術士……濃眉、禿頭、眼睛突出、鼻梁塌、方頭大耳但又不修邊幅到有點猥瑣、滿臉總是因喝酒或嚼檳榔而暗紅，但是皮膚卻又黝黑又粗糙……到就像是鍾馗那種鬼見愁相貌的醜惡……就是有種近乎天不怕地不怕的霸氣。乍看，就像一個凶神惡煞，蠻橫而咆哮……現場只要他一說話，旁人就乖乖地聽，就像在訓話或交代些什麼，或是在嘲弄或嗆聲些什麼，幹你娘雞掰、幹你娘肖雞掰的口頭禪，不是在句首就是在句尾……

可是，去久了，就感覺到他放浪更後頭的底子是很動人的，他有某種看似桀驁不馴到過人的野生氣息。但是仔細打量才會發現他藏匿而偶現的眼神卻是那麼地奇特地閃閃發光……其實，即使是吹牛或唬爛……他那永遠中氣十足又咄咄逼人的話一出口，就知道他是老大。在那地下室的混淆空氣和昏黃光暈中，像吳樂天講古那般地鏗鏘有力到近乎強辭奪理……但是卻醞釀成某種極強烈的感染力，就是那種很台很海派的江湖氣……亦正亦邪到令人望之生畏，但是，這種過人的野生氣息話語裡……卻仍然時時感覺到他一生實在見過太多大風大浪才有的練達而世故……

甚至，有點交情之後，他變得客氣。招呼客人像招呼家人、兄弟……那麼熱絡而溫暖。感覺得到他是很照顧人的，某種典型的有脾氣有肩膀但完全沒架子的瘋瘋癲癲的大哥……

他老說：「我爸才眞的是肖仔，瘋瘋癲癲到像仙人。他是眞正的走船的船長啊……」

「在那個年代，他甚至會看天尺。用看天空星象就可以走海……就像劉伯溫。或孔明。上通天文下通地理。還會卜卦算命種種神通……」然後，就開始講古了起來……「走船的故事……」他大笑地哼：「說三天三夜也說不完……」然後，那老闆一開始說他爸爸說到自己的一樣瘋瘋癲癲……後來。就越說越大聲起來了……

他說他以前自己後來也是跑船，以前抓魚跑到自己有船。他只想完成他爸爸的心願：就是老了……可以買一個島。但是，時代變了，更後來的跑船就不抓魚了，只帶東西，你知道嘛！跑大陸，什麼都有。從多好的紹興茅台到多老的古董古玉……甚至多狠的紅星黑星，都有。他露出一種奇怪的笑……手指伸出拇指和食指比出手槍的形狀呵呵地瞄準我，說：ㄅㄧㄤˋㄅㄧㄤˋ你知道吧！哈哈哈！

老闆說因爲時代變了，所以他雖然沒他爸爸那麼有神通，卻跑了比他爸爸更多的地方。看過更多的事。你們不會知道的……我船隨便一開就去日本了，沖繩只離臺灣七十海里。從香港以前的海盜洞穴、越南最多新娘出口的船港，到印尼的老時代走私鴉片的祕密航道……他都去過。甚至當年天安門事件的時候，他還正好船進了天津那一帶人在北京辦貨，狀況太糟，還被拖住了，甚至差點就回不來。

故事太多了。聽了你不會相信的。

在海上。跑自己的船是很過癮。想去哪裡就去哪裡。沒有跑過的……是不知道海有多大……有多野多自由……天氣好時，波完全平，甚至，就可以看到臺灣整條中央山脈。像一條龍，龍脈……風景美得像假的。但是，海太野了……好天氣的海變那麼平，那麼安靜，反而是很不好的。一定會出事。就算沒出大事，過一兩天。馬上就變天了。

進每個港前都有好多港中暗礁式的島，臺語叫「撐仔」……他說，那是小小的島的意思。那裡的人有自己的叫法。進港要躲得開……有的島大了，就變成軍用的。像火燒島、綠島、龜山島……種種。進港之前要會認，不然就會出事……霧有時可以濃到船上的人彼此都看不到。以前船開靠近金門，還被威脅過。因爲他就曾經到過濃霧的小金門附近，怕暗礁比海防還怕……後來，靠太近，也就會聽到槍聲來嚇你。

這就是船長的本事。

船上有太多故事，掉下去連屍體都會找不到，以前只能靠輕驗或只能靠直覺開船。現在還有羅盤、衛星定位可以看……以前都沒有。所以老時代走船更不容易。他說他念過海事學校。但是更早以前會看天尺的我爸是教我記口訣。一如……對北極星，認方位，有星圖。還有潮，一天來回四趟。潮的口訣。初一退。十五漲。初三，十八流……海上看月亮比陸上快五分鐘。很亮。像假的。

所有奇奇怪怪的口訣都要背。

以前有些船長。潮太熟了，臭屁到丟一隻拖鞋在海上……潮再怎麼變怎麼跑，他兩小時之後，還可以回來找得到。魚，他說他最懂。大大小小，魚種太多，很不好認。連烏賊，都有幾十種。他所有的臺灣附近抓得到的魚，他都叫得出名字……臺灣現在不行了，近海沒魚了。連一公分長的鰳仔魚都撈光了。他的船十九噸。後來不跑了，前幾年表弟借去捕魚苗，滲水，就沉了。連牌也沒賣，你知道嗎！光牌，一噸要一萬多。遇到颱風，十幾級風都遇過，船要跑S形。航線要穩住，不然就會被浪追到，一定翻。船再大。也比不過天。常常在船上……遇到太多壞天氣的浪大到要繩子綁身上，才能站在甲板。有時候，在某些最慘的時候反而會想開了……他大笑地說：每次都想……這次過不去。就去給海龍王當女婿。

臺灣再地震，我就眞的去買個島，招待你們，我就是老闆，當島主……

後來，他的地下室，就是他的島……那當島主的老闆還是一樣熱絡……最後講船長的故事太投機了，就想到要請我吃檳榔。

本來，他前幾回提過要請我……但是，我都婉拒了。但是，那天，卻是我想到或許可以跟他要來吃。因爲，我一輩子都沒吃過。卻看了一輩子。

他開始說起他從小跑船就跟他爸爸吃的菁仔檳榔。那年他才十出頭歲……沒吃過檳榔登不了大人的。他大笑。還誇口那一袋一袋，都是國寶，包的葉是山上的、白灰是海上的貝殼燒粉。所以是山珍海味……

「貝殼燒了怎麼會是白的。」我愚蠢地問……

「像骨灰啊！」他笑著說。

「很厲害吧！這些好幾樣白白綠綠的東西最後放在一起咬，卻會變紅色。像血……眞的是國寶。一吃，心臟就會一直放大地跳，熱起來，發汗。主要是提神，很累很冷時吃最好。」

他脫到剩一件短袖襯衫。還沒扣扣子。露出很大的肚子。

我想到上回他來了幾個兄弟。我從來沒有這麼近地遇到這些人。但在這裡我卻覺得沒有那麼不安。他們一邊嚼檳榔一邊在談當年「在裡面」的事。我假裝沒聽但一直偷聽，太有意思了。他們說過去的事。用他們的語言。幹你娘從頭到尾出現在話裡……

印象很深。在裡面是在監獄裡……他們好像到處都去過或朋友到處都有。然後就一起在罵哪一間伙食最糟，哪一間裝潢最俗，哪一間附近還可以買檳榔叫小姐……

他們就這樣一直嚼檳榔一直幹譙……說起，在臺灣其他地方的還好，但是嘉義的最「硬斗」，哪一間老闆最雞巴，裡頭完全不能「假肖」。

有事，會被關到抓蚤子相咬。他笑著說。

他們最後就一直在聽船長老闆講他吃了一輩子的檳榔。他開心地說了很久……南部的和我們這裡買的不太一樣。恆春的，比較澀，不好吃。但是整個南臺灣都種檳榔。沒辦法，要會挑。

這眞的是國寶。我祖母吃了七十年，現在年紀大了，沒牙，還用彈殼，把檳榔塞地去，用一枝三岔的金屬頭放進去搗碎，再掏出來吃……每天都一早就吃，不然就沒精神，而且第一口吐掉，吐出來像血的紅色渣，只像深色的甘蔗屑或中藥材。甚至助腸胃，還可以通便。女人病很有效。反正，很神，就是一種藥。

不知道的人，還以爲她怎麼一早就在吐血……

後來，他一邊說著檳榔的故事。一邊嚼得我就眞的熱了，也發汗了。而且，竟然我覺得背痛好像眞的有好一點，沒那麼緊。

跟你說。年輕人只會嚼口香糖了。沒人會吃了……檳榔現在不能亂吃了，要會挑，年輕女的不會弄。嘴巴一咬就破，吃了發汗，降火氣。但是，有的人不會吃的。要吃夾一顆有點甜的心。他一直笑，說著：那心都有泡過化學藥，比較甜，但是有毒。亂吃會得病。內行的都不這樣吃，也都吃歐巴桑包的。要挑會包葉的，會吃起來很嫩而順口的……好壞差很多。

有的還吃檳榔枝的心，一根一根，細細的，像菸。很自然……也很補。

檳榔西施。根本沒用……

泰國也有檳榔。東南亞都有。但名字不一樣。我們的從《本草綱目》就有寫到。其實，就是中藥。

最後，他說：「檳榔。這名字很有學問的，竟然還是蘇東坡取的……」

他在說檳榔的那一晚……我還記得，那櫃檯旁。有一台電視。正在播日本的地震。同一個螢幕。是海嘯淹沒農田一路捲走卡車、船、甚至房屋、機場飛機，後來則是核電廠起火的可怕畫面。

那老闆說：「免驚啦！日本要是沉了。全世界也差不多沉了……」他也一直笑。

後來他兒子就轉到卡通頻道，也一直大聲地在播。旁白用可笑的中文翻譯地說：「魔族統治了卡拉西城。殺了三天三夜……」電視上出現了許多很誇張的畫面……畫得不好的低等卡通片，可愛的人物角色騎著動物……但卻努力地廝殺對方，噴紅血，刀刃充滿山谷，死人遍野。但是，最後還活著的，只剩一個魔頭。長得很猙獰，出來叫陣。但卻一直在笑……

最後，我說太晚了，不好意思打擾那麼久。他們還一直說，沒關係沒關係。從地下室出來，半夜二點半。他們還出來陪我等叫的計程車，說光華商場這一帶，最近出過事，過年前後有人被搶。

但是老闆說，我自己就是壞人，我不怕。

上了計程車才想到了他兒子，就在這又髒又臭的地下室的A片堆裡長大。我看過他在好幾年前還在抱……長得好快。

「我做這做十年了。」他說……他兒子一邊看卡通一邊抖腳，後來，在椅子上睡著了。不是想睡，只是沒有人陪他玩。

他正專心在看電視的兒子，長相根本不像他。那小孩長得很像眷區裡的人，清秀，小眼睛，小平頭。國字臉。但他卻長得那麼醜得嚇人，但我沒問。甚至，看電視的他的小孩非常凶。很貪玩，很糟，太寵。我從來沒有跟他們說過這麼多話。

我記得後來在無碼光碟的壁中夾層的密室裡，一直聽到他在外面發出怪聲，尖叫，丟硬物到牆上。「這樣沒禮貌。」他爸爸終於說了。

可是，我更記得後來他那船長爸爸仍然還一直在嚼檳榔，一如我。全嘴都紅，像在嘔血。但仍然一直笑……

四

船長老闆說……很少人知道，以前的這裡，其實原來是一條河和一條鐵路的交會口。

其實，我知道……但我沒說。這裡在那麼長的時光裡，使這個城有了那麼長那麼不同的交錯……瑠公古圳和縱貫鐵路的交錯，清朝和日據的交錯，農業時代和工業時代的交錯，這裡頭種種古代和現代的、路上和水上的、橋的和站的、書的和電的、機器的和電子的和數位的……不可思議的交錯。這裡，就彷彿某種史詩電影般的快轉，鏡頭沒有動，所有的非法和合法的種種人地事物滄海桑田的滄桑一直動……

他拿出一本又破又泛黃的像老畫報的舊書。上頭寫著……

清乾隆年間，郭錫瑠父子在臺北盆地中開闢一條水圳，作為市區範圍內農田的灌溉用途，也就是後來的瑠公圳。日治時期一九三三年時，在「特一號排水溝」含瑠公圳第二幹線兩旁先是開拓了六公尺寬的道路，通稱為「堀川通」，並在此處設立一個稱為「北臺北乘降場」的簡易鐵路車站，戰後改稱新生車站。一九四五年時，特一號排水溝兩旁的六公尺寬道路的堀川通被接收臺灣的國民政府命名為「新生南路」。一九六三年，位於新生南路正北方，隔著縱貫鐵路鐵路平交道（今市民大道）的方向，有條新修築的四十公尺寬的松江路正式完工通車。

由於松江路和新生南路的道路寬度相差甚大，當局於是對已經失去灌溉功能，主要被用來當作都市汙水排放系統的特一號排水溝進行加蓋工程，並配合兩岸原本已經存在的六公尺寬道路，新生南路於是由六公尺拓寬成四十七公尺。為了降低鐵路平交道的負荷，當局設計連結松江路和新生南路的光華陸橋，這個路橋同時跨過了鐵路和八德路，這使得松江路和新生南路上的車輛可以直接透過路橋聯繫彼此而不用經過鐵路平交道和八德路。

昔日位於光華橋下的光華商場大門，一九七三年四月，市政府利用光華陸橋下的公共空間設立光華商場，與更早被拆除的中華商場一樣，是臺北市最早興起公有商場。初期商場內部非常簡陋，每單位僅有兩坪，最初的商家主要來自牯嶺街的舊書攤與八德路一帶被拆除的違建戶。因牯嶺街五十八家舊書攤集體遷徙至光華商場，自此光華商場便取代牯嶺街成為舊書街的代名詞。更後來，舊書業者多半轉向兼營新書或改營武俠小說及漫畫書專門店，甚至銷售錄音帶、錄影帶、海報等青少年用品。舊書業不景氣了，在一九七九年之後又慢慢導入古董、古玉的買賣。

更後來的現在陸續有許多更流動的走私大陸古董的攤子聚集在這一帶更遠的周遭，帶更怪的古物……更鬼鬼祟祟地拉客……

老闆說：幹你娘！美軍才是開頭……

這裡的更後來更新興的電子零件市集的出現。竟然是因爲更大的時代驚愕與恐慌的交錯……

書上寫著……一九七九年中美斷交後，駐台美軍撤防，遺留下大量的電子器材零件，流入光華商場的二手貨商手中，加上商場緊鄰省立臺北工專有充分的市場需求，使得光華商場漸漸轉變為臺灣音響與電子零件市場的先鋒。一九八五年位在光華商場正適逢臺灣電子代工產業興起，原本以販售電子零件為主的商家們也開始轉型銷售各式電腦硬體與軟體，周圍兩條街道內的區域，也開始開設起相關的電子、音響、通訊與電腦賣店。最後就連日文書籍與電影、遊戲軟體，甚至法規禁止的成人影片與成人遊戲軟體等無法透過正式的代理管道輸入，都以民間的海盜版集中在這一帶……蔓延開來。

長年以來所有人在這一帶都像海盜……出乎意料地發財和破產的生意都在這一帶……用某種最世故的狡猾、狂妄、大膽、冒犯……蔓延開來。他說。所有非法的偷渡的鬼東西都在這裡大賣。瘋狂地大賣。像瘟疫一樣……

在旅館的落地窗前，我們仍然發呆……但，我跟她說了一個夢。和這一帶有關的某種怪異的情緒。當年，在那個剛搬進去的巷中老房子裡，氣息極煩躁，所有的家人都在某種焦慮不安之中。那房子極小。極不舒服。但是。爸不在了。也沒有出現。時間是我們家破產而從彰化搬到臺北那時候。不知爲何，突然顯得很激動的我跟母親說，我要有自己房間，但是，家裡很亂。哥在一堆雜物中完全不在乎地看電視。家還很陌生，所有又骯髒又混亂的眾多紙箱都還沒拆。後來，不知爲何，我竟然開始吵。找在這種爛地點的爛房子，光華橋附近的巷裡。後來起了更正面的衝突。哭鬧。那是從小極安分的我所不可能發生的狀態……

更何況，那時候的家裡正因父親的去世陷入極大的哀傷恐懼於那種被眾叛親離的難過裡，甚至就是從家族被流放或從故鄉被永久驅離的不甘又不安的驚慌之中……我後來就極後悔自己的不懂事，自願被懲罰，去修很老舊的燈。插座是老式的，而且在天花板上，很難修復，也很危險。要爬上去仔細地安裝，線路又亂又舊，用多插座的轉接頭。我一直擔心會被漏電的線路電到……而極恐懼。後來，我竟然在同一條也可以仍然看到橋頭的巷子裡。遇到鄰居的一個女的，跟我告白。我沒有說不好，但也沒說好，之前好像就談過了。一路走，從看完煙火或慶典出來，往回走。晚上，樹兩邊，上有燈。她遇到一個男的，說要嫁給他，包養，工作，和我幽會。我的反應也出乎我的意料地冷靜，清晰，自信。我變成另一個跟害父親破產的生意上那些仇人們很像的人，狡猾狂妄，大膽，冒犯。像某種太世故的說話方式，感覺。又尖銳，巧妙。緊張。光是泛黃的，年代。充滿當年太年幼的我還看不懂的看似客氣而禮遇的陰謀。沉悶地沉穩的敵我不明的敵意。

後來那晚，就這樣累壞了。在夢裡抱著那女人，但是卻失落而重病了。全身無力。流膿。咳血。沒睡好。醒來已經天亮。

她安慰我……你永遠不會變成那麼世故的人。

那旅館一樓玄關有的歐洲老式的全身盔甲，騎士，兩個，真的。雕花的曲型金屬。手，肩，頸，腰，還有繡花繁複的紅絨布。貴族的飾帶。雖然是嶄新的。但卻是從西班牙定製的。底下還有認證的公司徽章印。好怪。甚至，四個電梯口中牆面上有一面大鏡子，旁邊四周是金色木雕，城堡、劍、盾牌、頭盔的切割嵌入的鏡框。巨大，華麗，但像是拼裝的，壞毀過的老時代古城攻陷後了的遺址遺物，再重來。但也是嶄新的。炫目的金漆都好像還沒乾。

剛check in時，我們在旅館的一樓餐廳裡。吃他們著名的英式下午茶，用一種九宮格的餐盤。裡頭的點心花樣很多，四鹹五甜，很華麗但很不對勁……我看出餐廳巨大落地窗外的水池巨柱涼亭，水景很誇張……我跟她說，這個旅館的餐廳一直有狀況，來的人一直不太對，我有點受干擾。送來的千層麵是涼的。

想到之前有一年還特別和哥哥姊姊小孩來吃年夜飯，菜上得又慢又糟又貴。人手不夠，又太年輕，細節全不行，這回很像。我還記得哥哥帶他兩個小孩到水池邊去看魚，又跑又跳，我一直擔心他們會掉下去。桌上。姊和嫂好像在談一些事，哥哥的小孩到處跑而尖叫，也僵住了。我還在打圓場。小孩一直在抓魚，說他長大要當船長……那年我知道哥哥和嫂嫂有點狀況，好不容易全家上臺北來過年。和我和姊姊全家聚著過除夕。但變得有張力，使得這很大很空的五星級餐廳的華麗地方，變得很令人不快。我想到一如《華麗一族》那偶像劇的開頭，除夕的全家在一法式最高級名餐廳裡吃年夜飯，但父子、兄弟、太太情婦卻內在角力得很慘的伏筆。所有人的、家的……彷彿在地下室最地下的陰暗深沉都浮出來了……就在這旅館裡。

後來，我們就回房了。我才跟她講起那個夢裡的曾經搬來這一帶的我家的故事……也才講起船長和他家的島主的故事。

五

我想到的是剛送她走，經過市民大道和八德路交會口時的玉市一帶的老光景的氤氳……想到那回去京都。在北野天滿宮外的市集。好多好多攤子，有些京野菜，有些燒物，有些古董，有些舊家具，但我感觸最多的是老衣服，尤其是和服，好多，好華麗，但，又好可憐。當然有些也不怎麼好，但一件一兩千，被翻得一團亂。看了眞心疼。但，只用很少日幣買了一件的舊和服。布身顏色和刺繡的花依然好美。我好想買一大堆好好看的布回家做包包，做衣服，做什麼都好。也買了一件舊的傳統和服，背後還有鏤空蕾絲形雲和松的花紋，很正式。買了配那黑罩衫的前開襟一對綁的彩色變化結的許多打法的繫帶。還有好幾件，試穿好多次，都不錯，料好極了的絲和綢，形和版各有特色，但她沒買。因爲想到前幾年在東京買的兩件的古代正式和服，後來卻一次也沒穿過。

還好想買一件很大到三米長寬的完全手工的很多細節繡線金屬環扣的蚊帳。這裡就是西陣織發源的西陣。京都所留住的穿的最極端的講究的現場。但卻是用這種唐突的打量。拮据的買或找或不得不的放棄。我想到這些老衣服，一如在打量老時代的最後一瞬……那種不捨。

我在那裡總是會因爲太專心而不免分心……因爲，天黑了之後，玉市攤子還有些打著幽暗又微亮的燈光，使那裡的半明半夜的隱隱約約的光影扶疏……就像是一個不小心打開的古代。那一帶，太迷人地迷亂了……幾乎每攤都是從事玉石或古董的買賣……有些店就是在自己家裡門口，而專注……在很窄的廊道或巷道裡的迂迴曲折中，仍然有攤子一家連著一家，有的叫賣得熱烈極了，有的低頭在看古書，有的人家甚至就在自家的店裡拋磨玉石，很忙碌……尤其在打烊中的玉市攤位群旁邊是更多但因爲是晚上，也都沒開的這時代的另一類怪店……

入夜就關門的髒兮兮的修車行、汽車材料店，再過去點，就是一整排的二手的舊手機店。還有漫畫店，貼滿陰陽師、超能兒童、爆乳妹系列大型海報。更外面旁邊是一些更奇怪的店，賣無線電、消音器、鏡子、各種沾染油汙的二手汽缸、排氣管、引擎……像某種未來世界裡走私機器人的不法黑市。這種怪異的時空錯置，更像是打開了某種這個時代裡夾藏古代的發霉帶漬痕的氣味……

雖然是玉市。但是仍然有太多古怪的古代行頭……太多神祕但又像假的、雞血石、田黃、銅器、瓷器、藏教法器、各種大大小小的古怪老佛像，在那種暗夜，低矮而狹窄的舊騎樓，堆滿了不起眼但細看又極駭人的攤子和古代器物……有的是大陸跑單幫客，有的是臺灣人，但看起來都像在江湖中打滾很久的狠角色，眉梢壓低，眼神緊鎖……打量著來來去去的過客。我始終入不了門……只是好奇，從來不敢下手，年輕時也在這裡買過一些小的成色不高的玉器、銀器。還有一回買過一盒清代的紫檀木雕每子都極大的古象棋，去送我愛下棋在入院中癌症晚期的父親，但是，那也是許久以前的事了……

有時，甚至，還看過路口某一個老古董店，騎樓很多座大型的石刻得怪怪的觀音，髒兮兮的彌勒佛，建築柱腳的怪童子或猙獰的獅子石雕，但是，都刻得不傳神或像刻壞的，有的則是破損得面目模糊極了到已認不出來什麼神明的神像，都參參差差地堆疊在那裡，很暗，很不起眼。仔細看，很不忍心，就像可憐兮兮的落難神明。但那三太子模樣的怪童子仍一副很逞強地神勇，石刻的臉神是睥睨的。但是，我經過時已然有點晚，那更後面是下雨的快速道路深夜。偶有車開過才有光照到，石童子的逞強臉龐還會閃現一下。但是隨後就隨即又黑暗下來，有種奇怪的悵然……更增添了某種莫名的陰沉。

地下室那A片店的老闆說，下回要買玉來找我……

他說這裡的玉市，一家不起眼的小攤子，也有些貨可以找。但是，大多人是不會看的。會看的……來這兒有些店裡買玉會自卑。尤其是有些附近大樓祕密房間裡的店……要有人帶才進得去。下回就找我……他一直露出邪門的微笑……他指著他桌旁深漆櫃裡的店中唯一一個精緻而皎潔的角落，那是他買過最得意的一套乾隆晚期非常逼眞的玉擺件，雕的竟然是春宮……他說，你仔細看，這才兩個手掌大小的宮殿後花園玉雕場景裡，除了小建築旁精雕細琢的大隻玉花鳥蟲獸的意外中，最栩栩如生而幾可亂眞的意外……竟然是一對比旁邊的牡丹和蟋蟀還小的半穿半脫古官服卻露出性器官行房中的男女……連他們眼神的淫蕩恍惚都還看得很清晰。

我實在很難想像……就在他拿檳榔給我吃的右手指上還戴著一個顏色極美極溫潤的古玉指環，他說是乾隆墳墓裡陪葬的古玉……很像是夜明珠般的光澤從指環散發出來，像是古代最海派的幻象……但是卻是出現在這一個古怪極了的地下室，出現在這一家名叫臺灣龍捲風的色情片盜版店。就在這個地下的像墓室的密室裡。那些數萬張的色情封面的光碟上美少女的穿著大膽暴露到極度誇張的環肥燕瘦……對我而言，在這裡，在那古玉指環前，像一種太恐怖龐然的吃驚，突然更爲令人恍恍惚惚難以置信地……因爲，這些太眾多而美豔的A片女優，在這地下室的黝暗中的某一瞬間看起來，眞的，就像是爲某不明皇上陪葬的王妃宮女們。

他說，露出一副自負極了的神情……要鑑別一塊玉，一定先要從顏色和光澤看起，判斷它是眞玉假玉，再看它是否經過人工處理，最後根據它的色、透、勻、形、敲、照等等精密而小心的研判，從所有玉的很難近乎完美的種種細節講究來挑剔並挑選它的等級，他手裡收了太多玉了，太多像人參果那種看起來像嬰兒的肌膚肌理那麼細膩的玉，數千件……

他還是繼續地用一種彷彿在唬人但卻又極度專注的口吻繼續說下去……難的玉還要有機器來看，來作測試的實驗，測試折射率、比重、用手持分光鏡看硬玉的吸收光譜、用一種叫查爾斯的濾色鏡看硬玉是否染色，用顯微鏡或放大鏡看橘皮效應、砂孔、裂紋中有色素沉澱。螢光燈看螢光反應，做A、B貨判斷的參考。操作有一種叫做FTIR的紅外光譜儀區分，才能夠辨別出玉的眞假和是否有經過人工處理。

他那麼地炫耀……還那麼不屑地說起假玉，說起有很多仿白翡的東西，其實是水墨子，有些甚至只是玻璃；仿和闐白玉，其實是阿富汗的大理石。包括硬玉、軟玉、原石，商業上所謂玉的A貨、B貨、C貨及各式各樣的玉的仿冒品，以爲是水墨子，但是又有明顯的貓眼，有的專賣冰種玉器、玻璃種白翡手鐲。很多擺件還是未經拋光的半成品，玉原石。很像白翡的玉手鐲……他說，這些假玉從掛件、擺件、手鐲、原石……都有假的。他買過太多假的了，交過太多慘痛的學費……

但是這玉春宮，他淫笑地摸著那對穿古代官服行房中的玉刻男女……得意地說……可一定是眞的啊！

六

完全不可思議地……怎麼會有一個那麼巨大的工業遺址，就在這個城的城心。是那麼舊的，也是那麼空的，空太久了。就竟然變成一個公園。在那個夢裡，我跟她說，所有的色情幻術的發生，是發生在一個彷彿是噱頭的怪異場景，而且就在這個旅館的附近。就在名叫華山的老酒廠改建的某個怪異的藝術公園前……那古蹟房子環繞的門口廣場，也竟然就在光華商場旁。從我們這旅館高樓的落地窗口還勉強看得到……

整個夢就發生在那廣場旁最華麗而古典的老酒廠建築前，有個自稱OM的祕密組織，盛大地召集了一千個練瑜伽的高人一起倒立，在某一個熱天午後，一如法會或禪修，就聚在一起，只做這一個難度最高的動作，看似逆反地心引力的逆行，而且是時間無限制地……越久越好，發願著、較勁著、修煉著。使得現場的時光好像因此而拉長了或說……就甚至是……停了。

更仔細打量，所有的狀態都更荒謬了，所有的瑜伽倒立者都彷彿變成印度教古廟上頭的石刻雕像的那種古怪地逼眞，而且就在那彷佛悉達多王子跟著眾多苦修僧坐於莽林中虔心苦修打坐現場的凝神，因此，所有的空氣也跟著都凝結了……所有人倒立的汗如雨下，太多肉身看似不動但驚心地凝於一種姿態、一種狀態的寂靜而逆行、一種瘋瘋癲癲到近乎頸背手臂多重摺疊又筆直翻回挺立的最後光景……那終究是像幻術……那麼地驚人而壯觀地奇幻。

那時候，我們在旅館房間裡，還正看出落地窗外的風光而發呆……

我勸她混一點，逃離一點，其實我也逃不掉。

那天住進那旅館的我還正在生病。但是，看向窗外的高架橋。塞車已然塞了四小時。天沒全黑，到九點多。車還是在高架橋上緩慢移動，那麼奇異的美。慢動作的某種凝神，所有的情緒的醞釀，糾葛而放大而延長，後端在前端還沒散落就又集結的不可能解除的糾葛，遠方無限遠般的浮現，速度的消失。就這樣，我們在窗口凝視著別人的悲慘。主要是因爲下班，又下雨。動彈不得地無奈……使生病的我反而很開心。

她幫我口交時，我把手指頭放入一個指甲深到她的菊花洞，我想對她做更激烈的肛交。但也擔心她會痛，所以沒問。但她也沒阻止，反而是我沒有再深入了……其實，那時她幫我舔陰莖舔得太深也太細膩繁複，使我更不好意思再要求更多。

「這回的做愛很好，就不用很深了。」我說。

她在笑，怎麼了，還好啊！別擔心，她說，只是我腿痠了。

我邊做愛邊在她耳旁說情色的話，呻吟，叫，但是她都還只是微笑。

後來，就兩人靠向大面落地窗前……坐在那一張長躺椅上。我扶她的臀坐在我的腿上，想要面對窗外風光插入，想要激烈地抽送。但是，我的陰莖一直不夠勃起……或許，因爲正對面不遠處就是臺北工專就是十幾樓的男生宿舍。使我想到我學生時代，念和尚學校的性幻想。不就是這樣了。用望遠鏡看遠方大樓的窗口中故意裸體的男女的不知羞恥地性交。這就是當年可以想像最色情的後窗風光了……但是，這一天。不知爲何，就在這裡從落地大窗面看出去：我們只是面向多車的高架橋，疾速，或閃光……

窗外依然寂靜極了，一〇一摩天大樓在遠方雲中仍然看不清楚。我也仍然不知爲何無法勃起……

就在這時候，我跟她說起……那個夢裡的所有的色情幻術是如何發生的……

在夢裡。在那廣場的凝神中……我竟然也在那一千個怪異的瑜伽苦修者裡頭。甚至，跟著在做倒立，你竟然也在那裡，更也在做倒立……

離你不遠，你戴墨鏡，天氣太熱，人太多，空氣都是汗流浹背的潮濕，還夾雜淺淺的但揮之不去的某種體臭和狐臭的隱隱約約……使那個場景，所有人彷彿電影特效複製的戰爭或選舉或災難場面的群眾一樣的奇幻，顯得眞實了起來，但我也顯得越來越吃力。

我跟她說。在夢中，我們好像認識很久了，但是是在打禪七或林中苦修那種從沒說過話……古怪的交情。偶爾交換眼神，微笑……但是沒有更多的交情。所以，當我發現你從倒立的姿勢下來，還竟然走向我……在眾目睽睽中。你竟然就走過來，打量了我一會兒，繞了我走了幾圈，就竟然開始接近我，以一種後彎用輪式那種近乎不可能的姿態倒頭幫我口交時，我簡直嚇壞了，也完全無法相信。怎麼會這樣……而且現場太多人了，但沒有人注意我們，大家除了倒立就是或坐或臥的休息，全場都那麼專注也那麼渙散。

那麼爲何沒有人留意到你正用極高明而貪婪的舌頭舔噬我勃起的陰莖，眼神還注視著害羞的我，我快摔下來了，但你還扶著我的腰，愛撫我的臀，那麼地熟練，天眞，專注地像在進入一個極難的瑜伽動作的瞬間，五個呼吸，一二三四五，我無法動彈，龜頭極大但又極不安地被你雙唇濕潤地裹住，舌尖停在我滲出淫液的馬眼縫隙，你不知爲何可以那麼緩慢而從容，舔得如此色情淫邪卻又爛漫天眞得像女童……那時候的我還不知道爲何後來你這女童爲何會變成一隻母妖獸，那麼激動暴力地姦淫我的肉身。只是雙眼緊閉，忍住一直要射精的衝動和要跌下的晃蕩……腦中一片空白，又無比撓動。

我跟她說……在旅館裡。來看吧！不信，你往落地窗外往更遠方更仔細看……那瑜伽廣場眞的在那裡。

夢裡，我在那剎那，有時睜眼暗地打量一下你，仍然害羞而不知所措，但是，一如我發現的光景中的那種停格，畫面裡的你的臉仍然是那麼地令人心動，那麼地純潔近乎無辜，眼神閃爍著慧黠但隱藏的妖媚，但是還偶然露出淺淺地微笑，整個後彎到不可思議的身體弧度是那麼美絕，那是練就許久才練得出來的柔軟而仍深具某種精準力度拿捏的過人姿勢，彷彿每一道頸後、腰身、彎臂、曲臀都有著密密麻麻的汗滴抹出的那種種力度而散發的張力的奇異性感……

所以，當我陷在這倒立動作太久而專注而大意時……更幻妖的時刻發生了。更不可能的畫面的更深的變形……燥熱的空氣開始混濁凝結起來，有種風的流轉變換的飄渺而使得我內心的悄悄跟著慢慢崩塌潰的那一瞬間……

就在那一瞬間，你的手指頭開始伸長而像關節調動所有的肌理肉筋的賁張時，顯得那麼地駭人……變形爲某種搖晃得如此有力量的曲度集結又隨時伸縮變成的長鞭、觸腳、花蕊蕊心的放大數十倍的搖曳生姿又令人心畏……你那二根食指原來纖細柔軟的指端都開始變得黏稠而腫大，肌膚質地厚度長出升起數層皮膜，乍看，竟然一如長出了龜頭。還更誇張地炫耀著堅立硬挺出整條鞭身的曲度弧形……那時候的我仍然是苦撐著倒立的最後時光，但是，越來越亢奮而不安的心裡不禁想起更多擔心……

天啊！我心想，果然發生了……她長出了龜頭。她眞的是妖怪。

天啊！那是二條肉蕊心的騰空旋起，彷彿舞蹈或武術的最動人出手，甚至是長如蛇身靈巧地晃動逼身而來，就在空中迴旋數回之後顫抖地侵入我，就這樣地……幹了我。

天啊！而我還竟然很開心。那其中一條如蛇的指端挺進地伸入我的來不及閉住的雙唇中，往喉嚨深深探入。另一條則更離奇，那更堅硬如龜頭的鞭長莫及……竟然就在迅雷不及掩耳的剎那，繞過後腰，從兩胯的後頭盤沿而最後就硬生生地插入我的肛門，在我又痛又興奮地伸縮肌中抽送了起來……但是，你的雙手仍然還是緊緊握住我的陰莖，舌尖牙齒仍然還是妖媚而高難度地舔咬我的陰莖……更後來，我在某一個時刻裡出神。在這種眾目睽睽地害羞、被口交地繁複撓動地銷魂、被雞姦般地從唇口從肛門地插入地難堪……的出神時刻，忍不住地射精了。

但是，就在那剎那，我才回神，才發現，在整個古蹟建築廣場的龐大而無垠之中，在豔陽高照而所有汗流浹背的人都正看著也汗流浹背交歡的我們，彷彿在看一種最高難度的馬戲團空中飛人，或就是吞劍者吞劍的那魔幻到令人屏息的一刻……但是，那時候，我才發現我慘了。停不下來了……那時候，才連你都失神而得意且妖嬈地笑起來……就端詳著我，端詳著我的雞巴……我那變成幻術般搬演起來的雞巴……但是，我沒有搬演，也沒想到會變成幻術……完全沒有準備，也不知爲何會變成這樣。其實我害怕極了。但是不知爲何陰莖卻硬挺極了……

因爲我的龜頭彷彿被打開了一個最妖幻的黑洞，所有的最陰暗的什麼竟就一直被汲起被喚出，停不了了……而所有慘白忍不住而噴出的精液竟然就這樣一直繼續地狂噴，激射一如某種最絢爛的煙花……越來越華麗而爆裂……完全沒有停歇的跡象。就只是繼續硬挺地射精，一直射一直射……

她笑了起來，安慰我，你的夢不用害怕，其實一點也不奇幻……或許只是你太愛面子，或許只是你太不敢打開自己，或許，也只是你太迷的那些日本色情怪電影或動漫畫看太多了。這或許才是你無法勃起的原因……那只是意外……她並不怪我，反而更安慰我。

然後，我們就因此沉陷於後來的在旅館裡半夜看到的旅遊生活頻道節目某回旅行的意外。

那是主持人金髮少女布莉姬遊西班牙的有點色情但不太奇幻的奇遇。她正訪問了兩家店，有一家夜店叫失憶。另一家叫太空的motel。

從最東部的港口、燈塔、餐廳、旅館。沿著庇里牛斯山脈開始走四十五天。才能到了的最著名的狂歡Ibiza島。最後，她坐在那島上吃一家知名的早餐。遇到了一群剛從名叫失憶的夜店狂歡出來的一夜沒睡仍然精神抖擻的性感立陶宛少女們。

她問她們在Ibiza這裡能否找到眞愛。她們大笑地回說……這裡發生的事，不要帶回家吧……就留在這裡就好。後來，她還被招待去參觀了達利和他情人的家。一進門，她就馬上衝向紅唇沙發。甚至，她坐上去完全不提這超現實主義名藝術家的這藝術名作在當年藝術史上有多著名地引發爭議……卻只說：天啊！這顏色很配我的粉紅高跟鞋。

然後，她就走入那更超大超歪斜的臥房，看上一面更扭曲的如蛋白軟綿綿的鏡子。還看到達利爲了使他自己睡醒就可看到太陽所做的一列很深的弧狀天窗，窗扇旁邊還放了很多好萊塢明星送的動物模型。

畫面的最後，她愛上了最後達利所喜歡的天鵝，他所畫到他的畫裡頭的不像天鵝的天鵝。還有他愛的天鵝死了之後所做成標本的三隻天鵝。甚至還有破的天鵝蛋殼做到他家的屋頂。粉紅色的蛋殼竟還就做在斜屋頂尖最顯目的尖端。

她說，天啊！爲了配我的高跟鞋粉紅色，我也想要死在這裡。

顏麗子是如何把寶島大旅社蓋起來的（第6篇）分屍。

一

顏麗子在寶島大旅社完工的那一天清晨……作了一個噩夢。

在夢裡，她被分屍了。而且屍塊散落到歐洲的那些她一直想跟森山去而一直沒法成行的古城裡……她的頭在阿姆斯特丹的桌上菜單有大麻的髒兮兮酒吧台，兩個瞳孔還很狐媚地盯著酒保，雙手在西班牙多雷多山城的古書店倉庫角落，死抱著一本失傳的煉金術古籍，被齊肩砍斷，還在汩汩滴血。曲線很美的雙腿反而卻正應景展覽在義大利米蘭發出紫光的當季時裝櫥窗裡，淌血的小腿肚跟著散放螢火般的酒紅網襪而撩起某種又色情又時尚的奇幻感，卻一點也不血腥。最後，只剩那雙乳豐滿而陰戶陰毛濃密如名模般的美豔身子在倫敦西敏寺旁老橋上的血漬裡。在橋頭旁專注地拉提琴演出布拉姆斯奏鳴曲的老頭，渾身發抖於太冷的現在的冬的初雪，只是邊拉又優雅又沉寂的琴聲，邊注視著她的仍穿著巴洛克式馬甲的既性感又殘酷的肉體，發呆，遲遲不想報案也不想離去。

最後，森山把她的被分屍的所有屍塊都找回來了，然後用最複雜而小心的方式一一放進分開的裝滿福馬林玻璃培養皿裡，然後，陳列在寶島大旅社入口大廳的最顯眼的地方，像一個古觀音寺裡放佛骨舍利的最神聖的可以頂禮膜拜的佛龕。

從這個夢裡醒來之後，顏麗子，就完全崩潰了。

她那幾年蓋這個旅館被這塊地的地煞給煞到了……法師說，她失心的這樣子看起來，至少要一年，家裡請了一個法師來救她，作法，念咒，試了好久。之後，就在寶島大旅社落成後的那整一年，她一直都在恍恍惚惚中，一開始，她一直哭泣，哭了好幾個禮拜，什麼人都不認得了，一直到更後來，彷彿失魂落魄的她才說，她好像死了，不，她已經死了。因為那一年是太古怪了，對她而言，從來沒有過，甚至極端到有點殘酷。

好奇怪，一開始是太入迷了，太得意了，完工的前所未有華麗而完美的寶島大旅社使她覺得自己也變得太完美了，太具體了，太表現了，就是太充滿自信，但是，那都太虛幻了。她老覺得自己太強大，可以面對所有困惑和解圍的種種可能，就算是沒辦法處理，也可以泰然自若，在這旅館的完美裡，她彷彿著魔了，她竟然自以為可以完全看到像是有了神通的自己的完美。

「我已經進化了……跟著寶島大旅社，這建築，這神物，這棟我的女兒，一起進化到另一個結界，完全地入神，完全地出世，完全不再受所有的現世的影響。」她說。所以，後來，她卻崩潰了……更後來，慢慢有點恢復的進步，也已經是一個多月後的事，但是，雖然不再無故地啜泣……但是，仍然始終在恍神的她還是無法完全回神。每天，都只能打坐，讀佛經，一如疊被子寫日，那般地做早晚課，吃素，受菩薩戒，而且完全地不見人。

每天都像一個新的末日，她說她無法想像明天，只能用一種最樸素的心智狀態活下去，就像今日事今日畢，甚至和家人朋友親戚都完全不聯絡，和所有人分手，甚至不和人說話，進入一種只有自己一個人的狀態，或說，一個抽象的密室，囚間，或說一種只有她自己看得到的閉關的結界。

那一年以來的改變過程，家人只好讓她住進寶島大旅社的塔樓的其中最末端的一間，彷彿一種她每天早上自己煮茶，焚香，撥佛珠，念《大悲咒》，讀經，甚至完全不讀自己喜歡讀的書，不聽自己喜歡聽的音樂。就這樣，過了一年，才好不容易進步到……不會討厭別人了，之後，是不會討厭自己了，有時候，還可以對旅館裡的家人開始有一點點回應，一點點善意，一點點祝福，願意得到季節的天候的回饋，願意讓旅社裡的家人來幫她，她一直陷入一種害怕被現世的東西所無形地影響……而不自知。

她說，在寶島大旅社的完工一如她生完一個女兒。出了事，卻不知道過了多久才能痊癒，她甚至不記得發生了什麼事，在那一年裡，在那一年裡的寶島大旅社……常常有人會在半夜看她在夜遊，後來才知道穿著睡衣的她其實是在夢遊，她並不知道後來發生了什麼，到底她的出事是爲什麼？至今原因眾說紛紜……有人傳說她的感情被森山遺棄了，有人傳說她裝瘋躲旅社透支太多的債，有人傳說她被嫉妒的仇家下藥了，有人傳說她被寶島大旅社地底挖出原來的枯骨冤魂……所附身。一直到了一年後……她才有點轉機，才開始感覺到自己的彷彿產後憂鬱症的恍恍惚惚終於過了，強迫症過了，有些轉折……過了這一年，突然……才進步到可以聽到現世的聲音，聽到自己的聲音，聽到自己。

她自己在一年後回神，卻仍然很好強……只堅持說她沒事……只說她在修行。

就像日文中的，森山跟她說的禪宗裡很著名的一個字是，純，那就是，完全的純粹，像武士道，那種，完全，什麼都不要，要進入「純」的狀態，完全不要，才能看到自己，看剩下什麼。那很難，就是，每時刻都是有很極端的感覺和知覺的，自己。但，這種改變是很不容易的，要很久，之前都失敗了，試得不夠深，不夠久，在寶島大旅社的完工了那一刻，她好像感覺到自己有一種很內在的什麼……也從此就完全改變了。還需要後來那一年……的進化，「或許我只是需要更退化一點……」她說，她不能再跟隨現世外在的影響活下去，而是完完全全是從自己的角度活，要可以看清楚，可以接受，而且是完全地了解現世，了解現世的別人，才進而可以了解自己，聽到自己，聽到自己……

「聽到……這多難。」顏麗子說。一如佛教的苦修，在很久的入定，才可以像當年釋迦牟尼在苦修多年之後的……頓悟，那是一個非常重要的改變，一個指標性的徵兆……那就是「聽到」。

那是突然的，因爲頓悟，他竟然可以開始聽到森林裡的各種聲音，那是他在苦修時完全聽不到的，他把自己打開了，打開到所有的感官突然又回來了，在寶島大旅社的密室裡的她說，她聽到了……那是多麼驚人的狀態，多麼驚人的畫面，彷彿這個旅社幫她打開了她的所有感官、幫她看清這裡頭其實存在著無限但平行的多重結界……

一如顏麗子感覺到……在寶島大旅社的深夜的最深處，只要她打坐到入定，就可以一如釋迦牟尼在巨大陰森的叢林中一棵特別巨大陰森的大樹下的雷同打坐，經歷了多回惡魔邪靈的威嚇引誘的失敗撤離之後，這個面貌身影狼狽又憔悴的印度王子，終於回神了……她，一如那王子，仍然只是繼續而專注地打坐。但是，突然可以那麼栩栩如生地「聽到」，那種「聽到」太奇幻了，使整個寶島大旅社的長廊、大堂、塔樓、曲梯……種種華麗古典的角落瞬間轉換成某種電影中的視覺特效雖然做作但仍然駭人的場景。

顏麗子可以在她的旅社裡最隱密的房間中……栩栩如生地聽到感覺到身旁的豬籠草捕食金龜子之後分泌著溺斃溶解蟲屍的滋滋細響，花豹侵近的喘息的輕盈，象群路過的參差腳步的沉重……太多太多動物的植物的鮮豔華麗的滋長，太多的大自然的變幻無常壯闊的種種……一如，風吹起的咆哮的撒野，雨淋下的成天成夜的啜泣，雲的在陽光閃爍縫隙中的吶喊，土的潮濕而潮解而與蟲的屍體一起的吱吱作響的腐敗。

寶島部（第4篇）彰化大戲院。

一

我仍然記得那是一種太未來又太古老的恐慌……在一趟太遙遠的宇宙旅行中，一艘黝黑老舊的太空船，一艘載有沉重噸數礦物由別的遙遠行星運送回地球的路上。電影就是從被船員稱為「母親」的太空船電腦收到一個來自鄰近星球、無法解析的訊號……而開始。

「母親」將正在冬眠狀態的船員們喚醒，使他們能夠去偵察訊號的來源。醒來的船員們把礦物及提煉設施留在行星軌道，用拖曳用太空船登陸該星球，但機體被粗糙的星球表面造成了部分損壞。

隊長和隊員很快就發現到訊號是來自一艘不明來歷、且被遺棄的太空船。他們進入古老而華麗的黝黑船艦圓形核心內，發現該船駕駛者早已成為化石。並在進入在該化石下層的隔間，發現數量眾多、像有機生物肌膚的蛋胎瓣膜中……。其中一隻瓣膜如觸手般地裂解打開來，從黏稠的汁液，扭曲的蛹身……那隻爬蟲肌甲殼的外星怪物從裡面跳出，侵蝕且刺入了他太空服頭盔的面甲、該生物類似觸手指的腳緊抓住他的臉部，帶尖刺的狹長尾巴則纏住頸部，更後來就帶著陷入昏迷的隊員回到太空船。那是恐怖悲劇的開始，密密麻麻的密室殺戮……

異形，就用最陰沉險惡的殘暴……開始極恐怖而殘虐地一一吞噬了所有的人。

那是我多年前的噩夢……第一次看到異形的地方，我嚇壞了，但是又不知為何那暗室……那麼逃不開。甚至，又那麼地入迷。

那是我小時候的一段從美夢變成噩夢的時光，那一段父親在生意做到最大的時光……

他在彰化開了一家電影院，就叫做彰化大戲院。在那個時代，是全彰化最新也設備最好的一個電影院。放最新上檔的電影，尤其是外國電影。在彰化，相對於那些原來的老電影院……我家的那個在某新大樓高樓中的戲院，更逼眞的放映技術所呈現的銀幕的畫質與音響的特殊效果式的栩栩如生……就像是一種外國的租界，一種眼光與視野，一種比較接近未來或接近全球第一線的幻想的暗室與密室。

其實，小時候的我並不了解這電影院對我的人生的後來產生了什麼可怕的影響……甚至，到了近四十年後的現在，我竟越來越覺得……我彷彿始終沒有離開那一個幻想的暗室與密室。

其實，那時代，就是我國中念臺中的教會學校時，我住在寄宿學校的寄人籬下之中……青春期剛開始，就被放逐了。每週回家一次是難得的，一如軍隊的少有而奢侈的假期……那段時光，我在內心裡其實已然慢慢被剝奪而甚至剝離了彰化的所有的最深的所謂故鄉的根深柢固的聯繫與依賴或許是信服與耽溺……剝離了種種依依不捨的什麼。

使我已經慢慢變成了另一個我，另一個人，另一種的我也不太認得的外人，成人，異鄉人。對故鄉的所有都越來越陌生，而且完全是在不知不覺之中完成的。雖然，那個年代，小學剛畢業的我仍然還是想家，想回家，對家是有依賴的……而這種最後的鄉愁，竟然就在這個時差中植入了……這個我家剛開的電影院……彰化大戲院。

因爲，每個週末下午回來，家裡其實沒人，媽媽和姊姊都在彰化大戲院裡。我從臺中坐火車到彰化火車站出來，就會先走一段不遠的路去電影院找正在那裡忙的媽媽和姊姊，那是一整個下午，甚至到晚上，她們就叫我等她們下班再一起回家。

有時候就陪她們說話，有時候幫忙賣票、收票、算帳、看放映機……所有的電影院的每一個房間每一個倉庫每一條走廊每一處前台後台放映室……我都太熟悉了。就像個陰魂不散的亡魂，《歌劇魅影》中的魅影……就老是自己跟自己捉迷藏式地……在電影院裡頭所有的角落晃蕩。

或是，待得更久了，她們就叫我進去看電影，一邊看一邊等，可以吹冷氣又可以睡覺，時間到了她們再進來叫我。

就在那電影院的黑暗，我就覺得好窩心又好溫暖……好像回到家了。

那個電影院其實在那個時代……就是我家的客廳，我家的沙龍，我家的臥房，我家的祕而不宣的密室。

我擔心的是這些在我家的電影院裡的回憶的找尋，會像一種心理醫生式找病源的打探，打探我一開始的小時候要找回的在某些腦袋裡角落的深處，很可能已然消失了，或像某一個最裡頭最困難的埋得最深的鬼東西。打探有些已然是被人連根拔起然後慢慢的枯掉，或是沒有完全拔起來雖然不會完全枯掉，但是沒有拔起來那些地方有可能還是會爛掉或會出別的問題……那種種內心的恐慌與罣礙。而且，在那麼多年以來已然完全忘了，就像一部太久以前看過的電影，只記得片名，但是，已然完全不記得裡頭演什麼了……

這種連根拔起的……我的人生。我以前想過，可能是我得了一種歷經了重大災難後的失憶症。或是這種遺忘也可能是我很怕去面對的某一種狀況：一如我太快地就變成是一種很容易被辨識的人，我的一生太快地變成很容易被下結論的事。一如一部比一生短太多太多的電影，在片尾有本事中情節裡最後的但太草率的交代。

其實，我也只能像小時候待在彰化大戲院的種種暗處角落或放映室裡對電影更歪歪斜斜地打量……從某些銀幕側面的找尋而拼湊出那電影中故事……甚至拼湊出那電影如何被拍出來被剪出來被放映出來般……地繁複。最後……才慢慢開始接近那時代的我自己。

甚至，在這個老戲院前頭，相對於那小時候的時光……我，就像從惡靈古堡剛爬出來，膝蓋和頭蓋都壞了。恍若隔世地回到一群當年的來看電影的花美男女的人們前頭，狼狽地像烈日灼身的吸血老鬼挖太深祖墳而終於曝曬血肉於盛夏，對好不容易來的電影院裡吹冷氣的涼意，還是有種難以明說的難以消受……

突然想起來在這個電影院裡頭所經歷的所有。一如在我的小時候……是那麼地可笑。一如電影一般，這塊失憶的小時候……或許在我內心中搭起的古老舞台要展技，綁鉛塊綁腿，打梅花樁般地重新喚回……或許也只是像一個輕薄而尋常的家族聚會，不用在乎更多後來的親情的泡沫化，或許這些天倫之樂或故鄉懷舊的泡沫還要可以變成是對我的失憶的下藥，而且是有溫情有講究的感人質地。

在那裡頭，小時候一定是天眞的，不容置疑的美好。但是，爲什麼出事了……爲什麼對我現在而言，小時候發生過的種種……在這裡，變成是根莖盤下土製炸彈式的內心妄想。

其實我沒多想。在這個我家開的後來就倒了的電影院前頭，我一直想起好多畫面……電影裡的電影外的……我所藏身過的那裡頭所有的暗室與密室的角落。像是我已然殺到墓穴了，風水也破，只是開挖要有更多當年我的不甘心的氣息和體力和荷爾蒙，甚至是要把傷口挖開來醫更裡頭的膿瘡，多年後的現在，如此浮沉地長游，吸氣閉氣，長夜漫漫，才想起自己想進入的小時候，那些家的故事與事故，可眞是可怕又可笑……像血又像番茄醬地斑斑血淚。

但是，在這個重新開挖的彰化大戲院前頭……我也因此挖出而找到一些新的內傷和瓶頸。一如所有失憶的病人的症狀，老是覺得每件事都想不起來，或是想不清楚，或是很沒力到好像每件事都黏住了。老是覺得自己呼吸緩慢到像高山症發作般……每回找到什麼就像同時遺失了什麼，使得回憶每回往事甚至每回從往事起身的找尋都那麼地疲乏而困難。大概災難後的心情一直沒好，而小時候的餘緒又都回來了，而更不太甘心。

使小時候的我，在完全不知道發生了什麼事的結界裡完全地變成了一個自己也不再認得的像陌生人的成人……令人想哭又想笑。在那些電影的幻想所無度攻堅的小時候，一如盛夏的無度中暑，一如種種的失憶過程的間接傷害，我已經完全長大了，長大到完全……走樣了。關鍵不是老了，而是壞掉了。不是召喚痛苦，是躲不掉痛苦。

這像出事的老超人那曼哈頓博士的問法，他已然不是人了，沒有人的肉體，甚至也沒有人的靈魂了……但是，他唯一的念頭，卻仍在火星上想著「自己的超越」始終不可能完成。

像開飛機還是用開車的速度感或打檔轉駕駛盤的手感……像在電魚的時代了還繼續用釣竿釣魚，還離水三寸……像小時候我走進的那黑暗的電影院裡，我沒辦法想清楚那電影爲什麼會發生這麼多事故……一如我始終沒辦法想清楚我那家族到底發生了這麼多事故是爲什麼？或對逃走的我是什麼意思？我或許只是在蒐證，而也不知要找出什麼案情……或許在我重新想像出來的小時候……這甚至根本不是出人命的恐怖怪現場，而只是個開家族派對的歡樂老地方，一如難得聚會的過年、婚禮、中秋……大家在烤肉的煙，不是我胡亂猜測的火葬的陰魂式的不散陰影……

我搞錯了。

有辦法回答我爲什麼失憶的問題嗎？在電影院裡，在我家的電影院裡，我彷彿只是在尋求一個個家族的厄運後來找上我們而遲遲不去的解釋。

或是，我早知道，只是不承認，其實，我仍是有點忐忑……看了一輩子的電影，卻從來沒離開過電影院。如今那電影院倒掉了，一如我那敗掉了的家……我也才開始切身式地切入我人生眞正的要害。我的小時候的線索再怎麼用心用力地找……也還沒足以完成這家的故事的血肉。因爲……那畢竟只是引信。甚至，一如……祭品拜光，天葬場屍骨都切更碎讓兀鷹吃得更乾淨，我的失憶的魂魄還是沒被超度成功，仍然困住了，困在自己都還沒發現自己已經死很久了的幻覺裡。或就是開始的阿茲海默症那種天眞得令人又好氣又好笑地逞強。像什麼都馬上忘了的坐輪椅的老人還生氣地對剛剛推他來的兒子說：「當然是我自己走來的！不然你以爲我是怎麼來到這裡的……」完全地自信也自詡，但是事情發生並不是像我想的那樣，或事情根本就沒有發生。就這樣，我也越來越懷疑……我從來沒離開過我小時候我家開的電影院。這些我似水年華追憶出來的……只是我的失智幻覺，或自我解嘲或自我慰勞成某種敗家子或人間失格的恍惚。

一如一部描述男主角悔恨一生的電影……一如他在片中那些同情式的召喚與附身式的畫押……眞的是「最

終」的「超越」的回答或至少的提問了他的童年對他一生的陰影？還是只是揮手致意，焚香召魂，香燒完了就地走人……那種客套。

因爲，當年走進那個彰化大戲院的暗室裡，所有外頭的煩躁的光都會消失，在暗室裡的空氣變得涼而甜美，一個個最接近未來的故事打開了。

雖然在裡頭，我看過太多電影了。看到了國片的《流星蝴蝶劍》、《三少爺的劍》、《山中傳奇》、《梁山伯與祝英台》，更看到了外國電影《第凡內早餐》，看到了○○七，看到了《金剛》，甚至第一次看到了《教父》，一個紐約的義大利黑手黨的家族捲入的廝殺與恩仇，看到了《現代啓示錄》……看到了我人生不該那麼早看到的啓示錄般的故事的啓示……一個越戰的美軍上校轉變成土著頭子的險惡與荒謬……還有更多更多電影裡的光怪陸離。

我想家裡的人並不知道我看到什麼，或被打開什麼……尤其，在銀幕裡一個外星怪物出沒的密閉太空艙的恐慌與懸疑中，我看到了……《異形》。多年後，當我重新看到了這部《異形》前傳的電影《普羅米修斯》，我始終覺得這是個多年未想過的妄念，是個太可悲又可怕的預言，也更是個不該被提起的惡兆。或許，我的想念，是太久沒出現的《異形》的前傳加後傳，這老導演老了，但是，我太喜歡這部片子了，我想起當年我在彰化大戲院看到的那種餘緒，不只像某種老情人的念念不忘，更像一種不慎挖了祖墳破了風水的不勝恐慌。

一如在一個陌生的旅行中太早的早上醒來，天色亮了，也沒雨了，更不一樣的是隱隱然地沒聲音，出奇的死寂。我沒那麼想睡了，但也沒那麼想醒。過了一晚的忐忑不安，過了一天的滂沱大雨，好像歇斯底里已然歇息了。雖然在遙遠旅行中的我的腦袋卻因爲運轉太凶而正爆缸冒煙中，但仍然還是感覺得到些許片刻的寧靜。一如死前還是放不太下心中的怨念，使得生前太清晰的某些畫面，厚厚的一團，籠罩在乎的庸庸碌碌，出手而失手，那麼多的狀況失控仍然糾纏……

看《普羅米修斯》一如看《異形》的每一集的那種好像看了同一部電影，其中的陰謀般的隱喻終於變得不隱了。因爲裡頭的神沒有回答人的問題，造物主對祂造成的生命完全不在乎，甚至起殺心，祂那麼龐大又那麼殘忍。因此，故事裡奇怪的反而是那種對人類起源的更神祕感的崇高或敬意，那老是一種無法解釋或過度解釋的徬徨。

神諭在種種角色的進入過程中悲慘地或反諷地揭露，想要找尋古文明奧祕的考古學家，想要不死的公司的最高首腦，想要完成拯救太空船或拯救地球任務的船長和女指揮官，想要解釋並操縱所有人類最繁複可能生命維度的太狡獪的人造人……的各懷鬼胎，使得整個探險的源頭和終端，更是混亂，都不免太過玄奧而費解，而且太困難重重又飽受詛咒般地不可能，像是最惡毒的希臘神話的天譴殘虐下場的令人不忍，或就是一個被著床被附體的生下外星怪物的不孕女人的令人恐慌。

或許，也因爲後來這三十年來有太多電影抄襲到太多《異形》的影子，太多科幻片，災難片，恐怖片，種種外星的怪物，寄生蟲的寄生與附身，嘔心瀝血地嘔吐，不明生命體變成蛹生的妖獸，虐殺幼蟲從腹部的肉身爆出母體。陰謀的陰暗源於人的或公司的更陰險，災難捲入了更晃蕩的恍神。

像某種童年記憶，小時候已然記不起來的創傷，只有在某些時刻光景或氣味的太過撩人或太過駭人當下，才會想起來但又還是仍也想不清楚的什麼……那般的難以入睡的枕形殘痕，想不起來的噩夢尾端的畫面抽格，閃現的閃爍其詞的說夢話的支撐不出來的語句。我喜歡的惡習的最深底層，我始終不願承認的恐懼的最終端。

一如那電影的太庸俗的假想起點，假想敵的敵方，或是一開始去一個太遠的遠方，從事一件太失控的任務，所有一起進入的人都沒有意料的困惑，災變太可怕的不可能生還，最後一定連自己也沒法子活下來。所有的狀態都太快又太恐怖，雖然出發只爲了找尋一個自己也還沒準備好去面對的任務，後來不免充滿的種種難題、困局或死路。

但是，又那麼華麗、龐然，充斥著對未來的渴望，即使那麼危險地未知，那麼混亂地隨時瀕臨崩潰。或許，我只是太著迷於未來這種難以描述又難以置信的什麼，必須完全控制或失控的還是要面對與忍受的精神狀態。

那種高科技是病態的，太空船艙的雪白近乎晶瑩剔透是充斥疾病的。實驗室實驗什麼，尋找什麼又遺失什麼，挽救了什麼又到底終究無法挽救的什麼……一如關掉頻道裡進入生硬無光無聲無氣無味的寧靜深邃甬道，一如那些異形正雷同於古代地球昆蟲物種如何遷徙如何突變如何侵犯，一如那些化學藥劑名稱副作用那般躁怒、厭煩、唾棄……的我的不忍又不耐，一如長大後想起遙遠的過去那奇異而極度私密的昔日噩夢暗夜獨白的抑鬱。

或許，我因而想起了彰化大戲院……

在《普羅米修斯》那部電影裡……「你沒辦法了解這種恩賜。」他們對大衛說，那個名叫大衛的機器人太英俊太有禮貌，太文明太精密……太不像人類地完美，他甚至還在兩年的太空船航行中，做他還勉強像人類的事，在空蕩蕩的機艙裡騎車單手遠方投籃，用電腦軟體無趣的教學專心地學習十幾種古代失傳語言。他在看老電影《阿拉伯的勞倫斯》，有一段是他在帳篷裡表演用手捏熄火，祕訣是，忽略痛楚。

一開始，那個公司的首腦老人在投影中出來解釋這個任務。大衛，他是我兒子般的機器人，待命，但是他無法了解失望是什麼感覺，人是怎麼來的，我們是來這星球找尋答案，要眞正的信仰者才上船，一如你的造物主對你說這種話的充滿危險……一如希臘神話裡的悲劇寓言終將變成了預言。泰坦族的普羅米修斯想讓人和神平起平坐，但是最後只落得祂被懲戒而被逐出奧林匹克山。

電影裡，一開始的所有人在兩年沉睡之後，從太空船裡醒來就一直嘔吐，他們充滿不安與戒備。彼此不認識而有敵意。種種隱隱約約的衝突與不安，一如那個臉上有刺青的男人盯著男主角說，我不是來跟你做朋友的。太多人充滿了戒心。而女主角的童年回憶被人造人機器大衛用機器掃描出來，在巨大的銀幕上，她問她考古學家的父親：「你怎麼知道，人死後會去哪裡……」他說：「天堂，樂園，反正是美麗的地方。」她問：「你怎麼知道是美麗的？」他說：「因爲，我選擇相信。」那是多麼不祥的伏筆。

電影裡一開始有一個地理學家。用數顆名叫小狗的飛行球體小機器，放入隧道當掃描器，發紅光掃描所有山洞的地形地貌洞身的弧度，傳回太空船輸出所有的投影光影模型。故障的可能還活著的生命體充斥著洞的深處……大衛按下洞身上古代文字鍵，就出現之前到過的殘影疾跑但終於在洞口深處死去的畫面。他說：我們找到了，而且我們的祖先他們來過了，但是他們來的目的，來找什麼……並不清楚。但是要確定他們是我們祖先並不難……

女主角說她因爲不孕而不能生小孩。但是前一晚做愛完的男主角好像生病了，他仔細地端詳，並看鏡中的自己。眼珠顏色不對，而且有根細尾巴從瞳孔出現，所以後來的女主角也感染了。

大衛對女主角說：「你終於離開你父親的陰影，十字架的項鍊。我看過你的夢，病毒入侵，死去父親。你一生都好像被上帝遺棄了，失去愛人，失去父親，而且你懷孕了。」她和他做愛，在十小時前，但是掃描，她懷孕已經三個月了。那胎衣中不是人類，她嚇壞了而腹部劇痛，但是藥讓她昏迷。她勉強地衝入那高科技手術機器，那太空船裡的那一台極精密的電腦音控解剖臺，全世界只有十二個機器，是可以做任何極複雜繞道手術用的，女主角在裡頭竟然自己隻身剖腹開刀拿出異形。有太多太深入又太荒唐而無法回答的問題……「他們可以告訴我爲什麼創造我們？至少可以救我而使我別死？」「你失去信念了嗎？這件事要搞多久？」「拉古董手風琴唱老歌手老歌謠的黑人艦長問她：你是機器人嗎？」「故障修好了嗎？探測器可以用了嗎？」

最重要的一段是那麼華麗而恐怖地迷離……大衛走到洞窟的最深處，巨大而被廢棄的陰森機械太空船的指揮橋艦，他沿著所有弧形機件裝置的端口，想法子坐進入那艦長般一個人高度種種可疑尺度的器械座椅，終於啓動了導航系統的光源而投影出球體縮影的宇宙中星系及地球的遠方端點。但是，旋而在失誤中又完全消失了。那艦長感覺到異狀了，感覺到這裡甚至不是造物主的故鄉，而只是基地，軍事基地，可以容納危險的任務，但不能讓這些鬼東西回家。

「你拚命阻止我來，然後，自己來這個被神遺棄的地方，沒想到你這麼帶種。不是每個人都希望他們的父母死去嗎？」最後，裡頭有一艘太空船。這裡什麼都得不到。被扯爛身體而只剩一個頭的大衛對將要死去的老人說：祝你一路順風了，你要上路了，然後所有人都不斷地死去。但原因是不解的……造物主創造了人類但是爲什麼又那麼痛恨人類。

那眞是令人難忘的更大隱喻！

關於獸，獸如何在人體寄生，如何繁殖，如何從胸腔竄出而殘虐地將人吃掉。我常常在某些後來數十年來的一個人的出國旅行中想起來……尤其到了某些更荒涼曠野蔓生的荒島的隻身流浪時……本來的異形，那或許也只是一群矮小的人類在遙遠的島或偏僻的地方對抗一隻殘酷無情的獸，或許只是靈感來自更早前的航海時代恐怖謠傳，或許是一個船員將一隻致命的獸帶上船上而出事而使得所有船員都被牠咬傷虐殺。人類在他們船艦的控制室內發現一隻巨大的獸或在一個小島上發現一艘被遺棄的船而在其內發現一個蛋室。

後來，爲什麼會變成是外太空，變成是太空船……的最著名的怪物，某種獸在空艦上把船員們逐個捕獵……

這不禁讓我想起當年我在彰化大戲院看完《異形》出來，在坐電梯下樓仍心有餘悸地感動又感慨時，電梯間裡的兩個歐巴桑媽媽帶著彼此的很小的小孩站在我旁邊，一個媽媽一直皺眉地說，那電影好難看又好噁心，本來以爲是有名的科幻片，怎麼會搞得這麼可怕，另一個媽媽嘆了更深的一口氣接著說，對啊，我們還帶小孩來看，他們回去晚上會作噩夢了，更慘。

其實那兩個小孩一點也不害怕，反而一直在旁邊玩耍地又笑又鬧，還一直擠眉弄眼對我還吐長長舌頭，做鬼臉學異形般地咧嘴縮唇露出獠牙，想一口把我吞噬……

二

後來，我看到一部電影，叫做《新天堂樂園》。因爲故事是那麼遙遠又那麼接近……

使我每回重看這部電影都還是會哭……因爲好像看到自己小時候的故事被快轉又慢轉地重新剪接倒帶了一回，重看到了那電影裡的電影院，那裡是如何使那少年變成成年、天眞變世故、開心變傷心……或說是如何使那暗室的密室變成發光的結界。那電影的故事發生在戰後西西里島小鎮，發生在那種時代場景氣味都落拓苦悶到極接近我的小時候的某種又燥熱又低溫的狀態……

畫面一開始已是多年後的某一個晚上，有一個名導演在深夜回家之後，他媽媽打電話過來說那一個老放映師去世了，這讓他想起他從前許下的承諾，想起他的童年時光。他的父親剛戰死，寡母在第二次世界大戰後的窮困潦倒中撫養他，那是極度枯萎無趣的古老小鎮。當時才六歲的他就花了大多時間在當地的電影院中，與電影院的那個老放映師廝混，因爲同意讓他在投影室裡偷看電影，最後甚至教起他如何操作老放映機，在那黝黑骯髒的放映間裡幾乎等於給了他一個夢，關於電影的夢……

我因此想到老鼠。

多年後看到那麼老了的他還是跟以前一樣猥瑣，但也還是一樣自負。「熟練地將影片裝上，要腦袋好也要體力好，像我，哈哈哈！要很多眉眉角角……」我還記得這個古怪的瘦小身影，小時候看到他，他就已然是彰化大戲院的放映師，一直都是他。

這幾年，越來越少回彰化了，有一回去探病，我和我姊姊回姑姑家之前，繞過去吃彰化肉圓，還竟然在攤前遇到他，遇到了這個外號叫老鼠的當年彰化大戲院的老放映師，今年快八十歲，他一生近四十年都在放電影。從野外放到戲院裡，從最老的手搖放映機放到現在全自動化的機器，他都曾經操過……

我因此想到前一天作的一個夢。在夢裡頭，彰化大戲院變了，竟然變成一個巨大的發光玻璃屋，看起來像一個早期現代主義的加州極簡風純白純落地大玻璃的豪宅，一個高科技到完全透明的房子都像燒杯試管的實驗室，或是，就像一個外太空的飛碟所降落的一個山崖邊緣，所有牆面就像鏡面地反光的炫目光芒都太突兀而誇張。而且每個牆面都可以投影電影，所以，變成三百六十度的光景，像是眞的人到了放映的那部電影的場景現場……光暈是那麼逼眞，甚至在某瞬間，我已然分不清，那是電影，還是電影院……

那時候，我在那彰化大戲院的光影投影出來的光景裡，我是回到了老家，而且並沒有覺得這個建築意外，卻好像在裡頭已然住很久了的熟悉，而且，只是一如過去地開冰箱，找東西吃，開電視看，發呆或發昏地躺在沙發上，完全不想動，人好累而且外頭正在下又大又吵的梅雨。

在夢中，也在電影中……那是一個很不安的晚上，家裡是空的，只有姊姊在。她看起來很累又很餓，我說我可以陪陪她，看她要說說話，喝喝酒，還是出去吃消夜。但是，一向在含蓄又太矜持到有委屈都不會提的她今天心情好像太不好，所以仍然眼神看向窗外夜雨的遠方，久久沒移動，但是停頓了好久，她還是沒有說，只是看著我說不用了。

後來，不知爲何，有人敲門，我們明明沒開門，但是還是看到有一個人走了進來，我越來越不清楚那人是眞的還是假的……但是，仔細看，那個人就是老鼠，而且還跟我們小時候看到他的樣子一樣年輕，但是仍然瘦小猥瑣……他就在那裡跟我們鞠躬，說他要演戲給我們看，而且是要演出宋朝的書法，老鼠強調他是一個諧星，但是假裝很嚴肅，後來就站在一個房子客廳前頭的玻璃櫃中，我們不太確定他是怎麼進來家裡的，或是怎麼進到那玻璃櫃裡，但是，他卻好像變魔術般地出現，而且從容地開始做出種種高難度的動作表演，有時單腿舉高身體坐下，有時側身扭動抽搐，有時躺下但一直翻滾。好像用身體姿勢在當筆畫寫字但是又看不太出來字跡的那種怪怪的猜謎，或是，甚至，他全身都穿古代的官服。用老派的動作在嚴肅地表演。甚至是國劇動作的劈頭蓋臉的之後斜躺劈腿，但是，他越嚴肅，我們就越覺得滑稽，我還故意幫他加離譜的旁白，在他用盡全力拉開四肢踮起最尖的腳尖而撐出一個近乎大字型的華麗懸空動作時，我只是用陰陽怪氣的口音，邊哭鬧邊大聲地拉長尾音地說，接下來，我要表演的是木字，但是因爲雞雞太小，就變成了大字了！

更後來，我越看老鼠越來越老，但是，不知道爲什麼，只感覺到不論是演出或配音，演書生穿官服寫書法卻都還是很台很猥瑣，而且因爲姊姊還在場，也還在難過，所以，他演得越來越誇張地荒誕都讓我越難堪。

但是，這時候，不知爲何，在他一不小心地滑倒時，我姊姊竟然就笑了。

老鼠的一生很曲折，但很傳奇，姊姊跟我提過，當年的每天在小小的放映室裡工作，地方很窄又很悶熱，要很有耐心。那是另一個更小型的密室，昏暗，骯髒又充滿了那膠片被強光的溫度悶出的化學藥劑味道。很毒很毒啊……他一邊說一邊笑。十幾歲國中畢業老鼠就跟他師傅那老技師學功夫，當學徒。一待就是二十幾年。很早開始就在很多戲院當放映師，前後待過五六家戲院，後來，爸爸過世了，我們家破產了，彰化大戲院也轉手了……但是他還待在那裡。他待最久。「也太久了……」他嘆了一口氣說：「經歷了太多任老闆，但是還是最懷念你們爸爸……」

他說，其實，電影院很閒也很多事，片子送到之後要先巡片，注意接頭的地方，否則收片的人沒有按順序，就會出錯。甚至，早期放映機要用手搖，更費力，現在自動化了，也要注意故障的問題，曾經發生發電機故障，很可能就把片子都燒了。放映機，這個齒輪有多少齒，放映機每一分鐘轉二十七·四公尺，片子有多長就可以算出放映時間，他說，現在很少人知道了，甚至還有人會把片子放顚倒。

那《新天堂樂園》裡有一段就是這樣出事的，眞的把片子都燒了，甚至後來電影院發生因膠卷底片起火，在危急之中火苗已傷到老放映師的臉，使他終身失明。電影院後來重修開放，也重新命名爲天堂樂園戲院，男主角已然變成了電影放映師，還是小孩子的他變成了全鎭上唯一會放電影的人。

那是他夢寐以求的夢。但是，這個夢後來也變形了……

那部電影的情節接著跳到十多年之後的高中時代，他還是天堂樂園戲院的放映師，但是念舊的他和失明的老放映師仍然在老放映室廝混，老頭經常引用老電影台詞來教導他歪歪斜斜的人生道理，同時他也開始練習拍攝八釐米影片，電影那麼地使他的成長疏離自眞實的現實，直到更後來人生的殘忍逼近了……他談戀愛也失戀了，他被徵調去服兵役也退伍了。

老放映師叫他永遠離開這個小地方，還叫他要全神貫注於未來，放棄鄉愁，甚至也不要寫信回來或想念他們，這就是他們之間的承諾。最後男主角違背了承諾，回到家鄉參加放映師的葬禮。也和故鄉的人們一起眼睜睜地目睹破舊不堪已然頹圮成廢墟的天堂樂園戲院的拆毀。

那是電影一如人生的眞相……命運如此荒謬而殘忍。

但是，結尾卻那麼地動人，透過老放映師的遺孀，男主角收到他遺留的兩份禮物：一堆當年被神父要求剪去的吻戲膠卷、一張當年藉以墊高身量的凳子。最後，他就坐在電影院的黝黑中看那些他當年一直想看又從來看不到禁片的段落，就這樣地忐忑不安又百感交集地……一邊狂笑，又一邊掉眼淚。

老鼠說，他也看過這部電影……還好，還好，他雖然嘴上說好看，但是他說他想自己拍片子會更好，老鼠驕傲極了地說：我的故事比那義大利瞎老頭好看，而且我也比他比較帥，如果我把自己放電影的故事拍出來，甚至，把我放蚊子電影的那時候也拍出來，那一定會更好看地更轟動，乾脆，把我老鼠的一生都拍出來……所以，還要拍他的師傅，因爲他更厲害，在日治時代就取得「影寫技術證」。老鼠說，他印象最深的是年輕的時候，他還跟他日本話講得很溜的師傅也帶著電影下鄉下，甚至走遍了臺灣的大大小小城鎮，放這種蚊子電影……他說，「看太久了，有時候一部電影放十來次以後，都太熟了，甚至所有的細節都記得，看到最後，整部戲的臺詞都會背了，片中人物說出上一句，我就可以說出下一句。」而且，更瘋的是……這種露天電影在最風行時候，就是大家樂最瘋的年代，因爲播放電影是謝鬼神報明牌的謝禮，所以特別的轟動。

老鼠說，好奇怪，放鬼片給鬼看……但是，人卻很多跟著看，跟著看熱鬧。

其實，出去跑這種……傳統的蚊子電影場，在早期幾乎都是我師傅他一個人自己完成的，從電影底片的剪接、迴帶、放映、機器的位子怎麼放、怎麼調……所有細節都相當辛苦。我們就像魔術師一樣，兩個人就在變魔術……像有神通一樣，變給全村的人看。有時在廟埕前，有時在大樹下，甚至有時在田裡頭，有時村子裡沒地方，還就在大馬路上放片，放到那大貨車司機過不去，就停下來一起看，看完了，再上路……雖然辛苦，卻忙得很快樂，他說，這些年最大的安慰就是看到大家看完很開心，就像在積陰德。跟著佛祖爲大家收驚、普渡眾生……

後來，老鼠終於來到不用出差跑江湖的戲院，就更死忠了……他說他一生從未離開過電影。因爲他舅舅就是電影院收票打雜的，所以從他小學五、六年級開始，只要是寒暑假，他就要去幫忙所有的最累的事……甚至整理最老最重的舊片盒，永遠窩在那又髒兮兮又暗黑的放映室，或許，大概是他自己也喜歡看電影，有一段日子，他還偷偷存錢買了一臺小型剪片機，開始在電影尺度邊緣偷剪片。

早年臺灣電影審片尺度還十分嚴格，通常都是哪裏被要求修改，導演就直接拿剪子剪，名副其實的「剪片」，但是聲音會因此比畫面提前二十四格，常常發生影像和聲音不同步的現象。於是，他就花功夫研究修片技巧，專門幫人修片，潤飾前後的影像和聲音的同步效果，成了當年一種賺點外快的獨門生意。他說：不管放還是剪……這都是很消耗生命的頭路。要想成爲一個厲害的電影放映師，不僅眼睛跟耳朵要很利，對於電影，尤其對於機器的每一個部位怎麼跑怎麼調甚至怎麼修理……更要熟練。

老鼠說……每天放電影還是很放感情在裡頭……因爲，雖然電影不是他拍的，也無需擔心票房，但是觀眾的反應，也常常會影響到情緒。「我最喜歡有許多人看，然後大家看了都很開心，那我也覺得很開心，例如有些影片，雖然我覺得拍得很好，但是很大的電影院裡只坐了七、八個人，我還是覺得很難過。」但是，後來……電影院眞的不行了。電視普及了。錄影帶出來了。電腦。電動。盜版DVD……大家現在不太進電影院了。如今，隨著技術的發展，放映機，全部自動化可以使一個人同時管幾個電影放映機。但是，完全自動化的放映設備只適合在電影院。偶爾可以讓有心的人來學。但是，很多年輕的放映師，常常是自己亂來，而忽略了許多細節，所以放映中會斷片或是出情況，有時候……老電影還是要手動和半自動，「只有這樣才能應付緊急情況」，所以，一定要像我這種老師傅才有辦法……現在，那種古早的「蚊子電影院」和那種時代都已經過去了啦！

還記得那時候，廟會熱鬧時大家坐在廣場前看，一陣鑼鈸鼓樂響雲霄，福祿壽三仙出場，要先拜拜，還要廟公出來致詞說幾句吉祥話開場，然後，還要立正唱國歌，電影才能開始。

老鼠嘆氣地說：「其實明明是一部可怕極了的鬼片或是愛來愛去的愛情片。好奇怪，就一定搞得還是要神明和國父都來剪綵一樣……」

三

小時候的我常常喜歡跟著熬夜……爲了看那半夜彰化大戲院找吊車來換電影看板。那眞壯觀，大概都在十二點，路上沒人了，吊車開進大樓旁，大型電影看板用貨車載過來，一塊一塊地依順序緩緩地懸起、安放、鎖定在滑軌與支架的置入的小心翼翼中。

那彷彿是一個巨型的工地的危險又盛大的工事，或是一場魔術或野台的大型劇場的上演，在夜色中飄搖落下升起的巨幅帆布，那種隨著下看板上看板的巨大機械聲響，而且是在現場，實在是太壯觀的奇觀……

對小時候的我而言，那像是一種儀式，一種悼念，好像有一種重要的什麼消失了然後有另一種重要的什麼又出現了……甚至像一個節慶或甚至一個朝代的輪替……那麼地盛大而令人不安地恍恍惚惚。

小時候的我好喜歡那個畫電影看板的老師傅，阿火師。他很沉默，脖子掛一串念珠，他很會畫，畫得很傳神，在那個年代，那很不容易。尤其吊起來，那畫出來的明星的臉，一塊一塊，一個局部一個局部，吊到半空中，緩緩地……移動。傳神到……彷彿在笑也彷彿在哭。

這個超現實的場景，太怪異又奇幻……讓我老是想起作過好多次的這個夢。

彰化大戲院竟然要搬進長壽街的老家，而且要更大規模地翻修，不知爲何，現場是一個認識的個性很強硬霸道的工頭在拿主意。那是一整面臨第一進天井的長牆，怎麼裝修沒有定論，直接粉刷上漆，或貼壁紙，或要乾脆敲掉，裝玻璃。討論了很久，家裡也最強勢的伯母和他快吵起來。就這樣，僵在那裡。那老房子其實是我從小住的地方，在那裡頭長大，有很多回憶，但已經很久沒有回來了，很多地方變得不一樣。只有這面牆在的天井，是我還認得的。爬牆虎的藤草斑斑駁駁地爬滿而蔓延到整個天井二樓的鏽蝕許久的欄杆，以前我老在那裡玩，跳房子，死金龜子。

「那牆有裂縫。至少先釘木板封住，再處理，不然施工完還會滲水出來，那就糟了。其他接下去的做法，就以後再說……」我故意哄他，說很多他很厲害而且是功夫很好的師傅之類的話。還跟他一起討論著希望請他想出幾種比較周全的施工的工法，所有的善意都為了示好，其實只是陪笑，當和事佬，想調停火藥味，後來工頭開心了，才答應可以做。伯母也沒有再堅持。

但那並不是阿火師想要的結果，只是緩和。甚至沒做出什麼。他想做的，是要叫我跟他畫滿整面牆的壁畫。把演過的所有明星都畫上去……像標本間，或像個小博物館……但，心裡想了一下，我父親和家人們都不可能會接受的，太誇張了，也牽涉更多麻煩。所以，我連提都沒提。就這樣，只是當調人地出現，離開！不再期待太多。但當我和阿火師沮喪地要走之前，那工頭說有一本桌曆上頭畫著一個五顏六色的叢林和野獸。要送我，可是很花很俗氣。但是，我還是收下說謝謝，好好看。

小時候，我始終覺得他一現身就像彰化大戲院門神的這個阿火師實在太神了，他老是說：他的人生就像是個滲水太多的故事，需要更多更多的抓漏般的費心機，才能好好活下去……從小家境不好，國中沒畢業就拜師學手畫看板，十七歲那年出師，第一幅被掛上戲院的作品早已忘記，連畫中的好萊塢巨星是誰也沒印象了。那時全台戲院都是手畫的看板，他平均每天得畫兩幅，才能趕上業者需求。之後他還收了三、四個學徒一起打拚，每天都得熬夜趕工，多年來，學徒換了又換，都不行，哪像他當年那麼累……

他說他沒念什麼書。小學畢業後，四處打工賺錢，當年有一段日子就在油漆店工作，旁邊就是電影院，常見師傅畫電影看板上的武士刀，刷刷幾下就畫好，相當神奇，沒想到，師傅見他有油漆調色的底子，開口問他想不想學……他心裡想，看電影不用錢，又可畫電影看板，學功夫。就走上了這一行。他說：「當時的師父收徒弟，不但不給工錢，也不提供吃住，而且，帶學徒的態度完全不像老師，對待學徒根本就沒有教。當學徒的要從爲師父打理雜事開始，打掃、搬畫板、收拾現場，每天收工之後，師父回家休息了，學徒還必須做完所有的事，其中一件很重要，就是要爲師父把當天用過的所有油漆刷子洗乾淨，偶爾，師父一大早上工時，如果認爲學徒沒把昨天用過的刷子洗乾淨的話，常會當場罵人，再把刷子丟在地上，要學徒立刻再拿去洗……就一直罵。」

「在那樣的環境中，學徒要在雜事做完之後，有空檔時，趁著師父正在畫看板，靠自己在旁觀摩領會。」他說。他不懂規矩，師父事前也沒教，就是當師父畫看板時，有時候必須蹲下身體畫看板下方的圖樣，那時候學徒必須立刻隨著師父蹲下。可是，他因爲不懂，所以當他還不知情地站在師父後面時，師父當場回頭罵。他師父說：「我都蹲下來了，你還給我站著……」

師父不直接教，就是罵，以前的師徒制，有所謂「三年四個月」的傳統，也就是說，一個學徒跟著師父學手藝，從什麼都不會到學成出師的過程，一定需要三年四個月的時間才算滿師，有時還要更久。至少經過三年四個月的磨練與學習，手藝功夫才算可以。在當地電影院的畫看板師傅門下做學徒，當時的師徒制還很嚴，非常講究規矩。到了出師了……日子還是難過。那時候。阿火師就說他畫了戲院電影看板二三十年，畫了上萬部電影、畫過無數中外大明星的臉：費雯麗、蘇菲亞羅蘭、馬龍白蘭度、梅莉史翠普、王羽、徐楓、狄龍……

我還記得，從來都髒兮兮的他老是躲在一個不起眼的巷子裡的平房中，狹長的空間擺設幾幅帆布看板，地上散落作畫的顏料工具，數十年如一日，把自己家裡當作工地，埋首於畫電影看板。他花半天時間，把看板畫好，身上沾了顏料汙漬，還在仔細端詳作品哪裡還需修改，那時代，他的全盛時期，彰化每間戲院的看板都出自他的手。有時候太趕了，電影看板還想再修改才完工的，怎麼瞧都是破綻，但是還是要送出去。最容易的半天就能完工，國片因東方人臉孔較不立體，但觀眾又熟悉，所以比五官立體的西洋片難畫。有時候洋片看板畫得像，還曾被外國人買走，國片看板則被戲院對面的小吃店買走收藏。那老正在畫電影看板的阿火師也老感嘆地說，大部分他畫過的電影看板他都沒看過，但是對於畫好的巨幅看板，隨影片票房的好壞，可能只能掛短短的幾個星期，他有些不捨。

那時候的我老是會被還沒畫出栩栩如生的電影看板前這塊空白的布板所迷住……有一陣子，我老是會去找阿火師，蹲在旁邊看他畫，他老是會先抽菸，點了長壽的時候，發呆好一陣子咬著菸屁股，一直皺眉頭。之後他會走來走去……然後會先用粉筆和尺在木板上畫出一格一格的正方形，圖像比較複雜的部分，則再細分成小菱形格，最後才拿起畫筆來畫。仔細地打量著……當年的這些海報上的明星就都是由師傅親手畫出來上電影看板，現在想起來，對那麼小的我而言。是那麼稀有的一種氣味及其體驗。像歐洲老教堂的古代壁畫，從亞當的誕生到最後的審判，那幾乎是從創世紀到啓示錄的一回回快轉的文明體驗。

我後來聽姊姊說，那阿火師，後來也很傳奇。畫了電影看板多年下來，算是有點畫的底子，後來戲院沒落後，電影看板都用電腦輸出了。他就轉去做別的頭路，聽老鼠說，直到三年前，當起廟公，必須整天在廟裡，才又開始畫。只不過當年的油漆刷，變成較小的壁畫筆。

拿油漆刷子畫畫與拿油畫彩筆畫畫是兩個不同境界。他後來這十多年來，一路努力從以前畫電影看板幾十年的刻板中跳出來。更企圖要讓他的電影看板轉變爲佛畫的莊嚴，雖然走得辛苦，但是也很驚人，也變得很有名。

但是，現在整間他的廟，每面牆上都是自己的畫。

他後來就一直在畫佛像，以廟做爲題材，畫佛教故事……畫不出來就自己翻書自己學。最近他開始在廟的最後一進整個四合院開始畫二種十八地獄圖，好可怕。有一套《問地獄經》古書裡的：泥犁地獄、刀山地獄、沸沙地獄、沸屎地獄、黑身地獄、火車地獄、鑊湯地獄、鐵床地獄、蓋山地獄、寒冰地獄、剝皮地獄、畜生地獄、刀兵地獄、鐵磨地獄、冰天地獄、鐵冊地獄、蛆蟲地獄、烊銅地獄。還有另一套《水陸全圖》的：拔舌地獄、剪刀地獄、鐵樹地獄、孽鏡地獄、蒸籠地獄、銅柱地獄、刀山地獄、冰山地獄、油鍋地獄、牛坑地獄、石壓地獄、舂臼地獄、血池地獄、枉死地獄、磔刑地獄、火山地獄、石磨地獄、刀鋸地獄……種種卻都變成現代的假假的恐怖片場景的花樣。

但是，他的地獄圖看起來，都怪怪的，老鼠說：那裡頭的場景畫得很逼眞仔細沒錯啦！但是……再怎麼生動怎麼恐怖，但是地獄裡的牛鬼蛇神、黑白無常、判官、閻王，甚至裡頭的受刑的人和用刑的小鬼……怎麼看起來都有點怪。因爲他一用心畫起來……每個角色竟然都長得好像當年電影看板上他畫過的電影明星啊！

就是長得都好帥好美好性格……好像就是那些外國明星來演的：費雯麗、蘇菲亞羅蘭……都是綁在銅柱上要燒死的壞美女，馬龍白蘭度變成了頭上長出牛角的牛鬼蛇神。梅莉史翠普和徐楓都穿上菩薩白衣變成仙姑了。王羽演的判官右頰還一個疤。狄龍演的閻王很凶神惡煞……。所有的臉與表情都那麼栩栩如生。好像這些地獄的可怕故事就是這些好多好多中外明星一起來上場搬演的啊……

老鼠說，他看過，但阿火師一點也不覺得……他現在是廟公了，香火還挺旺的，雖然人變得更髒兮兮，但是畫得還是有比以前厲害。

有一回，站在他的廟裡入口，仔細看他牆上畫著一幅地藏王菩薩像，還是有被嚇到啦……「畫的眼神好像恐怖片裡的眞人一樣眞……很恐怖。我看了回去都睡不太著。」老鼠露出一種不解的眼神說：「好像眞的有神通……」

四

多年以後，我跟姊姊說……那個夢，就像一部電影，一部你假裝你沒看過但你已然看過的電影。然後，再看一次。那麼你會在想什麼？你會在看什麼？聽什麼？尤其，是在你看電影太入迷而變得神經兮兮之前，所有的狀態還沒那麼糟。雖然，夢中的你做什麼都跟你無關。但是，你還是那麼在乎……

多年以來，我老是在夢中，會一直在快速地晃動或一直在流失些不知名的內在的什麼地流動中……一如夢見一直有人開車，像風般疾速光亮，情緒總是不免因爲想要支撐外在體面而始終內心憂愁的。我老只記得我老在坐車，坐太久了，而且始終在旅程中，但卻也始終在趕路，只老覺得快來不及了。而且，更可怕的是，自從坐上計程車卻完全說不出來要去哪裡或怎麼去……只是上車，只在看車窗外面，再過一會兒，我問司機，我有沒有說要去哪裡，我連有沒有說都忘了……

我跟姊姊說，整個在車上的過程都是模糊不清的，上路的波折或因之的內心忐忑不安也那麼模糊不清，但是，心中不知爲何即使所有的狀態都不清楚，但卻仍知道在彰化，而且總是在要回長壽街老家的路上，但忘了地方，也忘了地址，甚至忘了在長壽街的哪裡……後來老是會先去了一個我們父親以前開的那一家老戲院，因爲，在夢中，我連彰化大戲院的名字也想不起來。

在夢中，我只記得小時候在當年那戲院的那一個又大又華麗的建築前頭。我負責要招呼那一大群遠房親戚一起進去看電影，但是，只有我知道怎麼放映電影，所以當所有家族的人群坐進又華麗又寬闊的電影院座位裡時，只有我要回到那可怕的鬧過鬼的髒兮兮的後台放映間去放片，而且，因爲要換衣服換膠卷甚至要搬很多老機器和沉重的舊東西。他們很開心，但是我很煩惱，他們一邊在講家族的過去的事，或我小時候的事，或整個電影院當年的事，但是，就是完全忘記我了……也沒人來幫我，或問我需不需要幫，只是一直在鬧也一直在等我，還一直大聲對我咆哮他們已經等得不耐煩極了。

我跟姊姊說……夢裡放出來的那部電影竟然完全可怕地走樣了，好不容易放出來的那部電影其實是小時候看過而且在彰化大戲院重新放映過好幾次的凌波演的《梁山伯與祝英台》，當年還有很多歐巴桑帶便當進去看一天，每一場都邊看邊跟著唱，甚至每一場都跟著哭的這一部最受歡迎的老電影……但不知爲何，故事完全走樣了……他們在十八相送時竟然意外地講起完全不同的腳本口白，甚至演出了可怕的事，梁山伯說，他不喜歡祝英台了，其實他已經什麼都不喜歡，只喜歡罵自己，嘲笑自己，或許他只是虛假地杜撰了他自己，一個正直而神經質的書生和癡情的男子。

後來祝英台爲了安慰梁山泊，就和他討論起她也很同意他誠實的憂鬱，甚至也談起和她幫分手過的憂鬱症很糟的情人的口交來幫他療癒。後來，他們兩個穿古裝的男女竟然當場討論起這種療癒系的口交技巧。梁山伯因此勃起了，而且也使得一起來送行的那一個長得像泰勞的書僮也勃起，他的陰莖很大，像巨大的綠香蕉，但是，書僮的更巨大而且有一個長得像嬰兒臉般的龜頭。

而且他一掏出來，祝英台就更意外地亢奮了起來……還進一步在十八相送的一棵老樹下，抓住他們兩個人幫他們一直用各種奇怪的口交技巧舔舐，一如在做高難度的馬戲團表演，誇張而怪誕，甚至最後還故意讓那精液從那龜頭嬰兒臉上射出到她臉上，整個過程一直太害怕的在放映室的我本來是很不想看，但是，因為有太多親戚在現場，而且，怪異的是……梁山伯和書僮一起射精時，所有的人竟然都看呆了地一起激烈地鼓掌叫好，使得害怕的我後來感覺也沒那麼糟……地放心了。

但是，電影裡的那個書僮泰勞太刺眼了。他的勃起卻沒有他身上那一個有很怪很大刺青來得刺眼，後來，祝英台問他那刺青是什麼意思。他很得意地說：那是泰文，是一個梵文的佛教古字翻譯出來的參悟的覺醒之類的意思，最簡單的字義是……「接受」。

後來，看完了，全部的親戚都一起出來了，還到了電影院外頭的入場大廳，彷彿是一個極有錢的親戚接手了我父親破產後的電影院而開始在現場所辦起的極盛大的派對。在那重新整修過極華麗奢侈的古代歐洲豪宅門廳般的現場，我太吃驚了，因為當年的彰化大戲院的內部裝潢改變得如此誇張：完全重新貼上厚厚金箔的弧形天花板，充滿巴洛克的曲線雕成的雕梁畫棟。裡頭還有講究的弦樂四重奏的室內樂演出。但是，我後來發現，那派對的門口，就重新打造了另一個更招搖而炫耀極了的入口，而且竟然就在長壽街上，在那個我們小時候住的完全破爛而變成廢墟的老家前頭。

但是，那派對始終有點古怪……因為，在找地方上廁所的我發現我如果走錯了走廊裡那三個不同的門，還會到了看起來雷同但是卻完全不同的陌生地方，我甚至因為好奇而走進去了另外兩個門，還走進去彰化大戲院我從來沒去過角落埋藏了過去從來沒去過的死角底的更深的結界。

第二個門走進去，很幽暗的木櫺紙門打開……竟然還會走到了另一個完全不同的日本古代京都風的極簡又講究的和室大廳，裡面的小時候親戚也很多，但仔細看都很老，他們的臉都好皺好臭又好遲緩，都換上了木屐和服，在裡頭喝煎茶看窗外的初雪的枯山水庭園，沒有人發現我，發現我正在看他們……不知爲何，我心裡知道，他們都已經死了，也死很久了。我心中抽搐著，不知如何是好地感覺有種憂心忡忡的憂愁和辛酸，甚至，是小時候看到的日本鬼片在鬼出現之前的華麗貴族幕府那木製聖堂宮中的陰森感。

我跟姊姊說，幸好，後來你出現了，但是在太拘謹的懷石料理宴會裡，你一直在宴會裡對別人說你夢見自己已然吃京野菜而瘦到肋骨條都摸得到，就像京都苦修的高僧女尼，眞高興。但是也在宴會現場抱怨起有另一個遠房親戚表姊的很低俗而噁心，一直在談她嫁出去東京的夫家剛開刀的公公的人工肛門，她想辦法不生氣，只是微笑，這多不容易……還抱怨得很大聲，之後就一直抱怨她的青春沒了，月經停了，小孩不理她了……之類令人不安又厭煩的事，甚至還生氣地大聲問宴會上的所有低聲喝茶交談的親戚們爲什麼他們聽了都不笑也不同情……那破壞了她的默契。

我跟姊姊說：一直很厭惡那女人的你還跟和風宴會場上的我說，你開始吃素，是爲了讓自己的身體變透明。關於降低對吃或對食物的依賴，不是不吃，只是清醒點。但你的情人跟你說，跟吃素的而離開彰化大戲院的你在一起不知道爲什麼會變得太焦慮或太急切……但卻又仍然悶悶不樂。

姊姊還更在夢中對我說，如果現在的情人抽身，她不知道她會不會活下去，或用和服繫帶自縊時要那情人跟著切腹。但是她後來還對我說：這種狀態一如一部部日本偶像劇殉情前的台詞那麼地做作……我知道，但是沒辦法，我變成了另一個我……現在仍然和那一個男人住了，我們睡一起，但是沒辦法做愛了，我的身體變透明之後，只有愛，沒法子有性，以後也不會有小孩了。

我跟姊姊說：剛剛的第三個開錯的門更可怕，我也走進去了，還走進去很深，那變成是在一個封閉的密室，一個龐大的工業廢墟改造的奇怪的髒地方，像是因爲荒廢太久而被偏離的某一大群人占領，就在那裡狂歡地喝酒，嗑藥，跳舞，像是臨時架起的更歪斜的夜店或更流動的派對，巨大光束在暗中放大投影出來的離奇光影。

但是，在這種種濕熱近乎潮解的歡樂氣息中，卻總是有種潛伏的隱憂，使我在裡頭出奇地緊張，一直在調度某種可能讓危機控制住的狀態，即使還沒出事，但仍是在隨時可能的失控中，不知爲何，我始終覺得地底有些莫名的什麼鬼東西在流竄，有更大的災難快發生了，但卻仍好像沒有人發現。

隱隱約約，低沉音響重音碰碰碰地懾人而心悸，一如催淚彈在有點異味的煙霧瀰漫，或有人在放有毒的氣體到近乎某種像化學武器的藥物，甚至有些微小但噁心的蟲子在從角落蟲洞爬出而在群眾的腳底可怕地蔓延。

我老擔心所有的狀況會更惡化，我死心但又無法死心地一直等待有人來救援。但還是沒人來，而漫長地等候那麼絕望地在待命。

在太黝黑的暗，太暴亂的舞曲，音樂太吵吵嚷嚷地逼近，所有的遠房親戚已然都變成類似殭屍般的身體，在那裡跟著舞曲怪異地舞動……只有外號老鼠的那老放映師和畫電影看板的阿火師變成了現場的某種叛軍頭子般的角色，他們就在那裡當ＤＪ，還監控全場，我還是很遲疑他們是我彷彿認識的那個小時候陪我長大的彰化大戲院裡的老人嗎？他們在夢裡怎麼變成了這種太離奇也太危險的人物，一如游擊隊式的恐怖分子，以前就太聰明又太激進的他們怎麼會在這裡出現，也不知何時出現，還一直在這恐怖的現場，他們那種一如過去閃爍而慧黠的眼神彷彿始終在操縱些什麼。

甚至，我並不知爲何我會在那裡，也不知我爲何要出來掌控全場，因爲，我在那裡始終也太沒有把握，還一直覺得現場還在失控之中。而使得本來只是不小心走進來彰化大戲院底層另一個暗黑結界的自己爲了扛任務而始終緊繃。

後來，我回到那很多怪異的門的走廊，和姊姊一起回到了彰化大戲院的大廳。我們一起對派對上那些長輩的遠房親戚們道歉。

我在現場，其實不安極了，因爲在夢中姊姊說：重要的是我們是因爲喜歡而重新想買回彰化大戲院，但是，我們失敗了，一如我們父親的失敗……其實，對我們家而言，彰化大戲院已然消失了。因爲本來是我們千辛萬苦要搬回長壽街老家和老家的人住在一起的夢也已然消失了……

但是，我更可怕的內心的不安是：這或許都只是一場電影般的太不眞實，太諷刺，也太逼近所有內心深處的恐懼，但是又完全無法承認，或許我始終想離開，完全不想再回來了，不想再搬回老家不想再找回彰化大戲院那般絕情而不懷舊而沒有鄉愁……或許，就只是完全地消失，一如電影燈亮了而終於所有的幻覺都散場那麼無奈地離開。

我對姊姊說……在夢的最後來，我始終想起小時候在彰化大戲院看過的一個搞笑得近乎荒唐鬼電影的某個畫面。

電影裡的故事始終是在一個郊區房子裡的一家人，家裡的大人很喜歡嚇小孩，他們老是扮演各種鬼魂的模樣，鬼鬼祟祟地恐嚇小孩的各種嚇法，近乎隱隱約約但極度恐怖地敲門或搖窗簾踩地板……但是，不知爲何，那一家裡的小孩很喜歡被嚇！很愛也很怕。所以，大人眞正的苦惱反而是每次都挖空心思要想新的嚇法，很疲憊卻又樂此不疲……

後來，那小孩對鏡頭說悄悄話地抱怨說，因爲我們父母這種大人的愚蠢，正好一如我們最近找到的一種新的線上遊戲那種強迫症式的愚蠢地風靡，因爲那種嚇人的笨玩法很像……可以開一種全新的功能的玩法，所有的家裡尋常住的房子的每一個角落都可以被啓動而變成鬼屋的特效，就像從早期上世代電玩中開發而重新出現的那種挖洞，砍頭，截肢，爆裂，火燒的種種走廊或閣樓或門窗或地下室每一個機關的可能，種種又恐怖又荒謬的狀態的極致在那遊戲裡，就叫做……極惡地獄模式。

那小孩在鏡頭中對觀眾悄悄地眨眼做鬼臉說：其實，那極惡地獄模式……一點也不可怕。

顏麗子是如何把寶島大旅社蓋起來的（第7篇）古銅牛眼窗。

有一回生了一場怪病，顏麗子說，她的額頭腫起來太離譜到會覺得眼睛快突出來，眼白像荔枝，看太窄的角落……會出現幻覺，好像整個透視感消失了，變得很近很緊。

她也不知道自己到底怎麼了……好像半近視半遠視……好像視網膜聚焦很容易混淆……不知道是不是太嚴重到虹膜受了傷。

或許是她的看……變了……注視前方會反而看不清楚，不聚焦的看，才看得到，甚至，還會像金魚一樣……變成某種奇幻的亂視，所有的視野都扭曲了起來。

不會痛，不會癢，甚至沒有任何異狀……但是，就是怎麼看都看不太準了……看太近或太遠或太旁邊……眼睛都很難過，像是某種鬼打牆，或許是什麼眼球微血管被卡住！還是卡到陰……

顏麗子以前沒有過這種情形，不知道是不是那一陣子太常喝酒，也熬了太多天夜，心神變得不寧到太恍恍惚惚了。

那一天，就在洗澡時，一開始眼睛好像有層霧，本來以爲是浴室太潮濕的水氣，但是，走出來時，還是迷迷茫茫的，後來摸眼睫和眼球之間……發現有層附著的怪膜狀物。

但是，不知道是什麼，那是自己的視網膜嗎？她嚇壞了，慢慢地剝了下來之後，小心地看，是一片像隱形眼鏡的弧形的薄透明體，像魚眼皮，像彎度鏡片，但是，不論怎麼仔細看，都還是想不出來那是什麼？

但是，在那種迷迷茫茫的薄霧中，她卻覺得好開心，甚至覺得有種被喚回的幸福感。因爲，在這種奇幻的亂視中……顏麗子好像找到了一種虹膜式的彩虹感，稀薄而無限變幻的鮮豔色光，淡紫，藏青，普魯士藍，緩緩轉換成深深淺淺的綠，芥末黃，橘紅到豔紅，泛起光影的波動……出現了某種像極光般地漫射與折射所投影成的特殊效果。

那使她好像回到小時候，全家總是一早去八卦山爬山，走到山上看破曉的那一刻，她握緊父親母親的雙手，注視著山頂看出的遠方雲彩……天色從全然黝暗到全然閃亮之間種種緩慢沉寂的演變……好美好華麗地炫目斑斕。這種在遽變迷茫的光與影的華麗奇幻中……所喚出的幸福感，是顏麗子想在寶島大旅社裡找回來……所以，森山想了好久……終於想出了如何在建築裡長出來這種眞的奇幻的光……那是他從京都找出來復刻重製的……古銅燈籠窗式的古銅牛眼窗。

森山大膽了起來，決心孤注一擲，一如在起造一尊神明的神像般地入迷了起來……

他說服了顏麗子……如何在寶島大旅社的屋身上安裝許許多多的這種古怪的老燈具的光，這樣，才能出現那種遠觀彷彿是巨大的神獸瞳孔的瞳光……就在那弧面如巨型山寨的屋頂上，長出了龐然的古銅牛眼窗。位於中央部及角隅部之牆上的圓形高窗，形似牛眼，屋頂的弧面還特別以拱心石排列成車輪狀來增加曲度變化的多層次，安放於原爲半圓穹頂所改爲四披水的銅皮屋頂，弧形牆身四面仍然安裝多重百葉窗，基座爲梯形的老樟木作雨淋板，在自身小曲面屋頂，因爲可以通風，也可以起風，所以在窗台側安裝某種特殊噴霧機械裝置，使得，那瞳孔狀的牛眼窗從遠方看彷彿永遠是氤氳的……迷迷茫茫了起來。

深夜裡看是最淒美的，起霧的小型機械起動聲音隱隱約約……路人聽起來，還會以爲有人在高樓看到太淒美的風光而顧景自憐地傷心……而像是在嗚嗚咽咽地低泣。或是，更沉更低的寶島大旅社的塔樓所安奉供養的巨大的神獸，正不時地顧盼自如，隱隱咆哮……有時候，清晨或黃昏的陽光太美太燦爛，從彰化火車站看過去，就會看到寶島大旅社那神話般奇幻的多弧面曲度屋頂上頭的天空……

泛起了一道顏色斑斕而令人覺得無比幸福的虹……

旅社部（第4篇）西門町。

一

我老是會想起大火的那個晚上。

在西門町……我所困在現場進退兩難但又太入迷的大火，難以忘懷又無以名狀那般炫目華麗的大火。那是我家在小學二年級從彰化搬到臺北的那一年的某一天，半夜，我和姊被叫醒，窸窣之中披著床單就往樓下巷口跑。

那是多麼遙遠又仍然多麼逼近的畫面，多麼地危險又多麼地開心地華麗著……就像某種放蜂炮或煙火的現場那種慌慌張張但又怪異地夾雜無比地亢奮，甚至，就只像一個夢，夢裡太多太不可思議的狀態，空氣中的火燒焦味混著木頭的潮濕太久的霉味。

大火，火有多大……我始終不清楚，或許我也始終沒有清醒。就擠在那又哭又鬧又害怕極了的人群裡，擠在仍然還在燃燒的火災現場，不知如何是好。火逼近的熱是另一種更逼身的威脅，比那狹窄極了的長巷道裡某遠方的木製房屋窗口冒出濃烈的黑煙雲端或濃霧滾滾還更令人不安慌亂，在那暗夜中看到的火花是那麼美麗也那麼忽遠忽近，但是更意外的火苗卻已然瘋狂地竄出而變得可怕了起來。

消防隊員越來越多，也越來越凶……他們出事了，兩次疏散人群時深入火場搜救被困人員。聽在旁邊的大人說……過程一直太危險了。他們在某一太暗黑的房間內摸到一處燙傷很多人的捲簾門，發現裡面有閃爍的亮光，推斷起火點，進行破拆，在發現著火點後，他們艱難地以內側漬跡牆壁上殘破的消防車上的水壓不足的水管同時勉強地出水……拖了極久才好不容易地把火勢堵截。因他們陷入太深的困難，體力消耗太大的消防隊員們身上的空氣呼吸器已然發出警報。他們試圖沿安全導向繩引導返回時，車間貨架還突然倒塌，導向繩被埋壓，爲了更快地在地形複雜火場中尋找出口，那消防員摘掉了安全繩，再次奔向了火海。最後的時刻，他還一個人去找出口，後來就出事了。就是那個躺在地上的消防隊員，已然斷氣了。他們說急救也來不及了，因爲他氣管痙攣、喉頭水腫，呼吸困難，甚至已然呼吸衰竭和代謝性衰竭。

另一個去世的人更令我難過，那是一個住在不遠鄰家的小孩被活活燒死了，我還記得我跟他去河邊打過棒球，有一回，在一群人同時的歡呼和咒罵中，我眼睜睜地看著他揮棒太用力到竟然把球打到河裡去就這樣子撿不回來了的那小孩。所有人後來都只能呆坐下來……不知如何是好。就在那時候，我才在發呆中遠遠看到河岸上頭天空的普魯士藍光澤與兩岸向更遠方蔓延長出的亂草叢生的綠意，心裡才突然想到，原來那就是淡水河，就是這一條河的河水將這個城流向海洋。

直到這一個大火的夜裡，我才想起那一回，其實我一直不敢回想，或許，眞的一如那回那種怪異地巧合，一個其實只是因爲輸了或沒球玩了而咒罵他的同學忿忿不平地說：他會不得好死，因爲他觸怒了河神。

我看著他的父母，他們哀傷地抱著他，撫摸孩子的臉龐和頭髮，整理遺體時哭得好慘。本來他的爸爸媽媽是從火場帶他們家三個小孩們逃出來的，但是他卻跑得太快，跌落樓梯困在太裡頭而來不及救了。在現場，看起來自己狀況稍有好轉的媽媽更是眼淚又忍不住流下來，甚至哭出了聲來。大家都想法子趕緊安慰他的爸爸媽媽，他們一直情緒很不穩，神情恍惚，彷彿想起兒子生前那麼活潑的模樣，一直喃喃自語地說「你怎麼走得這麼早」。他們就這樣地慢慢安靜下來，整理他的衣服，他媽媽那句「你這麼走得這麼早」還一直重複地念念不忘地說。

那其實是極恐怖的畫面。因爲躲開火場的我們站得太近。我竟然看到那個和我同年紀左右的小孩，太令人不安了。他的臉燒毀了一半，本來天眞爛漫的容顏竟然露出半骷髏的眼洞，血液已然變成暗紅甚至黝黑，半流動半黏著在頭顱骨肉之間，頭髮混亂而纏繞，也還貼著另一半還看得出耳鼻的臉龐，太可怕了。那種狀態是那麼可怕又可憐的……但是，我卻不知爲何被深深地吸引而目不轉睛地注視。或許，是因爲好奇，或許，更因爲是心裡始終揮之不去的一個念頭，一個疑問……那麼地不堪又那麼糾纏不清。那就是：如果這小孩就是我呢？如果我睡到一半就這樣死去了呢？

後來，我們就全家人和鄰居一起站在路邊看著火勢從遠而近，很著急很緊張但只能站著，一站就站了好幾個小時，不知如何是好。我始終想起那個在西門町的當年住的低矮的舊木造房子，日本時代留下來的宿舍樓層，年久失修許久許久……一如更多在巷裡討生活的下港來的人家的破爛不堪的家。一直到了那場大火的燎原之勢……大家才發現，我們不過只是住在後台般的後巷那種種狼藉不堪的生活裡。雖然那老房子太逼近前台的炫目華麗，那巷口就是當年最龐大最高規格的國賓戲院，充滿西門町當年那種極度盛況的閃閃發光，臺北最新又最入時的遊樂園般的商家、冰宮、舞廳、紅包場、電影院……種種當年太過時髦而難以想像的熱鬧現場的狂歡感。雖然我太小又還看不太懂。但是那種西門町當年盛況的太過閃閃發光，或許對小時候誤入的我而言，也只是另一場生命裡所困在現場進退兩難但又太入迷的大火，難以忘懷又無以名狀那般炫目華麗的大火。

二

在西門町紅樓旁的旅館裡，我跟她說：在前一晚的夢裡，我老覺得吸不到氣，老覺得很空虛，不知爲何，太厭煩到好像經歷了太多的太早就發生的混亂、戰役、預言……命運的打量變得太沉重又太輕率。但是，又也不能離開，就只好仍然待在那裡跟那些老朋友們繼續糾葛。

那是一個那晚作的夢。在深山裡，在一個老舊而不起眼的木製房子。因爲和幾個老朋友參加之前的一個很久沒碰面的聚會，而在那一帶待了好幾天，忙壞了，還都在破房子裡頭，漏雨、漏電，一直出事也一直很混亂。後來，還和另一些朋友的朋友碰面，在那一個破爛的客廳，怪怪的，太多人，沒位子，門旁有一大桌極大，五米平方，桌面旁邊的玻璃下都是小電視螢幕，像舊型遊戲機，不知為何，有很多小孩在那裡用心專注地打。奇怪的是這老房子裡的這新機種，像一個密室裡的古代機關，像一所老博物館珍藏古董神祕法器被誤觸地啓動所出現了意外的光芒四射，那畫面裡竟然是一大台巨型的太空船的緩緩升空與降落，周圍環繞著無數極小隻的外星怪物及飛碟飛行著，用某種奇怪的速度和角度想攻堅進入巨大太空船的核心死角，卻一直失敗，就這樣，雖然戰鬥過程的光影閃爍的曲折很炫目華麗，但是，仍然都被快速地打死潰敗而消失。更怪異的細節是……不知為何，整個過程始終一直發出某種窸窣瑣碎的聲音，像一種工業噪音，有種壓縮機式的古怪又不明聲響的低沉。

彷彿一場遠方的戰事。

我不曉得那是什麼，也不曉得怎麼玩，我想過去看，但是，也沒走得更近，只是在旁打量。

後來跟那些老朋友們開始認眞算起一種新的算命牌。牌面上有幾個不明白意思的名字，我算的是今年流年。牌面上是：砍手，不喜歡，厭倦。所有算命的每個人好像都太投入也太疏離，每回說法都是既曖昧又清晰，但也某種程度上是飽含暗示。那些老朋友老是太激進了，對我而言，每回見面的長談，老像是更有影響力的勸戒，或像人生的切割換日線，總讓我有種好像感覺到更大的蛻變即將發生，而過去以為的狀態原來完全不是我想像的那樣的發現。但是，這一天不知為何，我卻不太像過去那麼感動，只有不太出奇的好奇。

唉！我對她說：夢裡的我和眞實的我一樣，都眞的太累了。

更後來，整個天氣又更冷，而且我們仍然沒有離開，就在老屋門口的樹下，更狠狠地抽一整個下午的菸。拖了更久，幹！我的轉速在這種腦筋急轉彎加神算卜命式的惡性競爭搞笑運算中還是有點吃力，算牌變得困難……要照顧所有人的心情……每個人有自己的後花園，宇宙觀，推理的期待值差異，或是驕傲及其落敗。而且，在夢裡我好像是前一晚睡太少，昏昏沉沉，又心有餘悸，實在很難集中精神地投入，而且天氣太冷，所以我也在出入老房子的過程，淋雨淋了幾天，因此，在這個老房子的院子裡，我老是恍神，像沒繳罰款或曝光過度地心虛而忐忑不安。後來太晚了，離開的我們又回去借住那老房子的更邊間的破學生宿舍。

其實那一陣子的我好像找不到住的地方，是暫時也去找旁邊的破地方落腳，睡醒沒人，另一個朋友已先走，留字條在桌上，可是有好多張好多筆跡好多字都跟解牌有關，但是我並不知道哪一張才對，也不知道哪一張或哪幾張是我的，那使我很疲憊到很不想再追問。更後來，所有的聚會都好不容易結束了，又待了一會兒的我就跟他們說，我想自己出去走走。後來，他們隔天早上又回來了，一大早就在烤麵包，剛睡醒而不太舒服的我有點想吃，但也不那麼想吃，只是一直在仔細地注視那個奇怪長相的古董烤麵包機，好典雅又迷人的造型，像是一臺功能太繁複到不知如何起飛的不明飛行物。第三天的後來，我並沒有馬上走，沒跟大家離開。反而自己一個人往山的更深處走去，後來，跟著山村的一個婦女往某個山坳走去，越走越遠，但是，風景越來越美，我捨不得馬上回頭，而且跟著某幾個出現的住山村的小孩，故意走更遠去逛山裡不小心發現的一個老市集。

那是很老的日據時代留下來的一整條有點殘破的老街，光影很暗淡但很令人心動，我只是跟著沿路走，才留意到，沿街的老店很多，而且賣米，賣油，賣雜貨的，店家都是古蹟了，百年老店那種氣味，太多意外，一整個荒山的人好像都來這裡落腳打尖辦貨那麼老派地熱絡。好像要什麼都有而且也都很迷人，那種老時代的狀態。我在那一帶待了好一陣子，沿途打量店家的尋常但又古怪的貨色。後來，才發現我走太遠了，迷了路，那時候，天色開始暗了下來到近乎全黑，我開始擔心了，就趕快回頭，再晚就走不了了！就這樣慌慌張張地又找了好久，才好不容易找到路往回走。在山路中，霧氣越來越重，近乎看不到路，又走了好久，樹林的蔭深越來越長越遠，我心想，完了，這下子落單在暗夜山中的我不知會有什麼下場。這時，看到遠方的微弱的燈火，或許是山中的螢火蟲漫飛，或燐光……但是，我心中卻一直想起那遊戲機上的閃爍的小型不明飛行物。更後來，就這樣，我始終跟著遠方的微光往前走，走一陣子，就竟然回到那房子。沒人，也找不到我的行李。好像被整理過了的那地方，我明明很熟了但是又覺得陌生了起來，在那客廳，很簡陋樸素而有點混亂的民宿，我還記得行李有兩三包，一個行李箱在沙發旁，另一個在後頭門口珠簾下，還有幾件衣服，好像還在床邊，反正，應該在那裡，我本來想抓著就走，因爲要趕車下山。但是，就是找不到，一直找一直找，都沒有，也沒人問，空蕩蕩的，一如我剛到時看到的模樣。竟然，就這樣，我楞在那個空蕩的客廳，在那個像不明飛行物的舊式烤麵包機前，不知如何是好，一直有種恍惚，懷疑起來，彷彿我沒有來過這裡。

三

我們坐在紅樓旁的露天咖啡廳那一帶。我跟她說：其實紅樓這一帶以前很陰。一個蓋成八卦形狀用來辟邪的老西門市場和拜妖狐狸的稻荷神社。

我一直沒有留意到她的臉和她的身體是那麼不一樣，彷彿是分開的，像兩種不同的玄學或宇宙觀。她的臉像一種埃及法老王或王妃的石雕，一尊南北朝以前的容顏樸素的古玉菩薩……慈眉善目式地慈悲，單眼皮素顏而從眉心到鼻梁都極端正到令人難有邪念。但是她的肉身卻是另一種離奇，瘦到近乎是可以輕易捏碎，太單薄太纖細到近乎是透明的了，但是，身影卻是修長的，出奇地手長腳長，不可思議地柔軟度太好，肢體太流動到甚至可以任意扭曲摺疊變形，但是在端莊的沉著外貌底下，甚至晶瑩剔透帶閃爍的眼神中，有種奇特的藏得很小心很裡頭的性感。

她說，她有一段時光有了重大的轉變，什麼都不想要了地放棄，心裡是飄浮的，懸空到自己都不知如何是好。反正就是很想要丟掉東西，想丟到只剩下一個皮箱就能裝完的東西，就這樣，可以不在乎了，隨時可以離開，可以做更自由自在的自己。

但是，她沒有離開。

仍然待在原來的地方，上原來的壓抑的班，做原來的繁忙的事，但是。覺得仍然不夠。一直到了前兩年，終於有了很大的不同。她開始進行了更激進的嘗試，放棄更多，吃素甚至最後進入斷食。或是，更後來就是偶爾請假一個人去歐洲旅行，都住hostel地流浪，越走越久越遠。

我跟她提到了有一部電影片名就叫hostel，但卻是恐怖片，中文就翻譯成《恐怖旅店》。那電影，就是發生在歐洲的某些小國的小城，有兩個美國大學生去那裡旅行，在夜店遇到兩三個當地的美女，帶他們去別的派對，但是被下藥，昏迷之後醒來的他們就被綁在密室椅子上，變成讓付錢的人恣意妄為地虐殺他們的犧牲。但是，後來那部B級片式的怪電影收場還是很誇張的意外。那是在一個密室中不小心的近乎不可能的差錯中，讓兩個美國大學生逃離，一路追殺，血肉模糊到很不堪，但是，卻是反映出這個時代年輕人老是浪漫無知地去歐洲旅行中所可能出事的極著名的焦慮和恐懼。

「你一定會怕！」「連我本來也很怕，幸好那片子拍壞了，虐殺的畫面噴血其實很假，所以可怕的反而是某一小段場景的特寫。我印象好深，那片中那頭子所交代著的所有他收藏的古董級殺人器物。就在某些不經意的幾分鐘電影畫面裡頭很仔細地特寫那密室椅子旁大桌子上的可怕刑具。有各種各樣尺寸的還沾滿了血漬的電鑽，帶骨髓的長短銼刀，帶鋸齒邊緣刀面的各色匕首，帶肉屑未清的生鏽鋸片的把手鋸子，還有更巨大更聳動的吊在梁上懸空如法器般的著名德州殺人狂式的長電鋸。」我有時作夢，還會夢見這些刑具栩栩如生地半滴血地出現，而我就綁在囚室刑椅上。完全不能動。

她說她也永遠記得一個很恐怖的故事，就是在hostel聽到的。她說到了她的那一次旅行，年紀太輕也太窮，走得也太匆匆忙忙了，所以，後來，到了倫敦，只好去落腳在一個老舊擁擠的hostel，一間十二張床上下鋪式簡陋又混亂的房間，還是男女混住的。她入住到進去放行李時都沒有遇到人，後來也沒多想，整理了一下衣服就出去了，一整天貪心地看著太多古蹟名勝，而且一直趕路趕到太晚了，就這樣走路走太久之後，回到旅館稍稍打點，連澡都沒洗竟然倒頭就睡，睡到半夜，被某些不太明顯的腳步聲所吵醒，大概是房間裡鄰床的陸續地回來，但是，燈光沒有全開，所有人都是在半暗的昏黃中摸路，整理，有些是從骯髒的雙肩背包粗手粗腳拿東西出來弄響的窸窸窣窣，有些是低聲地用她也聽不懂語言攀談的干擾，但是，她說，她印象最深的是兩個年輕美國金髮少女那一如掛上鈴鐺般的笑聲的輕脆，而且，在熹微的光線中，她半睡半醒之間，仍然出奇地發現，在窄小擠滿陌生男男女女的小房間裡，甚至空氣中都還聞得到某些剛下山回來登山鞋的泥濘和襪臭的太久混濁的怪味，男人太久沒洗T恤上的汗流浹背乾燥後仍然的汗漬汗臭，或某些女孩的月經染紅衛生棉的血腥味丟在角落混著沒吃完漢堡碎肉的油膩種種難受極了的不潔及其暗示的忐忑不安。

但是，那兩個金髮美國少女，卻一點也不在乎，就在昏黃的光線裡，在狹窄擁擠的床旁走道中，還是邊走邊談笑邊脫衣，兩人都脫到全身只剩一件極小件極猥褻性感的丁字褲。然後，就爬到她的上鋪，抱在一起睡。她說，她好像一直聽到旁邊的年輕男人們的濃重呼吸聲和竊竊私語，而且，也還聽得到她們繼續的說話聲和鈴鐺般的笑聲，甚至，就算她還是因爲太疲憊而又入睡過去後，卻始終仍然感覺得到她們在上鋪半睡半晃動的不知在做什麼的荒唐。

她說，她一直記得那兩件款式一樣只是顏色不同的性感丁字褲的模樣。那上頭有刺繡著一隻極大半透明的蕾絲蝴蝶在丁字褲丁字的交會布帶上。因爲那一晚，她睡得很不好，夢裡頭在山谷的鮮花長滿的河畔，她一直看到成群的色彩斑斕的蝴蝶在空中飛舞徘徊，最後，卻在晴空萬里的空谷幽境的詩意中，令她完全不相信地，鳳蝶、蛺蝶、眼蝶、斑蝶、燕尾蝶……各種各類華麗鮮豔的蝴蝶就這樣一隻隻一群群集體地一起怪異地投河自殺。她還說到第二天，她在睡得很不好的早上醒來，很勉勉強強地在最後的時間趕去吃早餐，因爲桌子很少，就坐到簡陋的餐廳角落，坐下來，才發現就坐在那兩個丁字褲少女鄰桌，而且一邊喝難喝的黑咖啡和吃太硬的可頌麵包時，還聽到她們開心地提起一個她們昨晚去夜店聽到一個吧台遇到的俄羅斯怪男人說給她們的故事。

他說，有一對夫妻去東歐某個剛開放的舊俄分裂之後出現的小國家旅行，本來玩了幾天還滿開心的，但是，後來，他們走進了某個小鎮廣場角落的一個好看服飾店。他們各挑了一件民族風的古董衣服進去試，進去了牆角的一個又髒又窄的更衣室，走進左右兩間粗糙隔成的怪房間去換裝。但是太太進去，好久都沒出來。先生後來等太久之後，進去看，才發現更衣室房間是空的，他太太失蹤了。就這樣，即使她先生用盡全力奔走，在那一個城裡待了好久，但是還是沒有找到。一直到了多年以後，他先生已然死心，相信他妻子已然出事過世的許久之後，有一回他去倫敦的郊外，在一個馬戲團的怪人秀帳篷裡看到種種可怕的表演，有胖到二百多公斤的胖漢，連身雙頭的畸形姊妹，長滿全身毛髮的猛男，穿正式西裝的一家老老小小好幾個侏儒，在那黝黑的帳篷裡好荒唐地恐怖喔！

她說，她越聽越發毛。尤其想到昨晚的夢又想到自己一個女人在歐洲的旅行的時有時無但總是揮之不去的危險感。但是，那兩個丁字褲少女仍然卻一點也不在乎，還一邊吃早餐的可頌麵包塗奶油一邊半開玩笑地轉述地說著這個荒唐的故事的最後。她說：「那俄羅斯男人可能只是在騙我，那時候，你去拿酒，沒聽到他說的結局，他說，那個先生在那個黝暗的帳篷的怪人秀熱鬧但令人不安的表演中，彷彿老是聽到一個熟悉的女人的口音，仔細地想，才想起來那就是他太太。但是，就在那瞬間的既開心又擔心的情緒裡，他往那一個聲音出現的幽暗角落看去，卻是一個已然沒手沒腳的女人正用嘴巴咬著一枝鵝毛筆在寫字，他走過去，才認出來，那就是他太太。」吃早餐的女孩說她反而一直笑，一直露出一種奇怪嘲弄的玩笑式的神經兮兮的表情，好像在看恐怖喜劇片的笑。她說她只對那個俄羅斯男人說：你是騙人的吧！他說，我沒說謊，這種故事很多，總是越聽越怕。反正都是這種離奇的綁架，在離奇的小城和小國，消失的女人大多被賣掉，有的變成娼妓、流鶯，有的就變成這種可憐人球。他說，我還眞的在莫斯科看過一個這種沒手沒腳的女人在表演特技，在身體的斷肢前頭裝上可以鼓動的假翅膀支架，用嘴唇咬著一個可以揮動翅膀的關節接口開關操縱桿，翅膀揮動時很辛苦但也很恐怖，像不太靈活的裝義肢的機器人或就像受傷的蛾的殘翼翅膀。她說她在那個遙遠的hostel的遭遇，所聽到看到那兩個丁字褲少女的輕慢，還是令她有一種又好氣又好笑的奇怪的釋懷。對於她那一段自我放棄而心中飄浮懸空的時光，有了某種更內在的莫名的轉換。什麼都不想要了的念頭，不再那麼激烈地……揮之不去。

四

這電影和這紅樓和這小熊村的幻覺……對我而言，都是種種懸而未決的懸念。這裡打開所有人間的矛盾與複雜都太怪異也太難解釋……既歡樂又悲哀，既古代又現代，既祕密又開放……栩栩如生地發生。這應該是一場場的城市最亦正亦邪地兩難的寓言。這電影的夢幻、恐懼、熱血……是多麼像西門町會發生。或像在小熊村裡會發生的……也就是會來這裡的年輕人所會陷入的困境。她說，或許，這就是一本漫畫改編的電影而已，而且是給少男看的那種……我跟她說。「小熊村」。是一堆熊Gay們聚集的村落。

本來，這裡，原本只有一間名叫小熊村的咖啡廳，門口擺著幾隻大大小小的泰迪熊玩偶。

老闆好像就是熊男。據說他原本是開店在別的地方，店裡時營業時不營業，常有一堆熊男在裡面玩耍，也分不清是老闆還是客人。大概是幾年前，他們才搬到紅樓旁這裡來。小小的店面，外面有露天座椅，在夜晚閃閃發光的燈的妝點，一群從附近健身房下課後的熊族們會陸陸續續來這裡。後來，更多紛紛在小熊村旁開設的店，有賣泰國菜的、炸雞的、咖啡茶的、蛋包飯的、調酒的、黑輪的、性感內褲的、剪頭髮的……變成一個村子。如果是常客，走到這邊，會發現很多人都不約而同的在掃描。熊、猴、野狼、C妹、水男孩、體育系、考古族……各式各樣的客人都有。但是，就在以前很陰的紅樓這一帶，就在太多鬼故事的這一個蓋成八卦形狀用來辟邪的老西門市場和拜妖狐狸的稻荷神社。

這裡，太像個幻覺，我跟她說……

還有人更尖銳地批評小熊村這裡：「每個體重都超過八十公斤、肚圍遠遠超過胸圍，現場是他這輩子看過最多肥子的地方。」還有人攻擊說：「你沒事去豬公寮做什麼？最慘的是全部都是母豬！」也有人說：「你搞錯了，那不是咖啡廳，是神豬比賽現場。」……好荒誕又好聰明的嘲弄。但是，不知爲何……坐在小熊村裡，一邊說話一邊看著紅樓……我卻老是想著我們剛剛在西門町一起去看了的那一部片。

那是一部叫《殺戮城市》的電影。由漫畫改拍，日本名字就叫Ganza，片子的故事是發生在一個一個Game的現場或過場。我印象最深的是……片中每次遊戲開始之前，都會有一首歌放送……敞開心胸面對天空，那是收音機或廣播在老時代的聲音，緩慢的唱片跳針式的老式雜音……快樂得像在小學的朝會……那般。「要怎麼樣才能生存。而且會一直重複。不知道。這樣的狀況會持續多久。」有一行字出現：你們都已經死了。現在你們的命都是我的，隨我高興。片中的男主角一直在懷疑……「我沒死嗎？窗外還是東京鐵塔，但門鎖住了，我突然記起來，我被打了什麼藥。所以，或許我們全都是假死，被集體催眠，現在看到的這個房間及這些我們看到的……都是幻覺。遊戲結束時，我們就可以回家了，而且只要完成任務就有獎金。」整部電影應該是一個陰陽界，至少是一個從冥河到冥界，充滿了孟婆湯、惡犬、城隍、生死簿、黑白無常、判官……之類地方的陰森。但是，在片中，這裡卻變成一個摩天樓高層的一個怪房間遭遇，或是一個從高科技黑鐵球開始的故事。因爲，在密室中，有一群應該已然死了但又沒死的人，進入了這地方。有很多地球人或外星人的奇怪角色，很多奇怪的復活和死法，很多城市的奇怪角落及其變幻……還有最重要的……每個人決定要進入戰鬥的動機。但是，如果打勝了，可以獲得解放或讓一個人復活，穿上那套衣服，強化衣，會變成超能者。所以回到人間，重新開始，就像一個普通的人變成一個正義使者的故事。後來有人解釋規則給他們聽，有時可以再醒來，回到家，發現每個人都有一個角色和任務……男主角對女主角說：「我一直在作你會消失了的夢。這裡是天堂，也是地獄。」這種狀態和西門町好像……像個年輕人的亦正亦邪的幻覺。

片中他們一直在城市的許多像西門町般的幻覺角落出現，一直走動也一直逃跑……路過每個地方都覺得剛剛好像有經過這裡。經過很多夜裡的街道、空的公園、樓梯、地下涵管、車庫、暗角。最後是出現在上野公園裡的好像紅樓那種古典建築的博物館裡頭。一開始是外頭大門兩側有兩個怒目金剛變成了外星怪物附身，巨大又身手矯健，在裡頭很深很大的主展廳中另一隻怪物是歷史博物館裡的很多佛像的某一尊，一開始在暗處完全看不到，後來才發現那就是那一尊尊神祇國寶中某個面目極猙獰凶惡的黝黑菩薩。畫面中的血滴到銅製的顏面，眉宇、鼻梁、嘴唇，都有著很沉重的曲線……有著華麗的古代雕刻的餘韻但卻變得恐怖，那菩薩頭部四面都有臉而身上有幾十隻手，都拿了武器，刀、劍、鉤、戟……都是古代法器，而且法力極高，一出手人就死。後來，那千手觀音的手上的小金佛滾落地面，但卻竟然慢慢地變身而竟然長到令人無法相信的聳立，甚至還變大成極龐然的釋迦牟尼銅佛像，甚至在變大到屋中已容不下時就從屋頂撞破而在老博物館的現場和一個穿緊身衣的少男主角對決。但是，最後結束得很荒唐，那竟是大佛祂把他吃到嘴裡，像白鯨或恐龍甚至是酷斯拉，而他從裡頭射擊死光而使大佛身裂一個洞，光散出再爆裂……最後，逃出來的年輕男主角對女主角說……有一個地方，會讓你發揮這些能力，我們並沒有死去，即使死了，也可以復活，請你們相信我，我們一起戰鬥吧！一，二，三。

五

在西門町那旅館裡，我跟她說，好奇怪，剛剛在夢中，眼睛一睜開的我，就看到你和別的男人做愛，然而卻覺得是好詩意寂靜的場景和溫柔母獸的故事，運鏡極美，但是，我卻不是生氣或傷心，反而卻是在羨慕，同情，妒忌，種種忐忑不安之中，開始手淫勃起的陰莖，在這種彷佛從鄰家陽台的悄悄窺視的遠方，充滿複雜而感恩的心情，一如國中男孩性幻想他拘謹但美麗優雅的地理女老師和她先生在斑駁舊世界地圖印花的地毯上狂歡肉身的汗流浹背地抽送，或在圖書館祕密角落的黝黑房間門縫，意外發現心儀的學姊被溫文儒雅的太極劍的高手學長在低聲呻吟地舔她的陰毛紊亂中的陰唇那種種迷亂，或像在陽明山山路或武昌街電影院後巷中夜遊老陷入鬼打牆般的色情和迂迴曲折，像某種老臺北老工地鐵皮屋的淋浴間的水花亂濺地那麼濕而失控氤氳。在夢中，手淫的我就這樣射精了。

我們在旅館裡，更後來，一切都狼藉了，被單，食物，浴缸，菸灰缸……所有的混亂令她有點不安。我本來還不知是爲了什麼！在激烈地辯論之後，我對她說。你以爲我是OK繃，假皮，人工關節……般的療癒。而你是照妖鏡，女巫，練過忍術的體操選手……般地尖銳。但是，在做愛時，我想，你其實是正派的斷掌兵符的樊梨花，名門正派的峨嵋滅絕師太，而我只是巨大恍神的無臉男，是被你修理砍殺的那種紈袴到不知民間疾苦的惡少淫棍。

但是，她沒再追問爲什麼，只笑著說，看我怎麼收拾你。

她說，她小時候有一種習慣。收拾。尤其是吃完一定要收拾的習慣，一開始只是因爲喜歡看到東西是乾淨的、整齊的，還有喜歡把東西堆疊在一起很有秩序的樣子，當然，後來，就變成另一種心情的理解，狀態，一種惡化了的比潔癖更嚴重的狀態，完全沒辦法接受混亂或參差或隨意的失序，甚至，是任何失序的可能……開始都會讓她緊張而焦慮。

但是，她說，這種狀態令小時候的我留下陰影，尤其，在一群人裡，在所有的條件變了，使我的收拾在之後被「阻止」了很多次。那種阻止使我變得小心，收拾不要被嘲弄或利用，或過程被冒犯。但是，我的心情老受影響，也老還是一樣。不過，在沒有別人或不會造成他人困擾或惹是生非的情形之下，我還是一定會收拾。不過跟更熟的朋友出去吃飯時還更是要忍耐，更得要收斂些。因爲，同學們會有兩種極端的反應：一種會善意地叫我不要收，另一種會惡意地完全叫我收。但是，這兩種反應都是不對的。她們從來不了解我在想什麼？或在乎什麼？或是收拾其實不是爲了收拾，而是爲了別的我也說不清楚的原因。那一回印象極深，她說，事情發生在飛機上，母親與我中間空著一個空位，我靠窗。用完餐點我將我的部分放置在中間空座位，母親則拿去堆疊在她的盤子上，看過去眞的是一片狼藉，飲料上的膜爲什麼不乾脆一點撕掉讓它一半裸在空氣中，那是什麼意思，鋁箔包的餐盒蓋既然是鋁製品就可以很輕易的摺成最小空間，如果那麼放肆的曲折看了會令人很不舒服，還有餐沒吃乾淨有飯粒殘留，兩個餐盤疊在一起有高低差會有傾倒的危險……因此，我把那一坨移到中間的空位，慢慢將能摺疊的回收物摺成小方塊再整齊放到飲料杯裡，同格子做單位的模子相堆疊、餐盤也緊密疊在一起，畫面看起來舒服些，許多心情也舒坦些，像是所有災後的廢墟在重建中煥然一新，所有傷口的縫縫補補地認眞縫合，或就只是踢正步，啦啦隊該有的練很久才練得出來的動作上的精準而一致……那狀態的小心謹愼不只是那件事的下場，也應該是其發生的重要原因。但是，因爲大家都不在乎了，所以，事情變成另一回事。因爲，那變成一種很難想像的顚倒。我花了很多力氣的善意，卻變成他們的惡意式的困擾。

她說，不知爲何，我的收拾，竟然變成空中小姐們和其他機組人員的困擾，因爲，她們收拾餐盤的規定是很精確的。因爲，要清點。所有單位必須是以「一人」來回收，入格，點交，無論每人的盤上多髒多亂或多狼藉。我看著那推車上一格一格，一縫隙一縫隙的長形狀平行黑洞中，所出現的那種種吃剩漢堡絞肉屑的腥味，醬料溢出的暗黑漬痕，太令人不安地難以忍受，太任性了，太混亂了，像一個星系星體的繞行軌跡出亂子或爆炸出碎裂的黑洞碎片。

那是不應該的，不潔而不齒的。她說，那完全不是我想像的收拾，那不是秩序，不是規格，不是小心……反正，就不是收拾。但她沒說出來了。

她說，那回，下飛機後，除了天氣冷得令人發抖外，我終於看清楚了，總之，我錯了，我太天眞了，太迷戀不可能的秩序，或就只是對不潔的不齒。總之。我不會再收拾了。

這算是那次旅行引發了的那影響很深，善念變惡念，我看見了自己的某種偏執的無法挽回。

她說：而我始終覺得，西門町是一個完全無法收拾的地方……一如你。

六

半夜了。坐在西門紅樓對面的這個商務的新旅館，不那麼特別。但我是第一次來，有種奇怪的好奇。不想那麼快回五樓的房間，就待在一樓的沙龍區長沙發，看著窗外夜色中的紅樓老建築在光中的迷離……這裡完全沒人，空間還有裝潢成懷舊日據時代的氣味，打理，但沒那麼講究細膩。入口設計成兩層洋樓式的紅樓外觀的八角形空間，一如當年日人居民稱爲八角堂。而且從立面有著造型奇特的八面「老虎窗」，每立面外牆的女兒牆裝飾突出的三角形的「山頭」，內牆做成外牆的洗石子仿造山石充作橫帶裝飾的華麗。而且天花板上頭挑高挑空成更特殊的造型，內部採用八角形梁柱的露明鋼筋混凝土有點殘破的構造，而且更上方更撐出鋼鐵支架的很多平行斜面的八角形斜屋頂。

入口旁邊則有一篇歷史沿革式的故事。

紅樓：西門紅樓，這棟兩層高的三級古蹟紅磚洋樓為一九〇八年所建，該古蹟建築最獨特之處，是其外觀為八角形，每正立面八公尺。也因此，該建物於日治時期通常被稱為八角堂。八角堂主建築體後面連接著的是十字型外觀的一樓磚造樓房。其實西門町這一帶在當年都是日本人住的。

一八九五年，臺灣總督府規劃臺北城西門附近空地為日人居住處所。而為因應包含末廣町、新起町、大和町、乃木町、築地町、壽町、濱町、泉町……日本人的生活中心，在西門紅樓旁蓋起「新起街」，則進一步委由知名建築師近藤十郎與建正式的西門市場以提供更完善的市場來替代本有的木造舊市場。那一帶正是也稱為「新起街市場」的西門市場，正式落成於一九〇八年十二月，為臺灣第一座官方市場。日治時代的中後期，市場周邊陸續增建多處日本式的木製私人平房店鋪與攤販。一九一一年市場附近也設供日人祭拜的稻荷神社及橢圓形小公園。

當年拆那原本是一八九六年出現以簡單木造房舍爲主的市場建築時，據說出過事……因爲那舊市場就是當地住民的生活日常。一如一九〇七年，於市區改正過程中拆除臺北城牆的某些傳說的恐怖……挖到了更老時代的墳場。一直有工地的工人看到亡魂在工地中徘徊不去……所以，更後來經風水師強烈地建議，才把紅樓蓋成八卦的八角形，來辟邪鎮妖……

那時候，我其實只是在發呆……打量著牆上兩台Sony大液晶電視螢幕。一邊是CNN一邊是NHK，但是無聲的，空氣中是空調的低頻和爵士薩克斯風混鋼琴的頹廢混濁。我就這樣躺橫在長沙發，一如在某種時空切換的中途島的動彈不得卻又依然放浪。就這樣……看著利比亞轟炸，倫敦攻擊會議，阿布達比鬼事件……最後兩台同時停在日本核電廠外露事件。那時，我才隱約感覺到我好像在國外或在地球上空，由衛星傳送種種的訊息，關於我正要前往的島嶼，在登陸前應該要明白的某些更不能閃躲也不想面對的什麼，電視中仍然持續出現著災區的災情的可怕和可憐，限電的殘破住戶，部分新幹線仍停駛的歪歪扭扭的搶救過的鐵軌。廢墟般的滿目瘡痍的小城，排隊領水的群眾的死寂但仍然平靜，一如這沙龍裡的某種怪異而疏離的靜謐。就像在一個夢裡，不知道哪裡不對勁但就是怪怪的……那種氣息。或許是因為我太累了，說話四小時和更早之前剛剛和她做愛的三小時。現在只是不太能動地躺著。

她走了。

電視出現了別的畫面……著名的料理是長蛆的起司。那是另一個節目，正介紹一個古城，早年被海盜洗劫過，但躲過廿世紀的轟炸，格拉那達，那是那古城的古代菜色，作法很噁心……廚師必須是故意讓蒼蠅下蛋在牛奶裡，才讓蛆長出來，從古法就這樣做的這料理極有名，而且是在當地因為那極窮困的年代才發展得出來的。「你想看絕望的神情嗎？」裝可愛的主持人吃了說……但是，好奇怪地好好吃。主持人旁邊的人接著說：「我還是吃旁邊的水果就好了！」後來，還有電視裡旅遊生活頻道的節目預告：穿越蟲洞的選美高手，裝修帥哥到我家，廣告胸罩的深凹雙弧而且可以……輕身活，另一個是如何在十分鐘就全臉飛梭雷射，另外有一節目，有一個外國人在教怎麼做乾炒牛河，看來好好吃但也好怪。

但我停在一個做衣服的節目……有一個主題：設計一九七八年的戲服。不是一九七三年。也不是一九七七年。二小時現場考驗設計師……實在太難了。必須找衣服去縫補。從五十萬件服裝中替演員打點。一個不修邊幅的老男人穿過時的西裝。上面有咖啡漬像金哈克曼，找衣服印花的型，試了很久……他穿起來太年輕性感了。後來，他開始有點挫折而故意裝可愛地溝通但不花時間在臨時演員的後來大亂……有沒有不一樣的領帶，留意場景在一個老式辦公室裡，所有演員在其中出現典型七〇年代質料顏色，要選有繫帶的藍色的西裝，要說服優柔寡斷的導演而且要他很會應付壓力，全場都很混亂但很好看。

另一臺的NHK換成一個北極動物生態的節目，巨大的冰原海洋中海豹北極熊在海水深處。綻開普魯士藍的液體，透露著稀薄的陽光而快速閃動游移的海豹一如潛艇也一如古生物地撲向遠方，越來越遠沒有回頭。像在追尋些什麼也像在放棄些什麼……或就是在悼念。

在那旅館的第二天早餐，仍然的位置，沙龍有很多中老年又不好看的歐巴桑。香港夫婦說話很吵，我在看CNN中，利比亞的軍情看美國軍方態度吃緊，日本的福島第二核電廠外洩追蹤。突然，有一個香港歐巴桑的臉擋在我看牆上電視的視線之中，她正做出極撒嬌但極噁心的表情，大概是吃到很酸的水果很受不了那種又好氣又好笑的模樣。但是，她實在長得太抱歉了，塌鼻子，小眼睛又不太對稱，臉寬又扁，脖子很短，頭髮很糟，衣服又穿完全沒設計感的橫條紋長T恤，眞像囚衣，眞像瘋人院中的某種長期失智而從未留意過自己長相打點妝扮的女人才會淪落的模樣的荒唐。甚至，當她在做那表情給她對面的老公看撒嬌時。並沒有發現到我在看她，所以就更不設防地更自然。

但，想想覺得這些人這些場景都太做作了，一如我和她這個在時差裡前不著村後不著店的紅樓古建築旁的小旅館的放浪偷渡，並悼念一些更逼近也更遙遠的苦難，關於西門町或關於從西門町看出的更遠方更多墳場上頭長出的另一種完全不同的荒唐可笑的恐怖。

但是，那眞的是一種恐怖經驗，她仍然一直在扭曲她的臉孔，刻意地還裝嗲裝可愛而樂此不疲，五官本來已經不太勻稱，但現在又更纏在一起。像某種噁爛又極度寫實的電腦特效示範而且是停格般的極慢動作，充滿細節而一再重播地好久好久，像如花或像《功夫》裡沒梳洗的包租婆或像《食神》裡雞姐原來的那種沒整容前弄得醜怪的模樣的刻意。但，她完全不自覺。我不敢請她離開我的視線，更不敢告訴她這有多恐怖，比那遠方電視和裡頭更遠方戰火天災要恐怖太多了，而她不知爲何還對我更撒嬌也更誇張地笑了起來……

顏麗子是如何把寶島大旅社蓋起來的（第8篇）虎姑婆。

或許寶島大旅社是不應該蓋好的……

因爲，寶島大旅社在老時代蓋的前前後後……發生過很多事，或許是因爲這樣才更被她想記得……也因爲是這樣才更被她想遺忘。

有一天晚上，顏麗子在寶島大旅社的工寮和已分手多年的情人相遇，他陪她說話，敘舊，沒有太多餘緒，當年分手雖然有點難過，但是走不下去了也無法勉強，也過了好多年了，所以也沒罣礙，只是禮貌地送她，陪她走一段路，因爲很晚了，走上的很窄很長的那一路上很暗。那是在那老時代彰化火車站附近一條近乎沒燈的老街，他們沒說什麼話，兩個人只是一起又走了一段路，走進一個較空曠的地方，是無人的廣場，那是寶島大旅社附近的城隍廟的廟埕，地上很古老，是那種上百年的又老又大的石塊砌鋪成的石埕，很氣派而難得一見的……

而且，走向廣場正中心，還發現在旁邊有很多木頭梁柱撐起的一個極大的木頭製老屋簷頂，整座屋頂搭起來的屋架很繁複完整，但是，並沒有封閉的門扇窗扇，是個廟前拜亭而已，甚至看起來只像是拜亭的前端，那種搭棚式的準備祭拜供品的地方，因爲，仔細看，會發現有些髒兮兮的空桌和疊起放獻果的舊盤子，在亭柱尾端，是有人仔細打理過的地方，顏麗子想起來她從小就跟母親長年去這個彰化的老城隍廟拜拜。

這種地方一向都是朝拜信眾很多而很忙地出入的，但是太晚了，在如此完全空無一人的時候，尤其在黝暗的深處，實在令人不安，不像是時間不對而已，反而像是這裡出過事，人都撤離了，變成一個鬼城般的空城。

但是，她心中並沒有那麼害怕，雖然在這個並不陌生的地方，而且離寶島大旅社的工寮那麼近，只是仍隱隱約約可以感覺到這是一個最好不要在夜裡來的這城裡的大城隍廟。

顏麗子就還是一路走，她的老情人送她到家，她就住在廟埕旁的一個老木屋，他笑著說你家有人等，她也不說什麼就上去了。

她本來很擔心……但是也沒出事，沒看到一些不該看到的鬼鬼祟祟的鬼魂、牛頭馬面、判官、黑白無常……傳說中恐怖的人物的可怕……顏麗子想到，這種陰森……反而更像是小時候有一年太晚離開的晚上那近乎無人的城隍廟。那一回的迷路……主要是自己太害怕了，所以，走不出去，不只是迷路在空間裡，反而更彷彿迷路在時間裡，迷路在時間早已錯亂如迷宮的這個城老時代裡……

迷路在寶島大旅社還沒蓋好的老時代。

那一晚，顏麗子卻夢見了寶島大旅社剛剛蓋好了。但是，卻陷入了另一種害怕，陷入了另一種迷路，她夢見了虎姑婆。顏麗子後來醒了才想起來，一如她小時候她第一次看到的虎姑婆吃小孩的鬼故事，所作的噩夢……恐怖到很難以明說……或許寶島大旅社是不應該蓋好的……她說，尤其在她的噩夢裡，顏麗子跟森山說過，她小時候所聽到的虎姑婆，是一個在修煉的妖怪，最後的修煉階段還必須殘忍地吃幾個小孩才能完全變成人，所以牠下山找小孩吃，找了好幾天，有一回牠躲在一戶人家門外偷聽，知道媽媽要外出，屋子裡只有一對姊弟，於是就變成一個年紀很大的姑婆……裝得很可憐來騙小孩開門進到屋子裡去，姊姊睡到半夜，聽到怪聲使她驚醒……才發現住進寶島大旅社的虎姑婆正在吃她弟弟，而且發出了巨大而刺耳的咀嚼聲音，姊姊問虎姑婆在吃什麼，虎姑婆說在吃花生，接著丟一塊弟弟的手指頭給姊姊，姊姊才發現出事了。

這通常是一個轉換……童話的關鍵性的變幻時刻，她會鎮定的假裝要上廁所，然後躲到門外的樹上，等到虎姑婆發現要吃她時，她才又機智的要求虎姑婆燒一鍋熱水給她，並要求虎姑婆將熱水吊到樹上，然後，她才心甘情願地要自己跳到鍋裡，但是，在故事的結尾裡，有了出人意料的喚回，挽救，因爲，當虎姑婆把熱水用繩子吊到樹上時，姊姊就聰明地近乎天眞地叫虎姑婆閉上眼睛，張開嘴巴，假裝要自己殉身……但是，折騰哄騙了好久，她卻反而在最後把熱水倒在虎姑婆喉嚨裡，虎姑婆才終於死了，她也才能帶著弟弟的殘骸逃離。但是，在顏麗子的噩夢裡，虎姑婆不是住在森林，而且是住進到了蓋好的寶島大旅社……使得這個民間故事更是那麼逼近地悲慘恐怖。有種奇怪的無奈……卻又那麼迂迴，住進在寶島大旅社最深處房間的虎姑婆還不太一樣，她竟然最喜歡吃小孩的種種分泌物，口水，鼻涕，眼淚……沒有分泌物才吃他們的手指，耳朵，眼珠，舌頭……種種，更餓的時候，才吃身體的臟器血肉……爲了勉強要餵虎姑婆的餓，在寶島大旅社這個老建築中，必然充滿了害怕……一開始，虎姑婆在夢裡頭就先抓走了森山。被關入地下密室太久而痛苦不堪的顏麗子終於忍受不了而被迫內疚地開始切下自己的手指餵妖怪，爲了就是拯救她的森山，但是，虎姑婆並不開心，甚至是憤怒的，等了那麼久，她要的是小孩的淚、鼻涕，或小孩的血肉，那已然滿身是血而精疲力竭的顏麗子苦苦哀求著，對那房間越來越暗黑不見底的門口說：「求求你……我已經盡力了，把森山還給我吧。」

那是一個老時代的恐怖時刻，她困在裡頭，出不來了，她忍住害怕……仍堅強地站在那房間的門口，竟然眞的交出自己一根一根切下的手指……但是那深深的房門一如一個無比黝黑的洞口，令人不安又無法逃離……空間無法縮小，時間無比拉長，眞的是走不出去了，那是一種陰森的最深處……無可遁逃。一種永遠的迷路。

或許寶島大旅社是不應該蓋好的……虎姑婆在那裡，一無所動，還是持續地用極小又極低沉的聲音喃喃低語她的不滿……在越來越暗淡的光影中……最後，那害怕到近乎絕望的森山還是在寶島大旅社剛蓋好的華麗房間裡……而且就在顏麗子的眼前。

彷彿小時候在城隍廟看到的十八層地獄鬼兵鬼卒對人的用刑，切下還帶碎骨的手指，剝開黏住暗紅血液的皮膚頭髮，肝膽胃腸的臟器流出體腔……整個過程太沉緩而令人不忍，她將他綁在房間的雕花檜木椅前，用彎刀下刃，邊劃破刀口還邊唱歌，即使刑求的過程那麼地殘忍而無情，近乎全然地皮開肉綻，血肉模糊……然後虎姑婆才慢慢地把他吃了。

寶島部（第5篇）神明廳。

一

關於神明廳的回憶或引用，關於像哲學術語、俳句、謎……之類的遭遇一定有看過也一定沒看懂的……那種種用寓言取代這時代越來越尋常越愚蠢的關於神明的可能，是多年來我接近那神明廳的一種調音的假想腔調。

或許，還只是某個畫面，還只是要很久才可以閃現一下，炫目而華麗，卻充滿暗示般的啓示，仍還是不免有許多雜訊。

但是過了更久以後的我突然有了更完全不同的發現，關於那神明廳……從某種過去的隱隱約約的約略描述，還原回整個……最爲原始的流動，標本、拼圖缺口的神祕的某一塊。在莫名的那裡，被莫名的神明保佑，我長大以前的包括可能長成別的或可能長不出來的某一個我與另一個我，似乎總是在這個難以明說的老神明廳的時間無限拉長中，才慢慢找出那理解我和這個老家的更神祕而沉重的聯繫……

我想起我曾經作過一個很怪的夢，關於老家的「廳」。

那是在長壽街老家二樓最前面的「廳」，不太大的地方，卻很多人擠在裡頭，好像有很重要的事，我並不清楚。

在那夢裡，比較不一樣的是在「廳」靠窗的椅子上坐著的那個人，他的神情怪異，說話的方式更怪異，動作和聲音一直在變，時而清醒，時而恍惚，講的事顛三倒四，甚至聽不清楚。雖然，在那夢裡的我還很小，但不知爲何，我卻知道那是什麼：那是附身，通靈的他被一個神明上身，交代完了之後，接著另一個神明都找同樣的他上身，透過這個人來說，指示很多，要那個人做什麼事，而那些其他人要幫什麼……

就像某些廟裡扶乩或某些觀落陰的現場……那麼陰那麼沉……那麼專注。但，那時夢裡的我並不害怕，卻只是人怎麼那麼多，只是一直在煩惱要怎麼躲開他們躲開所有的事……

這讓我想起關於老家的「廳」的很多畫面與裡頭的情緒，小時候也眞的常常只能是這樣的。很多大人在那裡，說話，小孩子不能在場，即使在場，也只能聽，不能插嘴，甚至，就是那時代最常被念的某種極厭惡而現在想來卻極貼切極有意思的交代：「囝仔人有耳沒嘴！」

尤其在「廳」裡頭。

因爲，往往有很多長輩，但二樓的這個「廳」卻不太是「客廳」，很多客人其實只是比較親的親戚，很熟的姑舅表親，才會到這裡說話，比較不熟的父親輩的朋友們只會在一樓，在騎樓入口的「門廳」談事情。

但這個夢裡是有點奇怪的，因爲那二樓的「廳」裡面的人我不太認得，只像是個神祕的團體，好多人聚過來等著被分派有事要做，但大家都很專注，很認眞地在等。一如過去，我那小孩的不在場式的無奈，只好在旁邊站，也站了好久，等了好一會兒，才再往前一點看，突然才看到前面發生的事，那「附身」的畫面實在太令人吃驚，至今想起來仍然覺得有些奇怪的什麼在裡頭。

或許，更難以解釋的是，夢中的我卻並沒有那麼訝異或害怕，竟，好像是常看到這種事的那種小孩。但那時的我畢竟太小了。連心中某個角落深處空掉了什麼……也說不清楚。對當年的人或更早的身世都是……

大概也因爲那「廳」，後來變了。

還變成了神明廳。

但小時候那個神明廳並不陰也不沉的，只有觀音像，和歷代祖先牌位，拜的方式和祭祀的東西也很尋常，初一、十五拜祖先，普渡、中秋、過年也再愼重點地拜祖先，但並沒有太多較怪或較通靈之類儀式的神祕，那「廳」仍只是普通家裡都會有的模樣，很尋常，很樸素。

更後來，在剛從臺北搬回彰化的那幾年，我常會在沒有大人的時候，想辦法自己坐到那神明廳的窗邊桌前寫功課，看著窗外，看著長壽街許許多多人和風光的經過，而且因爲常常都只是一個人，很長時間地只是坐在那裡。發呆。

所以，那廳的「空洞」可能發生了一些影響，可能有些什麼埋入腦海裡了，但我不知道，或忘了，甚至忘了什麼也想不起來。

大概是自己一個人太久了。

那夢裡還有一些細節，更怪異。在「附身」那段之後接下去發生的。記不太得了。

醒來的我才發現，在心裡頭，從那時候到現在，不管有沒有神明，那「廳」還是空的，還是只有我一個人。

但那時的我畢竟太小了。連心中某個角落深處空了什麼……也說不清楚。對當年的人或更早的身世都是……一如那「廳」對小時候的我般，如此地充滿「暗示」，但又如此地「空洞」。

而我，在那「廳」的「空洞」裡頭，也沒再想要去哪裡，也沒再想要做什麼……甚至，我也沒再長大過。只是一個人。

二

其實眞正的老家那「廳」並不奇怪、更不特別。

在還沒變成神明廳前，也只是當年典型的街旁連棟長型店屋的二樓最臨街的那尾間房，並不大，但因爲有大面窗面對著街上開，就顯得和其他較暗窗較小的房間不同。可是不同的也很有限。只是沒有床，桌和沙發比較大一點，正式一點。牆很白，窗框是漆過好多回的灰色，很尋常，但有種很想在裡頭待很久的溫暖。

在那「廳」裡，其實比較特殊的，是長桌上有一個發條的深色老木鐘，有點舊，但又因爲很長時間很細心的照顧與擦拭，而使略已磨損的木頭表面仍然光滑仍然異常地乾淨，那時候的我當然不明白那是那時代極珍貴的家族收藏，而且還更是一個遠房親戚送的，極有紀念價值的老東西。

但，那也正是「廳」裡少數當年我還記得的老東西。

但，更奇特的，卻更是桌旁，門框上掛著「阿公」裝框的黑白老照片，「阿公」的臉有點嚴肅，甚至看起來有點凶，那時候的我實在太小了，完全不明白他在那時代爲什麼會用那種方式、那種神情拍照，只覺得很有壓迫感，後來就在心中變成和那老木鐘的發條鐘擺聲一樣的又悶又單調，那是遙遠而封閉的那年代某種極細膩而貼切的畫面，某種像佇足在出土的已滅絕史前生物化石或徘徊於壞毀的某古文明廢墟遺址式的怪異，有些好感與不免隨之而生的「空洞感」。

想到另一個有更深「空洞感」的夢。

也在那「廳」，模糊的畫面從窗邊的陽台側有一條裂縫開始，我從很多陌生人旁穿過去，很不舒服，一走進去，不是到長壽街旁一樓騎樓，反而走進了另一個完全不認識的地方，走進了木頭做的一個地下教堂，上面像一般的木頭的門在地面，但打開門，就有一個洞，可以往下走到更深的教堂角落，那裡並不陰暗，但也不光亮，長桌上也有好幾個上發條的深色老木鐘，有的還是法器，但也上發條，所有陳設都是舊的，但也因爲很長時間很細心的教徒們的照顧與擦拭，而顯得很令人窩心而溫暖，唯一奇怪的，是我待了一段時間後，才發現有一個背假翅膀扮成小天使的小孩在旁邊，他動作緩慢而吃力，有點踉蹌而不自然，好奇地看了更久之後，我開始懷疑他是不是眞的小孩，但還是看不清楚是眞人還是上發條的機器做成的，不過他還是專注地寫著字，正記錄所有的唱詩班或人「嚴肅」討論著的事在牆上。但沒有人發現我在場，在一個角落，其實，我也還小，跟那發條小孩差不多高而已。

接下來的後來，場面開始變得很混亂，聽到怪聲音越來越近越吵，不知發生了什麼事，所有教堂裡的人都緊張起來，大家仔細一看，才發現我來的洞口有很多穿制服像軍隊的人們成群走過來了，看起來是要逮捕教堂裡面的人，正當大家都開始慌了的時候，我才發現那些人都好像我的遠房親戚們，記不太得名字或長相，但並不是陌生人，但我也沒跟他們呼救，只呆呆站在那裡不知如何是好。

那發條小孩看到追兵，就有點害怕地從另一個牆上的洞走去，我也跟著他，往洞的更深處走了過去，好暗好暗，我只跟著他的發條聲餘音走著，心中卻不害怕，也不知會走向哪裡，也不知會不會有人追來，走得遠了些，突然聽不到發條聲了，就這樣心一急，開始跑起來，但太暗了，洞的路又小，一太大步前進就跌了一下，心裡正開始因此擔心了起來時，竟就又回到「廳」的那陽台，再來就看到窗，和「廳」門框上掛著的「阿公」像框裡的臉的嚴肅。

大概是因爲小時候聽父親說過的「阿公」是讀書人，但奇怪的是，他在照片裡卻是穿軍裝的，腰間還佩劍。

直到很後來，才知道「阿公」因爲教書教了很久很久還當到過日本時代小學校的校長，所以才有那時代那麼體面的照片裡的扮相，也難怪他的神情那麼嚴肅。因爲在那個時代，「校長」其實是一種官職，有體面的近乎掛階的制服式禮服，包括佩劍，其實是極受人敬重的。

後來仔細想想，那種「嚴肅」應該也不完全只是「天皇子民式高高在上的權勢的自以爲是」而已，也必然有著「讀書人在異國統治下當官的」那種從現在很難想像的「面對困境不得不認眞以對」的寫照吧！

但，那時還太小的我並不了解這些，甚至對那照片和照片裡的「阿公」完全沒感覺，因爲他和他那時代在我出生之前就消失很久了，而只在那「廳」近乎灰白的陳設與有老時鐘聲音空氣的「嚴肅」中（或說，在一如那上發條的假天使小孩被包圍的踉蹌中……），被裡頭「阿公」的照片，喚起點什麼。

三

神明桌上。所有老佛器……至今我都還印象好深刻。

有點老舊但是依然靈驗的暗黃花梨木如意佛桌，重彩畫佛聯的臺灣梢楠準提佛母，晶瑩剔透的七寶銅法輪燈和光澤聚光的水晶蓮花，手工梢楠木柄嵌入的七寶銅結晶素面佛字香爐和七寶銅結晶百壽爐，講究的清式紫檀木神明桌上供的姑丈當年收藏的鎏金蛋杯佛大小雙色古燭臺與七寶銅蓮花古花瓶，但是，四姑一直堅稱那幅觀世音菩薩老佛雕是明代的，數百年了，連菩薩的臉龐的弧線和頭頂的珠冠鑲嵌寶石的工法都是難得一見的高明。尤其，佛像背後的三聯佛畫像更是難得，竟然是由八卦山大佛殿裡的老住持法師親手畫的。在當年是四姑發心去幫大佛殿的法事助念多年，才求到的有上香大佛加持過的極珍貴寶物。

而且，當年的整張神明桌的尺寸是找彰化一個極有名的風水師算過的。佛堂神桌那很老舊的經年累月的天然紋路是黃花梨特有的木紋，紋理深淺，彷彿木頭本身會呼吸，那老神桌製作的規矩很多。不能有一根釘子，完全是用木頭的卡榫接合，表面多層手工染漆。那麼多年來，仍然那麼地晶瑩剔透地晶亮到彷彿有神通般地光芒依稀流露。

之前四姑拜得很虔誠時。大佛殿的法師還教她可以同時修持大悲咒咒輪和藥師咒咒輪。這個梵文咒輪法寶的使用方式並不限定一次只能修持一種。清晨黃昏上早晚課時，她還把大悲咒咒輪和藥師咒咒輪同時供奉在佛桌上，就可以有供奉這兩個咒語法寶的功德，也同時能得到護持大悲咒與護持藥師咒的天龍八部護法菩薩護持。

那時候，姑婆身體不好，老是生病，不太容易痊癒……

大悲咒咒輪有大悲咒咒輪相應的護法菩薩護持，也就是說大悲咒咒輪有屬於大悲咒特有的場，而藥師咒咒輪則有屬於藥師咒特有的場，通常是看修持哪一個咒語。就使用哪一個咒語的梵文咒輪。這樣子用功久了，可以讓護持梵文咒輪法寶的天龍八部護法菩薩不斷的累加……那個梵文咒語咒輪本身的場……才會越來越強。

那法師說，大佛殿所流通的梵文咒輪法寶……很珍貴，而且都經過加持，本來就有許多護法菩薩護持，有相應的天龍八部護法菩薩護持，可以讓信眾家裡能消除業障、增長福慧……而護法菩薩本身具有光明的場和不可思議的神通，也能夠幫信眾在家裡拜拜的時候可以與佛菩薩的眞言咒語相應。後來，那幾年，四姑拜得極虔誠，彷彿神明廳的氤氳中一直有神明駐守。堂弟說，小時候，還感覺不到那幾年神明廳的神通那麼強大。但是，有一個堂弟的紅龍魚缸放在神明桌的旁邊，請風水師看過以後，還改放在入門的右邊也就是放在東方的位置對西，故意把魚缸放在神明桌的旁邊左邊空位。希望可以保佑姑婆的活穴口……雖然最後，姑婆還是過世了。

之後，姑婆去世了，神明廳落寞太多了，堂弟說他太難過了，就不想養了，之後去廟裡想把紅龍放生……牠居然不想離開，還一直留在原地，不想游走，四姑跟堂弟說，這紅龍魚有靈性，讓牠們聽些佛經後來就更靈感。牠好像眞的會聽佛經，說眞的，每天我在家裡做早晚課要拜拜或是放佛經的誦經錄音帶的時候……牠好像都會在那裡……一動也不動地聽。

「或許！」那風水師還提過：「該殺了牠給你們姑婆吃，可能還可以幫她撐個幾年。」

四姑說：之前那個新來的印尼傭人總算教到泡的臺灣茶可以喝了。但是衣服還是洗不乾淨，煮的菜還是不好吃，她們永遠還在慢慢學。四姑說她是因爲腳不能走才需要照護找來這一名印尼女傭來幫忙，她提到這名女傭很可憐，家裡窮，還是單親，家裡有一個小孩跟祖母住，故鄉在印尼東爪哇島，很鄉下。她才剛來臺灣，不會說中文，學得很慢……

後來，她還說到有一個她的印尼女傭朋友，前一陣子，生病，一直不會好……一開始，有一天突然生了怪病，因爲她全身的皮膚皮下的血管都浮起來，一條一條像蚯蚓一樣，肚子鼓起來像七、八個月的身孕一樣大。全身發熱像火在燒一般……讓她不能站、不能坐、不能躺。有時甚至會在地上一直打滾，非常的痛苦難受。她的雇主全家都被她嚇到了……

所以一開始還帶她去看皮膚科，連續兩家診斷都不一樣，一家診斷是異位性皮膚炎，另一家診斷是過敏性皮膚炎，後來那家的太太又趕緊帶她去看婦產科。但是，連看兩家診斷也不同……之後，吃藥打針一個多月都沒有效。她發病的時候就在地上一直打滾而哀號。說她全身像火在燒一樣……很痛苦很痛苦。

就這樣，她老是在劇痛和迷惑的不解中喃喃自語……我不想活了，我不想活了。那家人都怕她眞的會自殺，還把家裡所有的刀子全部藏起來。

四姑看到她這麼痛苦，非常的不忍……便到佛堂叩求觀音菩薩保佑她，發心，慈悲到每天幫她念《大悲咒》。就這樣，每次一點神明桌的佛燈開始念經，她就會安靜下來沒有那麼痛，可是一念完經送完佛燈後又是一樣痛。

後來，四姑就託人到八卦山大佛的佛殿廟裡去擲筊求籤問神明……

廟公解了籤一如之前也問過別的廟雷同的指示……大意都是，她遇到髒東西，或她被下咒了。後來，四姑就眞的在那裡安靜又誠惶誠恐地跪拜了一下午，只爲求一張大佛殿裡的師公親自念過水懺用毛筆寫過佛號的暗黃符紙，然後回家燒了泡符水給她喝……

四姑說：好奇怪，但是，眞的像演電影一樣，她一喝完那符水，就一直想睡……之後在我們長壽街的老家跟那印尼女傭睡了一晚，聽說一整夜一身冷汗直冒的忽痛忽瘦、體溫忽冷忽熱，還一直昏迷中喃喃自語式地說夢話。使得所有老人們也都跟著好擔心，還幫她點家裡神明廳的香環點一晚……就這樣，波折不斷又哭又鬧地到了第二天一早，她的皮膚上像蚯蚓的血管就開始有了起色，就一直退一直退，後來，竟然眞的恢復到像以前那樣。肚子也像洩氣的皮球一樣地一直變小然後恢復到近乎正常了。

折騰了一整晚而精疲力竭的她在那我小時候也跟著拜到長大的神明廳裡嚎啕大哭，淚流滿面。跪在八仙彩神桌前的地上一直叩頭一直叩頭，用印尼話對佛祖說：謝謝！謝謝！謝謝！

所以，從那天以後一直到現在，她每天睡前都還會對八卦山大佛的方向叩頭拜拜……

四姑在說這個故事的時候，聽得太入迷的我也想到好多以前的事，那神明廳裡的光暈渙散的令人不安又不解的種種懷念。甚至，也就因而突然想到我小時候彷彿也喝過那符水……

想到某種殘留於腦海深處的畫面殘影，點線香的氤氳與迷離中……那火燒暗黃的符紙顯得太過單薄，紙上頭的一如蟲蠕動的咒文毛筆字，在火光閃爍的漫漫幽幽中逐漸地焚入空中，然後令人忐忑不安地飄落而終究燃燒成最後焦黑殘破的灰燼……就這樣，還偶爾帶殘火的符紙半暗黃半焦黑放到慘白的瓷杯裡，一如廢墟最後崩塌的隕落或解離……那般沉湎。然後，四姑會邊念著許許多多我也聽不懂的經懺……邊手扶瓷瓶將供佛一天過的菩薩水緩緩地再倒放入神明廳神明桌上也拜過的供杯裡。

她老是交代小時候的我：喝一口要念一次阿彌陀佛，要專心念……

但是，我還是老會分心……就會被她念，還被她一口一口數……我忍氣吞聲地聽話，就這樣悶悶不樂，才能緩慢地喝到第七口……這時候，四姑會說乖，才放我走，換另一個小孩……

那眞像一個神明最魔幻的停格，所有的神祕莫測的神通降臨……爲了抵禦過去或未來的一如被下咒的我們所從未明白的劫數……像安太歲，點光明燈，收驚的更繁複的摺疊法衣外的折騰……

但是多年後的我卻只記得很單薄的某些隱隱約約的氣味與口感……那灰燼喝進去咽喉的焦味……苦苦的澀澀的，暗黑的帶咒文沒燒盡的符紙碎片，也和水大口大口吞下了，但是，始終還是有種奇怪的被保佑的古怪的幸福感與神祕感……隨著溫溫的水溫入口，液體的流過的什麼……一如喝完總是有點緊張的未知恍神。但是，也還不知道身體接下來會怎麼樣或會發生什麼入神的種種狀況，迷亂或清明，安然或激動，像是被保佑了什麼或破解了什麼……在幼年的心中被下了什麼或安了什麼……但是，都不記得了。

一如，我始終不記得當年醫好了什麼病……

但是我卻想起了關於長壽街的另一個夢。在前一晚，那是在一個昏天暗地疲於奔命的疲憊之中，一個人在國外旅行，好像已經走了好久了……走過了一個老聚落，古城裡頭有很多巷弄裡的老房子，很迂迴繞道，像威尼斯或布拉格……那種又美又亂的老街景令人迷戀。但是走進去卻才會發現……怎麼走都走不出來。

但是，在夢裡頭，不知爲何，走了好久，不經意的我往街頭仔細一看。有十字路口的路牌上寫著中文……竟然卻就是在我小時候的長壽街上……

雖然，沿路風光極美極好，還有很多從來沒看過的極華麗的古蹟，但是，已然都是殘破不堪的廢墟。

但是，越來越迷路的我仍然不太有把握……因爲即使一路沿路走。邊找邊玩邊拍照。但是，有時有些角落或街口還是有點陌生，使我一直在比對……一直仍然在回想當年的路，好像認得，但也好像也變太多了。甚至好多地方比較好認的房子都拆了，比較大的路也修了。所以，越走越遠越久之後……就幾乎快認不太出來。

到後來，越來越怪，因爲，在夢裡……不知爲何，明明在國外旅行。但是，我心裡還是很確定……這條街就是長壽街。

更後來，當我走進一戶民生國小操場般的某人家……一直被那殘樓的破落木製老樓梯所迷。待了更久，更覺得那裡雖然很老舊但是很美。只是很奇怪，整個房子就像被燒過了，只剩斷壁殘垣，到處是碎瓦和倒塌的木頭屋架，好像就是我們在長壽街老家的騎樓和第一進的天井……但是，仔細看，又好像不太一樣……我往更裡頭走……最後，有點累，整個人恍恍惚惚地發呆。

四

想到了一種四姑的走法，她住長壽街這裡已然快五十幾年了！其實，那年八十歲的她算是已經走了一輩子了吧！

長壽街頭幾乎就接到彰化的火車頭，那老火車頭是一個極有名的古蹟，整個車站就是整個城老時代的開口，我已然忘了太久了……我們走出了火車頭，往前走一小段路，就有一個小岔口，姊姊帶我切進去……走另外一條小路，那是一條我從來都不知道的巷子，一條隱密的捷徑，在這麼多年之後才發現，她說那是姑姑很後來才帶她走的路。從以前就有，但是已然快五十歲的我從來沒發現過。那小路極曲折，有些轉角我有點印象，但沒想到可以這樣子接起來走。其實，並不遠，只是太隱隱約約了，要切過幾個房子的後巷，甚至轉進幾個看似死角的轉彎。就這樣子，竟然，一出巷口，就到老家的後門。那暗巷中的找路出路上路的種種重新發現，對我而言還是充斥了某些至今我也還不容易辨識的很多餘緒……

一如旁邊有一家從小到現在都一樣老派地華麗的引用彰化孔廟大成殿而取名的大成旅社，看板上的鏽紅的字跟小時候還是完全同樣地好看，但是，卻毀棄到長滿了雜草和蟻穴的種種古怪的廢墟狀態。那裡在很久以前還曾是當年寶島大旅社旁第二大的旅館，也那麼地華麗而風光過，只是現在已然走樣了。甚至，長壽街底的盤根錯節般蜿蜒出去的那種種更小更亂一如支流的老巷，還是陸陸續續有很多新蓋的又草率又混雜一如長出腫瘤般的怪房子。大大小小招牌彷彿是貼上瘡疤的膏藥那種種內圓外方的老式貼布。有一家名叫天地人的修改衣服的破爛的邊間店，有個賣雜貨像在賣毒品的燈火昏天暗地還有歹徒看門的小攤子，有放老布堆放太久而布都沾滿雨漬泛黃發霉的舊木頭屋簷的老倉庫。還有更多的人家只剩下太老的老人們擠在用養了好久好珍藏的龍飛鳳舞怪陶長相老壺泡茶的老客廳。只有接到長壽街的那窄狹而骯髒不堪的路口出現了某些很古怪的許許多多個不小的又破又鏽的老式電箱。上頭貼著房屋出租的破紙，大賣場庸俗的打折DM，還有一個最後頭的電箱上頭還貼著一張發奇怪亮光的某怪海報印上好幾行很大的醜電腦字樣。「辣妹」、「越南新娘」、「小公主」、「少女時代的少女」我們統統有，意洽09284567xx，那種寫著請打……然後有一行手機電話號碼字樣的皮條掮客一如詐騙集團的最新花樣，怎麼會出現在我的老家後巷迂迴曲折的最深死角。

幸好，長壽街最有名的碗粿老闆他老婆還活著……她已經變成像一個電視裡化老人妝裝瘋賣傻的怪老婆婆，甚至就像由男諧星陽帆常反串的一個矮矮的怪怪的又很好笑的那種老太太，那種又小又佝僂、一出現走路都快走不動快跌倒的姿態，頭腦已經不太清楚但說話仍然一直碎碎念一些別人也聽不清楚什麼的那種老人模樣。我想到那家最老店的杉行碗粿和太多當年的餘緒。或許是忘了好久了反而更想回憶起到底忘了什麼的那個可笑的動機太激烈了，所以，我就和我姊姊故意從巷子裡跟蹤她的老人怪模樣而繞進去那老店再吃了一回。那已然是一家三十多年的老店。甚至牆上很多剪報，有《美鳳有約》之類的名人來訪照片，拼拼湊湊張貼在一個蓋在旁邊的更新透天厝的一樓。店裡頭有十幾桌，但是擴張成那麼大的店面竟然還是坐滿了人。那種碗粿的口感是當年那種又黏又稠的最老派做法。那太出奇的美味竟然沒有走樣，甚至是那時候到現在都還難得沒變的。

「已經是第三代了！」姊姊指著在弄湯的那個看來二十出頭穿時髦花背心露出刺青的潮男店長說：「他已經是當年那對碗粿老闆夫婦的孫子。」而現在的碗粿店搬到杉行巷子旁的另外的新店面裡頭了。最明顯的是那放大的黑白照片所輸出貼成的整個牆面，因爲檔案太小變成有很多格狀的影像瑕疵或電腦特效或下雨糊掉的窗景瞇著眼睛看出去的那種霧茫茫的假的古代。我說，奇怪，我反而覺得以前那時候的感覺比較好，在木工廠旁的涼亭腳下，甚至沒有地，都是土，而且凹凹凸凸到桌子沒有一桌是平的，也只有兩三桌，攤子旁邊是木頭釘的廠的側面，坐不久太陽一大就好熱，風一吹就好冷，那地方當年只是個杉行工廠走廊的轉角。當年要吃一碗五塊的碗粿是多不容易啊！多奢侈，一天的零用錢才一塊，一碗很大碗的麵才三塊，而且碗粿吃不飽，所以又不能當一頓飯，多浪費啊！當年，我記得我們吃的時候碗粿一碗五塊，那幾乎是我們長壽街那一帶所有小吃的攤子裡最貴的一種……沒錢點丸子湯都是吃到剩一點肉和醬的時候去加清湯還加好幾次到湯變鹹鹹的很好喝，雖然現在想想真的很不健康。但是，當年冬天很冷時喝加的熱湯還吃到他們故意加的一兩片竹筍片就會覺得真是好滿足而覺得幸福極了。但是，就是這種浪費的餘緒，使得那地方真是充滿回憶的發光啊！一如那整個時代的貧乏但大家都在想辦法過活而想出來活法的那種頑強得令人感動，像是某種要穿越極遠極困難的戈壁大漠出關或攀登荒山峻嶺前好不容易可以打尖客棧那種再怎麼破爛都還是使人仍然充滿窩心的感激。那個貧乏年代的玩具很少玩法也很少，使得一整群差不多同年紀長大的鄰居的小孩的我們永遠是一起玩一起鬧。小時候會趁大人不留意或在他們默許的某種時差般的縫隙中用盡心機地溜進木工機具旁撿剩料，在一堆木屑中找長短差不多的角材或木片偷偷地帶回家，包布當把手，就是一把可以拿來對砍的劍，所以江湖大廝殺的現場，也就在那家破爛不堪的碗粿店旁邊。

那裡就像長壽街的龍門客棧，一整個我童年杜撰成最古老傳奇但卻只不過是胡思亂想成江湖的結界，一個自以為的無度放逐和亡命最遠國境的可笑邊界。那些對決的武俠功夫廝殺對決有時還故意用一如慢動作運鏡的演法，也沒有眞殺，大家都在演，都在套招，都在想要怎麼樣出手比較帥，招式比較好看，江湖頭銜比較響亮。但是，堂哥還是最凶，堂弟還是最詐，鄰家阿發最好騙，阿雄還是最懶卻最壞……但是，這些角色往往都不太重要而吃緊，因為，所有人還是只想玩，只想入戲……就這樣，大家往往就只是在黃昏一起拿起自己的木劍在木工廠又髒又舊的木頭牆頭或龐大鋸床的尾端，開始追逐，或開始決鬥。雖然，那些最好的對決的角落通常是陰暗的、神經兮兮的……其實也因為都是在所有工人們下工以後而燈火都熄了，我們杜撰出來所有最荒誕也最激烈的廝殺故事因此都是暗淡地從黃昏才開始上演。但是，我們小時候的所有奇怪的幻想中的決鬥卻眞的都發生在那裡了。我們像在打群架一般地打了起來，但是好像都用故意的慢動作……那些自恃的玄祕詭異、充滿曲折的荒誕不已卻又溫馨感人極了的橋段，我救了演武當少俠的堂弟而被演崑崙老道和少林臥底高僧的木材行老闆鄰家小孩阿雄阿發阿舜所一起殺傷，然後大內高手我堂哥和峨嵋掌門堂姊聯合出手相救，最後終於在華山論劍一起英雄比武一起稱霸江湖。有時候是武當對少林，有時候是丐幫對錦衣衛，甚至，武俠片演太久太厭煩了就換成演妖魔災難片，有時候甚至是聖堂騎士的十字軍對阿拉伯皇軍部隊，有時候就變成是法師忍者對各種傳聞中的吸血鬼、殭屍、異形、噴火恐龍……之類的妖魔鬼怪。所以我們所想像出來的怪物會出沒敵方的一老杉行作為巢穴的最深處……大家一起打怪，一起攻擊那隻用整根未剝皮的原木樹幹所做成的巨大恐龍或異形，就這樣一直戳一直砍地玩一整晚。大家從家裡一頭砍殺一路跑，往往繞過杉行外頭的長壽街轉角就不免會經過這碗粿攤子，那時候老闆和老闆娘他們都會笑。有人打輸了還會躲在他們後面求救。一邊在從很燙到冒煙的蒸籠中拿碗粿給客人的他們很忙但都還會幫忙，尤其是老闆有時候還會進來軋一角，演功夫最高的老道士或神僧甚至是武林盟主……就這樣地跟著我們這些小孩貪玩而廝殺得滿身大汗。

這些童年的決鬥甚至重複地出現在我後來長大中的許許多多的雷同的廝殺的夢。有一個夢特別地清晰……因爲所有的情節與場景中的人物角色都太栩栩如生地逼眞，至今我都還記得種種細節……那是在某個古城，我們攻進入了最深處，但是卻因此中埋伏。我們幾個人。在一個城門下準備攻堅，然而那古城的老城牆很高，在很深很黝黑的暗夜中潛行，但還是被發現了，雖然始終還沒看到有人圍上來，但一直聽到腳步聲在靠近。而且是訓練有素的低音，集體移動，我其實不清楚我是來做什麼的。堂哥堂弟阿雄和更多的我們幾個人在夢裡本來只是來度假，參觀古蹟，但是經過城下，卻好像走錯地方，突然沒人了。我在那裡走入了電影畫面中，有一種常見的刺客潛入的情境的緊張，在開始對陣廝殺之前的布局，配樂疾速但低沉的節奏，莫名的張力，等主要的盜墓、暗殺、奇襲、下咒到下手的主角主要攻擊上場，但是，等了很久，仍然沒有人出現，也沒有危險眞的發生。但是，我卻一直有一種直覺，是所有的布局已完成了，我和我一直沒看到的一群人，是會在這裡出事，不知爲什麼，我一直確定是我們幾個人，而且亂箭會從一片城牆旁的灌木叢後射出來，然後堂弟阿雄他們所有人都中箭，沒有人倖免地，全死。但，只有我還有口氣在，一直只是在跑，而且，直覺中的廝殺好像很激烈，我因爲一直躲躲藏藏，也並沒有眞的看到所有血肉橫飛現場的發生。但是，我還是害怕地往那古城裡的老市集跑去，落荒而逃，最後跑進了一條老街，感覺上腳步很沉而且很多，彷彿所有的刺客都追過來了，最後，在老街的騎樓中躲閃，忐忑不安地移動，最後，突然心裡閃過一個念頭。這條街，越看越面熟，這裡不就是我小時候長大的長壽街嗎？

姑姑說，最後來的前一段時間，老杉行被脫手而整個拆了……而改裝變成一個古怪的復古風的主題餐廳，強調懷舊而時髦的某種近來老鎮老街的滋味。但是我從當年的後巷走過去杉行的路已然消失的後門往那頭看去，怎麼看都太新也太假了……所有的仿古又不太古的假石砌但其實是混凝土牆、木頭貼皮的夾板木箱藏不住的又髒又亂的電路管線、玻璃落地窗的種種裝潢都是嶄新的，用印刷斑駁紅磚的全新又粗率的廉價壁紙，在假假的屋簷木梁架上懸放了很多竹製的多層疊起破蒸籠，或掛起沒有養鳥而裡頭接電燈泡發紫光的上紅漆老式鳥籠，有種種自以爲懷舊但是古怪極了的假古代的氣息，令人難耐而不解。而且，店裡卻賣很多料理包的套餐，難吃極了的餐……什麼三珍杏鮑菇炒飯、鄉下麻油雞炒飯、雙醬太子乾麵、龍飛鳳舞香腸炒飯、金品咖哩飯、老虎醬干貝鮮蝦麵、老羊肉細扁麵、揚州辣炒米粉、超好吃料理水餃……但是其實都只是假的料理包的料理。而且，店名竟然就取爲「眞的老客棧」。

到底什麼才是眞的？那是我們小時候長大的地方，但是，在這麼多年以後所有的狀態都有點開始糊掉了，都開始走樣了，走樣到我們都想不太起來原來的樣子了。但是，就在這長壽街的種種霧茫茫的光景中，在那所有廝殺地自恃爲最殺的光景光影的迷幻……都太遙遠也太像假的了！所有的我記得這些暗巷迷途中的找尋和追憶都還是太稀薄了，這些古老的迷幻往往都不免是太模糊了，甚至是深深地自相矛盾的，一如那家碗粿上加的某種特殊的蒜泥，那種小時候吃了會有一整天揮之不去的蒜味的既香又臭、既好味又難堪……而這昔日長壽街的種種，就一如這老杉行所有的細節光影的氣味，只有在這種蒜泥嗆鼻的蒜味難聞中，才能被喚回，像多年封凍的古代絕種動物被從地底開挖出土而重新感覺到自己太久沒有過的心跳，重新進入所有的一如重回重發現暗巷也一如慢動作搬演假功夫對決的過去。因此，我老是不免會想起太多的餘緒引發的困惑……那長壽街也又重新地在碗粿的蒜味中被栩栩如生的喚回，對我而言到底是什麼？

五

這蒜味讓我想起了我作過的一個夢，在那個夢裡頭，長壽街那老家陰霾長年舊店屋的二樓竟然完全地打通隔間，重新裝潢，變成了一個極華麗的廚房。一個極高級的食材店，提供頂級的肉品火腿醃肉，上百種起司，義大利或法國麵包，新鮮手工果醬與法國醬料，整櫃的波爾多名紅酒……裡頭是堂弟堂妹在打理，進進出出地忙。我完全不曉得這麼巨大的轉變發生了，當年，這裡是我出生的老地方，又髒又舊，八七水災淹過，三代的家人在這裡一起長大或衰老或過世……老人小孩一直都有，最多到二十多人，伯父一家和我們一家，七個堂兄弟姊妹，還有三個姑姑和姑婆，最拮据時，我們一家父母和小孩五個人只住一個大概五六坪的二樓採光極糟的陰暗房間，前頭是神明廳，後頭是天井走廊樓梯，在那個父親在臺北一年多做生意失敗又全家搬回彰化的時光，所有的狀態都很陰沉，一家子擠在那常常都很黝黑房間裡過日子，寫功課，看電視，打盹……就是這個陰沉時代的陰沉房間被打通改造成這個全新又華麗的新型廚房的，連面臨長壽街的神明廳都搬到後棟的樓頂層，整個老時代店屋狹長的空間被整理成最新潮流行的像dean & deluca那種紐約或加州的太健康太時髦的餐館，所有的舊空氣彷彿都變新變閃閃發亮了……或許是因為挑高屋頂的投射燈光澤的打光效果的暈眩，或是因為不鏽鋼晶瑩剔透得一如純銀的所有古典貴氣餐具的反光，銀匙、銀叉、長刀短刀要櫻桃木柄還是胡桃木柄的……那麼考究。現代主義極簡風的鈦金屬製流理台與抽油煙機，長得像太空船般的設計師烤爐與烤麵包機，還有古典雕花的奇異曲線造型水龍頭，櫥窗櫥櫃曲曲折折弧形把手……都擦亮到近乎是令眼睛難以逼視的光芒四射……

但是，我在看得發楞的恍恍惚惚中，竟然是姑婆穿著京都手工的老時代和服走出來，一如我小時候，綁過小腳的她走路很慢，但也還很穩，就客氣地招呼我，問我怎麼這麼久沒回來了……一如過去那麼窩心溫暖。

一如後來我們搬出長壽街也長大出去遠方念高中大學之後偶爾回家探望他們老人家，老房子總是好空，他們總是好開心，那種懷舊的我已錯過或失去太久的天倫之樂式的感傷……但是，另一種情緒又更怪異，跟姑婆說話時，我一直在想姑姑她們怎麼不在，她們去買菜了還是去忙……她們三個姑姑一向都有一個人會陪在綁小腳行動不容易的姑婆旁邊照應。但是，今天怎麼沒人在，但是，在這空幻的老房子的變換中，我總在困惑著到底這時候是哪時候了……心裡盤旋忐忑，怕說錯話……就在這一瞬間我才更感傷地閃過一個念頭，姑姑她們不是死去很久了。

姑婆不是死去更久了……

但是，她老人家還是在那些絕美如幻覺的廚房角落中緩緩地踱步……還要我陪著她走一小段路。去看她最近種的花……在春天開始長出花苞……在廚房接近天井旁的長廊，許許多多的盆栽，一如小時候看過的金線菊、黑松、赤松、五葉松、系魚川眞柏、杉、石化檜、姬柿、山毛櫸、櫸、楓、槭、長壽梅、杜鵑、眞弓、連翹、姬蘋果、深山海棠、緋梅、山櫻……奇奇怪怪又異常淒美的花卉，一如我小時候看到她種的那麼多色澤的璀璨華麗……。後來，走回到那美輪美奐到近乎幻覺的廚房裡，其實我竟只是打赤膊穿大棉布格紋內褲，更細看，我竟然還是我小時候的模樣，三四歲，還不用上學的年紀……尤其，以前廚房是姑姑們在忙的，又累又糟，老人小孩是不能進的，以前這長壽街老家出現的模樣都是無人的古厝廢墟，工地，難以辨識，可怕的荒涼，那般可憐極了，爲什麼這回會變成是新潮廚房的華麗，太奇怪。後來，客人來了，我去開門，竟然是熟人，變成我在招呼這兩個老鄰居童年玩伴，那個已然在當大老闆的阿雄和他已然在當醫生的哥哥阿發，找到一張胡桃木的大型原木餐桌，請他們歇腳，不知爲何，也沒有不好意思，我沒穿衣服，甚至我才那麼小的模樣，但是，也沒客氣地問候，只是更多揶揄、嘲弄、說笑，還一直魯他們忙壞了是自找的……。就這樣，我跟他們敘舊，抱怨我前二天只睡兩小時，好累。不知道在忙什麼，只是在家裡走來走去，怎麼會這麼累……大概是我想拿來沾我們那老派法國麵包的新醬料，就在調那種像當年你們杉行碗粿才有的又香又臭的蒜泥吧！

六

在長壽街老家的客廳……一如過去。在從小看大的當年祖父在日本時代的當日本校長還穿帶刀軍裝照前。後來，父親和伯父把這張照片拿去找一個老師傅做了一個等身高的半身銅像。我們就坐在那銅像旁，一如小時候，祖父銅像也一直在那客廳的角落，看著他的子孫一個個地病了、傻了、死了。

甚至，連我都已經到了祖父當年死去的年紀了。

在客廳裡我們說話的過程，一直有伯父在看Z頻道《暴坊將軍》的說日文的聲音，更後來就變成是摔角的吆喝聲……

伯父就這樣一邊看電視裡的離奇日本故事還一邊分心地跟我們緩緩地說話。一如後來每回我們回來探望他時的模樣，那《暴坊將軍》是很老很老的日本古裝片，和我小時候看到的仍然相同……某個幕府將軍微服出巡，邊深入民間疾苦邊行俠仗義，用他過人的聰明和高明的武士刀法對決壞人的那種每回都雷同的故事……一如摔角，誇張的面具，賁張的肌肉，恐怖的叫囂，種種必殺技一如逆十字攻擊法那般地必殺。跟小時候我陪他們看的印象完全一樣……連我們在客廳坐的位置都完全一樣。

然而其中的某種更內在的時差是三四十年了。

只是，客廳唯一不一樣的是在沙發旁的茶几上，多了一個白板，那是要寫給伯母看的，因爲她什麼都記不得了，常常出錯，所以所有事要寫下來給她看。一如，昨天已經買過菜了，今天的藥已經吃過了，而堂姊的大兒子去年已經考上台大醫學院了……

因爲，她今年狀況越來越不好……藥吃過了還吃，還一直一再地問她最疼的這最聰明用功的孫子什麼時候考大學。

還提到那身體一直很好的大堂伯，他每次聽到同輩的人生病都一直很不以爲然，甚至每天到處跑來跑去，也八十多歲了，但是還常常到長壽街家裡來串門子，有一次還當場彎腰到把手放在地上，打一套道地的楊家太極拳很到位的拳腳功夫表演給大家看，老是跟他們誇口說他很勇，筋骨很勇到就像年輕時候的當年……他總是和伯父姑姑他們都一起每天去爬八卦山看天亮，還每回都是從不遲到也老是最早爬到山上大佛那裡去點香的……

我記得我小時候也跟他們去爬山過……像所有小孩對登大人的某種想像的狀態或說是急於長大的默認儀式。

四姑說：這幾年，好奇怪，不知爲何的巧合，所有同輩的他們都幾乎同時地出事到沒辦法去爬山了，有的生病，有的跌倒，有的中風，有的住院，只有他還是每天去。

後來，有一天接到電話，聽說那大堂伯只是那一天下午覺得胸口有點悶想去看看病，但是就在醫院候診室坐在等候的座椅上，一個人坐了一會兒，覺得有點暈，但是就這樣地後來整個人身體就往下滑，甚至全身都摔下椅子到地上去，才發現不對了，但是，送進開刀房，已經有點晚了。那天的開刀時間我們都在。但是，只是急，也沒有用。最後，休克了。

因爲，大堂伯後來就越來越不行了，但是最後的困難是到底要不要電擊，那個醫生說，如果硬生生地搶救，還是有危險，有可能會開完刀就失去意識，也就是說，可能會變植物人。

後來，就放棄了……「他的兒子都這麼說，我們也不能說什麼。」伯父這句話用一種近乎哽咽又生氣的語氣說了好幾次，我感覺到他其實非常地在意。

「就往生了！」姑姑用一種很捨不得的口吻難過地說：「但是，也好，他最快，這樣也算有福報。」

今年越來越嚴重失憶的伯母反而繼續接著說：「你們在說誰，大堂伯不是前兩天才來。」

伯父說：「他已經死二年了。」

伯母一臉迷惑地說：「是嗎？」

七

「長壽眞的很難。」在長壽街的老神明廳前的四姑說：「好幾年前那次我在基督教醫院腳開刀住院時，二堂伯癌症去做化療還有來看我。那幾年，他不好過……」

他的續弦小他三十歲，他的二兒子和女兒很不原諒，因爲他們在一起時，是堂伯母還臥病在床的時候，所有的情緒都還在，那是很難被描述或辨識的困擾。

那幾年發生了太多事了，二堂伯的孫子是醫生，在長庚。所以，後來就轉二堂伯去林口總醫院看。因爲孫子是外科，忙得離譜，介紹的幫二堂伯看的醫生打錯針劑，那是之前就打過的劑量……是一場意外，但是很嚴重，所以弄到後來，紅血球和白血球對打起來，就昏迷了。

「還不是那續弦在旁邊二十四小時看。」四姑說：「這種事誰對誰錯也很難說……要緊的時候，老人身邊要有人……才是眞的。」

伯父嘆了一口氣接著說：「有時候，身邊有人也沒用。前兩年的那一次大手術……我也是等於死過一次了。那時候，他們因爲怕我在膽的開刀過程心肌梗塞過的心臟會受不了，就這樣擔心了半天，一直沒辦法決定。」

「他們在病房裡討論，我也有聽到。所以，我就說……刀還是要開。」伯父跟醫生和堂哥堅持地說：「一次開完，不然就好了，不然就死了……算了。」

那外科醫生跟伯父說：「你很勇敢，很多人都怕。而且，眞謝謝你，因爲你這樣說，我動刀也比較有把握。」那回的手術太大，動刀時間拖好久，恢復時間也拖好久。「什麼都不能吃。餓太久了，所以腿都沒肉也沒力了。但是，還要下來走，護士還是就叫我一定要起來走，不練習走，以後就完全不能走了。」伯父說：「幹！才手術完第二天。怎麼可能……」

所以就只好勉強扶著醫院的冷冰冰的鑄鐵支架，就只是從病床上下來都彷彿是一個太困難重重的極限運動，只好很慢很慢地移動，一步都要走好久好久，還是在那又空曠又冰冷的醫院死白走廊裡，半夜沒人，自己一個人練，像肖仔一樣，或是，就像鬼一樣。

其實，一動，傷口就很痛，像刀割一樣，那傷口有三十公分長，怎麼動都會痛……伯父還笑著拉起汗衫給我看地說，「像不像一隻很大隻的蜈蚣。」

「我還記得很清楚，那……兩年前伯父手術的那時候。」我跟他們說：「我記得所有的細節，因爲我有去醫院看他。四姑說她幫伯父太久沒走路的腳按摩。才發現小腿也瘦下去，都沒肉了。比起當年你爸爸去世前那一年的腿，不但沒有瘦下去，反而一塊一塊腫起來，因爲是癌細胞擴散了……所以瘦下去還是好的。」

伯父很憔悴……一生臉容一直胖胖而笑笑的伯父很疲憊而無奈，我第一次看到他愁眉苦臉地瘦到雙頰都凹下去了。

四姑說，那天她在房間裡整理衣服，看到以前的舊照片，有伯父以前的兄弟會，有你們家當年去日月潭的爸爸和媽媽帶你們去玩的照片。還有祖母，和三個姑姑的更多照片，唉！以前看還滿開心的。最近這一陣子從醫院回來，心情很不好，也不知道還能活多久……常常越看心裡越煩，就都丟掉。因爲……剩下的不多，照片上頭的人一個個都死了。

四姑說，她印象特別深的是……有一張老照片還是伯父和堂伯他們去參觀一個結拜兄弟家裡的一個很有名的樹化玉博物館，當年震撼而嘆爲觀止，但卻很奇怪而詭異，她跟伯父說，沒有變長壽啊！去看的你們那群兄弟也都死了，自己變化石了。

伯父看著老照片說，那裡眞的很怪，那結拜的二哥那些年好像瘋了一樣……。見面就只在說這種樹化玉，一億多年前的樹木，由於突然的變故地震、火山爆發，經歷了億萬年複雜的地質演變，礦物質和矽質浸入樹內，將纖維置換出來。於是，樹木變成了石頭，變成了現在能看到的各種各樣的樹化石。有些更珍貴的，就是樹的矽化程度夠高，就變成了光潤、細膩，呈半透明狀，又稱爲矽化木，矽化程度更高，已達玉化的，就稱爲樹化玉。

那照片裡的他們站在那幾千顆大小不一，形狀各異的樹化玉，聽結拜二哥說那些找尋過程的冒險，充滿了不可思議的波折，一開始去大陸，後來就去印尼找，生意都投入到收集這些古怪的樹化玉。他幾十次去印尼，深入深山老林，大河險灘，覓石、挖石，過程裡……太多禍害的蚊蟲毒蛇猛獸叮咬，有好幾次都差點死在那裡。後來才終於一塊一塊地把幾千件樹化玉。運回臺灣，運回彰化老家，才建起這個房子長相也像化石的樹化玉博物館。

賞石是講究要有緣，那結拜的二哥太信佛。他認爲，自己前世必定是和樹化玉有著很深的緣，這些奇形怪狀如妖如仙的古代樹化玉一定是有靈性的……而且，還能從那麼遠的遠方來到他這裡，就是一種緣；他每天都會做早晚課念往生咒，默默地和這些樹化玉說話。就這樣像瘋了般的喃喃自語。

這些太過晶瑩剔透、五彩斑斕的樹化玉，就像他的命或是他的佛……可都是他夢一般的寶貝……那結拜二哥說，因爲，這些他收藏的各種樹化石、矽化木和樹化玉，不但很美很貴，甚至，還聽一個他遇到過的西藏喇嘛跟他說，一如天珠那麼地靈犀，這樹化玉，還眞的可以讓人長壽。但是，就在得意洋洋地跟結拜兄弟們喝酒喝太多地瘋言瘋語說完那天回家晚上睡下去，第二天就沒有醒了。

「長壽……其實很難。」伯父說，「只剩我了……當年照片裡的人，這幾年眞的都不行，從那樹化石結拜二哥被扛回去埋了之後，竟然這幾年都跟著走，一如惹不起那靈犀……而一個個都死了。」

八

我還更始終記得那兩個最後的關於神明廳的夢。

第一個夢。

我在夢中一路被追殺，一路跑。

彷佛整個城都出事了，都被攻城掠地般地占領，小時候的我跟著家人們跑，雖然始終沒看見到底怎麼了，只聽到滿街尖叫吶喊，有人說是太不可能的巨獸或妖怪的全面攻擊，沒有人了解災難的全貌，或到底失控到什麼可怕的狀態的令人不安，只是，曾在房間窗口看出窗外空街上某巨大觸手的局部，捲曲的妖魔般的巨肢蔓延攀升，黏稠液體噴薄而出到整個城都快被埋沒了……那從空中降臨的災情仍然在擴散，我們只是跟著跑，不明白牠們是如何開始一路的撲殺，也沒看到所有的現場被虐殺的死狀的種種悲慘，器官流出體腔的血泊，斷肢頭顱的四地橫陳……的當場的血腥暴行。但是，我們只是一直感覺到所有的殺戮都正在進行，以一種惡魔現身的莫名威脅的姿態……種種的恐慌對那時候還小的我是那麼地撲朔迷離。

夢裡頭小時候的我和家人們在逃了好久以後，才發現，我們是在八卦山下的老城裡，因爲故鄉莫名被襲擊而飽受路上的懸疑驚嚇，疑神疑鬼到老覺得那妖怪般的觸手無所不在，雖然躲躲藏藏很久了，但我們還是可能隨時會再中伏，那種隨行的擔心變得令人更爲疲憊不堪，隨時陷入受害的危機感是極度難耐的，使得這種焦慮不安的時間一再拉長，甚至久而久之到已然完全無法懈怠了，逃命中的我們闔不了眼，因爲永遠地緊張，所有人都沒法子入睡。

就這樣，我們一路跑下去，跑進了一條好熟悉卻又奇怪的老甬道，像是逃入舊火車廂裡老沙發座位之間的狹長走道的追殺，或像是潛進某無名大賣場或藥妝房的貨架通道的陌生而窘迫，甬道是那麼地險惡如危機四伏，而且，滿地散落的某些尋常又離奇的髒兮兮的絨毛玩具，廢棄的老派家具，半空玻璃藥瓶罐，撕破的鋁箔膠囊，種種掉落的無法收拾的器物、零件……或許，我們已然逃入了一種不得不的不毛地帶。

天啊！就在這時候，我突然發現這老甬道竟然就是長壽街。

所以就比對那些還殘存的廢墟和街景的角落。

我們竟然就一路找路，最後終於找到而躲進到我們在長壽街的老家。

在也同樣殘破的那裡等候，那時候我記得窗口外的天空黑了，有燒焦的城裡的廢墟和屍體的煙霧隨風吹進窗縫，令人不安得近乎窒息，甚至某些窗框竟然開始有一種濃稠漆黑而惡臭的汁液緩緩地滲流進入房間裡，我們完全沒法子阻擋或解決，那是一種太龐大到沒人能逃離的厄運或災難的深處，我們連倖存都不太敢奢望，只是跟著大人們跑，不知道再往後會更慘烈到什麼可怕的狀態。

最後，巨大的恐怖妖獸終於更逼近了，但是卻仍然尚未露臉而現身，只是那咆哮的吼聲更極度地懾人心魄地低沉而迷茫……雖然，好奇的我探出窗口仍然看不見牠的龐大身影，還是只看到牠的觸手閃現……然而，就在某回太巨大而緩慢的震盪之後，厚重的長牆還是硬生生地被觸手擊破而從底部掀開。

就這樣，我們就擠在從老家房間要走進神明廳的那一條狹窄極了的幽暗甬道，但是伸進老家屋身裡的觸手卻已然占領了甬道的出口端，卻沒有再侵入更向前地攻擊我們，只抓起一個屍體擋在路的最末端，也就是神明廳的門口……就這樣死寂地對峙在那裡……好久好久。

站在最前端的還是小時候的我仔細看那屍體，覺得好面熟，那人就是我，而且是中年那疲憊不堪臉龐早已七孔流血的我。

第二個夢。

那一個老房間，很多很大張的老圖，有的放地上，放大桌上。每張圖都出奇地龐大：等人身高那麼長，雙手攤開那麼寬，而且，仔細看彷彿像建築藍圖和極厚描圖紙畫的原圖，上頭不但畫了許許多多的線條，還有某些古代不明楔形文字式的圖籙標示，是那種極度繁複而精密地要蓋而還沒蓋出來的某祕而不宣的祕密建築的圖，那種整套極周密的全景配置施工設計藍圖。

但是，在那老房間待久了，我突然開始覺得那房間越看越像長壽街的神明廳。但是，卻也有點不像，有點整修的痕跡，但仔細看仍然是，只是神明桌消失了。四面的牆壁有點過度粉刷地太新，門扇好像換過，面向天井的牆面換成霧玻璃式的落地窗，也有點陳舊，鋁製滑軌都已鏽蝕毀壞，地磚馬賽克脫落而露出暗黑蟻穴而有種細微但威脅感的蔓延渙散，隨成排黝灰身軀的蟻群而向牆角的更歪歪扭扭的不明角落緩慢但死命地前進。

我到的時候，現場很混亂但也很歡樂，充斥某種老家團聚的節慶感，那老廳的現場擠滿了很多人，有些是小時候的家人和遠房親戚，但是大家都彷彿在做自己若無其事的事，有時他們的視線會不約而同地落向電視裡的少棒球賽的緊張賽局，隱隱約約地鼓譟，球場的或觀眾席的遠方，轟轟然的低音沉湎從螢幕畫面末端流出。

那老廳裡，沒有人理會我，也沒有人理會那些大圖，只有我在忙，我在收圖，因爲人越來越多，我怕不小心傷到圖，有時分心了，還有點得意地想給他們看，但隨後又不想了，覺得太麻煩。要解釋更多或引來不必要的關注更多。

更後來，客廳裡還有些白色高櫃，移動後更窄。更後來，我還在捲圖收圖，在更用力推移那些櫃位的不規則位移時，好像不小心觸動了某按鍵了，才發現整個房間都竟然可以在某些角度的搬動對位時，出現裂縫而用卡榫來卡接更裡頭的黑洞般的內牆暗間，甚至可以因此而垂直或歪斜地摺疊整個客廳的所有角落。就這樣，像一個機關樓的機關層最核心部的深處死角，翻出了更多內側夾層的多向度老黃梨木支撐腰桌、雲側背、雕刻花鳥蟲獸的弧形桌腿，最後那八仙彩中的八仙踏金光萬丈炫目雲彩的華麗精密老刺繡織金箔繡布幅……也半翻轉半卡接地動搖而組接起來。

就這樣，在窸窸窣窣又低微深沉的巨響中……

竟然，那牆後整座龐然巨大而繁複極了的老家古董神明桌就突然浮現。

顏麗子是如何把寶島大旅社蓋起來的（第9篇）七重天。

有一天，顏麗子走進了傳說中的「七重天」……

那裡是一個名叫「菊元」的大店，她還不明白，她走進了不只是一個店，或一種店，而是走進了一種未來……

顏麗子這一生從來沒看過這種店，那麼大，那麼美，那麼地繁複而華麗，她還不明白這種店變成了傳說，關於未來的傳說。

她還不明白那個菊元，其實不只是一個店，其實是一個夢，是一個當年最夢幻的夢，就蓋在當年臺北火車站前的最昂貴的日本近代風格旅館旁……那是在臺灣的現代的剛開端的一九二八年動工，「菊元」是不可思議地講究而且費時多年才完工的，而且就蓋在當年臺北市最繁榮的榮町，最昂貴的衡陽路與博愛路的街口，菊元百貨擁有臺灣第一部民間用的巨大電梯，並且竟然高聳到有七層樓，在當年僅次於臺灣總督府……所以，引起最高的矚目……而萬眾披靡，大家都爭相要來見識，甚至，誇張地就被叫做，七重天。

那當然也是當年全球最新的夢……也是當年日本從歐洲學來的一種開店的夢，或說是一種最夢幻的奇想，一種沒有國家也沒有神就可以慶祝的節慶，甚至就是一種展示未來所有奢侈和奇幻可能的博覽會，而且是每天都開張，每天都慶祝，那也就是後來的百貨公司的前身，不，菊元……在當年就已經是百貨公司了，而「菊元」在當年……就是臺灣的第一家百貨公司。所有百貨公司裡頭的太新太怪的貨……大多都是從日本來的，有些甚至是從歐洲進口來的。進口，顏麗子，還第一次聽到這個字眼。

帶她去逛的森山在菊元一樓的一個極體面的櫃位上，當場買了一個禮物送她……

那是一個極薄的銀製珠寶盒……她在上頭很多浮雕極細緻的花瓣藤蔓紋路的花邊之中……第一次看到這三個字，資生堂，那時候，她甚至還以爲這粉餅是個非常華麗的日本寺廟佛堂的保平安佛具，那是她人生的第一個化妝品，一如……她的對未來、或對現代的想像和理解。一如……顏色長相都太奇怪的雨傘、電話機、腳踏車……會說話、會走路的古怪機器，還有唱盤、唱片、收音機……那種盤轉一如跳舞的機器甚至會唱歌，還有她印象比較深而且比較特別的另外一些吃的怪東西……一如，牛奶糖、羊羹、和菓子，因爲那是以前臺灣沒有的，也不是玩具，但是看起來都像，而且可以吃，太奇怪了……顏麗子一邊吃這種奇怪的東西，就好想緊握著森山的手，但是不行……其實，她心裡從一走進菊元，就一直太激動了，還有一些服裝，美得令人屏息的各種櫻花、千羽鶴、古寺院繡花的名貴和服，金光閃閃而鑲滿嵌入珠飾的西方馬甲、花裙、長禮服……甚至只光是布料，棉、絲、麻，就有很多她從來沒看過的講究布種，夏天的和冬天的布料，做內衣的極細膩柔軟的布料，還有更貴氣更美麗的蠶絲、綢緞……

但是她更好奇的是她第一次看到的人造的尼龍布，那種人工的奇異光澤……

好像還沒有來的未來……就在這種人造的奇異的光澤中被折射而悄悄出現了……在這些奇異的對未來充滿暗示的風光之中……她好想在自己過去的故鄉也蓋一個這種充滿未來的光澤的店。

那是……顏麗子心裡第一次閃過蓋寶島大旅社的念頭。

旅社部（第5篇）艋舺。

一

她說。那一天是農曆的驚蟄。

一種節氣中最洶湧澎湃的暗示，醒悟，春意脫離冬日，打開的種種可能。打開我們心裡的蟲般的，邪念，貪婪，情愫，狂欲，或就是荷爾蒙……這些都被這節氣所召喚了，都不免被激發了，驚人地。

我跟她說：之前的日子那麼冷，不得不那麼地深藏，像冬眠在太深的心裡，沒有出口，不知有出口，要找到切割摺疊太繁複的路徑，才能流出，一如那卡夫卡式的蛻變，自己長出的蟲肢，黏液，分泌物……種種恐怖的黑暗的暗示。但是不知所措。

但是，在艋舺這個老旅館等她的我只是惦念著她那在春光明媚中喝茶的悠然，悄悄地勃起，讓暗黑持續蔓延。

一如種種季候的混亂，錯過，春來冬未了，時光的誤入歧出，星空的黑洞捲入的殘念之餘光，餘緒，極黑又極花，極火又極緩。那是菸燒到手指之前最後一口的餘溫，癮，沒抽到不甘心，這念頭是怎麼發生的。我跟她說，我們不是一向那麼驕傲那麼孤獨那麼斷掌地掌控周全，無懈可擊，耽溺又抽身，入迷又清醒……怎麼會被彼此迷住了，像驚蟄的驚人與動人。無辜地盼望著。溫度降了十度。

她說，到艋舺這種老地方……我這一天要穿得像未亡人來找你。

果然是未亡人……太黑太暗了，但是，她出現時仍然是極爲端莊，雖然全身暗黑，但是卻是講究的……版型極美的羊毛內暗紅外黑上衣外，那未亡人式的外黑裙更爲隱匿，極度素雅的長裙身上，只是側端有一局部不經意開衩，彷彿充滿某種危險的暗示……其實，這天她故意是好生雅致的，只是小心地露出了美豔的小腿弧度，輕盈細膩地婉約而無辜！漆黑布身是極令人不安地溫柔，垂墜感，斜切，臀形透露著隱隱約約，藏匿太深的性感。

因爲，她說她那黑暗系的黑裙裡是完全赤裸的，我注視她的臉，卻心裡老閃現她那黝黑濃密的陰毛滑過裙身黑布內裡彎側，連陰唇緩緩滲出的淫液都祕密地流過，想像起那未亡人般的下體所可能的因被憐惜而更敏感的詩意。

但是，我卻也不免因此被時時誘惑。一如，在和她喝茶說話時，一直幻想著太多下流的畫面，我瞞過鄰座，就悄悄地跪在深漆原木的厚重古董桌下，趴在她的兩腿之間，在黑裙深處更黑的尾端，用我貪婪的舌纏纏綿綿地舔她那潮濕的陰唇，充滿了邪惡的舌尖的滴沉，滑落，深入，抽送……在陰蒂與肛口的肉身縫緣裡很慢很慢地來回深舔。

而她仍然從容，只是手扶厚重木桌側緣，來回撫弄而溫溫吞吞，或接著緩緩喝著剛沖的早春的碧螺春燙口的第二泡熱茶，喝得那麼地優雅，那麼地寂然沉浸……小口小口喝下又燙又甜美的雪白瓷杯中的一如雨露的茶。彷彿完全無事，身子依然半倚那明式太師椅，繼續看出老茶館木製櫺柵外初春天空的晴空。在散發淺淺的微笑中，她那迷人的單眼皮仍然露出眼神裡的從容恬淡，只在某一霎時閃過那麼剎那的迷茫失神，只有我心裡想像著或許她高潮也是如此一瞬而過。但是必然是一如我飲下她那麼激烈地射出而流下的淫液，濡濕裙襟地那麼地狂放而誇張。

我們太過分地纏綿了……

但是，現場，完全沒有人發現。

黑暗系的未亡人會消失嗎？我被她的老錯過些什麼……迷住了。她好會說故事，故事的離奇是那麼地離奇。一如一個我作夢才到得了的不明地帶，才會發生的不明事件，充滿啓示的意外，寂靜又喧譁，幸福又恐慌。她說，她老是會錯過些什麼……即使她那麼小心還是無法躲過的不小心……旅館起床吃早餐睡過頭了。在美術館走太久之後在長椅打盹而被喚醒，甚至在餐廳裡整個手袋連護照錢包完全被偷了。但是，我勸她，我們都一樣，旅行，本來就是一個個關於錯過的故事集。

她說，錯過，她印象最深的是要坐火車過海底隧道的那一回，她實在是太驚心了，現在想起來，還心有餘悸，那年是只有她一個人在歐洲跑了一個夏天。那次是因爲要去趕坐英法鐵路，她說她其實是提早到火車站，到了那月台，但還是錯過了。那列車太短，月台太長。火車早就到了，她也早就到了，但是，她只是坐在月台尾端的長椅子上看卡爾維諾的《看不見的城市》，看到入迷……就這樣，直到火車開走那一刻她說，糟了，她才意識到，原來就是那班車。

因爲那班火車是要從利物浦去倫敦接海底隧道那歐洲之星的火車。

後來，她只好坐了半小時之後的那班車，但是，這樣在倫敦轉接的時間就變得太短，轉火車在那巨大漫長的各種月台，樓梯，走道，電扶梯之間，拎著大行李半走半跑，非常緊急……就如此地在倫敦那個後來恐怖分子放炸彈而爆炸的老火車站，一直跑，還一直迷路，最後終於到了對的月台，但是竟然在遲了數秒的時差，歪斜的所有迷宮般迷路的沮喪更完全地撲來時。幹！她說，我就眼睜睜地看那班火車走了。

就這樣錯過。

後來，那老倫敦火車站爆炸時，她說還又想起了那回的錯過。「好好聽！」我說，其實我始終是在恍惚中，因爲我仍然分心於對她未亡人黑長裙中的潮濕陰毛的遐想。

她又說了一個錯過的故事。也是在那一次一個人的旅行。而是更恐慌更失措。

那是一個沒有窗戶的房間。在曼徹斯特，古蹟，工業革命初期留下來的舊建築，很迷人的古城，好多華麗極了的廢墟，像鬧鬼，天還沒黑街上就沒人了。好怪，那麼多複雜的維多利亞時期的，巴洛克或羅可可風……種種繁華到令人眼花撩亂的名古典建築，都空空蕩蕩，沒人住，也沒人修……長滿荒煙蔓草地廢棄著，好美又好驚人的詩意……但是，那時候她太累了，累到完全沒意識自己的累，一直趕路，充滿無辜的好奇。因爲是她自己一個人在歐洲走太遠又太久的旅行之中，貪心地去了太多地方，後來，腳底好痛。沒有原因，又不會好，才知道不行了。就待在那沒玻璃窗的磚造房間。空調太老舊，有種蟲屍和灰塵長年累積在冷氣孔洞的霉味。她說，她快吸不到氣了，但是，又爬不起來。就這樣翻來覆去地失眠到夜半。

後來，雖然勉強地入睡，但是一直在作錯過火車、掉落甲板、飛機墜毀的那種旅行中失序或失控的噩夢，全身緊張又寂靜極了。就這樣，到了最深的深夜，完全出乎意料，令人難以置信的是……她竟然睡到一半時被警鈴大作所嚇醒了，但是不知爲何，房間是全然的漆黑，像是從一個噩夢離開就馬上進入了另一個噩夢。反正，不像眞的醒了。

就這樣，她完全失措地待在房間裡的孤單卻又更令人不安的黑暗中，而且，在她想盡辦法摸到出口時，才發現，更可怕的事……那房門不知爲何……竟然打不開。

那眞是一種完全絕望的狀態，她說，她好像進入了一個被詛咒的幻境，沉默之丘，惡靈古堡，厄夜叢林……或科幻片中鬧鬼的太空船，女主角因爲心碎於女兒去世而困在永恆的暗黑結界，沒有瞎卻完全看不見……那更恐怖。她說，她到現在，有時半夜醒來，都還有點恍惚，好像還困在那房間裡，始終沒出來過。後來呢？我問她……警鈴巨響終於停歇下來，後來她也逐漸回神。慢慢聽到鄰房開門關門的擦撞聲，有人參差走動的腳步聲，咒罵聲，互相抱怨或安慰的種種人聲，更後來，她的門也終於好不容易開了。才發現所有人都離開了自己的房間，精神雷同的恐慌或恍惚，有的披頭散髮的，狂哭低吟的，衣衫不整的……有的太害怕的老人稚童甚至就跌坐地上還啜泣無法停歇……她說，那是一向孤僻的她第一次覺得這種走廊都是人的不勝擁擠是那麼溫暖，彷彿好不容易才重回人間的窩心。

過了好久，大家才明白，由一個走路踉踉蹌蹌的老人出來解釋，那只是個這裡常發生的意外。因爲老旅館的老電箱年久失修的線路走火了，導致全館意外地半夜停電。然而，這麼驚人而驚心的災難，卻被解釋得那麼簡陋而可笑。

使她始終無法釋懷。錯過。我笑著跟她說……或許使你這個未亡人變成是不會死亡的人。

二

我跟她說：艋舺，就像一個未亡人，她提醒了我們一個死去的城，一個想要不斷忘記自己舊舊髒髒部分的城市的過去，彷彿過去的臺北所有以前用力過的什麼，都忘了，或都無限度地貶值了。艋舺，就像每個城裡古城區的那種斑駁滄桑，只留下了過去彷彿躲入地下的城的死角、城的蟲洞。就在太久以來的人的亂來在特殊時間特殊節慶充斥許多空屋廢墟的那種圮頹及其荒誕。

我跟她說……那已經是離外婆帶我跟她去龍山寺迷路的十多年以後的事了。

那時候，外婆迷路時，她還是會哄我，騙我……「拜拜完，就帶你去吃芋仔冰！」

她一邊找路，一邊對著不耐煩的很小的我說：「再一下子，就到龍山寺了！」

我想到我外婆，就想到小時候搬到臺北的那幾年……她老要帶我去龍山寺，但老走一走就迷路了。其實，從我家走到龍山寺那段路並不遠。

但，我過了這麼多年後的這一天卻是第一次看數位地圖走的。第一次用iPhone上的Google map找路的。衛星定位。在很小的手機面板上。一邊走一邊看到那地圖可以不斷因爲觸碰螢幕而拉開放大。從很遠很小的幾條輪廓線的萬華區，像有一個鳥瞰鏡頭的快速逼近，而出現了所有的建築體，街道，街名。但，我在這條我小時候迷路了的路上，找路，如今像用諜報片的電腦特效，侵入，快速精準地鎖定，GPS系統，全球衛星定位的功能，極度放大，又極度縮小……地侵入。像是一個高科技的幻覺，追蹤不明恐怖分子的逃亡極重要的打開。打開一種空間的隱喻，在這裡更是打開一種時間的隱喻，未來對過去的揭露，換算摺疊了太多層級的時光裡的場景，摺疊自一種線上遊戲開機畫面或某一關衝關的對眞實城市的模擬與想像。

但我仍不確定，當年外婆爲什麼會迷路。她在當年是一個狠角色啊！爲了在火車上賣私貨，要像情報人員躲過日本警察才能行動的人，頭腦極度清醒到近乎刁鑽的角色。

那年代，我外公被日本拉伕去南洋當大東亞共榮圈的兵丁而失蹤之後，她變成了帶四個還在念小學小孩的寡婦，卻強悍地活了下來。開始她的人生的突擊與游擊。北上，到基隆、臺北之間的火車上走私賣私貨的……奇幻旅程。

因此，那龍山寺，可是外婆年老之後一直佛珠不離手的一生的寄託，信仰的原鄉，朝聖地，或說，某種心靈上的修行總部。

但外婆怎麼可能會迷路呢？

艋舺……怎麼可能會迷路呢？就像臺北的更早年內傷復發的城市印象。來自短期記憶，長期記憶，永久記憶……那麼地像廣告片中重新拍成的二十秒以內的記憶或三秒鐘以下只有感官只剩下官方或觀光的單薄印象，美美的膚淺的風光……把某種古老的鄉愁的沉湎重新化妝成更多阿里不達的旅遊生活頻道或高鐵環島三日遊或偶像劇場景式的歡樂。就這樣，有好多牽動的狀態，所有原有古老的人地事物都快速變形而且處理器熔化了，一如所有的餘緒以爆量地流出。使這個城的新人光接手就快當機。

我跟她說。我作過一個關於小時候住在艋舺的夢，在夢中，我是個超能力兒童，但是我不知道是什麼意思也不能提起。

在西門國小的班上我是班代。「你被測出來了，會像J那樣，有某種能力，但不能亂用！」

在夢中，那種超能力，並不容易被辨識出來，同學跟我說的時候，只是像交代你被選出來要去參加珠算比賽或要去跳民族舞蹈……那種說法，沒有太多的恭喜或祝賀的情緒，我也沒有任何開心或引以爲豪的感受，只像是被分派了一個我也不清楚是什麼的工作，扮演一個我從來沒扮演過的角色。

而J，我跟他在班上完全不熟，知道我和他一樣，被測試出來有超能力時，他也沒說什麼，也沒跟我打招呼，或解釋更多我們即將遭遇的改變，即將完全不一樣的人生，即將開始過和過去沒有任何關係的悲慘日子，進行我們也搞不清楚是爲什麼要進行的訓練。或許，那時候的J也還不明白後來發生的所有變卦。而且更後來離開那教室，我也沒有再遇到過他。我跟她說，在夢裡的那天，在同一個小學教室，校方派人來通知，交代，總統要來看我。我聽到以後，就一直在找座位，想到最後面躲起來。但不知道爲何，在夢中的我並不害怕，甚至還記得我曾經見過他二次，和他吃過飯，說過很久的話。但，那已是我成人以後的事。那時光是錯的。但，我並沒有其他同學或老師那麼害怕。所以我就被移到第二排去坐。總統來小學教室的時候，在講台講了一些安慰小朋友的話，最後，才來跟我握手，之後，才離開。我的心情還是很怪，不想被他看到，又想被他看到，但不是因爲那被接見的榮耀，或因爲那超能力。而是因爲那小學教室氣氛的太過混亂，必須小心其他老師或大人交代的一切。要禮貌、得體。不能讓身旁的同學感到不愉快。所以，坐在小學教室裡，發著呆，像忍住不要轉鉛筆，不要偷看漫畫，不要當眾挖鼻孔那樣小心地……不能太常用那超能力。所以我一直在要把超能力如何藏起來又如何露出來的焦慮之中。就在這種焦慮中，那麼多人，那麼多熟人的，小學的教室，變成無限期停格。

即使，我也還是始終不清楚那超能力是什麼？後來，好像超能力消失了，變成一隻豬，只是一直發汗，疲倦，想睡又睡不著。生病了，喉嚨和頭都爆痛，但是還是整天都在忙，一如祕密的超能力通靈中還一直在當小學生上課地忙忙碌碌。而我沒意識到那種持續體力透支狀態會出事。最後在和同學去龍山寺玩，好像被煞到了，太怪，太不舒服，人太多，還在那廟門口吹風好久一直發抖……後來回家就出事了，一直太難入睡。一直冒冷汗，頭疼到像有個炸彈在裡頭，喉嚨開始燒，滾來滾去，好不容易睡著。但是一睡著就變成在龍山寺後頭的一個巨大暗黑廂房，所有來拜拜的人，都被發了一個扁圓形機器，像某些古代造型怪異的機械鐘，不明指針外，還有個鐘面圓心到三點鐘方向的劃開切口，不規則狀，彷彿一種肉體的傷口，又沒有血。不知爲何，我被告知要緊抱著這個器物，然後還要放入手掌四指入那切口定位，跟其他人排隊，然後才能開始掛號拜拜和治療。

但是，我實在太不舒服了，站都站不直，一直想坐下或躺下，可是不行。所有人都好像待命般地在那裡集合，面無表情，像假人，卻排很長隊伍，我心裡很絕望，天啊！想著這什麼時候才會輪到我啊。但是手還是放在那機器裡，不知爲何，也不敢拿出來。就這樣，困在那裡，進退兩難。夢就醒了。

我跟她說，每次回來，都有餘緒。像我那天從艋舺走路回當年的西門町老家，還就經過我念過的那西門小學。那是我小學二年級的時候，念過一年半。但，現在我完全不認得了。也不記得任何學校的模樣。那些童年的場景已然完全消失了。

過了三十多年的小學校門口，現在是有些重新設計的灰鐵欄杆和植栽，有各年級家長等待區，門前人行道，整體地磚換過。還有一排頗有現代感但毫無特色的木條面座椅，但因爲是星期日，完全沒有人，大門鐵門也鎖了……像是一個封閉的實驗室封閉了我當年所有的回憶裡奇幻的超能力般的聯想。

倒是旁邊的國賓戲院，變成一種怪異歪斜的豪華氣派。這是三十多年以後的我的怪癖。還會遠遠地專程跑來這電影院看電影，即使知道它火燒過，出事過，也翻修過太多次。勉強維持成一種裝扮的高科技影城。門面有落漆的不鏽鋼的牆體，鏽蝕過的大型鋼架立面所架設電影海報和電視牆的幻影。但是仍然已完全地過氣了，只是一個踉踉蹌蹌仍然努力趕上這時代的時髦的老地方。

一如，旁邊國賓戲院正在演出的是一部外星人入侵的災難片《天際浩劫》。我還記得那故事，敘述一場大規模的外星人將人類視爲天敵的轟炸行動，企圖毀滅地球。一場狂歡派對後的主角酣然熟睡，睡夢中人們被窗外神祕的強光無意識吸引到戶外，並消失在光暈之中……。少數倖存者追查，發現這個光束，已經籠罩整個地球。所有人極恐懼如何活下去……

我跟她說，艋舺這個現場是一個浩劫後的場景，但是，爲什麼所有可笑的過去對未來的想像仍然盛行，使得還未死去的我們，仍然要用這種未亡人的恐懼在面對著未來。其實西門小學也是。只是，我沒有小孩了，也沒有同情，沒有要接小孩去安親班的那種家長的關心。但是，那太可笑的小學門口有小學生的畫攝影輸出的杜面好幾處，在欄杆植栽之中出現：「天敵出現的時候。動物比較會被欺負。」仍然有生物課的……教材布置圖案文句的極度充滿對未來的恐懼唐突又不自知……

我跟她說……或許，我也還只是小孩子。

三

按摩阿桑有著和艋舺一樣的老時代的讓人又怕又愛的溫暖。

那裡其實就竟然在艋舺清水祖師廟前。

那一回我坐的計程車。在六點八分經過總統府，遇到降旗。好怪，憲兵隊舉槍，樂隊奏樂，車全停。先演奏國歌再國旗歌，像一個儀式，但是，卻極超現實。太多往事閃過，沉重的沉湎，卻可笑而荒誕。

之後。就又到艋舺，因爲要來給按摩阿桑打。提前來，在艋舺祖師廟旁，終於下決心吃那最有名的六十年的排骨大王的排骨湯，豬油拌飯，旁邊是五十年的沙茶牛肉大王，炒牛肉，牛什湯，那是一條廟旁很糟很髒的舊而昏暗的走廊上的破桌子，店面很亂。老闆是老人，一邊舀湯一邊碎碎念，盯著穿花襯衫的我說，飯裡的油要邊攪邊吃，才好吃。後來，來了一個計程車司機，光頭，車就插進來，停路邊，眼神閃爍，急躁，卻完全沉默。點的跟我一樣。也沒問。就坐在我那桌子對面，沒抬頭，一口氣就吃到完，吃完就起身走了。

我等了好久另一邊的湯和炒牛肉，一直沒來，他們一直在招呼熟客，不太理我。一個極胖極恍神的歐巴桑走來走去，舀湯，但一直沒送到我這桌，我已經等到想走了。因爲，那老闆一直盯著我看，走廊走過的人也是。旁邊一家一樣又舊又髒的卡拉ＯＫ。一直有走音的歌聲傳出。再旁邊是老五金行。賣很罕見的雜貨、吊索、零件。更旁邊的一家名爲金龍社的店面，不知在做什麼生意。有一個老頭坐在泡茶的茶几和沙發旁。一個又髒又破的電腦。盯著螢幕打線上麻將，一邊抽菸，一邊聽著呆滯的數位式的少女聲音從小喇叭發出來。「碰！」「吃！」「碰！」我也太沒有力氣沒有時間在這裡多待到可以跟他們博感情。其實我還一直想起之前離開臺北去東京前那晚，特別前來求祖師爺保佑的拜拜。而今天，只繞過廟，對著已關的廟門，合掌，拜拜，但，喝湯時，看到那排骨大王的慘白瓷湯碗內側上緣旁，就映著祖師廟三個紅字，湯因爲完全是清湯，所以血紅的字看得好清晰。

往裡頭走就是祖師廟的老廣場和重漆金漆的舊牌樓，這裡實在太老了。我比預約的時間早到了。進去看廟，看到一群法國觀光客，一個導遊用法文跟他們解釋著廟裡的所有古蹟裡的古物，龍柱，老佛祖，很老的故事很多，涉及臺北城最凶惡的那回械鬥，頂下郊拚，許許多多的殺戮焚毀。而祖師廟裡的三仙黑臉祖師爺的黑臉仍然老神在在，一如當年還跟大稻埕的霞海城隍對殺……那種殺氣。

不遠是青山宮，臺北第一街，老店很多，舊市場，老人，青草店，還有很多紙糊冥具店，都很陰，這裡是古城，有著太多過去，艋舺的繡莊、華西街、剝皮寮，還有巷子裡遇到茶店阿姨們拉客。窗外，車很吵，還有選舉的拜票聲，樓下我吃的那家五十年老店牛肉湯的氣味，旁邊一家名字就叫三十三間堂的日本料理店，那裡就在龍山寺和西門町之間，但，我很痛地躺在那裡。

我跟她說……那裡離這個旅館很近……那店裡的那按摩阿桑很厲害，也很細心。但很難約，現在已五十多歲的她是二十歲以後才漸漸盲的。對這個世界的樣子還依然記得一些，其實我覺得是全部記得，她太聰明而細膩到不可思議地精準……那回按到的每個點都痛。她老說：「你怎麼老是生病。」

我看著入口，店裡的牆上有一張破舊的海報，像種種老派的花招是完全不靈的，那種氣息。

「手部，合谷穴，支溝穴，神門穴，各十下。腹部，天樞，關元，中脘，大巨。用雙手先摩擦生熱，以臍為中心，順時針逆時針按五次，並用手指加強揉按，各十下。背部，大腸俞，小腸俞，圈狀按摩，各十下。腿部，足三里，三陰交，各十下。照海報，內踝頭直下骨沿下雙筋凹陷內，這是便祕的療法，或頭痛，傷風，甚至解除壓力大的療法。」

她安慰我，交代，像媽媽。「晚上要泡腳，早上要甩手。」

她和她也是盲按摩師的先生，一起待在這艋舺的店是有六個房間的老房子，其實就是他們家，在二樓，房子格局出奇的大，就在祖師廟前廣場的馬路旁。吵，空氣冷冽，和這個老地方這的老廟的召喚有關……有著一種神祕的被感應被祝福的感覺……所以我每一次來，都有種奇異而難以言狀的療癒感。第一次被她按，是意外……在一家她被找去幫忙盲人按摩的按摩店。我只是因爲太累，那個下午，一邊看書，一邊寫，一用力……就打盹。我按完到後來，還是一直昏，一直到天黑了，旁邊很多小學生在旁邊尖叫。其實被按的我才想尖叫，在按到一半的時候，我在寤寐之中作了一個夢，夢見自己的整個身體變得像木頭製的縮尺模型，但，卻是很大型的，像懸空寺卡在山崖，海浪沖刷成的岩岸倒削峭壁，很多洞口的整面山牆的石窟，讓走近的每一步，都歪斜的那種地景走進去會有……的未知驚險。

但摸自己胯下，頸肩，曲弧，發現許多地方，癢的，痠的，破洞的，瘀青的，長青春痘的部位竟都也變很大，也變木製的，像雕刻繁複刁鑽古怪的西洋古董桌椅。夢裡和很多人在場，看到很多地方，像也回到以前我念建築時代的學生時代，在評圖或開研討會。所有人都很專注。後來，連身體局部也變模型。正在討論要怎麼修改擴建。我弄不清楚，是在討論一個地方一棟建築，還是一具身體？甚至，是我的身體嗎？而且，他們主題有兩個：研討會入口桌上有海報，上頭印著古典字樣！第一場次：「一次性的」。第二場次：「撕裂傷的」。就醒了，她還在按，還看著我，露出耐人尋味的笑……

「你摸我的手。」她叫我看，沒別的意思。但我有點不好意思。用抓的。

她眞的好奇怪，人全盲了，但老是在做一些明眼人也不一定做得好的高難度的事：捏陶，打中國結。下鍋煮魚……她說到她做的陶藝，曾經送一隻可以燒精油的陶瓷雞給她舞蹈課的老師。那老師命很好，四十五歲就退休了，生活就只是在教舞和打麻將，後來先生也從銀行退休，搬去高雄當顧問，才失去聯絡。也送過一個牙醫的病人。「他們說，若是只要生活想搬到新加坡，若是爲了小孩的教育想搬到美國，但她還是只能待在臺北。但是，身體越來越糟，就常來找我按……」她就好像一個菩薩，她的手藝是她的神通，布施給我們這些困在人間的病人……

後來，我就像屍體般地趴在那裡，我還一直流鼻涕，太冷。但我只撕墊臉那張面紙的一角。沒起身像在手術中……其實我只是太疲憊到完全不想動。

被子沒整過，電毯沒有墊，有夾子，我脫長衣褲，趴下之前，沒留意，被上有別人的氣息，但我沒多說。按摩阿桑說到：你們都太想不開了，有一個護士，在北投上班。住附近，她也一直喊痛。你們都太用力了。人生太累。她說跨年要怎麼快樂要看人，像小朋友，聖誕到十二點才睡就很開心了。但你們都太用力到太不容易開心了。我說：我今天又變糟，背很緊，脊怎麼按都痛，腰有一點極瘦。這個按摩阿桑按摩的時候總是微笑。充滿自信，雖然是盲，全盲。但是，我每次都會因爲邊按邊說話而被她感動。她老是會仔細聽，老是看得比我清楚……好明白這種人生的快樂與不快樂，我往往很慚愧。我不敢說出，我很討厭小孩，很害怕小孩的吵，鬧，失控，但最內在的原因是我不愛小孩甚至……我根本沒有愛。

「殺豬的刀有這麼長！」有一回，按到一半，她拉我的手。捏了一下位置，從肩膀比到手指。其實，那時候，她正按到背脊。我正痛。但她講得很開心。那天又去被盲眼的歐巴桑按的時候，談到她的家族。「那刀，很不一樣。而且雙面都是利的。我家裡有。小時候看過。我們的家族很大。我阿公會看豬，挑豬選豬要本事，帶我伯伯他們去，教他們怎麼看豬的好與不好。因爲這本事很難。就算沒有自己殺，光轉手就可以賺一大筆。就這樣，賣豬肉和賣香腸賣三代了。」

賣豬肉，做的香腸是手工的，會辣，很好吃，很有名。「現在去蘆洲，問說要買最好的香腸，所有的人都會跟你說，去光華路四十五號。找益仔。那就是我哥哥。」

「難的地方在『牽血』的那一刀。在喉嚨刺入，那刀很長很特別。」我感覺得到那利刃刺入豬的皮肉，那血柱溫熱地從那一個小洞湧噴而出，有種古老的想像，野蠻而殘酷卻精密純熟，像一種失傳的技藝，表演。「很好看。我小時候很愛跟去看殺豬。豬在死前會亂動，掙扎，而刺入時會尖叫，然後哀嚎到慢慢沒有聲音。好好看。」

「那時代，殺完之後，要自己洗內臟，整理豬屍的心肺腸胃那些又髒又糊的所有血跡斑斑的器官。但最特別的，就是要在最後用又快又薄的刀在那隻豬的腰子上劃刻出一個木字。在屠宰場就認得出來，那就是我們家的豬。」

「伯伯他們從老大到老四都有幫忙爺爺養過豬，殺過豬。只有老五沒有。所以，五伯當兵被找去要幫忙殺豬時，因爲害怕，跌倒，還反而被豬追，覺得很慘，但回來家裡說，還被大家笑。那時代軍中會自己養豬自己殺，有的老士官老芋頭甚至還殺狗。」

「家族大到我媽媽過世來了三四百個人，有太多故事。二舅不讀書外公找一個拳頭師父教他功夫，但學好了功夫卻出去風騷，老跟人家打架，老打斷人家幾根肋骨。我有七個舅舅，五個哥哥，四個姑姑，而且每個人都出過事。我媽是童養媳，我爸是入贅的，我爺爺當年就是讀過書的，還自由戀愛。祖母嫁來，戴鳳冠。但是，我爺爺過世，家就敗了。大伯有分到地。我爸去放牛。後來才入贅。」

她還說到她年輕的時候，眼睛還看得到，也很愛看電影，去第一戲院看武俠片，和同學一起去。卻不喜歡去今日戲院，看文藝片。「我也很怪，和一般女孩不一樣，喜歡打打殺殺的！」她笑著說。其實那時候，她手勁正大，把我有問題的背脊，折成很誇張的弧度，我一直忍住，才撐著，沒叫出來。

後來按摩完，快昏倒了。想去找地方坐下來休息時，就在祖師廟廣場旁的店，坐了一下，人越來越多。我那四人座位只有我一個人，所以，不好意思，就空出一邊。讓位。但沒想到他們竟有三個人。就直接坐到我旁邊和前方，很近很近。我戴上耳機聽電影配樂，很奇特絢麗也很大聲，想藉著這種遠方的沉重來分心。

但是，那中年的女兒跟年紀很大的媽媽卻更大聲，不斷地抱怨自己的人生。一直在抱怨：自己兒子賭博，把四千萬的房子在兩小時就輸掉了。三面採光，建商保留戶，五十坪，好特別的房子。卻留不住，她姊姊是高雄女中，東吳法律系畢業，嫁給一個法官，小孩都在美國，回來奔喪，這二天就把本來在她們旁邊的房子也處理掉了，老公死後，她姊姊二十年來，只有看電視，完全沒有興趣，不和人相處，有一回多吃一顆安眠藥，半夜起來，去洗手間跌倒了，爬不起來，後來第二天，打掃的人來進不去，叫她，她還用一塊地上的踏布慢慢地滑過去，但還是不行，因爲門上有一種鎖是外面沒辦法開的，所以，還找人從後面鐵窗撬開才進去。送去醫院。

之後就只能坐輪椅。……又過了三四年，最近才過世。對面那一個老太太更大聲，一直在說以前的事：「我們小時候，到處都在空襲，戰爭時代，打打殺殺，活著都很難，也還都沒有東西吃！現在活這麼久，和老公一直吵，不如那時候就死了，更好！」我聽了背更痛了，也更想睡。

這時候，我在座位上，看到店裡電視的小螢幕，正播放出六個字「超萌烈。零血腥」，仔細看，是在介紹一種宅女專屬的線上遊戲。在華麗的歐洲古典城堡前的廣場，很多貴族和王子穿著著皇室的華服，專心地看著一場激烈的決鬥。

那是一個穿蘿莉塔少女裝的爆乳妹，她的臉很天眞，眼睛很大，冒著星光，纖細的雙手卻拿起一把比她身體大三倍的劍，砍向一隻長得很可笑的像玩具的大怪獸。牠的頭斷了，鮮血如柱般激烈地噴出來，染紅了整個畫面，然後，再重新打出那古英文字樣的遊戲名稱。後面，則出現一行「即將可愛又狂野地上市」。

四

更後來，在旅館的我們沒做愛也沒睡著。只是在HBO頻道上專注地看電影，因爲又看到那一部和義大利小山城的古老歷史和氣味有關的片子。那一部叫做《完美狙擊》的電影，故事是一個出事了的殺手躲到義大利小山城。他住在一個老教堂的舊房子後面，後來接了別的任務，要做一枝改裝的槍。所有的故事都壓低成某種輕淡卑微的狀態恍惚，瑣碎，沉悶但太過眞實地貼身逼進。我跟她說，我去過義大利這種無名的沿山長出的小村子，所有的晨昏日夜晴雨霧雪的古山城都很美。或是在那崎嶇路徑古厝蔓延的山城夜裡，無人的石頭小巷道，昏黃的光暈，階梯爬上門口，都極美，極寂靜。可是電影裡那不安的男主角卻一直覺得有人追殺而來。但是，始終還沒有人出現。他老是抱著槍入睡。

一如，他騙神父他是來寫導遊書的，但是神父問他：你來義大利，然後你不看歷史。他說：我只是拍照。教父說：你們美國人總是不在乎過去，只活在現在。他說：我嘗試如此。我只做我擅長的事。神父說：你是個好工匠，而不是藝術家。但是手很巧，對機器很在行。但是你說的和你會的都不一樣。神父說：我對迷途的人特別感興趣。他說：修車是我的嗜好。他在一個修汽車工廠找零件。後來在一個古老的義大利小山城裡，用古教堂的鐘聲來掩飾他敲機器的聲音。

我跟她說，這電影好接近在那種義大利山城的時間感，無限逼近眞實的緩慢，近乎無趣卻又近乎永恆。那種難以言喻的古代在現代的投影，沒有時間，沒有過去和未來之分了，未來就是過去，那地方將會永遠在那裡。用一種標本式的溶解自身的福馬林般的透明，逼近地逼視。寂然，封閉，無法再進入但也無法逃離。一如艋舺。

那男主角在那古城裡繼續不安地工作，生活，嫖妓，喝酒，上咖啡廳，接訂單，但是，妓女慢慢愛上他。他後來在外頭遇到她，她說：我們要去看美國電影，她想去美國。她說：小鎮的人都這樣。餐廳的侍者一如其他人，他們對外來的人有敵意。

她對他說，你是好人，但是，你有祕密。我本來以爲是你已經結婚了。她還不知道他是殺手，而且是窮困潦倒了。後來，他也慢慢愛上她。她用粗糙的英文說，今天我們要去野餐，天氣很好，蝴蝶很美，但是牠已然瀕臨絕種。他們在難得的河畔野餐。但是，回程，在車上，有照後鏡的倒影。他們的臉都很僵硬。在森林中，她直接脫衣服跳進河中。她問，愛德華，這是你眞正的名字嗎？他問他的接頭人，問著追殺的人他們爲何找到我，他說，因爲你退步了。

他開始作噩夢，在夢中，大雪的雪地。一具屍體。是那個女人。

神父勸他，上帝可以原諒有罪的朋友。你做了很多壞事，現在還在做。他懷疑神父有一個私生子。他問他，神父說：我不記得了，那是很多年前的事。地獄是一個沒有愛的地方，但我有一顆父親的愛心，我爲你禱告。

更後來，他們辦一個老宗教的遊行。一如古代，聖母慈祥但有點怪異的塑像，大型黑十字架，神父們穿教會禮服繡花的白衣，和人群走在山路之中。那是古山城最古老的慶典，緩慢迂迴曲折而沉湎於過去的風光與情緒。那是這部電影和這個城最動人的高潮。

和他在遊行人群中相遇的她對他說：跟我去。明天，後天，永遠留下來吧！一起一輩子。然後，他對接頭人說：我要離開。但是後來就被追殺。從天空鳥瞰的上山的彎路。在路上，他發現他中槍了，全身是血。開向河畔。死在最後的美麗而充滿燦爛陽光的森林裡。

那本來說好要一起離開的女人正等著他，卻只能在最後的鏡頭裡，寂然而悲傷地看著他在車窗中慢慢死去。

後來，我抱著她睡著了。在這個窗口看出去可以看到龍山寺的旅館。作了兩個極辛苦的夢。第一個夢遇到了地震，我在一個怪異造型的建築工地，很多不規則形的弧形混凝土薄片拼成，但是有數十層樓高。但是還沒完工，像一個放大數萬倍的恐龍木切片組裝模型，或一個實驗性的某世界博覽會看起來永遠不可能蓋完的怪展館危樓現場。後來，地震慢慢停下來，我終於好不容易從那高樓眺台往下攀爬，樓梯震垮了，繞了好幾個弧度的不可能路徑，終於才勉勉強強地擠進入室內，已然是全身無力，傷痕累累，再往下走好久，才到了一樓，連停車場入口都是不規則弧形，但是門鎖住了。我只好坐在地上不太能動，只是發呆，就這樣看著旁邊一個小螢幕的電視，竟然在控制液晶面板在播黑白默片，某一個諧星正在表演難度極高卻又極好笑的默片動作，拿一枝怪傘，走路，跌倒，起身，又跌倒，但是每次跌倒都在還沒完全倒地前就又站起身來，近乎不可能的可怕動作，但是他卻面露無辜的笑，彷彿這一切都沒什麼，只是小小的意外，和小小的技巧性解決，不那麼刻意，也不那麼艱難，只是恰巧就發生了，還是可笑地發生，我累壞了，但是還是一直看一直笑，笑到眼淚都出來了。後來，竟然是媽媽來開門，讓我進去。她問我去哪裡了，剛剛地震，很危險，趕快進來。其實我並不知道那是我家，以爲只是一個旅行中陌生而危險的發生奇遇的地方。好不容易脫困，沒有太多期待，本來，只是想求救，甚至，連那螢幕，那門，長在那像巨形蕈狀弧面的混凝土面上，我都不確定，那是什麼的入口。

另一個夢，在一個巨大的暗暗的廣場，像龍山寺前頭的山門廟埕，人很多，混亂的氣息沉浸混濁。後來，群架打起來了，很混亂，後來，打到街上，拉著那一個黑衣少女頭髮拖行的那大塊頭壞蛋遇到一個更龐然的相撲選手般的巨大怪物。他鬆手，經過一個廟。牆上貼滿了上百年大大小小老照片，上頭都是這種巨形的人，中間還有一張老舊而玄奧的神桌，一張紫檀木蛇身蜿蜒纏繞雕刻的怪異古太師椅，上頭坐著一個老妖姑，在幫人算命開示。我不知爲何都看到了。但那彷彿只是一條街的陌生場景，我也只是路過。

後來看到一大群黑衣忍者，頭包在一個橢球形水袋，可以滾動向前，一直跑，一直滾，還有大忍者在喊口令，一如在做新式祕密武器訓練，他們很凶狠，很投入地吶喊而吆喝。但是，我看不懂。其實已然好累，又害怕，不知道往下還會發生什麼怪事，在這夜半的大街上，但是，卻也只能在旁邊發呆，繼續地撐著注視著。

五

我跟她說，艋舺，就是一種奇葩莫名其妙長出來的奇觀，那些老廟，老房子都太有神通般到……就像老樹從水泥裡長出來，看到行道樹把地上的水泥磚撐開，龜裂，破碎，壞毀的冷灰人造物縫隙中長出巨大盤根錯節的樹結枝繁葉茂的末端，一如蛇身的突發竄出，惡意脫逃，想從土地的封印中揭露些什麼……

現在的人已然沒有辦法蓋出像艋舺這麼迷人的房子，尤其是蓋新房子……因爲，一如所有的人在念書以後，就變質了，尤其是念建築，因爲建築師們不免都被訓練成另一種人，練習工具變得熟練之後自己也變成工具，變成是畫圖和蓋房子的愚蠢機器。

尤其在蓋新房子時，大多人都沒法子忍受不準確，沒法子忍受沒有規律。害怕失去精準度，和結果接近越遠的我們自己的假設是很令人擔心的。最後只是在追求黃金比例，古典或極簡或某種風格的出現與再現……之類的陳腔濫調。更後來，關於蓋房子的所有想像都只變成了某種工具操作的習慣，把工具當成第三方，只消化過程，不在乎內部，不講出機器的本質，只顧規律，再也不像艋舺那時代的蓋房子的想像，不再用原始而生猛有力的人力來蓋……來蓋出官衙與廟宇屋脊旗竿所撐起繁複到畫不出圖的建築，撐起從頂下郊拚到五口通商到所有老時代的靈驗的華麗場景……

所以，到更後來的建築一如奇葩的奇觀……不可能出現了，甚至，已然不可能想像……艋舺，一如這個城的老故事的上集，前傳，甚至史前史……是多麼地珍貴。也就是因爲這些有神通的老廟、老房子的頑強，使得在那段古老日子的滄桑中……活著的人雖然對生活對人生本身都很懷疑，還是撐住了。所有人在改朝換代在械鬥在災難中都很害怕、虛無而家裡的人老出事生重病死去必須拋棄離開些更老的眷念……後來，甚至在這近百年來的太快的滄桑之下，使人們對這世界的理解和想像都改變之時，但是，艋舺還在，還像那壞毀的冷灰人造物縫隙中長出巨大盤根錯節的樹結的神通……使人們還是相信有些古老的什麼……還在保佑他們，一如青山宮，一如龍山寺，或一如艋舺的所有老房子的想從土地的封印中揭露些的什麼……

她對我說，她想到了她年輕時代看過的一個展覽，也有你說的艋舺這種歪邪的神通……那展覽在一個老房子裡，所有的壞圮霉漬的房間牆上都貼滿了……全部都是各式各樣機器拍出來的成色不一的照片，有廉價的拍立得，有不良彩色輸出，有泛黃燈箱片，有黑白的手工精密暗房沖洗，有馬虎的商店彩印，種種……但是，都在拍一個和艋舺很像的老地方，而且在照片的所有人都正在用手指著上方，吃驚地看著天空。彷彿是一種太巨大到難以承受的恐慌，疲憊不堪的上班族，買菜買太多正吃力要帶回家的人妻，放學的成群邊走邊玩鬧的小學生們，坐在廢棄公園角落的骯髒流浪漢……種種這裡出現的人都正抬頭仔細張望，某種完全不可能發生的意外，其實，那攝影師只是希望被拍的人假裝看到有幽浮飛過……那種狀態的虛構的荒謬感。在那展覽宣稱關於恐懼的可笑。甚至還收集了所有可怕的關於外星人如何綁架和凌虐實驗地球人的種種剪報、警語、貼紙、號誌……在那老房子裡一起展覽，栩栩如生到彷彿眞的發生了……尤其在像艋舺的那一個老地方拍這種新時代才有的恐懼，特別的意外，特別地尖銳。

還有另一個展覽，更像艋舺。那是一間貼滿爛水果照片的另一個房間。她說，那攝影師解釋她想展出某種更難命名的例外。她想像的意外的例外，時間和空間、肉體和物體、速度和靜止……種種的一些無法描述的例外。例如：不知爲何廢棄的廢墟，太接近活人維妙維肖的屍體化妝……或完全無法證實又無法脫離的鬼壓床。

她說，那女攝影師感興趣的不是死亡，而是死亡的不知會拖多久的前奏或續集或插曲或閃失。像她被開刀失手。像她以前開刀時作的噩夢。像她老著迷的爛水果爛掉的過程，那種種例外的差錯。太多太混亂的可能……所以，後來她從開始拍爛水果著手。她用很漫長的時間，就從最鮮美華麗到漸漸乾癟枯萎到完全腐敗長蟲的過程，而且只在自己家裡的封閉攝影棚拍，一定要聞到空氣中極噁心的腐爛過程的臭味，她才心安。一如一再回到半夜自己的噩夢裡，藉此拉長時間感，和進入的浸泡感……拍的數年過程中，她越拍越沒力，她老是在擔心……到更後來，她懷疑起例外到底是什麼，是什麼形式，例外如何可以使拍的爛水果可以更意外地和別的什麼……連接起來。但是，拍攝太冗長，水果往往就會放太久，變成爛的，爛肉般的，充滿了她也沒想清楚的沒有太深浸泡感的縫隙，一如她和她的噩夢的關係……或許是一如她要被開刀切除的爛器官。一如她也不太清楚的噩夢和眞實之間的關係的差錯。她想……如何再更激進一點……再縫縫補補地縫合一點，甚至再更深入地潮解浸泡一點。

後來，有一回，她在攝影棚待太久了，一天一夜都沒有吃任何的食物，只是在黑暗中等待靈感……等待太久了，不知是幻覺還是她睡眼惺忪中作的夢，她竟然感覺到所有的爛水果都腐敗到發出一種奇幻的光澤與異香。甚至，不知爲何，她竟然就開始狼吞虎嚥地把腐爛的水果吃進嘴巴裡，而且感覺到前所未有的甜美的幸福感。好怪，她也完全沒辦法解釋……到底發生了什麼……

就這樣，她進入了另一個境界……死亡的前奏，用這種惡臭朽果的吞噬入自己的肉身來反芻所有她難以描述的意外的例外。爲了她自己和爛水果可以更深入地分享彼此的肉體。其實，她後來，就常常邊吃爛水果邊拍爛水果……而且，也習以爲常在吞食不久，就開始嘔吐，或就開始拉肚子。她也拍攝這些嘔吐物與稀薄的瀉物。她說，這種連自己的器官也融入融解的腐爛……才更逼近了死亡衰竭的前奏的眞和假的邊緣。

後來，她果然拍出來了。整個巨大冰冷的石牆前有許多爛水果大大小小的照片，腐朽到變漆黑的南瓜，死白的蛆已進入並翻轉於變暗紅的蘋果果核，化成如血水般液體的西瓜……一如她那些稀糊的排洩物光澤的華麗……都那麼爛又那麼美。

好像艋舺，她說。

顏麗子是如何把寶島大旅社蓋起來的（第10篇）問卜與大火的夢。

在一個風光美得太妖冶又太浪漫的山路上，顏麗子夢見了森山帶著她正要去一個很有名的仙山……去找一個據說是仙人下凡的道士的地方問卜，但是，要走非常多天，要經過非常多有意無意的仙人的莫名考驗……

那是一個擁擠而陰沉的地方，某一個廟身合院更深的後院，要走很久才能到，還不容易認路，而且山路荒涼而危險，前來一趟是非常辛苦的。但是又因爲道士太靈驗，所以來問的人還是很多，多到很多人必須排好幾天，還得帶棉被睡在隊伍裡，睡在合院的屋簷底下，看著廟外的森林，山嵐常常侵入，又冷又累，越想越不了解爲什麼會變成這樣……但是也沒有辦法。因爲人非常多，所以要排隊，而且要排很久，顏麗子在夢裡頭排在很後面，而森山卻不知爲何排在很前面，而且，她排了好一陣子，才發現，他們排的隊伍裡，竟然還有很多是動物，而且仍然很守規矩地排，即使像有點狡猾而無禮的狐狸或土狼，有點太野的黑熊、黑豹或有點太馴良的斑馬、梅花鹿，甚至更巨大、高䠷或沉重的犀牛、長頸鹿和大象，也都專注虔誠地安靜等候了好多天……完全沒有彼此的恩怨爭執或吵吵嚷嚷，每一隻來等著問卜的動物和每一個心事重重而有罣礙的人雷同地寂寥，而且因爲等候太多時日而看起來都疲憊不堪……

就這樣又過了好幾天，她有時爲了分心或打發時間而會向遠方的森山低語抱怨，其實，她和他就是來問……到底要不要蓋寶島大旅社？到底是不是蓋得起來？蓋的時候會不會有什麼意外或波折？她心裡好忐忑不安也充滿心虛的疑惑……到底蓋寶島大旅社是什麼意思？只是一個她太奇幻而輕率的夢想？只是一個更華麗奢侈點的旅館？只是一個比較現代比較日本風的新派建築？還是……眞的是她所想像的打造出家族與故鄉與那個時代的光榮……但是，等候的時光還是那麼冗長，她的夢幻和憂心忡忡一起在發作，尤其看到那麼多在排隊的眾目睽睽的眾生眾獸……森山有時候會走過來安慰她，或陪她說話聽她瑣碎地描述她睡在等候隊伍路旁的不快與不安，一如蓋寶島大旅社會遇到的一切即將發生的困難……這一切沉湎而失心的等候都是值得的嗎？

就在顏麗子等得太辛苦地快放棄……而森山正在安撫她近乎哭泣的疲倦的那時候……突然，有一隻皮毛都十分骯髒而狼狽的野兔帶著另一隻看來羽翅殘敗到傷痕累累的斑紋麻雀，往他們走來……用一種奇怪而虛弱的語氣探詢著，牠們問她有沒有辦法拜託她跟森山請求……因爲牠的麻雀生的病已然到了很難撐到排到牠的那麼嚴重，怕牠沒辦法再等太久就會死去……問森山，可不可以讓出他比較前面的排序……給牠們先問。

森山突然很爲難……但是還是讓出來了他在隊伍裡的位子，讓病懨懨的可憐麻雀跳過好多人好多獸的肩膀、手臂、背脊……到很前面去，還一直跟他們滿懷感激地道謝，後來，森山用一種很沉的神情對顏麗子說，因爲等候的排序是天意……這種同情的讓出……是會出事的，因爲這種善意是逆反天意，會有天譴，只是不知道下場的影響會多慘痛，但是，森山說，他聽說過一些下場的悽慘……但是也還不曉得這回他們這樣子的天譴會有多嚴重……他又擔心又窩心地安慰她，或許只是再等更久，再等一生或等好幾輩子……才能等到，或許是我們蓋寶島大旅社的日子裡……會出事或出亂子。

森山不安地對顏麗子說：「但是，我都會永遠陪著你……」

這是一個夢裡的夢。顏麗子明明還在隊伍中等候，但是她睡著了，而且夢見自己竟然身在那一個還沒開始蓋的寶島大旅社的房間裡……但是那房間卻不是她想要的日本風的優雅時代感……仔細端詳，反而卻完全不一樣。

竟然看起來，像極了那一個仙人的廟的問卜的側殿……不知爲何，很多房間內的牆面出現了古代中國木製櫺窗，扇門的，但卻是像一個傳統四合院的側殿廡身，雀替斗拱都精刻細琢的老式木建築……有更多龍杜、螭壁、藻井和屋簷上的獸的石刻雕像也栩栩如生……但顏麗子並不明白也不喜歡，寶島大旅社怎麼變成中國老建築了？但是，在她還不明白怎麼回事時……奇怪的狀態又不斷地打開，她完全沒有心理準備，卻也不慌張，只是，所有的光景實在太荒誕了，而且不斷地展開，摺疊，像是魔術，或說是仙術……就在顏麗子有點分心而閃神時，她聽到了奇怪的聲音，那是那些房間裡木刻的梁柱上的動物們說話了……而且，竟然是對她說的：求求你，求求你，她懷疑地問……你們在跟我說話，「你不要排隊了，快讓給我們先問卜……」「你們是誰？你們是什麼動物。」然後，仙人出現了，祂一現身，所有動物就瞬間消失了……

她本來是睡排隊問卜的路上，但是，另一瞬間，她卻變成是睡在房間裡，而且，房間裡角落桌上那會出現很多人獸神仙的跑馬燈倒了，摔壞了，光消失了……她又跟仙人說……那些動物，牠們又恐怖又壞，你看牠們弄傷了我的……

她還不知道動物變成了的妖怪已然開始殺人，用刀刃，刺，砍傷家人，但是仙人只是笑……她不知道……祂是不知道？還是不相信她？在床下的動物們變的妖怪說：「仙人不要你，我們要你……下來幫我們排隊。」野兔和麻雀和更多動物們……就躲在旅館房間床頭那壞掉的不再發光的跑馬燈的後頭，「你不相信並不代表牠們不存在，牠們變妖怪了……請仙人相信我，不然，就來不及了……」

「可憐的麗子沒人相信。」妖怪們在她耳旁低聲地跟快崩潰的她說……

她跟出現在旅館房間裡的仙人說：「動物們都變成了妖怪牠們要阻止我蓋這個寶島大旅社……而且，對不起，虛弱的我撐不太下去了，因為已經等太久，天也太冷，我快生病了……」

後來，更慘了，開始暗夜下起大雨，雷聲越來越大，她發現……牠們乍看很平靜而馴良，但是暗地裡卻極恐怖極邪惡，再更後來，她瀏覽整個木製的房間裡的梁柱上的動物雕刻……她想，或許這些木刻的牠們唯一怕的是……火。

她只能用火嚇牠們，但是只是一會兒……火光消失了，牠們又回來了。

但是，顏麗子點火一不小心，整個房間就燒起來了……

房間燒起來之後，驚嚇的顏麗子就從那個失火的夢裡醒來，卻發現自己還在排隊見仙人的隊伍裡，而且是下一位了。再等了一陣子，她找了好久卻再也看不到森山，正在傷心時……竟然終於輪到她了……好不容易等到的她終於見到了那仙人化身的道士了……走進了那個側廡的老木扇門，她看到了滿頭白髮白鬚但是臉還是少年的他……感覺上充滿神通的光芒，但是整個人的身影卻顯得疲憊不堪……那是一個焚香極沉而八仙桌極古的中國古建築房間，光線昏暗而迷離，他坐在半舊的明式檜木太師椅上，盤腿成蓮花座，眼睛半開半閉……彷彿在打盹也在打坐。她看著仙人打量了很久，卻完全說不出話……她想問太多事，太多和寶島大旅社有關的事……但是，卻一句話也說不出來。只覺得空氣的流動越來越緩慢而低落……光線不斷地暗淡下來，而焚香不斷地濃稠起來，她有種越來越無法呼吸的擔心……就這樣子，又過了好久，仙人雖然只面對她的沉默的擔心，卻竟然好像完全了解她的疑惑……

在那焚香的末端，光線消失的最後一剎那，仙人竟然對她說話了：「寶島大旅社會蓋起來……」仙人嘆了一口氣，「但是，最後，你辛苦蓋了好久才蓋好的寶島大旅社在入厝那一天就會失火了。」

顏麗子嚇壞了，她不知道仙人如何了解她想問的，她擔心的，也不知道仙人預言的失火是否會發生，她多麼想要逃離，想要忘記，或想要完全地不相信，但是……仙人卻讓她馬上看到了。

那整個華麗的寶島大旅社？那像夢的建築，竟然眞的在她眼前就完全燒起來了，而且大火燒了三天三夜。她在大火中還聽到家人傷心地說……那火太大了，從城裡所有的地方都看得到，那竄起的比天高的猖狂火苗，遠遠揚起的灰燼，逼近難耐的燥熱，在八卦山上都看得到……甚至還在風中聞得到……那撲朔迷離地燃燒了最昂貴的家具和門窗樑柱所雕刻的深山樟木的焦味。沒有人知道不知爲何起火……以爲就是一場莫名的天災，像天譴一樣……

只有她心裡知道，其實火是她自己點的……

所以，她一直激動地狂哭……像是挖心挖肺般地心痛地哭著。

在夢中……家人溫柔地安慰她，而對著依依不捨而哭泣許久的顏麗子說，你該走了，在大火中的所有的家人，並不想離開……不知爲何……他們仍然在大火中，並沒有逃出來，甚至沒有想逃，只是看著她，有種太出奇的平靜，臉上流露著幸福的微笑，充滿了太深到完全放心了的喜悅，好安詳，沒有害怕，沒有不甘心，沒有不捨，好像，完全原諒，接受，這天譴般的天災。但是，看著火越來越炙熱，而且天空的低沉雲層甚至倒映著火光的倒影，火勢持續地呼嘯，閃爍，燃燒，滿心不忍的她卻仍然好不捨，也沒辦法接受這一切。

顏麗子在那一刹那好像又看到那仙人……她說，爲什麼天譴竟然是燒掉她蓋了那麼久那麼辛苦的寶島大旅社？那越看越像驪山老母變男身來試探她的仙人說，那是天意……

寶島大旅社注定要燒毀，而且她所有的家人都將燒死在裡頭。但是，她說，她不相信。那是天意，一如之後的做大水，一如之後的B52大轟炸，因爲她的善意而引發的天譴……所以，內心是出奇平靜的……但是淚水卻依舊無法抗拒地流下，因爲，她仍然看得到火中的她的家人。

燃燒中的他們……身體毛髮已然開始熔化而扭曲，血肉模糊地露出骨骸和骷髏的眼洞，但是，他們的神情還是那麼了無罣念……而且竟然還也出奇平靜地安慰她說，你該走了，我們沒事，我們不會再有事了……我們將永遠都在你身邊，我們即使死去也還是活著，因爲我們將永遠活在寶島大旅社裡頭。

寶島部（第6篇）教會學校。

一

那是在死角裡我的青春所逃離或修補的某種隱隱約約……困在那青春裡的我在那教會學校到底遭遇了什麼，到底找到了什麼或失去了什麼……

在那一段青春期裡，所有的找尋或遺失，或許也只像是某種逃離或修補……發生了但太快了……所以即使過了那麼久也還沒想清楚到底在那裡發生了什麼事？

就在那時候，在那個小學剛畢業的我剛離開家的時代，在我對神對教會對學校都還完全不明白其想控制又常失控些什麼的時代。

過了太久了，我好像已經老到現在……才隱隱約約地開始感覺到在那地方那段年輕的時光到底發生了什麼，發生了什麼影響到現在的事，才想清楚了點……那個臺中名叫衛道的教會學校所發生的那麼多事……及其有點陰暗的暗示。

我所想到的第一個陰暗的場景……在那個時代，在那教會學校裡，就叫做……自修室。

那像是一個中世紀僧院的藏經閣或大英博物館的老派圖書館，讓所有的想讀書的人可以在那裡安心進入讀書的狀態。只是，在那裡，更封閉也更戒律森然。甚至，就像嚴厲的部隊或密教經堂那種控制……

那是一個龐大而放滿陳舊課桌椅的老地方，但是放滿了青春及其被控制的暗示……

每晚四堂自修課，整點休息十分鐘，全員點名，依寢室定位，完全的寥然地安靜。所以到了七點以後……校園就全黑了，一片死寂，只剩下這個地方，一座巨大的建築……那麼地井然有序式地登場……發光。在這兩層樓，一層樓有數百人，晚上燈火通明到附近甘蔗田看過來……像個巨大的祕密教派總壇法會的光場。

但是，還是有更多奇異的光景及其餘韻餘音相互繞梁的角落，更多縫隙中的隱約畫面中的懸疑，種種不尋常又不安的切割。一如，坐到靠窗位子時，顯得特別的涼，有風徐徐吹入，但是往往有限，大多時光是熱得冒汗或冷得發抖的，就是一如春青肉體的怎麼樣都不對勁的對勁與不舒服。

更多時候。太青春的我始終無法從容入戲，始終只能發呆地看向窗外……看向遠方的雲朵沒入逐漸淡出的天空……看向田埂與椰影消失於更後頭少許的農舍和炊煙……所有的發呆時看到的風光始終令人心安又不安地好恬淡也好動人。或許，也更因爲某些更奇怪的光景……因爲那重重紗窗上都是想飛進來而死在黑暗網目上的蟲屍……因爲那裡的現場太多逐漸暗下或就是接近死亡的荒誕的暗示。因爲，那荒誕的光景的時光拉太長了……有時讀不下書的我，就好喜歡專注地凝神於這些意外……那是種種來自附近四野的蚊和蠅和蛾和雨天的大水螞蟻的接近死亡的荒誕所衍生出的華麗。

或許也是意料中的……就一直看著窗台上那一隻一隻不斷撞死在玻璃上迷離光影上的飛行物……翅膀從有力到無力地鼓動著、身上的鱗粉簌簌落下、頭部死命撞擊著牠看不到的邊界……飛不過又不知爲何飛不過。仍然用盡全力地衝向前、顫抖、晃動、觸鬚撥向遠方，蟲足千辛萬苦地勾住網目或木窗角落剝落木屑的蛀了的邊洞，只希望仍然能停在那裡靠在那裡死命地向光……就至少心安了。但是，再過了一會兒，終究會因爲沒力或失速，就撞倒或跌落……在窗口的最下緣顫抖著羽翅最後的微動……等待著和旁邊無數蟲屍雷同的死亡。

我總覺得這種飛蛾撲火式的集體迎向光迎向未知的衝動與悲傷……好像我們這些困在自修室自以爲在向未來奮戰的教會學校少年。

唯一的令人開心的時光是星期三下午，那是教會學校的規矩，在一個禮拜那一天的那時候……可以讓家長來探望。那時光是從下午下課後到上晚上自修課前，往往不到一小時。在當年那麼繁複而謹慎規矩的日子之中，像是一種偷來的溫暖，一種例外的奢侈……

父親來看我時……他總是很體面，穿講究的西裝，開賓士的車。而且。他總是會帶當年臺中市裡最有名的糕點店的麵包或點心，洪瑞珍的花生糖或三明治，義美的麻糬或小蛋糕，有時還有餘溫的菠羅麵包或下午剛做好的芋頭捲。相對於宿舍的伙食……那些尋常的鐵盤打出來的三菜一湯，實在是太令人窩心了。更珍貴的是，那是我小時候……少有的我和父親獨處的時光。

即使我們會面時間並不長，但是，總是好有面子也好開心……甚至，其實也不記得他說過什麼……但我記得他總是問些生活上的細節……吃穿的需要，在那裡和同學的交情，他太世故了也太了解我的反叛與倔強，所以從不會交代我要用功念書。

有一回，就在自修室外的夕陽中，他拿出一個錶盒，打開那個機械錶送我。對當年的我而言，那太精密地像極了……一個外太空的高科技器物，充滿了未來感地發光著……

那是我人生的第一隻手錶。

那幾年，回想起來，雖然離家好遠，讀得好累好忙……但是，那大概是我人生最快樂的時光，或許也是最接近父親的時光。

因爲，他每次來總是很忙也很趕。那個時候正是他生意做到最大的年代……我記得他總在某一個太豪華也太熟稔的臺中市中的講究咖啡廳和朋友談事情……因爲那時候的他在臺中總是在忙。有很多很多臺中的客戶、扶輪社友、結拜兄弟……種種對他有恩或有仇的同輩或長輩……找他。

他在那裡打理過無數的生意上的成敗盛衰及其無窮的人情糾紛。

所以，當年禮拜三下午他的前來……顯得那麼珍貴。那麼地令我難忘……甚至，他總是那麼周全而客氣……即使是會面自己的小兒子。他總會待在那自修室外的校園綠地前，賓士的車門旁沉默地揮手而微笑。

往往一直眼看到我進自修室，甚至，等到自修鐘聲響了……才緩緩離去。

我走進自修室，天開始暗了下來……開始了自修課的預備鈴聲之後，整個龐大的回音出現。因爲所有的寢室的少年都往這地方走進來，走到自己的座椅前打點、調控、放下書包和書，鋼杯。

全開的全排電扇太密太吵的旋轉機械聲……在所有人的入座很多很鬧的聲音慢慢沉下來，終於出現……但還是會有些零星的吵、文具掉落、課桌椅調整輕撞在一起的聲響。

再過一小陣子，終於進入一種不太寂靜的寂靜中……像打禪七或瑜伽的打坐盤坐課中全身隱入閉眼但仍隱約感覺旁邊有空調細微低音卻當成無盡的靜謐那種開端，或像某種雲端中噴射機艙中看出窗口的引擎噴射緩緩地晃動與低響……的寂然。

這時候，唯一清晰的……就是會聽到他在窗外開始發動賓士那車的引擎聲……那種難以名狀的低沉而深穩，彷彿起雲前的悶雷……那般令人恍然，也和其他也有人來探望的同學父親的其他汽車聲響……那麼地不同。

我常常就在這時候，發呆地看向那數百座椅數百少年的龐大自修室的遠方，凝神……

一直到聽到那悶雷般的車的引擎聲慢慢地遠去，才想辦法回神。一回神，才往往發現……天已然就全黑了。

就這樣，過了這麼多年，那不曉得什麼是長日將盡的那時候的我，當然不知道在當年自己擁有什麼，或失去了什麼……

只能依稀想起……我在那教會學校所找到了什麼或失去了什麼……的畫面的死角。在死角裡的那一段青春期，所有的逃離或修補……的那些隱隱約約。

那裡，畢竟就是那個我剛離開家的時代，自己後來發生了種種……的第一個陰暗的場景。那想飛進來而死在黑暗網目上蟲屍的現場太多逐漸暗下或就是接近死亡的荒誕暗示。

但是，至今，我仍然也永遠記得父親老是出現也消失在黃昏的很美的夕照前……的身影。

在天快黑的雲端，那我的青春在長日將盡時光……種種荒誕的令人晃然，一如失速而撞倒或跌落在窗口的最下緣顫抖著羽翅最後的微動……一如旁邊種種飛蛾撲火式的集體迎向光迎向未知的衝動與悲傷……一如無數蟲屍死前的隱隱作響。

二

從小，我就是一個很難進入狀況的人。做事、學習、適應……所有的練習都要比人家慢、比人家花時間。去找、去接收、去理解……也都比人家難。我不但怕出鋒頭也怕和別人太接近，甚至，在所有的狀況都怕過高或過低……怕和別人太不一樣但心中卻也又怕太一樣。

所以，長大過程……老是陷在某些一直難以進入的狀況或是太難進入的時間，有點有意無意地就會不自覺地離開或更勉強地撞入，也就老是會把自己逼到極端，進退兩難的死路。

所有的死路並不是那麼死，那麼地無法無天地無解。只是我太期待某種姿態的壯烈。但是，那是很久很久以後，在很後來很緩慢的長大中，我才比較了解自己也比較稍微地挽回點……想辦法不要那麼極端，也不要因爲那麼充滿期望才因而那麼失望。

尤其在那教會學校時……在那青春期的早期，天眞到近乎魯莽，好奇地近乎找死。

「我不知道……」在那麼多年的堂哥跟我說，「眞實的狀態怎麼樣……並不重要。」

他當年在我進去念那個教會學校前……就跟我說過：「在那裡，人太多，所以……不要太在乎別人。」只是當年的我太小也太不了解人。太不了解別人……或許主要是太不了解自己。

我到很多年之後才慢慢了解他的意思，他所提醒過的……當你在被全部的人排斥的時候，就要想辦法只專注在某些自己的事，想辦法……來收，來收拾自己的餘緒。即使消沉了一段時間，在那一段時間很多事情就像是虛線，即使來來回回，也不會有太大的差別或太大的影響。

在教會寄宿學校很容易出事……但是，要忍住。

他說，或許，這樣反而是一種很重要的練習。如何忍住、如何做選擇、如何在人群中淡出、如何接受並了解被人群背叛。

在事發或事後，就想像那一段人生就是拿到一副爛牌，而且一定有些人比自己的牌更爛。反正就是要……忍住，就是在這種狀態的不安浸泡更久之後，人生不要就再站不起來了……就好。

他安慰我：「或許是……就按下暫停鍵。對自己說，這樣就可以了吧！覺得人生在這時候，或許就這樣，就可以了吧。」他說過的，那時候我聽不太懂的……「不要用那時候自己的狀態的好壞……來表示自己因而對世界的認同或不認同。」他說。在那教會學校的那三年，他太好動也太常犯規了，常常爬在樹上，翻牆出去，但是他太聰明伶俐到沒有人可以找到他或爲難他，只要他願意，玩也玩不壞，摔也摔不死。自己還甚至故意會倒吊在樹上，在黃昏，在沒人時，故意讓自己懸在半空中，整個腦充血，近乎休克……反正，就是走極端，暫時位於隔離狀態，讓自己亂來。

他說，在那個年代，那年紀的我……只是一部分的我，像某部科幻片中機器人的抱怨……記憶體不足，只能下載部分軟體，只能開戰鬥模式，聲音和表情和腦子……的部分都不完整。

但是，我卻沒有堂哥那麼夙慧而世故地疏離。往往，自己太反動，但又太不小心……所以常出事，像多開一個軟體就掛了，像刪掉又回來了。

或說，青春的太不小心，就像病毒的失控，就像那時代的畫面，對我而言，太費解了。因爲，那時候的我老是覺得很絕望，老覺得那教會寄宿學校的青春期是毀了的……每個人都像傀儡，像陶瓷娃娃被代工，只有頭、眼珠、頭髮。最後看到一整排泥娃娃出土，放在玻璃櫃，長大後的自己越想越害怕，根本不想拿起來看。但是，那時候……相對於我堂哥……我更慘，更害怕……因爲我還根本永遠落後。甚至，只知道什麼是反動，還不知道什麼是小心……

相對於那種永遠趕不上的時差，我在國小，他已在國中。我在國中，他已在高中了。我到高中，他已到大學……他永遠站在前面，也就是站在比我心智更高更開發的狀態……

我面對他總是說不出話來地自卑而忐忑不安，心中老會羨慕他，覺得他永遠是早已晉過級打過怪完成過所有任務的先知般的角色，年紀小的我，心裡老是想著，如果有一天我變成了他，可以當這種永遠知道自己要什麼不要什麼而可以盡情說話的人眞好。

「人生有意義嗎？這是很久以前的價値觀。」而他又是一個太早熟太尖銳到太喜歡嘲笑所有人的人……而且，從小，他總會更無情地嘲笑我。

更小的時候就開始這樣……甚至，他從來不跟我玩。甚至不跟我說話。因爲我堂哥大我三歲，我們小時候住在一起，因爲我爸爸和伯父兩家住在一起，他們家四個小孩，我們家三個小孩，我堂哥是他們家四個小孩中最大的，他只跟大我五歲的哥哥一起玩。

其實他大我三歲，他屬牛，我上面是兩個姊姊……我姊和堂姊同屬兔，我屬蛇，因爲我下面一個堂妹，所以在七個小孩裡面他反而是最接近我的。

但是，在長大過程中，不理我的他反而影響最大……因爲那時候我那麼小，和他那麼不接近。甚至，他的影響太大了……這是在他離開我們一起長大的長壽街老家之後才開始，大到現在……想起來實在太難想像了，我甚至因爲他而走上了另外一條我也完全不明白的路。

一開始，就是他先離開了……離開故鄉，離開家族，離開了過去我們一起長大的地方，一起長大的對世界的理解、想像，甚至拜大佛的古老信仰。因爲他去念了這一個遠方的教會學校。因爲他去念了那初中的教會學校，就等於完全離開了。相對於過去，就學。但是，仔細想想……從此之後，我跟著他去念了那初中的教會學校，就等於完全離開了。相對於過去，就完全變了，完全地走樣了……其實，我就是這樣地跟著他完全走樣了……

那個教會學校就叫做衛道，以保衛道德命名而自豪……雖然是在離家不遠的遠方。但是規定一定要寄宿在學校裡，當年還只收男生，幾乎……就像個修道院，像個軍營，或像個少年監獄……近乎窒息地管教。我們被因此注入的對人生的模模糊糊但又異常銳利的理解，注入了更需要罪惡感來掌握與操作的時間感與存在感，一如……所有再微小的差錯都會傷害榮譽感的重新輸入與對人生觀再定義地小心翼翼……

更後來，在許多穿鑿附會的說法中，我始終覺得類比衛道很像《哈利波特》裡修煉魔法的學院……是很愚蠢的。因爲始終懷疑的我是不太樂觀面對……那霍格華茲學院裡所引用歐洲天主教古老僧院年幼修士教學的正義和邪惡也未免雷同得太過天眞。而且更悲觀的我是一直到很久以後看到種種訓練年輕納粹軍官變成劊子手的學校養成的故事時……才想起當年的更多恐怖的教養形成過程的殘酷。因爲，裡頭太快太尖銳地想灌入少年們那些太巨大太沉重的傾信……是危險的。因爲，我們一如那些童子般的年輕而充滿懷疑的靈魂總不免會引發悲劇。因爲，在那麼多年以後，我才了解了當年堂哥嘲笑我的那種太早年的先知狀態，因爲，在那時差的無法挽回的末端，在那教會學校的太過令人窒息的鼻息裡，我才恍然重新喚回那時候的所有懷疑。對於我從來沒有過的世故，對於我在衛道從來都太天眞的傾信與不夠傾信。

彷彿，到現在，我還老是聽得到他那無情的笑聲。

三

我老想起那部電影的令人窒息……名叫《惡靈電梯》那電影裡發生的迷惑與恐慌還眞像我們在衛道的遭遇……只是我在那教會學校那幾年裡也還是從來不了解到底怎麼了，一如所有人也不了解就長大也就離開了。

一如，始終，也沒有人眞的看過祂。那電影的故事是發生在一個密室。那懸在二十樓半空中的電梯受困，裡頭有五個人不知爲何地一個一個死去。外頭的人們要救他們……但是沒法子，所有的狀況也越來越離奇。有一個墨西哥裔警衛一直在說他聯想起那個母親小時候說給他們兄弟家人聽的宗教故事。在裡頭，無辜的人總是會死，惡魔不會對擋他路的人鬆手的。而且，每次他母親說的故事開頭都一樣，一開始都是自殺，因爲觸怒惡魔而死。而且，最後其他人也都以同樣的狀況收場，那就是……受困的人最後也會全死。所以，在這突然受困的電梯裡更後來發生的太奇怪的狀態的更惡化……使他覺得這是他母親說的那種故事，因爲，一直有人死去，而且無法挽救……因爲，他用西班牙話說……他說他看到幻象，這是壞東西，就像有人在鬆餅上看到耶穌像，但那是一張鬼臉，而且其他人不聽，只說他很迷信。他告訴所有人說，在他們國家，這種狀態叫做惡魔的聚會，而且事情的發生都是有原因的，在死亡的過程中，有人總是會找武器來對抗祂，但是在那種戰鬥裡……武器是沒有用的，所有的來聚會的人都終究會一個個在死去的過程裡明白他們絕非無辜的死因。

一如，我在那個教會學校，在那種封閉而不知爲何受困的狀態，自以爲無辜的狀態。

我也因此常想到堂哥，我對他的敬意與敵意。爲何我無法從理解到諒解地寬恕。或許，我也不是無辜的。那個電梯裡影射的宗教故事在追問的就是這種懲罰與寬恕。追問著每個人，你相信惡魔存在嗎？而且故事裡總有最後一個人是死在他心愛的人面前。祂不會祕密地來的，在場的每一個人當觀眾都是有原因的，最後害怕極了的墨西哥警衛跪下來祈禱聖母瑪利亞救他們。但是，是沒有用的，因爲，最後他們終究越來越懷疑彼此，因爲有人是僞裝的，或許每個人都是僞裝的，故事的結局會怎樣？他們會全死嗎？他們會來是有原因的嗎？因爲他們全是壞人：有前科的詐欺、傷害、姦淫、偷搶……祂是要把那搬弄是非的人找出來，事情就恢復正常了，祂要我們質疑每一件事，因爲沒有簡單的問題及其必然答案，沒有無辜的人生及其必然出路，陷入或逃離都是許久以前就注定好的受困狀態。只是我們是不是願意充滿寬恕地面對這困局。

一如那電影中的男主角警察被朋友勸說，你要寬恕，因爲你的寬恕會影響你的下半生，不要再去找尋當年那撞死你妻兒的逃逸凶手或爲其罪行所困，因爲這些悲劇發生在你身上，或許是有原因的……只是你還不明白這些原因，但是，你總要相信有比你更大的力量存在，而要你去經歷一些更費解而困難的人生。但是他說，他太太在伯利恆公路上，被撞死了，凶手卻只留下一張說道歉的字條，他怎麼可能忘記或可能原諒。其實，整個密室的彷彿不可能脫離的封閉感才是主角，一如我們困在教會學校裡的困惑與絕望。在昏暗而令人不安的電梯裡的小燈還是一直閃，緩慢舒服的電梯音樂還是一直出現。在越來越封閉而慌張的電梯裡，他們反而變得更恐怖……每個人都開始陷入迷惑和恐慌……電梯裡的每個人都假裝不害怕，或用另一種方式謊稱他自己的害怕。

有人說他小時候因爲他哥哥把他關在貨車裡六小時，使他有幽閉恐懼症。在電梯的密室感太久之後，他覺得他早就死了。

但是墨西哥警察最後安慰他，他說他媽媽說完故事的最後，她總是會安慰我們，別擔心，如果惡魔是眞的，上帝也會是眞的，祂會保佑我們。最後，男主角警察心情極複雜，眼神和夜色一樣低沉而恍惚。經歷了這一晚，他終於滿懷心事地在警車上對撞死他妻兒的那唯一從電梯中生還的那可憐犯人說：「五年前的那罪行……我原諒你。」

我想到我堂哥，也想到我在那教會學校裡自以爲無辜的無法釋懷。

四

我完全不記得……我是怎麼長大的了，一如我在那個教會學校的那段一如在密室的時光，那是一個消失的密室和關於密室的所有回憶。

尤其，在某一回我印象深刻極了的一段聳人聽聞的電視新聞……播出了英國的某件那時候極受矚目的事。天眞而愚蠢，快轉而倒轉，但仍卻是那麼逼眞地貼切於我回想在教會學校的青春期……那是一場在倫敦電影院放映的《哈利波特》電影馬拉松，一次看七集。那是某種特殊的在完結篇《死神的聖物》上映之前熱身。在那個電影院的通宵中，突然所有故事裡的小孩都一夜長大了，所有的陰謀，魔的入侵，世界的崩毀，這麼多年來這麼多人所一起經歷的情節及其情緒……一如《消失的密室》般的苦難都再重新搬演也都將要在一個晚上收場。在重播再回想，再快轉一回……我一直覺得不可思議。

但是，這種在教會學校一如在魔法學院快轉中的青春的太亢奮與太感傷，始終用一種不同於別人餘緒的過度在乎，困擾著我。

但是電視中被訪問到前去觀看的青少年卻並不在乎……他們對著鏡頭開心地說：能量飲料是必要的，很多人跟他一樣，很期待，一次看完六集，看演員那麼快長大很不習慣，他們不太一樣，內心變黑暗，他們將熬夜再看一次！年輕的主角們是和他們一起長大的……那些被採訪的電視中的小孩們是如此地認眞，他們不但排很久的隊而且精心打扮，有人頭上戴那學院裡老舊斑駁的魔法帽，繫某角色的那一顆帶血腥味的假眼珠，拿著考究精雕細琢咒語在上頭的髒兮兮的胡桃木魔法棒或可以疾風飛行的古老掃把……或所有人全身都穿閃閃發光的漆黑披風學院裝，甚至就打扮成裡頭的一個恐怖妖精，他們是如此精心地入戲……

使得我越看越覺得好慚愧，因爲我從來沒有這樣子精心地想要重回那段教會學校的狀態過。我太在乎了所以所有當年的亢奮與感傷已然不可能再重來一回地入戲了。那個密室的消失像個太可怕的災區的不可能重來一回災難的憂心忡忡。那段青春就是那麼地無法挽回了。

但是，那快轉重播《哈利波特》通宵場的電視節目之間卻出現了另一種關於青春如何挽回的極荒謬但卻又極受青睞的廣告。

某化妝品的字樣畫面中出現了，李嘉欣，號稱是無死角美人，最後嫁香港巨富，還生了最貴的一胎男孩。她已然四十歲，還是青春依舊，在化妝品絕美的廣告中，微笑的她說她對未來是沒有堅持的……但是，她的青春我所記得的卻是另一種陷入死角的版本，因爲我一直想到她在王家衛的《墮落天使》片中演殺手助理在他房間打掃完卻躺在他床上暗戀地手淫那一幕。

電視中的另一個青春是演《末路狂花》的蘇珊莎蘭登。她在電視上說她喜歡乒乓球，因爲她喜歡看一個小女孩擊敗肌肉男，因爲乒乓乒乓沒有年齡性別身材的限制，講究的是純技術，純速度感，就像魔術。她說她在一個中國業餘賽中當代言人。

我對她的印象也停留在她以前是演《末路狂花》那電影裡爲了追求青春的尾端而被逼上絕路終於出走而跳

崖自殺的兩個人妻之一……這時代的時間感和存在感都變了，使得青春更迂迴而更難以意料……所有的我們小時候長大過程看著變老變成媽媽的女明星都沒有老，但是都變成另外的某種更奇怪而近乎奇幻的模樣……

對我而言，那種青春都像是某種送行者的幻覺，她們都是盛妝的，但都是假的或死的……就好像一具具盛妝得如此美麗的屍體……一如學院的魔法還是必須灌溉自那些青春的流逝，一如我當年教會學校裡的那些亢奮與感傷必然的流逝，都消失了。一如消失的密室裡的那種無法挽回的消失。

我始終懷疑著我爲何會去念那個一如密室的教會學校，那是否有著更內在的神祕原因。

那青春的一如幻覺般的消逝，不只像哈利波特的被找到而賦予任務地壯烈，反而，更像《現代驅魔師》那部電影中男主角的教會學校的神父對他說的更多更像幻覺的困擾。因爲，他要男主角自己找到原因，他覺得他從小在殯儀館看屍體長大的，應該不是膽小的人。雖然他始終根本不知道要相信什麼？青春的他來這裡是爲了逃離些什麼，但是，他可以去任何地方，爲何卻來到這裡。

因爲，一開始男主角一如我，只是爲了逃離家族而才去念教會學校，但是，人生卻走入了另一個死胡同般的困惑，死亡的逼近使他的對信仰的心虛更尖銳，惡魔的一再把他逼入密室的困惑更明顯。

電影的一開始只是一個意外，那男主角在街上看到車禍中有一個死前的女人對教會學校剛畢業的他說，請爲她祈禱，她不想這樣死去。後來，他只好爲她禱告，請上帝接受她，他只是不想讓她不安地死去，因爲她的死使他覺得他有責任。

但是，男主角始終仍是清醒而痛苦的，因爲他老覺得自己什麼都不是，上帝也不在這裡。他一直是個無神論者。但是惡魔對他始終糾纏不清，祂知道他所有的祕密與罪惡。他始終做不到，雖然他看到了，但還是不相信，他爲什麼來這裡，這是有什麼原因呢？雖然，他並不孤單，過程中他被質疑太多了，或許他不是神的僕人而是惡魔的僕人，或許要接受神或惡魔都是很可怕。他一直在抵抗，用全力堅持下去。一如附魔者們始終地困擾，他們被附身的症狀在初期很不容易辨識，只是可能無法和人相處，異常的冷漠，直到後來那隱身的惡魔才會明顯地出現，不過，唯一特別的徵兆是對聖物有很極端的負面反應。有時被附身者是清醒，和妄想症患者很接近，但，也可能就只像前女友的糾纏。那幾乎是我在教會學校當年的抽象的被糾纏的寫照。

我慢慢離開了老家那古老家族的家人與信仰，慢慢地在內心中異常的冷漠而疏離。越來越進入一種徵兆。對所有聖物和教會和信仰種種成人世界的敵意。我一如那男主角會爲年輕的他的當年懷疑提出可能的回答。但是，他還是相信上帝嗎？幫他驅惡魔很難，因爲那邪靈很狡猾，而且無法赦免他的罪。但是，或許，我甚至是沒有太多懷疑地就被附魔了。

我想到一個我長大以後作過的夢。在從教會學校畢業多年後所作過的夢，那是在一個出奇又尋常的旅行中，在一個陌生的小城。荒涼又完全沒有什麼起眼的小地方，彷彿某種荒廢在時光的縫隙而再也沒有見光過的那種旅行中不小心路過的地帶。就這樣無心地晃蕩，又走了好一陣子，開始覺得身子不舒服，心想不行了，就想法子在路上找車，找了好久，好不容易等到了，還就只是上了一輛陌生的又髒又舊的破計程車。我說要找醫生，但長得很猥瑣的司機說好之後，卻一路亂開，越開越遠，我問他要開去哪裡？他說要載我去一個地方給一個山上教會的朋友看，我說我不是要去按摩。而是背的整條脊椎有問題，要去醫院。他一點也不在乎地說沒問題，放心好了，他的朋友什麼都會醫。但我卻越聽越不對也越害怕，就這樣，因爲我太擔心了。怕被他載到什麼不明地方，或甚至被勒索，搶劫，綁架，撕票，不知會怎麼出事。甚至，被作法附身般附魔了。他看起來，就像某種黑道裡的混混，或某種神祕兮兮的祕教教徒，越安慰我沒事，我越覺得有事。就在一個車速變慢的路口，眼看前頭那山上長得像當年教會學校那一隻怪鳥的巨大教堂已經快到了，但是，害怕的我卻迅速地開車門，在一瞬間就往外跳，車沒停就這樣跳了計程車。那計程車繞回頭要找我，我躲起來，在路旁某些死角，後來，路上還有些車穿梭，還有些別的計程車，出沒，停下，我越來越不確定是哪一輛，就這樣，很激動又很害怕地在路邊躲了好一陣子，等我比較冷靜下來了，才發現自己身在一個陌生的地方，路已經在山坡上。很多濃密的老榕樹，又大又陰森地枝葉蔓延，雖然路旁還有少許的房子，但是已然有點荒涼。

我想我迷路了，就一路往林蔭中的巷子裡走。經過一些像是在拜祕教信徒的人家的房子，老舊木門木窗上有許許多多的我看不懂的祕教符咒圖騰雕刻的聖物，甚至大樹附近更深處還有一個正在蓋的密室般的教堂工地。但是，我都避開了，都走暗巷，想辦法越走越遠。後來就跟其中一個人家借了一支電話，想求救，或叫別的計程車載我離開。但好像又被盯上了。只好匆匆又離開。電話放在他們家門口地上，覺得抱歉。但是，好像有人追上我，或是有奇怪的惡魔的爪牙的感覺，陰暗的未知危險接近了。那司機是否用無線電叫了他們車行的很多人要找我。一直有人在附近，好像要做什麼，也不清楚，其實在逃的我也不確定，但很緊張。好像就是有人在找我。像歹徒，或幫派的人，甚至是妖怪，或惡魔化身的邪靈。又走了一段路，轉彎，回頭，好像就在後頭的牆上看到後面走近我的影子。就這樣，在夜裡，山路，被一路跟蹤。後來，想坐上別的計程車離開，回車站附近的有比較多人的地方，但就是找不到另一輛計程車回頭。就這樣，在那山路中，在那種陌生的夜與荒誕中，走了好久，越走越怕。我想了想，不想被認出來，就看了自己一眼，我仍然穿著那教會學校的制服，慘白但有血漬的襯衫，小平頭，歪歪扭扭的船形帽，背一個大斜肩印著衛道兩個字的沉重書包。太笨重到肩膀好沉好痛，但想到要換成別的不起眼的便服，但是裡頭都只有厚重的斑駁古本《聖經》，竟然完全沒衣服可以換。

甚至，我在夢裡看到的這個我，好像還是念教會學校時代的我，但是，那個我始終就不是我。

在電影中，那是一個老驅魔者告訴男主角的描述，但也可能是非正統的驅魔者的妄言。後來，在驅魔過程中，他被交代別看被附魔的他，別和他說話，那太危險了，但惡魔不放過他，他連睡覺都在講話，還知道不可能知道的事，他始終抓癢抓頭髮，用手指抓椅子抓到出血，還一直說下流的事。還告訴他要按頭，因爲會嘔吐噁心，但是不准碰他，因爲他很臭。老樣子的他仍然坐回老木頭椅子，也仍然被附身。因爲，惡魔寧可讓他相信祂不存在，對懷疑論者或他只是的軟弱的平凡人，惡魔使他胸口有被戳的感覺，甚至就像上帝的指甲。這過程有太多的異象，一如他說他會聽到聲音，惡魔的聲音。他告訴男主角的事會發生，他嚇壞了。祂還內化他的罪惡感，讓他聽到體內發出的聲音，雖然他選擇不相信魔鬼，但這並不會讓他不受祂傷害。祂爲了讓他們相信。祂要看男主角怎麼被折磨，爲何選擇惡魔，因爲他怕祂，祂根本不存在，他怎麼怕祂。他以爲他辯得過祂。祂是騙子會騙人，但是，被附魔者的床上有血而且死了，他辜負了太多人，他手上的十字架懸而未決，他有善良的靈魂，但是無法捍衛而抵抗惡魔。

我一直覺得我在那個教會學校也遭遇了完全雷同的被附魔的困惑，一如男主角對父親過世的悔不當初的悔恨與無法挽回。我的對青春流逝的亢奮與感傷，我的對家族破落的懷念與憎恨，我的多年以來的對死亡一如惡魔般逼近的恐懼與懷疑。在教會學校，這種恐懼與懷疑太逼眞了，惡魔的力量太強大，我不可能把祂關起來，我從來沒有信仰而就不可能打敗祂。所以，後來離開教會學校的我或許就一直是屬於惡魔了。所有快轉的重播的青春都是惘然而虛假，一如那些盛妝的屍體，像幻覺般美麗而糾纏。

因爲，裡頭的困惑和我像極了，甚至，那一部片的太多畫面的懸疑都和我太接近了，那要動員多少陰謀、幻覺、噩夢、著魔的痕跡來說服男主角，包括動員了完全不可能的惡魔現身並對他揭露他身世的祕密，羞愧，遺憾的追逐，他母親的死，他父親的被遺棄。因爲，從小的他就始終缺乏對神的信念，所有的經文祈禱對他而言，都只是形式和功課。因此，那電影就是關於一個不相信的神父的故事。一如一開始的旁白就是說：「你相信罪惡嗎？但是，罪惡是什麼。甚至，相信是什麼。」恐懼並面對這些試探，大天使主要任務就是和惡魔戰鬥，到現在仍然在進行。

男主角他在還沒去神學院之前，在家裡開的葬儀社幫忙，小心地清理並打理屍體化妝，他總是謹愼地縫頭髮進嘴唇，發現死者刺青在小腿上的可愛魔鬼圖案，爲她梳頭髮並充滿對母親的懷念但不安，他一直會回想起他小時候，他爸在爲他死去的媽媽化妝時的畫面，不要怕，他爸爸說。爲他媽媽上指甲油時，父親叫他到旁邊幫忙吹氣，讓指甲油快點乾，他嚇壞了，但臉無表情地對著那血紅美麗的液體吹氣，他看到血紅上由日光燈管照下來的死白的反光，聞到揮發的廉價的指甲油裡的人工酒精氣味的刺鼻，一直到最後，他仍然沒有表情地看著母親的臉……他該掉眼淚的，但不是因爲傷心。「繼續幫我吹乾。不用怕。她只是你媽媽。雖然她已經死了。」仍然在上指甲油的他爸爸對他說。

雖然，那只是一部電影，只是一個以《大法師》爲藍本重拍的雷同的驅魔故事。但是，我感覺好深啊！因爲，我就像那男主角的始終懷疑，他從一開始就是一個完全沒有信仰的人，即使他去念完神學院，在想要放棄當神父的資格時，被美國的教授推薦去羅馬上驅魔的課，後來，越來越離奇地被派去找山上古城的更老的驅魔師，還因而遇到了一些不可思議的巧合。但是，他一路都還是懷疑。

或許那些著魔者只是妄想症患者，或只是困在更多心理學的解釋裡可能的困境。有一個他正在幫她洗大體的死者的片頭，特寫她的很多部位，在洗完屍體，他走進家裡牆上有掛著耶穌像的餐廳，我想那也算是他家的神明廳吧！「洗手，然後來吃飯。」他父親交代著。

他無法對他父親承認他沒有任何面對死或面對神的可能，因爲他的人生缺乏信仰。所以，就在死寂的餐桌前，兩人默默不語，一直到吃了一半，他問他開殯葬的父親。她是爲什麼自殺的。他父親說：「我們這一行規矩是，我們服侍死者，但是我們不談論死者。不然會帶來不幸。」但是他回答父親說，她的屍體都放到我們家，都停屍到神明廳了，還會有什麼更糟的。

我想起我當年在那教會學校在黃昏時常常會因爲心中太過難以平息那青春的孤獨與離家的怨恨，會自己一個人跑到那座學校最深最遠角落的那座長得像一隻弧線拉長如祕教凰凰巨大怪鳥或如太空船幽浮般的怪異而龐然的教堂前，低泣而低聲地對長空唱歌。時而唱到天色完全地黝暗低沉，才緩緩地離去。

那時候，我還不知道，自己的這個家族注定會崩毀於一旦，一如密室的消失。當年，青春的我早已被附魔了，我的家族也早已被附魔了。一如那老驅魔師在其中一個畫面中由於失去了信仰而被附魔了，從密室走出來的他，赤腳地走到山上，看著遠方的大教堂，而且已然失去了意識，因爲他只是發呆地看向更遠方天空而無意地老在唱歌，低聲地唱起小時候的兒歌。

顏麗子是如何把寶島大旅社蓋起來的（第11篇）惡兆。

森山的狀況一向很忙也很不好。

他老是需要在前往臺中州廳的建築視察監工的行程中小心逃離一小段時光，才能從臺北總督府南下出差的時間縫隙裡到彰化來找顏麗子……所以，他們討論寶島大旅社怎麼蓋的地方，往往就在他們在彰化一個日式老旅館裡一起泡的熱到發暈的湯中。

每回，他們都會在湯中敘舊，談心，開心地一直說話。森山會談到總督府和同事的某些明的暗的鉤心鬥角，建築工務上他的太求好心切而老被工班的取巧不認眞所激怒，或是……尤其是，寶島大旅社的施工和其他建築不太一樣的困擾，那些鹿港來的木工班狡猾而取巧，那些建築的特殊花崗岩板、混凝土漿料、十三溝口磚……種種材質，還是想要從日本進口，工期會不會延宕，預算會不會追加……的顧慮。雖然，不免還是有許多分心的掛礙，但是，總是可以多少使他們的緊張在泡湯泡得那麼地渾身通暢式地緩慢下來，有時談太久了，或發現也眞的泡太久了，兩個人才會起身，他們故意把燈調暗，兩人回到床上，往往在這時光是抽離了眞實感的……兩人身體都是發燙也發昏，也都不太想動也不太能動，就總是在這種恍惚中，會有一段時間，他們沒有說話。

好動人，在幽暗的光影浮掠，窗外泡湯的水景的光折射進來時，偌大的房間裡是那麼寂靜，使得老留聲機裡老唱片放出的能劇的日本音樂會變得很明顯，很直接地……有時候，她躺在他身旁，閉著眼，彷彿睡著了，像一個空鏡頭，沒頭沒尾，甚至沒有人，充滿情緒，但是無法對焦。只是，在那裡，待了更久，就會更覺得，說話，或不說話，好像都有點怪怪的，他們不知道怎麼辦，因爲時間快到了，森山又要趕夜車回臺北，兩人的心情都不免有點沉重。

他們雖然沒有穿衣服，但是也沒有做愛，只是手牽著手躺在那裡，看著那房間的天花板的微光，往往，彼此有彼此的心事，有時是共同的心事，但是，有時有說出來，有時就沒說了，或許，他們也明白，他們正在一個人生的前不著村後不著店的位子，不論如何，就不免因爲要照顧太多人和事，而總是太累，太不容易放下不自覺會快轉而戒備的心情。每回，往往在泡完溫泉池之後，終於心情鬆懈下來了點，他們的內心的戰鬥模式由於種種原因而壞損……那麼地不甘心也沒辦法，他們就這樣地幽會，談心，或也沒再談什麼……只能躺在那個黝黑的房間，那像是一種碎片般火花和螢光，繁星般的發散閃爍的氣息……在那閃光裡頭，他們聽著彼此的呼吸聲，那是一種幸福的如此全身無力，想動又不太能動……的時光。

在那時光中，她老是跟他說，寶島大旅社總是讓她很擔心。

那一回，在那時光中，顏麗子對森山說了一個惡兆。因爲那一天有個有神通的人跟顏麗子說了一件她看到寶島大旅社的異象，有點意外，也有點費解，使她覺得很不安。那個人是幫顏麗子做頭髮的老婆婆，她其實是一生都很苦的人，從小父親早逝，後來先生也早逝，她一直很堅強出來辛苦工作而持家的人，而且只有認識夠久夠深的顏麗子知道她是有性情也有神通的老婆婆。在那年代，先生已去世很久又很獨立的她，除了自己的很累的工作之外，幫人看八字卜卦，但是不收錢，只做功德，甚至，她還必須在週末去幫她女兒帶小孩，因爲她女婿的父親中風，女兒夫妻必須回去南部鄉下住才能照料他，女婿家是種田的，家裡沒人下田，地都荒耕了，只好回去照顧莊稼，很辛苦。而她的兩個孫子孫女，兩個都念小學，每週末兩天，就留在鹿港鄉下託鄰人照料一段日子，所以她必須要去鹿港鄉下煮給他們吃，陪他們玩，陪他們說話，她說小孩一定要看著，不然會變壞。鄰居都叫她是彰化來的勇敢的阿嬤。但是，她其實有時候也會很難過，很不勇敢，她說，有一回的除夕從女兒南部家出來，不想跟她女兒家人在鄉下吃年夜飯，所以，就堅持要坐火車回彰化，回到她自己住的地方，鄰居叫她一起圍爐，她說她吃飽了。後來第二天，再遇到她們，她才有點哽咽地說，其實她沒吃，但是她太逞強而難過……她們都一邊安慰她一邊責怪她，都那麼熟了，怎麼還這樣見外，其實，最慘的時候，是她剛從彰化火車站出來時，回家前，還往寶島大旅社工地那一帶走去，那時候，她想自己一個人找地方隨意吃就好，但是，沒想到除夕晚上竟然街上都空了，完全沒店開，或是天一黑就關了，就這樣竟然沒店吃，只有一個小店，在她經過的時候剛好正在關門，所以，她就問店家還有東西吃嗎？他們說，只剩下一個小餅了，而且喝的茶也都倒了處理了，沒有得賣，她只好買了那個小餅，邊走邊吃，就這樣，還走好久，路越來越難走，她在路上走得好辛苦，心裡想，我怎麼會這麼慘，邊走邊掉淚的時候……天氣也竟然越來越冷，因為下起了雨，雨越下越大，她說她滂沱大雨中，正好就看到蓋到一半的寶島大旅社在工地鷹架中，太陰沉也太深刻了。命運與巧合，彷彿那一刻正是有神通的她和這彷彿有神通的建築的感應，這時候未完成的寶島大旅社，看起來就好像一個暗暗的廟，在雨中，也像在嗚咽，也在哭。更仔細端詳，在夜雨裡，極龐大而華麗但又極艱難而不祥，那身影就像沉浸在某種好像永遠蓋不完的陰沉裡頭，但是，她那有神通的眼卻看到了一個未來會發生的幻象。她說，那像是一種美絕的碎片般火花，像螢火蟲的螢光，像星空晴朗的繁星，好清晰地就從建築的深處緩緩地升起，打開，發散，閃爍……那種種眼前浮現的惡兆般會起大火的閃光……美極了，但是也有一種令人不安的傷心極了的情緒同時浸潤著她，使她在雨中，更無法停歇也更難過地大哭……

旅社部（第6篇）外國。

一

她笑著說……我們困住了。

這個旅館，一如這個電梯……太低調但也太引人注意。

一開始是那一排如挺硬嚴厲禁衛隊般精準站姿所羅列出來的泛普魯士暗藍光的電梯按鈕旁，每個重新打造的諸樓層英文和數字嵌入的鑄鐵字形……越仔細看越古怪，黝黑到像鏽蝕太久的鑄鐵字樣所切割出來的彷彿古符籙的弧度、彎扭……有點怪異地復古又簡化到像二十世紀初某些的較冷門的歐洲老派字樣，但，更仔細端詳卻更像埃及或中國的象形文字、楔形文字……那種古老有神通的抽象或某個祕密教派自己的經文圖籙，那種玄奧。

在那前頭，我打量了很久。很怪，又說不上來那些文字怪在哪裡。

電梯那種窄小而封閉的密室感在這裡變得有點溶解，因爲光太幽微而空氣太稀薄……其實這考究的電梯出奇地用質地太純粹的檜木原木做圍繞幻光的四壁，裸露的帶木結的老檜木紋很美很優雅，彷彿還在從容地呼吸……然而，在這牆身極高極大極深的木塊之間竟然還藏匿著某轉折歪斜的黝黑薄鐵片突出，隱隱嵌接著整道窄窄的從最高天花板到最底地面的黝深色鏡面，但是由於窄電梯裡本來就過度黝暗，像封入神龕中的某種最後摺疊的側室的逐漸消失的陰翳……在裡頭待久了，會在越來越稀薄的呼吸中，感覺灰燼般的暗藍空氣也跟著緩慢流逝……使人開始在鼻息裡恍恍惚惚起來到有種近乎抽象的窒息感……

那電梯故意黝暗地始終在找尋這種抽象的窒息感。裡頭的最偏離角落故意只安裝兩個投光極弱的投射燈，打弱光在暗色的長毛地毯。就更弱也更暗。

而且，還因爲地毯太厚重，而吸音，而使整個電梯間近乎完全沒有聲音。

我突然想起有些討喜的旅館會在電梯裡故意弄得很溫馨優雅的用力陳列或張貼，大多還會有各樓層餐廳介紹，特價的優惠折扣海報，情人節中秋節之類的連續假日特惠訂房專案，或至少是光亮的全壁的大面鏡面，或就是一幅眞的或假的油畫，一張風景照片的輸出放大有框或沒框地掛著或嵌入。那種電梯正如同那種旅館……比較像一種有點努力要證明自己是有禮貌又有心以客爲尊式的那種緊張的得體。但，站在這個暗藍怪電梯裡頭太久而開始覺得吸不到空氣時，會覺得，或許，那種電梯至少比較像人間，像人們會在的某種地方應該出現的默契、微笑、禮貌、客氣，講究地不細膩或太細膩，即使有點做作都好……都更窩心。

因爲，那就是，人的氣味所揮發出來，作用或反作用，波及，沉湎，暈染而有點渙散、闌珊，但仍安心地被照顧而瀰漫著。

但是，這個電梯，一如這個外頭全部用黝黑鐵皮包住的旅館，卻完全相反，因爲太詭譎太精密地打造，卻變得太過幽暗而反而把這種「人的氣味」都抽離了。

在黝黑的窄小的電梯間的完全靜謐中，我跟她說，那仍聞得到檜木木頭氣味的密室，太逼近，太極限地，彷彿一個不小心走入而迷路的神木群中，密林中的古樹都太老太巨大，林蔭太深太濃密，近乎完全地沉悶，只有正午最強日照的陽光才能隱約照射一點點餘光到長滿陰苔死蕨的垂危土壤地面，我們在這窄小的電梯間卻好像在霧氣太濃視線太低沉的陰森林中，雖然心中明白是很遼闊，但卻只能看見伸手能及的很近的地帶，待更久一點，就更奇怪，忽遠忽近，又侷促又遼闊……就像被看不見的什麼困住了。

困住了，用很奇怪的方式被困住了。她說……沒錯，就像在晚上的森林裡，迷了路但其實根本也沒有走，沒離開原地……

我們其實一直都浸泡在這太老檜木的太老鼻息中，一如呼吸太多這密閉電梯間的黝暗。就越來越感覺到……密室中本來就微弱的光暈投射在太厚的深色地毯後來終於就完全被吸走了。

一如所有的聲音，也被莫名地吸走了。

她說，一走進來，她就一直覺得，那老檜和老檜之間的窄鏡面，其實是個入口，側身屏息或用對某法門就可以走進去，走進另一個不明地帶……

但是，我還在擔心受困而分心……就在這時候，我仍只是更用力地看進去，又暗又深，但是，沒看到法門，卻只能看到那深色鏡面裡有個像全身淋了柏油的黝黑狼狽的我自己，就在那裡呆站著，也看著我，僵持在那裡，一動也不動……

她笑著說……我們困住了。

其實，一開始只是慌了。

電梯完全不動……我們就只能停在那裡。深呼吸，感覺到密室的黝黑如林中霧氣般更爲逼近。

然後，按了急救按鈕，等著外面的人發現，進來救我們。

就在等待的那幾分鐘，時間突然極端地拉長，極久極遠！我仍盯著那淋滿柏油的我。

後來被救出去之後才知道感應器怎麼了的我，就站在那一排電梯按鈕和設計古怪的數字前頭，想起一開始可笑的慌張，還滿切題的……

感應器，本來以爲是知道但卻其實不知道怎麼操作，必須貼近那排符籙鑄鐵字樣的末端，緊緊按住一段時光，等著那暗紅光點變色跳躍……但是，一開始，我並不知這種緊按的感應是有時差的……所以就只能像一個誤入莽林中古馬雅金字塔密道密門的土人，只是拿起在林中撿起的薄薄一片卡狀的所謂感應器，自信滿滿地愚弄自己……就在那符籙鑄鐵字一直晃動，卻一直沒反應，什麼都發生，許久許久。

就在那種在近乎窒息的密室裡，在一部沒有旁人也沒有惡靈的惡靈電梯，沒有電纜斷裂，沒有全館停電，沒有電梯門扇卡住夾在樓層之間的種種不測的不幸發生。

只有我，站在裡頭，想著，怎麼會……困住了。

我跟她說：在旅館附近的這家柬埔寨料理顯得很令人意外。

我點了幾種比較奇怪的菜：金蝦麵包，一整隻蝦嵌在塗滿醬料像泥濘的厚片麵包上，炸得很酥但太鹹又太甜的炸香蕉。一碗味道好香好特別的檸檬魚湯，工很複雜，雖然魚不好，但湯很細膩繁複。其實所有的菜色都長得好吃但又好奇怪……老闆娘只有一個人，高棉新娘，又黑又小又憔悴，但是極賣力而專注，那時候已然晚上九點了，但是小店的七八桌還是全滿。

我跟她說，現在，臺北的某些巷弄裡，會有些小店，像這樣。有一個中年女人，通常是外籍新娘。和先生已經不說話了，或甚至已經離婚了。自己用盡心思就打點了這麼一個小店。但是，卻是用自己的下半生當賭注那麼用心用力地……拚了。就那麼慘慘淡淡地……自己想辦法撐下去。越南的、印尼的、馬來西亞的、大陸的。高棉的反而很少……通常中年女人長得不難看，但是，命不好，通常很倔強，眼神很有神，做菜細節很多，很有她們自己家鄉風味的講究，但是對客人很客氣。這種店往往不貴，但往往有一種不可思議的好吃。那種好吃，吃的時候會有一種窩心。那種窩心其實是種苦心，往往就是一種命苦的女人對命不好的人生的抵抗，往往就……在外國。

因爲那整個店實在太破地太小了。二三坪大。地方簡陋到只有沒洗好還有油漬菜尾的髒爐子，始終發出終年氣喘老人咳嗽的舊冰箱。甚至，連用撿來的有點毀損的夾板隔板都很像隨時會倒地單薄。

菜單非常潦草地簡單，上面只有幾種翻譯得不倫不類的怪菜名，很模糊的菜的照片，像小時候的小鎮麵攤，或是像去落後的東南亞國家才會看得到的那種……小小的不太衛生的隨時會倒會跑路的店。這整個店也是，不太乾淨到令人不安。雖然在臺北。但是，就彷彿在這南京東路後頭巷底的縫隙中，打開了某種瞬時的奇異，某種沒什麼異國情調的情調，我跟她說……有時，這種，外國，卻好動人而好眞實。

只是我們實在等太久了。她忙不過來……就坐在那甚至還有蟑螂爬在一樣髒的桌上和地上的小店裡。我跟她說到我去過的那些越南、馬來西亞、印尼……雷同的髒兮兮遭遇……或更多年輕時候的我想去更險的比東南亞更遠的同樣髒兮兮的旅行，去探險這些古老、鄰近卻遙遠的國家、種族、所有的島嶼、都市、奇奇怪怪的地方。像這個我一直想去而沒去成的柬埔寨，這是一個可以蓋得出吳哥窟的老到匹敵埃及、馬雅古文明的舊帝國，怎麼會現在沒落到如此頹敗，如此落魄，一如在這裡，只能暗示那麼小那麼拮据的神祕。我跟她說，前幾年，突然在南京東路這些帷幕窗閃爍天光的高層辦公大樓、時髦昂貴的奢靡百貨公司之間看到這個小店時始終覺得好奇怪。彷彿一個遊民的帳篷、一個流浪藝人的舞台，或是，就是一個野店式的聞風而來小吃攤販，一個臨時搭建在一塊空地旁邊的馬戲團場景。

反正，就是隨時會憑空出現，但是也隨時會憑空消失……那種。

甚至，一開始，我跟她說……老會覺得請你吃這個有點寒酸。

尤其在這種類似在不可能的忙之中所偷跑出來偷情般度假的氣息之中。我們本來不是該待在剛剛那低調設計旅館的深沉沙發裡……但，爲什麼，我們怎麼現在變成兩個人就坐在這有小蟑螂還在爬的廉價摺疊桌前，自助餐免洗餐具沒收，地上也好多染沾濃稠醬料肉汁的紙盤竹筷，甚至臨時搭的板塊隔間還會灌北風進來令我們一直發抖……的這怪店裡……

走的時候，那老闆娘看了我們一眼，問我們吃得如何？我一直誇她那完全不是在臺灣這裡做得出來高棉料理的講究口感……

其實，最怪異的……是那小店的最後頭，還供著一個簡陋極了的小神壇。壇中有一把桃木製的極小椅子，斑駁，椅子是空的，沒有神像，椅旁有兩把粗糙的手掌大小的舊絲質黃傘，木椅前還有個小小的破圓鐵盒，歪插著焚燒到一半的怪香，傘旁有兩個當地人刻的木頭小雕像。但雕得太草率到臉孔幾乎沒表情，甚至無法辨識，好像刻好時就像古物那麼模糊不清……但是，這種小店裡斑駁又草率到什麼都沒有的空，還是彷佛有我看不懂也看不到的神祇在，就是……很陰。

雖然，店是很陽春的……牆上貼著一張全開的吳哥窟古塔古佛的海報。雖然是俗氣風景的……銅版紙印來給觀光客看那種。但是佛頭的眼睛被小孩挖掉了，就這樣，佛眼的眼神卻反而好像出現了……更出奇地令人不安地可怕，一如，在那小店所有的怪裝潢裡頭，美麗的古老但只是特效，或像假的或就像紀念品店貼紙那般，但是，卻仍然充滿古老摺疊蔓延而出的祕術。

一如整個太小的店裡太忙了，東西都沒整理也沒人收，吃完的免洗餐盤、碗、竹筷子、塑膠湯匙都還在，又髒又臭，蒼蠅一直盤旋……但是，就在那吳哥窟破海報之前，仔細看，卻又可以看到無眼佛頭後頭的那古國遠方風光，有阡陌縱橫的田野和高腳撐起的古老茅草木屋……所有的蒼蠅仍然一直飛……好像飛進飛出那外國的神祕裡。

離開以後，回旅館的路上，我跟吃得也很開心的她說……用一種怪異的自詡又自嘲的腔調：「天啊！原來我們這裡就是……外國。」

二

後來，我們到了一個酒吧！那是一家名叫「銅猴子」的名店，我跟她說，這裡像是一個外國人討人厭而躲在一起的舊殖民地，仿西部片誇張而聳動牛仔們出入的虛偽場景，或就是一個幾乎是現代了的許許多多在這附近上班的穿西裝外國人最喜歡的店，一個累積當地人看不懂的狂熱而可以在一起吆喝一起狂歡的喝啤酒看世界足球轉播的名餐廳。

店裡頭有更多殖民地的老氣味，髒兮兮的舊馬鞍，煤氣燈，印第安老酋長的破熊皮裝，古董球棒和捕手舊皮手套，甚至有著名美國大聯盟棒球隊明星的球衣球帽裝框。都安裝在木牆上，打上暈黃的投影燈，舊美國的典型懷舊……正前方竟然還有一個老標準撞球桌，很多人有意無意地上撞球池上敲桿或問候招呼，更前頭還有很多台各角度都可以看得到的電視，甚至還有一台很大投影幕的主機在餐廳正中央，可以看到各式各樣ESPN的現場轉播的熱絡、火熱、激情……即使，我對這種氣味那麼熟悉，但是卻始終對這種氣味完全不感興趣。

「這種外國和去吃柬埔寨新娘怪料理的另外一種外國是完全不一樣，但我喜歡後面那種！」我跟她說：「到底什麼是外國？我可不在乎……其實，我只是想好好喝一杯酒，好好說幾句話。」

我們只是坐在沙發上打量那裡的外國。那時候才六點，人還不多。或許晚一點才會有更多人，其實，那個老舊撞球桌旁已經有幾桌有很多人在那裡吆喝，通常是來臺灣鬼混或念書或打工的老外、ABC，或是有些外商公司穿西裝的主管之類的老傢伙……他們往往下班一起約在那邊。

我跟她說：大概因為他們從小就這麼無趣，在自己的母國，也是跟一群人坐在吧台，一起喝啤酒、一起看球賽……地長大。幾百年前的更多老外……跑到東南亞這種熱帶小島的老是髒髒舊舊又老不踢足球的國家，覺得很害怕，只好躲進這裡。我跟她說：他們躲進這個他們自己的外國，那麼地想暴力一點地做點自己熟悉的什麼……但是，往往很挫敗。

我甚至看過有一次他們在這裡看世界足球賽對決，到最後自己喜歡的球隊逐漸輸去比賽的過程，他們露出一種想殺人的眼神和咆哮……我覺得很好笑。

後來，邊喝比利時啤酒的她說到另一種關於她也想殺人的時候的荒唐。

她說，她是精通高跟鞋的聲音的。

精通所有高跟鞋所踩在地上的聲音，那種種奇怪的變奏的狀態。她說，因為高跟鞋踩地的聲音本來就極明顯，節奏很重，很不悅耳。所以，走路如何控制腳步的小心輕巧，甚至，小腿到大腿到腰臀牽動的肌肉拿捏的用力如何用心的密技。

那高跟鞋聲的動人……可以繁複到就彷彿是那女人用全身的肉體所精密演奏出來的觸覺般的觸動。所以，只要仔細聽，依照那叩！叩！叩！或咔！咔！咔！或切！切！切！那些不同聲音的輕重緩急，就可以分辨那個女人的個性，脾氣，情緒……種種的狀態。

因爲那高跟鞋聲本身就是太逼眞地接近那女人的心聲，那女人到底甜美或世故，沉著或緊張，對自己人生的理解是深或是淺，是有心或無心……聽鞋跟聲就知道。

她說，不管是快的或慢的，無節奏或有節奏……的變化，只要她稍稍留意，即可詳盡地辨識，就像一聽就可以分辨出那打擊樂的演出是老手還是生手……

那些高跟鞋到底是好鞋還是爛鞋，是踉踉蹌蹌還是入木三分。

她說，後來，她變得太挑剔了，甚至，只要聽到別人的高跟鞋聲音不好聽，就會很煩躁。甚至到最後……連聽到自己鞋跟的聲音不夠好聽的話，也會整天心情都很不好。

其實，她對我說，她不太常穿高跟鞋，除非，是某些特殊的狀態。

我好奇的問，是什麼狀態。

她說，要開很煩的會，見很煩的人，去很煩的地方……

她目露凶光地瞪著我說，穿高跟鞋……就是那天要殺人的時候。

我送她去坐車回去，之後，就完全無力了，只能在二樓那空沙龍，發呆，看螢幕。不想再想所有事。我本來是想放棄了，或就只是放空。在旅館二樓沙龍區，有一本是*SLH small luxury hotel*那本精裝書。一本全球發行的這種小型但奢華的旅館選擇系列，因爲這旅館也被選入了。這種「外國」太險，太稀有了。是一種很少數人知道和風靡的幸福感講究。雖然幾乎是所有國家都有選入，但數量很少。每個國家都只有個位數，但是我細看，所有旅館都很有特色，不尋常，在海灘，峽谷，古堡裡，希臘的小島，泰國，中國大陸，還有歐洲，中南美洲某些奇異地形的落點。像一個烏托邦，像一個桃花源，像一個不存在的城市……所有的祕而不宣的祕密入口。但是，這種小旅館的烏托邦，或許更像一種更病態但更昂貴又挑剔極了的防空洞、難民營，或療養院。

後來，在沙龍裡，我完全不能動了……只能看著牆上的電視發呆。

國際新聞中，韓國特種部隊突擊索馬利亞挾持韓國漁船的海盜。甚至戰況凶險激烈，現場一片混亂的彈痕、血跡……雙方都有極多人輕重傷，在夜半攻堅中很艱難……最後還殺了八個頑強的海盜船員，才救回人質。另一個報導是，莫斯科機場自殺炸彈，完全在沒有預料中發生，候機大廳三十多人死亡，一百八十多人受傷。

我跟她說，這些新聞，都不像眞的，像一部好萊塢的預算極高的暑假大型動作片，怎麼可能，這個世界好像假的，眞的都好像假的。所有的場景，角色，連災難發生的動機與收場都那麼像……

另一部紀錄片，發生在上海，更眞實卻更令人不可思議……那是某外國記者所訪問一個要去整容的少女，想把眼睛整得更像西方人，可以大一點，深一點，睫毛長一點……記者問：是因爲想變得比較美嗎？她很嚴肅地認眞回答：不，是因爲這樣比較容易找到工作。後來，就到了另一個地方訪問老人，老人們一整群在公園完全漠然而沉穩地打太極拳，有一個長得仙風道骨的瘦小老頭，對鏡頭猛說：毛主席萬歲，我們從文革打到現在……後來，找到一大堆喝酒喝得很茫的年輕人在談大陸的監控仍然很大，在所有地方，甚至在電腦網路的圍堵。我們還是沒有臉書……在夜店裡的他們都很憤慨但是還是一直邊罵邊笑的大家最後還是都把可樂加在紅酒裡……大口大口地喝了起來。

主持人，最後到了終點……港灣的夜色中河畔……主持人說，上海，就像一個可以吃下這一帶一眼看不完的數十萬個貨櫃的港口，是一個全世界最短時間建起來幾乎不可能地巨大的卸貨櫃場，一個奇蹟，一個中國這時代才可能出現那麼奇幻那麼放大幾萬倍的怪異變形金剛……

最後回到房間，好昏暗而近乎恐慌地沉寂，我剛開始放無伴奏大提琴組曲，後來卻放古琴的〈廣陵散〉。

她一離開，我往往會陷入這種荒蕪……我也不知如何阻止這種的愈來愈沉寂。

尤其，那房間裡自動設定的電視一直亮著，一直自動重播……待久了，彷彿覺得那始終在放映的螢幕自己會呼吸、會嘆息……有低聲音樂的餘音繞梁而蕩漾，這旅館在照片裡的場景，會因設定自動緩緩地出現，消失，重複地發生。使得在那裡待太久看太久，會恍恍惚惚地，甚至，會覺得像是整個旅館的那些被拍攝的角落，畫面變成某種光影閃現的殘像，某種deja vu，某種感光不足的照片在暗房紅光中洗壞了或修片修壞了……那種視覺暫留式……不太確定是不是眞的，只是懸浮而揮之不去的極光或幻影。

最後，累到太累的我只是一個人泡澡，抽菸。在床上看到一部電影，哈維凱托演老探員。《沉默的羔羊》第三集，前傳加上續集。名字叫《紅龍》。演心理學家人魔的安東尼霍普金斯對辦案來監獄請教他的年輕FBI探員說：「你只是看，但沒有看到。」因爲片中殺人狂的線索是從登報的小啓編碼而來的迂迴解密。開頭是，親愛的朝聖者，登在小報上，然後才是眞正的訊息，但是，整個追蹤推理的過程我太累而不太記得了……只記得裡頭極尖銳的高潮是：殺人狂到博物館找出那二百年老的畫紅龍的名畫，瘋狂的他竟然當場把畫撕下來，一口一口憤恨地吃下，眼神很痛苦但確切，他對那畫中的紅龍說，他想結束這一切，但是其實他紅龍的刺青早已然刺滿整個背。因爲，他希望別人敬畏他。看到後來頭也很痛的我老記得那句最著名的台詞……他用一種假裝平靜的不安口吻說：「我即將蛻變。你要害怕的不是現在的我，而是蛻變後的我。」

最後我睡前看到，旅遊生活頻道，外國的旅遊主持人竟然巧合地到了寮國。那是一個當年聲名狼藉的極可怕原子彈試爆場，在某種極高度的極權統治中才可能出現的恐怖與荒誕，完全不像眞的，像某種最荒遠的戈壁、最咆哮的山脊斷崖、最險峻的大峽谷……的極惡地形才可能出現的誇張。那是一個巨大到整座下陷直徑深百米以上的倒圓錐式的洞，幾何、抽象、精密……到像外星巨大戰艦因降落角度才切割出來的驚人遺址。

就這樣，幾個渺小的人影仍然懸在那裡，在空空蕩蕩的空畫面中，他們正站在很長很高的鏽蝕的運輸巨型舊鐵架眺望台，往下看去。那是太像假的但卻是眞正的巨大……巨大得令人窒息的災難的現場，太荒謬絕倫地可怕……

這使得我想到小時候有一篇夏丏尊寫的國立編譯館的〈鋼鐵假山〉所講到日據時代轟炸彈片做成假山紙鎮所提醒戰爭的事。顯得那麼地遙遠而單薄。這時代的悲劇比以前的悲劇還要更令人不忍驚慌地荒謬著……旁白，今年那原子塵汙染指數已然降下來，才到可以讓人接近參觀。但是，主持人吐了吐舌頭說，這種國家，天啊！……也不知道是不是騙人的。

最後到了寮國的另一段終極旅遊景點。那美國的旅遊主持人，臉上忐忑不安但又假裝笑容滿面地走向那村子的泥濘的小路上，指著鏡頭裡的那名勝，開心地比劃起來，像在炫耀一棟著名的古蹟建築。但是，我仔細看，才發現，那竟然是一間用以前空襲留下的巨型炸彈的彈殼做柱子所蓋起的眞的還有一家人住的房子。很多小孩還在裡面走動玩耍。除了木頭殘片拼裝玻璃窗和塑膠屋頂和鐵絲麻繩所簡陋地綁成的屋身外，最驚人的，竟然是，正前面的四根木屋承重最重的柱子是用大半個撿來炸彈有凹凸不平缺口的巨型彈身側面做的。整塊有點殘破的彈殼金屬的曲線，二公尺多高，破損到很嚴重地扭曲而變形，但是勉強還看得到彈頭和彈尾，而且很拮据地和木材屋頂硬搭接撐在一起，一如一個更令人不安而難過的鋼鐵假山式的人還住裡頭的山寨古蹟的廢墟。

「有些還是未爆彈，以前還有人睡到一半聽到爆炸聲醒來，家人和房子都消失了……」主持人邊笑邊害怕地說。

但，最後一個畫面是更荒謬地可笑。鏡頭就近拍著屋前空地，有切半圓柱橫放的一個曲面炸彈彈身，很髒很多缺口，放在地上，用木塊頂住，像又老又破的盆子，而且，就裝著半滿的看起來很噁心的廚餘當飼料，餵豬。

那些又黑又髒的毛豬很小很多隻，有什麼可以吃都很開心，就在彈身前擠滿搶著吃，有些搶不到的，還在炸彈頭尾跑來跑去。因爲地上都是泥濘的，就弄得更泥濘了……

不仔細看。還以爲開心的牠們就在吃炸彈。

三

在夢中，我正戒備在軍艦上。深夜，我是新兵，船要靠岸，在不明的敵情中。

而且全軍艦偌大的黑漆漆甲板所有人都緊張地待命，但還是完全無聲。就這樣死寂但隨時可能爆出戰況地全員戒備。

更後來長官要我下去岸上執行任務，但我不知道是什麼任務，也不知道如何執行，在所有的狀態都不明之中……近乎屏息地待命，猜測敵方攻略，但是，我什麼都不清楚啊！只是更怕。但是，竟然……我心裡卻只想去尿尿。

不知爲何，就是已然快忍不住了。但怕丟臉而不敢提，更怕出去會出事。只好僵在那裡，很難過，但沒人在意……接著是自己想辦法過去洗手間的路上，低聲小心地在走甲板旁側小徑時，竟然發現了隱隱約約的岸上和海上多重的敵方的光分層分批照入。

空氣中有汽油或柴油推進入老鍋爐前油管漏油揮發的揮之不去……甚至還有燒夷彈火燃起燒焦了不明異物式的濃重氣味，但是我仍然不知是什麼狀況。

在甲板狹長走廊的暗黑中，一波一波的強光再度滲入，很緊張，探照燈三百六十度掃進，在漆黑中，很強烈，應該是快全面開戰起來了的暗沉而死寂的最後幾秒了。

其實，對於除了軍情和敵情的不解之外，我仍然還在忍尿。忍太久，最後就不顧一切地溜出去到旁邊某一個黑暗的根本不是廁所的小間，側身悄悄進門，對著門旁角落的轉彎暗處，就尿了，但是尿的時候門還不敢關。雖然小間就在主船艦室旁。我不知能不能進，能不能尿，或燈能不能開。但是，也沒有人發現，所有全面戒備的黑暗仍然充斥於所有空氣的凝重……

但是，我只是掏出自己的陰莖，很無奈地，但也很緊張地……就尿了。就在那千鈞一髮的尷尬又難以明說的那一剎那，我竟然就醒了。而且醒來已天亮。

醒來的我跟她說……這夢就彷彿我的最近……

所有事都急了。但也都不能做什麼地急……就像這陣子，或說這輩子仔細想想也是，老是在調整人生的大塊切割，還是貪心想再加一些或再滲透一些什麼，但是，一下子就好累。最近變得好容易累也好容易冷感，像在海底伏潛的潛水夫病或上了太空的太空人不明頭疼胸悶，整個人生或許就像這段日子，老覺得安靜到快停格或快吸不到氣地窒息了，出奇的悶，好像已然在黑暗軍艦戒備而不能內急，或就算上了太空但也沒力眞的離開太空艙去失重的黝黑宇宙中做些更多的什麼，就這樣……日子過得眞是唐唐突突，也眞是吞吞吐吐。

我跟她說，在這種南京東路上昂貴的銅猴子漢堡店，我老是會遇到那個流浪漢，想到某一晚熬太晚而只好待在開通宵的廉價的摩斯漢堡店。

我說：那一晚是超冷的半夜，最後只剩下我和一個趴著睡的流浪漢！

他穿撿來的一堆衣服，桌上放很多瓶子，有一本小學生作業簿，但卻用來寫有的沒的。很認眞拿一枝原子筆在寫，而且寫很大字。

腳的小腿在糟糕的鞋子和褲子之間，皮膚有問題。出事到長出很多白白的脫皮。還有大概長期曝曬或睡在外頭而出現的更多的皮的疤痕，兩腿腿腹都是，他皮膚黝黑，但長在皮層的皮屑卻是慘白。參參差差的。我從遠遠地看卻像雪花下在一棵老松枝幹上，好有詩意的美啊！

我跟她說：我有病……因爲會突然因而想到我小時候。兩腳在雷同部位，甚至更高到大腿。也因爲皮膚太嫩，太敏感，被蚊蟲咬，又亂抓，過敏到起疹子，長出好多一點一點的痘子，一整面腿，都長滿了。大家族裡的老小都嘲笑那時不太會說話的我，是不乖，才會長滿紅豆冰。但是，只有一個姑姑卻反而嚴肅地說。不！那是龍杜。然後大家都笑得更凶了。

我想到這些。我就更不想也不敢讓流浪漢發現我在打量他。

越看我越想，眞的，某個角度來看，我其實也差不多……跟他好像。

她爲了安慰我，就說起一個笑話。那是她在來南京東路前計程車上所聽到的一個廣告。一個電台主持人說……有一種動物，叫貔貅，本來是玉皇大帝的座騎。在蟠桃大會，偷吃，得罪王母娘娘，屁眼被用銅錢封起來。後來變很有名，現在更有名了，因爲，這樣不僅可以賺，而且更就不會漏財出去，這幾年甚至比傳統咬銅錢的蟾蜍更好，已然變成全臺灣最受歡迎的招財的祥獸。她說，她不知道怎麼跟外國人解釋這種動物……

她說：「大便大不出來，這樣才好。偏財更多更滿……那在臺語電台賣這一隻才九千九百九十九塊的主持人開心地說。」

這時，計程車上的小螢幕正播放著另一則新聞。有一個朋友和他太太有染，被發現了。他用牙刷用力地刷他的下體，用酒瓶彎他手指，甚至就是用木棍打他。一開始發現，是用他太太手機打，騙他到汽車旅館，找了四個朋友一起去打，凌虐他，關三天。爲了讓他有悔意，房間故意放佛經和梵唱，要感化他。還有一則新聞，有一個太太殺了三個小孩，然後再自焚。被救時，全身燒傷面積已超過百分之八十，救回來的機會很小，簽下不急救同意書的老公很傷心。但是，老公還是說：雖然他們常常吵架，但還是很愛她。其實，他老婆是一個心地善良的人。

她說……我們是活在一個外國人不可能了解的島上頭，連我們自己也不了解。所以，大家都不免唐唐突突也不免吞吞吐吐……她笑著對我說，你不用太心地善良，也不用太待命任務，你只是不願承認你的人生更裡頭……內急了。

她一邊說，我一邊笑，但是我那時候正想像著她說的那貔貅祥獸……如何仔細看那鍍金的大尾貔貅的底部。看牠那臀部是如何刻的……在兩條曲面的腿部收尾，有一枚印著「康熙年製」的古幣，深卡在正中間深處，黝黑又鏽蝕，像一個洞口被封住的洞穴，旁邊攀爬了許多陳年古蹟的雕紋和巨大的藤蔓、泥濘地石苔、異味的獸的被圍堵而有些圍堵不住的糞便……沿著兩腿流下深黑色黏稠的半液體半固體排洩物，正漫流到前緣的大腿側，正在扭曲的祥獸腿側肌肉弧度末端……泛出華麗但近乎變態的奇異光澤。

四

我跟她說，當年，我父親的葬禮，兄弟飯店那個經理還有來參加。我還記得他，在那麼多年前，在葬禮裡的他還是那麼體面、周到、講究。

我印象最深的那一回，是我父親帶我去兄弟飯店的十三樓薔薇廳，一九八三年，近三十年前了，我還記得在那個幾乎是當年臺北最奢侈的西餐廳。暈黃貴氣的極華麗燈火，踩上去完全吸音的極沉厚地毯，胡桃木製的許許多多銀座式日本風的餐桌椅家具櫃檯的極講究裝潢，令當年還不太懂事的我不安極了……

而且，那年我正在重考，住在臺北最南邊師大路老舊文教區的一個補習班宿舍，人生在最悲慘的緊緊張張之中，甚至，我從來沒有到過臺北北邊最高檔金融商圈的南京東路這一帶……可說是當年臺北華爾街的這一帶。

她問我這一帶當年熱鬧嗎？

我說後來的二十多年一直仍是極風光的……

到了現在，都變了……好像陸地板塊移動太激烈，或雪中沙漠中的地貌變幻太詭異，某個大廟或參道或主廣場的消失，近乎可供辨識的地標都變了，都搬了，突然就走樣了，也不是變得完全不同，就是某些心情的高八度或低八度的可能不同了。音域從禽飛變成獸走……那種沉。這一帶變太多了，我說起信義區的商圈和旅館、夜店風開始前。這南京東路可曾是最高級過。環亞百貨曾是最大間百貨公司和飯店，敦化北路當年可是最奢華的香榭大道或表參道……那時候雖然小巨蛋還沒生出來，民生社區還沒有太多咖啡廳，現在的Armanicasa也還是當年的誠品，甚至，出國還很難而松山機場還飛國外的更早年代，股票炒到最凶的當年，我爸只要上臺北都住在兄弟飯店，幾乎住了兩年，我來找過他好幾次，這裡曾經像是我的家過啊……

當年我爸帶我去吃兄弟飯店薔薇廳十三樓高空夜景，三十年前一客牛排二千多元的光景，我還不知道是什麼意思！還小的我沒趕上，只在後來慶城街還火熱的年代，還去過先施百貨曾是臺北最頂級精品名牌旗艦店區的從開到關的時光，去過Joyce Cafe那請要人吃下午茶最體面的場子，去過一陣子臺北根本還沒有商務旅館和設計旅館時代第一家的臺北商務旅館，裡面有個一樓的沙龍，有一台老鋼琴和滿牆的書，像峇里島阿曼旅館的圖書館或義大利小城好的老旅館的貴氣和奢侈，臺北從來沒有過的某種氣味。那時候那裡開始才有些什麼出來的……是極難得的。就像當年某時代上海的法租界……有些比那時代的那個城要進步很多的講究。更早的時代的南京東路，可說是臺北的小銀座……那南京東路上高層的辦公大樓，號稱是當年蓋出有臺灣第一個電梯的高樓，許許多多酒店曾經在此盛行、在此沒落……一代佳人、一代公主的一代傳說的火熱……那是更後來，臺北當年那種所謂的「東區」崛起前，從忠孝東路仁愛路向上才到更貴的最北到這一帶的uptown，才會有著紐約上城的那種虛榮。

和父親去吃兄弟飯店十三樓薔薇廳的那一晚……

我還記得那最昂貴的牛排的出場，那是全銀的小型推車，緩緩地繞行到桌旁，致意，鞠躬，一如日本人的周詳禮儀，最後才開始打理起最後的下鐵盤煎的極細膩烹調手續，一個全身白衣戴白高帽的主廚親自出來下手，氣味，聲音，跟父親攀談致意……慎重而巧奪天工的手藝和那極貴牛肉入口的口感，我至今難忘，一如一場隆重精心打造的演出。我甚至還記得一些當天的零碎畫面，薔薇廳的許許多多當天的客人，大多是穿極講究西裝打領帶的公司主管，留時尚設計過平頭小鬍子的日本客戶，某些歐洲或美國的金融顧問……而且，都過來跟父親打招呼，彷彿都很熟悉地客氣體面……

我印象較深的有一鄰桌。有一個從容的極海派的老頭，他帶一個穿有點性感套裝的妖豔女人，和一瓶波爾多著名年份的紅酒。問經理，有沒有新的菜。常拿當年還很罕見的很大的大哥大黑手機電話，接起來，會用很台的英文，好，進三百張，賣一些你自己看。在下單，但那是晚上，所以是外國的股市。那妖豔女人正從某一小瓶中舀了一小匙黝黑的醬，塗在法國麵包上，餵老頭，讓他很慢地享受的含住，對老頭微笑說，這松露眞不錯。

父親一直在跟朋友問候聊天，那時候的我其實聽不太懂他們在說什麼，我只留意到電梯口柱上畫了一幅義大利地圖，和日本地圖，分很多區域，仔細書寫很多料理的珍貴食材出處，旁邊的光、花，很像在歐洲餐廳。還有遠一點的深色木櫃，服務生從裡頭拿兩個考究閃爍的弧度極美的高腳杯給他們。

而最後我聽父親和一個日本朋友用極流利的日文說的話，假裝在吃我的手工日式口感檸檬塔。其實，那是一個極陌生而格格不入的場景，我當年完全不了解父親和他的客戶們和這個地方的有點太奢華的習氣……到底是什麼意思。

其實，那天的兄弟飯店薔薇廳。最誇張的是我們旁邊的一桌，我印象極深，因爲她們講話很大聲，話題又很奇幻……那是一個貴婦一直在跟幾個她的一樣珠光寶氣的太太在講她跟她先生去印度的故事，炫耀她最後買了好多串那古城的著名神廟珠寶。

依她說，她被帶去那以手工打造上千年黃金珠寶出名的古城，看到那神廟旁很多名珍寶店，裡頭有太多華麗璀璨的炫目項鍊、有的上頭的黃金刻成細膩的傳統螺旋紋，鑲上藍寶石或琥珀再搭上多索嵌接金鍊，有些就刻出小佛聖像，還用黃金繡線金絲織出的布做法衣，上頭還充滿了廟的建築細節。有別針雕物甚至是純金的聖猴、聖象，甚至聖甲蟲，據說可以招財又辟邪，而且是重要慶典儀式或婚禮下聘用的。還常常買不到……

她說我就幫我那女兒買了好幾條，有的更貴重的，上頭雕刻濕婆十化身的純金腰飾，有的造型就是印度廟，戴上就像擁有自己的黃金廟，自己就像廟裡跳舞的女神，而且因爲神祕珠寶文，咒語，就放在那金飾廟身的夾層裡頭，戴在身上可以得到保佑。店主人說這種藝術，在印度可是神給的稀有天賦。有一家的祖傳著名師傳，好幾代都在爲那神廟神壇神像做珠寶，但也可爲他們的店做相同的神廟珍寶，而且這些家傳工匠要極守戒律。邊做雕工要邊誦經焚香，大型重要珠寶製作的期間要齋戒沐浴禁女色，所以那家人的這種神廟珠寶傳說很多，傳統印度神話的神像雕刻，據說寫實而逼眞到可以看到神的表情，或打坐入定夠深可以聽到神的開示。

她最後低聲說：倒是她老公很不像話，硬買了一串上頭有各種印度愛經的做愛姿勢的怪項鍊，叫她在家裡要跟著做，看到了這些怪異的性愛動作，她說她一直笑……全餐廳都聽得到，但是，大家都太體面了，假裝沒聽到，甚至沒有人提起……

我跟她說，其實我已然太久沒想起那段去兄弟飯店找父親的日子，後來，反而因爲十多年後，姊姊也住到那一帶，我在她後來在南京東路巷子裡的這個家也住過一陣子，那時候是我母親還在的時候，甚至本來我要在退伍後搬過去一起住，後來我去念研究所，住在大學宿舍。

後來，有一回到陽台。才想到那陽台我好幾年沒上去了，以前只有在拜拜或父母祭日時會上去燒冥紙，但我姊改信主之後，就沒再拜，也沒再上去。

後來，還在五樓屋頂加建了一個鐵皮屋，但沒蓋成就被檢舉，就拆到只剩一些鐵架和幾面浪板的遮陽斜頂，和擋風的塑膠板牆面，還有兩個全是風沙灰塵的坐式馬桶。完全沒動，但也沒用，像那個時代的廢墟遺址。我曾有很多過去的和我聯繫極深的舊物，在那裡放了很久，終於壞了，也留不下了。大學畢業設計當年太用力過得最高分而極不捨放了十幾年的建築模型，我和哥二十多年來買的極貴原版黑膠唱片：卡拉揚指揮柏林愛樂演奏的華格納，顧爾德彈的巴哈平均律《郭德堡變奏曲》，太多當年買的樂評書上寫的荒島唱片或史上最高評價版本……還有我研究所時代的原文書。都在這裡堆入電梯間上頭的黝黑機房，那些雨水漬濕的康德、馬克斯哲學書，歷代建築史、藝術理論種種當年曾畫過線作過記號的讀本……太多太多的書。一批一批地在這裡堆積到全是灰塵與蠹蟲咬爛的破舊書頁。最後，在母親去世要清理家裡的那一年那一回，終於下狠心丟到全沒了。

而甚至那也是十多年前的事，我也太久沒想起來了。

這些所有的事。都算餘緒，也算就緒，都是結束，也是開始。

我跟她說……這幾年有時到我姊姊家吃年夜飯，有時姊姊會幫太疲憊不堪的我刮痧。那太多餘緒都還在，只是我都沒說……我跟她說，就一如我姊用刮痧曲面一節一節刮過我的脊椎時，老是有幾點會極刺痛。有的脊椎是側彎、頸骨扭曲，或腰上某區舊創復發，或就是幾乎每個痛點都痛到發黑誇張得一如病入膏肓……她說，完全應驗，哪裡黑就是哪裡痛，就像汙染源的核燃棒發作或發火……那般準。

我一直不太願意面對這種應驗的令人恐慌。

刮痧一如瑜伽，我姊姊老是說，這種動作只是進入一個姿勢。但關鍵不是姿勢。而是進入之後你感覺到什麼……一如刮痧的痛點，瘀青只是暗示，只是提醒，只是揭露你那些更痛的還在更裡頭。

又黑又痛的我往往也不能多說什麼，只是老會因而還想到那堆入電梯間黝黑機房，那些雨水漬濕種種當年全是灰塵與蠹蟲咬爛的破舊書頁，不得不終於下狠心丟到全沒了……的那種不捨。

最後，我跟她說……有時會突然想到，當年，那薔薇廳經理送我們下樓時，在大廳所看到的某個畫面那奇幻的瞬間……那是某個兄弟飯店當年旅館大廳裡的古董玉器的店，叫某某軒，父親跟經理握手致謝他的招待時寒暄的那一時光，我仔細地注視到那老舊古董店裡酸枝木雕刻出的櫥窗裡，那個有點出奇的古瓷雕像，質地太晶瑩剔透地精巧、又白又細到像古玉，那瓷器的形貌是兩個寫實到完全逼眞的古代童子，較高的那個童子用手搭在較矮的那個的肩上，兩個人的嘴唇都有笑意，本來是極可愛又討喜的小孩，又沒髮髻，衣服的摺痕，手足的肌理，連臉孔的曲線，都很細膩到栩栩如生。但因爲是很老的古物，不知爲何，眉下的眼睛裡竟然都沒有眼珠，沒有瞳孔，所以沒有眼神，就像被挖走了……因此變得十分空洞而詭譎極了。

我看了好久，還是看不出他們在做什麼，更看不出他們在說什麼。

但好像有些事正在發生，只是，在外頭看的我不知道。

所以，他們的笑，他們的姿勢，他們的所有神情和所有細節都用一種我不知道的古老又詭譎的方式出現，這使當年的我極不安。

雖然，身高只有一尺多高的他們只出現在一個這兄弟飯店大廳裡小店的小櫥窗中，甚至，店員還在他們胸前，掛上幾個鑲亮晶晶金屬裝飾的又假又小的玉珮，使得這沒有眼神的兩個古白瓷小孩，看起來，更怪異地詭譎。

但在兄弟飯店大廳夜色剛上的迷離中，不仔細看，還仍以爲是一對古裝的童子還在那裡……美麗而可愛地微笑著！

五

那已然是在這南京東路這一帶在這時代的時差中的少數選擇。我顯得太清醒，春初的風和寒意略薄了，所有這餐廳裡的模樣都因爲窗明几淨的陽光折射而太過鮮亮，像打蠟過蘋果的曲弧面上的光澤，或漆皮上的太過誇張的皮革反光的閃閃爍爍。

那一回，我們去了慶城街這一家比較不起眼的新派餐廳吃午餐。那已然不是我父親那時代的海派了，但是卻又有些有點新派的意外……裡頭的裝潢和菜色口味還算細膩，泰國菜做得算道地，尤其只是在這一個啤酒屋當下酒的菜。尤其細看，想都想不到地……一如一種幻覺般華麗地炫目而炫耀，那吧台牆上竟然有一整座像教堂管風琴般繁複的啤酒機關，巨大專業的長型圓柱狀金屬桶連接到一整排高到天花板的金屬粗管。然後才是出酒的瓶口怪異如博物館老五金的密閉機器開口。把手和開關都那麼地充滿機關式地複雜……眞難以置信，臺北怎麼有這種地方，像在倫敦或柏林那種倚老賣老又有很多新潮鬼行頭賣得動的城市才會有的這時代少有的驚喜。

我笑地跟她說，某些時刻，我還擔心，或許，那牆面一翻轉開，會是奇怪的實驗室或外星人MIB星際戰警的某個祕密基地或軍火庫，放滿我們看不懂的亮晶晶的怪異稀有金屬所製造不明死光槍械之類的事會發生……的荒唐。但，當然都沒有，雖然，一如這時代一向的年輕服務生仍然的不用心又不專業。從點菜一問三不知到結帳一直打錯……但是，裝潢雖然其實怪異地定調成是夜店或酒吧！但是吃了泰式的綠咖哩椰汁、泰式酸辣湯和檸檬魚都還好還有某種異國情調的道地與講究。

我們都老了……我跟她說：總不能老再去吃上回那柬埔寨老新娘像下降頭的小店的怪料理，太沒誠意了。

那天的天氣是那麼美那麼輕盈。有著爵士樂的某種恣意妄爲的暢快，伸縮號、鋼琴以及薩克斯風的三重奏，衝動的節奏，在窗外明媚的陽光中迴盪！我們的座位很角落，但我一直看向那個啤酒怪機器和長型的華麗吧台……一如一個新派的劇場。很多這時代人在很多桌，大多是南京東路的穿西裝打領帶的公司主管和職員，但是有一些奇怪的新派的人們……一個背著沉睡小孩的很疲憊的中年母親對著小孩輕吟兒歌……自己點了一桌菜。有一對情侶在約會，一個穿黑長裙的亂髮亂到好像還沒睡醒的少女一直在捲裝歪了的假睫毛和一個拿厚重電腦包的沮喪上班族宅男始終在無意識地發呆並抖腳，還有一桌有個穿緊繃低腰牛仔褲高跟鞋的極濃妝豔抹但粉底眼影都快掉落的女人，像是完全沒睡從酒店太晚下班出來的倦意而滿臉怨恨到好像很想殺人。

那店裡有幾桌是太貴氣的現代主義風老派設計師的眞皮沙發，又大又深到坐下一如陷落，胡桃木曲斜扶手的木紋理的沉浸，連黝黑皮椅面的車縫線所十字交錯的皮扣眼，都散發某種拘謹魅力的光澤。

就這樣，坐了好一陣子，吃了好的料理……我才深深地感覺到自己的藏得那麼深到自己也沒發現的累，左肩膀凹入的鄰頸椎局部的某一小團塊的痛楚，突然變得那麼明白而清晰。和她做愛時某些動作時就感覺得到的隱約的陣痛……現在才慢慢浮現。

但是，在餐廳裡，我只跟她說：我想到之前有一個練瑜伽已練得極好到許多馬戲團等級的動作都能做了的朋友，我問他爲何可以做到那麼好，中年魁梧粗獷但身上竟然沒有一塊贅肉的他客氣地說，他也沒練好，只是，目前正遭遇他瑜伽最大的危機，腰痛。連下腰都不行……我說我也是，因爲身體不行了，醫了快一年還沒好的卻是膝蓋。他說膝蓋，哈哈！我壞了十幾年了，到現在還沒好。

後來，吃了一陣子，她跟我說，壞了身子的人太多了……你還好。我的朋友有人是壞了腦子的……或許，就是這時代害的，有太多人有憂鬱症了，而且最近都在發病……最近也很糟的她說到更糟的一個朋友：「她爸是南投的望族，也是很厲害的人，在那年代，在山裡。她家是唯一可以伐木的。別人砍樹叫做盜伐。他們家砍叫做整林，」她笑著說：「果然是不得了的大生意人，在當年，早就賺到好幾輩子花不完了。」

「而她是我同學，在日本學校曾玩在一起。住我宿舍附近。」自己也很美也很自負的她說：「她在我們那群人裡，實在條件太好了，太美了。甚至比我美，長得比我高，比我白，胸部比我大。」

後來甚至還到日本念大學。後來還到美國念研究所。

考上了多年前的空姐，那是最高等級的美女，也很不容易的高度啊，應該要嫁入豪門的，她所有那時一起飛的同事，都變成欣葉或聯華那種等級大家大戶的少奶奶或股票上市公司的老闆的媳婦或情婦……種種貴婦的人生。

但是，她就是太聰明，太挑，連人家做媒的好幾個醫生都看不上。

最後，拖太久了，她竟只嫁給一個她喜歡的廣告總監……剛結婚時生意還好，後來就不行。更後來，就收了，而且人窮了就變猥瑣，老守在她身邊，越來越糟。當年常在機場等著接她。誤點，甚至，等了二十四小時，都有，就常跟一群空姐的男朋友或追她們的人在機場門口抽菸，一根接一根，在聊，在抱怨，但也只能這樣。他們感情的狀況就像這樣，越來越不行。

後來，她憂鬱症發了。就想出國散散心。每年暑假帶小孩去美國玩，也就順道去幫一個姑姑在美國的餐廳的忙，去兩個月。但是，後來出事了，到第三年就不回來了，主要是她也不想回到她先生那裡，人生進入了一種奇怪的狀態，好像怎麼樣都不對勁那種憂鬱症發病得更嚴重……更後來，就在那裡，跟一個廚師在一起，變成非法移民，現在，也回不來了。

甚至現在如果回來，就回不去，即使回來了，也會有麻煩。但是現在小孩進入反叛期，開始有問題，而且到了一種年齡是再不回來以後就回不來而完全變成外國人了的狀態。而後來她跟那個廚師的關係也不太好，最近甚至常常晚上睡不著……這陣子聯絡上寄e-mail來，她叫我去美國找她，去住個半年一年。但，我想了好久，還是婉拒了。因爲，就算我去了，也沒事做。

但是，她在信中還託我幫她買安眠藥。我其實很擔心，可是還是去幫她買了。其實我更怕的是怕她想不開，一次全吃了，出事，那就糟了。

買還好，因爲之前幫另一個也有憂鬱症的朋友買過，所以知道怎麼買……但是，去看精神科，是很不愉快的經驗。一早去掛號，要一直等到下午兩點。我七十幾號，一直看著出來的人一個一個出來都好像大哭過。醫生給藥像看香港腳那麼快。另一種診療要自費，半小時五百，加掛號費有的沒的要近千塊，常來看也不是辦法。甚至，主要是……看了也沒用，還是沒法子睡著……她說，她是花了好幾年，用別的方法才慢慢好起來的。

但即使到了現在，也還是時好時壞……可是，我去幫她拿藥的過程所看到的這些人讓我想到了過去也要來看醫生的自己。那時候，那狀況……揮之不去。

我老記得那種日子裡在那地方空氣的灰暗陰霾地冷淡而消毒水氣味的漫不經心地漫散，彷彿永遠的陰天……就在那種很大的醫院大廳，人很少還是很吵。因爲在那裡，有人一直哭，有人一直笑……

我們這時代的人和我父親那時代的人不一樣了。在這個島上長大，但是，我們好像是外國人，完全無法專注於老時代的講究，專注於對自己人生的更海派的期待或攻堅，彷彿在人生的某一時刻，就發現自己已然回不去了……發現自己身子和腦子早就不行了，和我父親那一代是完全不同了。

我們是用另一種方式廢了……

不是被海派的身世所遺棄，而是自己遺棄了自己……

我跟她說，我想到以前看的那部電影《眞實的勇氣》。但，其實很不眞實。一如那對天才柯恩兄弟導演的過去電影，我從小看到大的……每一部、每一種類型、每一種嘲諷……我都好熟。電影中往往故意顚倒，女的不美，男的不帥，好人不太好，壞人不太壞，陰謀很笨，殺法很糟，故事的曲折都環繞在我們看過的電影會怎麼演下去但都沒有……那樣地發生。也就是更怪、更出奇、更嘲弄地……接近眞實！我跟她說，那電影眞是好。但是我看的時候從頭到尾一直大笑。可是，電影院沒人在笑。因爲電影裡太荒謬、低級、怪誕的故事和太意外的對白太多。但是最怪異的是，那部電影裡最凶最會罵人的竟是一個十四歲的少女，她爲了報父仇，隻身去談判他爸的生前生意，弄到了一筆錢，從而找了一個酗酒的糟老頭槍手，亦正亦邪槍法時好時壞，後來一起和另一個一開始也完全看不起她的鄉下警騎，想辦法去追一個其實也不太行的歹徒。

整部電影和過去的西部片完全不同的基調，所有人都很猥瑣，很可憐……而且，那少女從故事一開始就一直在罵人，她太聰明太得理不讓人。因爲太好強而倔強，但是再怎麼看，都不可能出現在電影的蠻橫無理的蠻荒西部場景裡，捲入那種場子的廝殺，而且隻身周旋在一堆奸商、惡棍、強盜、土匪、搶犯之間。那是個充滿疾病的小鎮，陌生危險的森林，天氣惡劣的礦區，荒廢的河邊破木屋，故意趕路騎死的馬，開槍誤傷又不承認的同夥，老是惡意吵架的男人，甚至連印地安人都只是要屍體賣給人做生意，糟老頭槍手男主角一開始還住在一個窮中國人的破後院倉庫。她一直敲門，他還賴在一間酒店後的木頭小廁所不出來也不想跟她說話。

整部電影沒有太多同情……所有的遭遇和角色都那麼不堪地令人不安，那麼卑鄙而齷齪……因爲在這部沒有英雄感沒有紀念性或紀念感的西部片裡。沒有俠氣豪情之類的鋪陳，故事和畫面一樣，沒有花招、沒有慢動作或好看的打鬥對決槍戰……的炫目，好慘好卑微地……從頭到尾。

一如一開始他們見面就拒絕她的找父親凶手尋仇的那糟老頭對她說：「我不相信童話、神話或證道的那些鬼話！」

但，我好喜歡那電影。我跟她說……因爲太眞實了……太像我們這些身子和腦子都在某時代的某瞬間就廢了的人。他們在這電影的眞實裡，不是被海派的西部或西部片身世所遺棄，而也是在所有的卑鄙中早已自己遺棄了自己……尤其是那結局，好不容易殺了壞人的糟老頭急騎送那被蛇咬的少女去找人救。馬累死了，換他抱著她跑，終於看到火光小屋獲救，但在她還沒醒就離開了。之後卻馬上跳二十五年後，不好看的少女長成不好看的婦人，收到老頭改行去馬戲團表演的邀請函，她盛裝，穿著蓬裙，蕾絲衣，戴得體的帽子。但是，那很淑女的妝扮反而使得她那被蛇咬來不及救而變成的獨臂很刺眼。就這樣，她搭火車，去了很遠，去那裡要去找恩人。但，到了之後，才發現糟老頭在二天前過世。「我們一起有過美好的時光。」馬戲團喝茫的老人們對她說。

她說：「我們也曾一起有過美好的時光。」但是，她卻是滿懷心事地眼光出神，望向遠方，有點不忍，好像想起當年的那些報仇過程的凶險。然後，有點怨憤地……就走了。但還是在走之前很凶地罵那告訴她死訊的兩個喝茫的兩個同團老頭……人渣。

之後，她把他的棺材運回她家墓園去葬。一如剛開始她去運回她爸爸的棺材。一點都不壯烈，感傷。但是，那種糾結和平庸的更潛在的人生的無奈迂迴……卻更深沉，那尾聲使我很感動，打字幕時近乎站不太起來。有點想哭，但是，因爲老是一直想起裡頭一個畫面，而卻又有點想笑……那是片中的一段極戲劇化的轉捩，就在荒涼的天氣即將惡化的無人森林中，他們等著一個跟蹤的人即將現身地緊張而擔心時，那鏡頭那麼遠那麼久那麼冷，完全不是這時代某種西部片或動物動畫片的胡鬧，而是無限接近眞實的殘酷……因爲，從荒林中的糟老頭和怪少女的眼神中往前注視，遠遠看去，竟然那麼地荒謬而奇幻……那鏡頭裡孤寂而可憐地出現了一個穿熊皮的江湖郎中牙醫，在林中出現，又緩慢又殘敗……竟然就像一隻眞正的疲憊的熊在騎一匹累到快垮的馬。

我跟她說……或許，那是另一種更恐怖而更內化的遺棄。一如更誠實地去面對自己的身世、面對自己的過去和未來的人生的假設的荒唐……種種的哭笑不得……都太眞實又太不眞實。我跟她說，我想到以前的一個夢裡，父親走進來了，站在那明亮的大樓門口等我。我發現他化了妝，而且是一種很年輕很誇張的妝。有點鳳眼，眼影很深，粉很厚，我跟他說他化得眞好，一邊心裡想著，應該是J幫他畫的。J站在門外，從不遠的落地窗邊看著我，並和我打招呼。我說：「爸，你看起來好少年啊！」雖然，他仍還只是全身穿保守的正式西裝，打尋常領帶，一如我記憶中的他。其實已是中年了的父親笑了笑，只是尋常的問候和我開心地說話，但也沒特別說什麼。

我並不認識J，但在夢裡好像認識，J是一個年輕的男的，很秀氣也很客氣。我在夢裡，並不確定他和爸的關係，但他們顯然很親近，甚至比我和爸還親近，一定不只是工作上的夥伴或助理，雖然也不一定是同性戀情人吧！我並沒有多問。但在夢裡，我好像知道，而且也知道很久了。所以J的出現並不令我吃驚，反而是父親化了妝的臉，讓我有點意外，但我也沒說。

在父親那個年代，或說在我小的時候，是沒有「同性戀」這回事的，也沒有「男人化妝」這回事，甚至是沒有他「帶情人出現」這回事的，父親從來沒出軌過，沒不正經過，或說在印象中，他從來沒有不像個「好爸爸」過，在那個保守而純樸的年代，他是太「明亮」了的一個男人。所以，在夢裡，他這樣的和J出現，或我的一點也不意外的反應，反而令夢醒後的我好納悶。心裡想著，或許，那時太小的我從未了解過他的可能較陰暗的另一面。夢的後來，父親和J離去，我待在大樓門邊落地窗的另一個角落目送他們。

更後來，我就沿著大樓旁邊逛到了另一區，那裡也很大，但較陰暗，像古董家具的老店，我就順道走進去，隨意看看。但再走進去一點，發現有一張雕工很精巧的古董麻將桌，我仔細看了一下，有些很奇怪的春宮圖案花樣，刻在桌邊的木柱上，有的是歪斜的男女交歡姿勢，有的是如歡喜佛式的肉身纏繞，有的乍看像桃園三結義故事中的很多將相兵卒陣式但近看卻全都長得像赤裸的女鬼、妖精成群在吃人狂歡，但，刻得傳神極了。我越注視就越捨不得走，正看得出神時，突然有兩個老人，靠了過來，一個跟另一個說，這些刻花是很奇特的，當年這古董桌是一個好像發瘋了自稱姓愛新覺羅的老人拿來脫手，低聲說起當年有個家族的長輩多迷這古董桌，聽說只要坐到左柱上有刻女鬼的那側，用腿靠緊點磨蹭，牌就一定會糊。

那時，我聽得不太清楚，也半信半疑，心裡總覺得他們是胡說的，但一抬頭，發現J和父親並沒有離開，也正站在我旁邊，也聽得入迷。

顏麗子是如何把寶島大旅社蓋起來的（第12篇）風格。

寶島大旅社的建築風格，引起太多爭議……太歧異到至今仍然無法被明確地定義。甚至，被當成一個日本式的最崇尚也最反叛「西洋歷史式樣」的洋樓公案。

在當年，那是充滿歧異的一個學術辯論的美學定義的公案，因爲，至今仍是個著名的公案。因爲，據當年建築學者嚴格定義的討論，「西洋歷史式樣」仍只是一個籠統的集合名詞，意指的是建築以西方建築史分期中曾經出現之式樣爲藍本作爲表現的復古風建築，對於這些洋樓，稱法仍然十分分歧：有「西式建築」、「洋式建築」、「西洋建築」、「後期文藝復興建築」、「西洋古典建築」種種名稱，但是，這些名稱都無法闡述臺灣和寶島大旅社同時期的這些建築眞正的具定論的意義與故事背景，或許，比較接近的名稱應爲「西洋歷史式樣建築」，因爲可彰顯其應用十九世紀世界「歷史主義」盛行下各種式樣的故事背景，一九一〇年代，遵循西方歷史式樣建築構成的建築隨著受過專業建築訓練的技師來到臺灣，當時也適逢日本大正盛期，臺灣日治時期的西方歷史式樣在經過初期之發展後，逐漸綻放出美麗的花朵，幾乎是重要的公共建築莫不是崇尚「西方歷史式樣」。

甚至，因爲日本這些浪漫的建築師再加上高明的本地工匠的手藝……所以，竟然造就了許多超越日本本土建築美學的建築奇葩，寶島大旅社，就是當年最被注目與爭議的建築奇葩。

因爲，寶島大旅社對「西方歷史式樣」的崇尚……已經繁複到近乎瘋狂的令人髮指的程度，或許，這是另一種對「西方歷史式樣」更迂迴更奇幻……的反叛。整個建築幾乎混合了所有的歷史式樣，然後又長出變形的、複合的、混生的、雜種式的……種種更乖張猖狂又自我繁殖的自由古典風格。有許多紅磚外貌與橫貫立面的白色水平裝飾帶狀牆頭，但是屋頂並無一定形式，開口部基本上應用嚴謹的古典元素，但是又奇怪地複合成某種變異的紅磚折衷風格，意即雖然主要特徵爲紅磚，但沒有明顯屬於任何式樣之主導元素，有些建築會使用拱圈，入口處或端部會突出處理成非古典系之其他語彙或者是非正統之西方古典建築語彙。

入口的一樓主要大廳走廊是另一種紅磚拱廊風格，特徵爲連續磚造拱廊做爲造型主導空間的特徵，建築不會應用大圓頂及馬薩頂等西方歷史式樣建築之重要屋頂形式，連續拱廊中也不會出現古典系之山牆或圓山牆之門廊。

立面和部分花園則怪異地出現巴洛克風格，採用古典柱式作爲主導，也有雕塑修飾或比例被扭曲、誇大，壓縮……以造成更戲劇化效果，裝飾明顯增加，使用繁複到令人不安的曲線。四樓屋頂的屋簷，是類似第二帝國共和時盛行的一種式樣，其主要特徵爲對稱方塊量體、突出中央翼、出挑支撐式屋簷、古典裝飾語彙與馬薩式屋頂。但是，二樓的迴廊，是新古典風格，特徵爲古典建築元素原型的採用，特別是山牆式門廊與柱式都是標準的古典作法，也有少數地形變。三樓走廊出現仿羅馬風格，主要特徵爲倫巴底帶、盲拱、複合拱圈與中世紀籃式柱頭，有時候也會在空間上應用修道院般的迴廊。在屋頂，也出現了部分的仿哥德風格，有尖拱、簡化之尖塔或小尖帽、扶壁、彩色玻璃、雉堞形女兒牆、四葉飾等西方哥德教堂之引用風格。有些房間甚至出現更多異國風格，主要特徵爲應用埃及、印度、馬雅、印地安、拜占庭等非哥德、非正統西方古典系統建築之元素，在構成上自由到完全無定則的混合風格，只是所有風格卯柱身上都始終出現了種種變貌的蛇形糾纏不清的杜頭雕刻主題反而很令人費解。

但是，在寶島大旅社的最高樓端，在極繁複「西方歷史式樣」屋頂的尾端，竟然出現了更奇怪的一個觀音堂……那是因爲顏麗子而長出的另一種既崇尚又反叛的建築風格縮影……

太夢幻了……那是一個極小型但極精美的中日西風格更怪異混合風格的觀音堂，甚至將臺灣式的風格融入了日本和式及希臘巴洛克式風格，和「西方歷史式樣」不同，而且也與臺灣傳統廟宇不同，但是，又彷彿從兩者長出而有點混合形變出來的……觀音堂的格局比某些小廟的正殿還大，甚至，四周有廊，觀音堂主要爲重簷歇山式的木造建築，構材多爲檜木，木作雕刻卻以蛇首蛇信蛇身的蛇鱗圖案來代替傳統的花草人物，外牆爲日式清水磚牆，屋頂採西洋壓簷牆法，下簷加簷牆欄杆，迴廊柱頭爲希臘多立克柱式造型，殿前有一六邊龜甲造型水池，池中原有八尊著名匠師雕琢的八仙石像。觀音堂內有銅製天花板、十八羅漢洋式框架壁飾及日式神龕，觀音堂的建築正面還有一座更怪異的牌樓，刻有「心即普陀」字跡及毛莨葉的泥塑裝飾，觀音堂內兩旁有泥塑鏡框，採西洋風格的裝飾，吊燈及壁燈皆保留日治時期的東洋燈飾風格。觀音堂主祀觀音菩薩，兩旁供奉註生娘娘與福德正神，雕像有點臺灣匠師味，但又有點日本東洋風……甚至，觀音堂前的長得像巨蟒身纏繞的龍柱也極精美生動，其上落款大正年代，柱身呈圓形多鏤空雕，四爪握珠，口中含珠，爲典型大正時期龍柱造形的顛峰代表作。

在寶島大旅社，在這個古怪的洋樓裡……好像任何風格都同時出現也同時混合也更同時地自相矛盾地形變而繁殖起來。這或許正是森山用來既崇尚又反叛「西方歷史式樣」的登峰造極之作，因爲，這個傳說中到處細節長出蛇形雕梁畫棟隱隱約約潛伏的風格最歧異最形變的建築……就像蛇是活的，甚至就像還在長，還在寶島大旅社裡祕密地繁殖……

寶島部（第7篇）好兄弟。

一

那是一個關於我們兄弟的夢。

我們在一個天空極陰沉的下午到了一個又小又暗的舊廟，像某種萬應公或大眾廟那種好兄弟被拾荒屍野骨來做功德所臨時拼拼湊湊成的又怪又不成形的破房子，但是，又好像有什麼奇異的陰沉的什麼在其小小屋身旁籠罩加持，揮之不去而且充滿懸疑的玄機。然而，仔細端詳，有點破口的香爐也許久沒有香火點燃過，舊廟身前後的老壁體門檻都已然積塵極厚，也乏人問津許久了。

其實，那個廟就在荒涼的山路完全沒人的路邊，甚至就在一個斷崖旁。從外面看只像一座鐵皮都已然髒兮兮的老鐵皮屋，某種山寨的屯積運貨轉手中途歇腳的草率搭起的舊倉庫，或臨時等車時賣點雜貨涼水的破亭子。

我不知道為何我哥哥叫我來看，因為他說他被這個廟的神明救過，所以發了願，要來這個舊廟裡幫忙，甚至可能的話，他還想整座廟身都要重修。

我一走進那廟裡頭，就被嚇壞了，但是又非常心動地被迷住了。

我跟他說，這個地方太老了，老到不太能動，或神明自己也太不想動了……我們能做的很少，或許就只是整理裡頭某些角落比較髒兮兮的地方，或許把比較格格不入的案上的陳設玻璃杯盤帶走，「或許，」我盯著有點失神而慌慌張張的哥哥說：「就是完全不做。」

那時候，我們正走進那個廟的神明很多但大大小小站在很後頭的陰暗角落，看到天空從廟頂的破洞有一道奇幻的光射入，可以看到好多奇幻的狀態……尤其是廟身末端的神明的臉孔神情都很莊嚴又很天眞，有的石頭雕法很樸拙到只有一兩刀刻出五官模糊的樣貌，但是由於那廟身死角太老太潮濕到使其臉上都已然長出雜亂的青苔，很多仙的暗淡苔痕甚至長成像長辮烏髮虯髯一如那種山中修煉太久未出洞窟過的老妖怪，甚至，許許多多的舊石刻小仙的像日本地藏廟中很多尊石雕披紅披風那種小孩們，細看也極度地令人不安。

後來，哥哥不知爲何堅持一定要進去神案拿筊出來擲筊，後來，在窄小陰暗的末端走廊裡的他卻一直找不到筊，後來找到了卻鎖在一個長滿蜘蛛絲的舊玻璃櫃中，怎麼拿都拿不出來，就這樣，哥哥滿身大汗地在那死角裡找那對他有恩的廟公曾託付給他過的老鑰匙，就一直找還一路撞到很多桌上的法器，撞倒好多不該撞到的，一如有看不見的什麼在擋他，甚至，他一急，動作誇張了點，到後來，在角落一大力轉身甚至就撞垮了整張神桌。

那神桌太古老而太脆弱了……尤其是雕工太講究到近乎玄奧的方形桌面已然非常陳舊地黝黑，彷彿是有什麼附身在上的某種濃郁氣息，老方形桌內全部弧形，一如不規則雲彩，甚至彎曲複雜到像一種古傳說中曲水流觴亭的曲弧形螺旋線條，而且非常奇幻地環繞了整張方形的桌身。

哥哥說，還有更神奇的變形……可以讓所有的弧線在轉了九十度之後再向另一個角落轉九十度，但是要用某種奇怪的角度的彎曲與摺疊的高難度技巧手法，一如魔術般地，竟然在某幾個插銷的老扣件的扭動中，逐漸地，所有的黝黑曲曲折折厚漆酸枝木桌面的勾縫竟然就可以完全折入彼此的曲弧度中，最後那曲水流觴般的多彎多弧桌腳竟和那一如不規則雲彩的桌體完全地扣接完成，而一如折戟沉沙地折合而完全變形了，變成一個只是長型窄身的線條俐落的有許許多多舊鑄鐵扣環的老式木箱。就在我吃驚地看著哥哥將整個神明桌一如清代最精密多層多格摺疊的神祕藏傳放佛骨舍利百寶箱的變幻時，他竟然一把扛起那個老神桌往廟外頭山路邊的斷崖拋出……

「普渡，七月半鴨不知死。」我跟哥哥說，我記得以前姑姑說過：「不是不怕死，是不知死，不知死，是不知道怕……」

那天，後來車窗外頭下起大雨，雷聲還一直巨響。好怪，後來就邊下大雨邊出大太陽。天邊出現了雲層黝黑中的彩霞光澤，像是天兵天將護航什麼天上的神明出巡般地壯觀……

我們兄弟仍在那路上等候下山，那八卦山大佛旁的老舊厝骨寶塔的現場，今天人太多了。後來要走的時候……等了好久，但是所有在等的家屬都顯得出奇地安靜。

有一台車上還正放江蕙的凄苦的那哭調的歌：「阮將青春嫁治恁兜，阮對少年隨你隨甲老，人情世事已經看透透，有啥人比你卡重要，阮的一生獻乎恁兜，才知幸福是吵吵鬧鬧，等待返去的時袸若到，你著讓我先走，因爲我嘛不甘看你爲我目屎流……」在所有的香火氤氳地環繞中，我始終一直無法不分心，因爲我仍然記得那又破又髒的寶塔一樓門洞出口有一個很莊嚴但卻很老舊的神案上對聯：「神光有感長納千祥。佛法無邊永招百福。」中間是有雨漬的慘白觀音畫像和一尊極老金身的髒兮兮關公背後插一支蛀了大半的血紅老令旗，再過去死角的旁邊是斑駁香爐用嗆鼻廉價線香的薰鼻怪味和瓦斯氣口一如舊式機關槍口那般點火的老油燈。整個寶塔是那麼地頹廢落拓……而且我們也太久沒來了。

更後來，在山路中，雨越下越大。

「有時候這麼大了，我還是會覺得自己是不知死，也該感謝事情沒有更壞。」我跟哥哥說：「七月半鴨不知死……小時候，我們那鬼月時如果想去游泳池或爬山或到海邊那種種危險的地方，會這樣被罵。」

看到路邊在拜，很多桌，上次回去彰化吃普渡時。記得上回姑姑帶我們來的時候說過……普渡其實是整個月都在普……各種行業、各種地方的拜法和例……都不同。最後是菜市場普月底。所有民間的大間廟大門都關。從初一就關了，古早就這樣。現在還是有在放水燈。他們現在中元節都做很大。在基隆最熱鬧，其實七月在水邊很陰……要很小心啊……」我記得最嚇人的是找替死鬼的說法……

那回姑姑指著寶塔的牆上所貼的普渡的緣由：「橫死之人，溺水、車禍、意外、凶殺，就成了惡鬼，除了吃不到東西之外，因突然死掉，陰間沒有戶籍，沒有辦法進入報到，結果要『討交替』。『討交替』就是要找替死鬼，好像要有人頂替他，他才能去陰間報到。傳說中，橫死後，三年內要找到替死鬼，要不就永不得超生。於是，惡鬼一天到晚霸占路頭，給人災厄。民間深信這傳說，非常害怕，便覺得需要安撫祂，才不會生病、不會出車禍，所以就以祭拜或燒紙錢打發祂們走路，希望祂們不會作祟。」

姑姑還說：「鬼月一定要普……普渡在古代的水陸法會一定做得很大……現在也還有……『水陸法會』那麼大的場面需要有功德主。就是水上的、陸上的、聖啊、凡啊，不管神聖或世俗的，統統一律救渡。因常常徵功德主來捐獻，法會有大有小，有的作一天、兩天、七天，最多還到四十九天的，我小時候看過八卦山大佛這裡的厝骨寶塔前場面可是非常地浩大，有外壇、內壇，內壇擺什麼像，外壇擺什麼像，念什麼經典，統統都要有。現在已然沒有那麼熱鬧了，也越來越沒人在乎了……」近來身體越來越虛弱的姑姑嘆了一口氣低聲地說：「這寶塔越來越舊了，等到過幾年，我要燒進來住，都還不知道在不在？」

我問哥哥：「你還記得嗎？有一年普渡。我印象最深的是有一年爸爸帶我們全家去看搶孤……」在那頭城的那夜，那殺氣好重，太驚人也太動人，但是大家那時候太小，近乎快嚇死……那麼地害怕。一開始還好，只是前頭的頭城人家，掛起沿街的豎燈篙，竹竿掛燈的某種暗示牽魂，但只是比較小比較素……的召喚。頭城的那一種儀式也是從七月初一鬼門開就有，全城在家門口豎燈篙，插起很高的竹竿，上面擺燈籠意味著通知餓鬼開始餵食了，用燈通知餓鬼，亦有照明之意，免得鬼晚上看不見路，這是很有意思的，因為覺得鬼也需要燈。我始終覺得有些牽強，但是卻也被那些燈火的盛況所迷惑，一直在想像著某種百鬼出巡的狀態，鬼在黑暗中行事還要特地為祂點燈，像《倩女幽魂》中那種妖嬈場景中陰森但炫目的華麗。

「但是搶孤還是一場最高潮最核心的硬仗……」我說：「我可是一直到站在現場的混亂瘋狂中。才明白這是什麼意思。那時候。太小了可真的嚇壞了，現在想想……那才是眞正的好兄弟……眞正的鬼。」因爲「搶孤」是那些想像中的孤魂野鬼，在空中飛，在混亂中找祭品。

小時候的我有一段時光半夜還常常會夢見自己就這樣只要一睡著就飛起來，在孤棚的那些高聳的巨型竹架之間巡迴演出，在每一根孤棚的竹架頂扮演一種動物神，十二生肖的怪妖魔，從扮獐頭鼠目的老鼠到扮胖得要命的豬……用力一跳就可以在半空中從孤棚跳到另一根孤棚。還看到很多小朋友跟我一樣在上頭飛來飛去……他們雖然也穿我們太子龍的學生服，但是，有的小朋友卻沒有頭……就這樣，一起玩，一起飛……那時候，還太小還都不知道怕。

所以我一直很迷戀那爲了擺在半空中而架起的「孤棚」，一如我童年夢中的神通降臨歇腳空中樓閣般的神話規格的阿凡達式飛禽怪獸的停機坪或太空艙……永遠是那麼地壯觀而近乎瘋狂地高聳炫耀。現在想起來，那幾乎是最惡夜的惡靈古堡。用最古代的工法所搭出最粗陋但又最奧祕的形貌……在高達十層樓的摩天樓般巨型竹架中。密密麻麻的魚肉菜蔬罐頭瓜果，層層裝入擺滿的種種往往腐爛在半空中的牲禮……用來祭鬼。

甚至，還要化食，意即鬼有成千上萬，東西雖多，東西雖多，還是不夠吃，所以作法將食物變化成更多。然後，進行「搶孤」時；一如餓鬼的人要搶。因爲，東西雖多，不搶還是吃不到。於是餓鬼要攀爬這十層樓的棚，象徵鬼搶食；壯丁搶「孤」衍生成這種壯舉……像成年禮的出獵野獸或像出草人頭，在這不安的地方長大，這些不安的小孩要長成大人是要付出血肉的……

所以，搶孤當然就是要很危險。我到長大之後才明白那是一種多麼不安的儀式，甚至野蠻而瘋狂……當然，就是一定要有意外、有摔身、有危險，才能取得這麼如有神通般強大的虛榮，那麼地繁華而愚昧，這就是餓鬼，這就是某種因飢餓也因爲怕鬼而發展出來的無法無天。

那麼像我們，我們所害怕的所不安的什麼，被用這種召喚出的那充滿了奇幻的古代神通，已經太久沒看過的近乎像座魔山的搶祭品的神通。

「但是，我那時候太小了，後來還在人群裡跟你們走散了……天啊！所以，就像掉入了一個最恐怖的噩夢或最驚嚇的鬼屋裡。」但是，我只記得所有的人都在尖叫式的歡呼，也都在看天上那搶孤太高了的孤棚的神通……

「後來媽媽還帶你去收驚！」哥哥問：「奇怪，你怎麼沒有哭！」

「我也不記得有沒有哭了，但是我記得媽媽哭了。我只是一直往那很亮很大間的廟和廟埕前頭的孤棚走去……爸爸找了好久，後來才在那孤棚下頭找到我。但是，我沒有害怕，只是說我好餓，一路上想偷搶孤棚上的王子麵來吃，但是，怕吃了會拉肚子，像阿雄那樣去吊點滴。爸爸沒生氣。反而還拍拍我的頭。笑我是餓鬼投胎的！那是我印象中父親少數幾次的笑……我大概就是姑姑說的那種不知死吧！但是我後來三十年來，還作過幾次噩夢也就都是還困在那個頭城的晚上，在頭城的孤棚，我就是飛不起來，而且，地上人太多了，還是怎麼走都走出不來……我一直在找你們，但是，爸爸卻沒有出現了。」

但是等下山等太久而開不出山路的哥哥，聽到這裡，心情有點好又不好的他邊笑邊說：「以前比較可怕，現在都比較可笑而已。不用到山裡頭去搶孤。現在臺北也很多搶眼的拜法，甚至那些大型的百貨公司。也是拜普渡拜得很用心，但是卻是因爲要保佑生意做太好太大了。但是，現在的好兄弟可能也常去百貨公司逛逛……就像有一年那微風廣場的年輕美女老闆娘，搞得一整排走廊柱面上都是她。她用各種性感姿勢穿各種時裝，自己當模特兒做成八公尺柱子高的輸出海報照片當廣告……很誇張。

使得一般路人走過去都只有她的小腿到膝蓋那麼高，所以當普渡的十幾桌很澎派的供品擺出來，就更誇張了……都在她腳下。一如我們小時候那麼多盤或更多盤的陣仗，而且還眞的每盤都插香都點著了……所以所有的香的煙往上飄時，就像她高跟鞋旁的蚊香，尤其當大家都拿香，站在她的膝蓋左右高，認眞地拜拜。

遠遠看過去，所有的員工，好像一斜抬頭……都正往上看，就像是往她的大腿絲襪和迷你裙的深處……拜去。」

二

我想到了我自己是如何長大的很零碎的某些在長壽街老家又暗又深角落裡的片段。

有一幕畫面極度荒誕，又痛又可笑，所以比較印象深刻點。

也因爲，那可不能算是個故障的童話啊！

相對於我們馴良的童年，七個小孩，一如好兄弟般作祟而竟然在姑婆房的那古董床旁的榻榻米和室裡撒野地玩捉迷藏。

那房間，一向不讓小孩在那裡玩的，因爲怕吵到喜歡安靜的姑婆她老人家，三個姑姑一向很小心照顧當年裹小腳長大而那時已然很老的姑婆，和我們這些野獸般常失控的小孩……

那一回剛好姑婆到後院澆花，姑姑們都在忙，我們七個堂兄弟姊妹就約好一起溜進那個大和室，準備一起玩一個難得的所有人都在的遊戲……就緊張得一起圍繞著地站在和室的正中間，準備捉鬼，由於那種老式的日光燈還用吊索垂下的一顆雞心大小的頭來開關，而且那索就懸在那房間的正中間，大家都有點慌。因爲從來沒有這樣玩過……

那裡，對我們，對在長壽街那個家，那個當年的大家族而言，是一個不能隨意進入的密室。

遊戲總是在所有人都還沒準備好的狀況中就開始了……不知爲何，我和最大最高的哥哥站最裡頭，燈一關，全黑，所有的兄弟姊妹都四散逃開，只有我沒有動，黑暗中，大家推擠，又跌倒，又閃躲。

但是，實在什麼都看不到，只有某種奇異的歡樂又危險在裡頭發酵。神祕而緊張，就在所有人都還不知道發生了什麼事的一陣混亂之中。

我突然感覺一陣劇痛在頭上，而且同時聽到咔一聲，我不知撞上了什麼……

燈開了。

密室消失了。

我的頭腫了一個包，但是哥哥卻撞斷了半顆門牙！

提起這段故事的那時候，我們才正要從萬里山上天祥寶塔掃完墓下來。坐在哥哥開的車上。

他邊開車邊說：「之前的公司狀況不好。但是，由於我的斷食禱告和主的神通加持，最近好像有了不同的轉機……生意不知道為什麼從天上掉下來？這不容易……公司是你自己的時候，風險很大。但是，可能性也很大，最近聯絡上的海德堡的線很好，是國家級的癌症中心，研究部門產品很新，做肝臟的軟體，還可以看癌症的數據分析……除了醫院，可以做藥廠，轉移的時間有沒有延長，臨床實驗可以減少時間做影像。只是不知道要多久才談得成這合約，這種軟體從主機電腦分出來，在德國研究中心還在測驗，如果這個合約可以談下來，可以吃一輩子……」

我看出車窗外，在蜿蜒的山路中，由於顛簸得太嚴重，我開始有點暈車。

那斜坡切割的地形地貌，就像在我前一天的夢裡，我們三個人奇怪地困在垃圾山上，又大又臭，我們一直走不出去，而且走太久了，從早到晚，我想準備找東西吃，因為實在很餓……走了好久，就在某個山腳下，看到圍牆裡一整個園區很大，我站在外面往裡頭看，有些舊時代的工業廠房機械。而且出奇地巨大，但是現在已然廢棄很久了。而且有救護車的聲音，外頭的山路塞車，橋下完全不能動，我們很慌，但還是走不出去……

我沒跟他們說……

但是這裡山邊的路上，也出現了好多廢棄廠房，還出現好多長相奇異到像聊齋屋的建築……奢侈但俗氣的新裝潢現身的美樂地情境汽車旅館，有兩個泥塑仙姑像站在門口接客的古怪客棧風格的向日葵養生料理，還有醜陋標楷體電腦字樣叫做臺北大國的靈地泛黃輸出照片，在那些無比新奇而怪異的新店家前……我頭更痛了。

所有的風光都變得扭曲了起來……就在這時候。突然在路旁的幾棵大樹圍出的一塊不大的山凹地前。就在「小心山林火災」的又髒又鏽的路旁告示鐵牌旁……出現了一個很誇張的廟，有種無以名狀地更為奇怪，廟門入口匾額題書的毛筆字，居然叫做五龍老祖廟，天啊！我心裡納悶著，這廟太稀奇了，竟是龍王宮，但是爲什麼會開在深山中，還開在萬里，山路開了好久還是山路的深山裡。

廟身不大，但是很鮮豔而華麗，金碧輝煌的屋脊，有兩隻極生動到近乎要騰飛的交趾燒的龍身，在後面天空的灰沉沉的雲層背景前看去，雖然形貌好小，廟裡的雕梁畫棟甚至柱身牌樓的每一個角落每一個細節，都盤踞著大大小小的怪異長相的龍身，所有的龍都顯得奇異地妖野而瘋癲，像有種邪神保佑加持……像在日環蝕的烏雲密布閃爍刺眼金光那般地古怪炫目。

「曼谷那個韓先生也是做這個的……他們發展出的另一種新的軟體，一種更快的介面，可以把大腦神經的連結電腦做雲端運算，轉檔和德國的系統不一樣。但是也很可能可以和臺灣的醫療的雲端系統連上……現在，這個很夯，彰化最大的秀傳醫院，電腦部門獨立變一個公司，現在醫院醫生已經要用ipad巡房。甚至……未來。所有病人的病歷都上雲端。」

哥哥笑著說……「直接在雲上面看病就可以了，哈哈！」

「我們都太小心了。不敢冒險。」我說：「因爲爸爸的失敗……」

「但是。或許這種太小心……來得更早。」

「我有一個壞習慣。」姊說：「我小時候都不喝水，因爲我很容易上廁所。」「所以我會因爲那樣，不敢上廁所，甚至得腎臟病。」

那是我們小時候長大過程的寫照。「其實我也是。因爲，我們都很愛面子，都很小心，我們在一個公共場合時，會小心……這種事情，使我們很容易變得很扭曲，我從此養成了一個壞習慣。」這種轉折，很不容易解釋。因爲這個所謂變壞的轉折有一個很奇怪幽微的過程。應該說是……有很多很碎的事，在裡頭。

我跟他們說：「其實，我從此養成一個壞習慣。」這句話它代表更多事，更多不得不的扭曲，當然那個壞也有很多可能，很多解釋，一如讓身體不好的更多起源，一如逃離現在而做些跟別人不一樣的事或自我放棄或有意無意的自虐。

哥哥對姊姊說：「其實這就是你會生病的原因，失眠，胃痛，便祕，這是同一種事情。然而，一開始，你說你之所以養成壞習慣的原因爲了讓別人接受你，爲了不讓人覺得你故障了，但是，卻也成功的讓你接受別人，接受和別人相處的方式。可是，後來，你進入這種成功被別人接受的時候，你就不得不要忍耐一些事，其實這中間有很多事情，要忍耐。長大之後才知道這很重要，因爲我們在一個條件很不好的地方長大，所以大家都要忍耐彼此的條件，才能夠生存下去，所以要乖要規矩要謹愼要替別人著想……種種。這是美德，所以養成壞習慣，有時候不是刻意，而是沒辦法。」

「壞習慣是用來抵抗那些難以忍耐的美德。故障，卻就是故障。」

我說：「那我們爲了不故障，就會在另外一個層面碰到另外一種更難的問題，這反而是我們更難的內心更深的期待與恐懼。那就是……我們到底想要什麼樣的人生，我們要如何進入那個人生。

但是，現在所有的壞習慣，都變了。對哥哥的小孩這一代，人生如何要或如何進入的所有長大的困難，和我們那一代完全都不一樣了。相對現在才長大的這一代一開始就故障的小孩……這些好兄弟們所占領的小時候至今的人生種種，都變了，都轉折了，都轉折得太曲折了，都跟我們小時候不一樣了……」

姊姊說：「現在的小孩，都被寵壞了，像是一個故障的仙女，完全自閉地活在一個故障的童話裡。一如，那個和我們一起長大的表哥的女兒，從小很嚴重，不但不跟朋友往來，甚至不太跟家裡的人往來，高中三年的病，都是裝的，甚至，和媽媽一起罵爸爸。後來被勸才去看的心理醫生診斷出來堅持說她是裝的，但她媽媽不相信。又過了好多年，現在已二十六歲，大學畢業兩年了，那女兒才承認說當年都是假的。她大學從來沒去上課，但還是畢業了，之後都躲在家裡完全不工作。」

姊姊說：「我們家裡的姊妹，和你們這些好兄弟們，從小就不可能沒禮貌，怎麼可能不跟人往來，那是一種一點也不難的教養啊！所以，所有故障都是有原因的。或許是這時代太寵，但是，也因爲她媽媽太寵，所以更誇張的事更多。那女兒有一次剪了頭髮，回來路上有人說她可愛，她突然很生氣，回到家，臉色發青地開始用力地猛拔自己頭髮，拔到兩手都是血，家裡的人都嚇壞了，所以她媽媽又給她一筆錢讓她去重新剪，事情才平息下來。

那故障的仙女的好兄弟也很糟，因爲她弟弟有躁鬱症，什麼學校都考不上，後來就先去當兵，轉念軍校，才念一個禮拜，就因爲吃不了苦，說念不下去，說謊是生重病，後來也是他們的爸爸媽媽去賠錢。後來就關說進了在一個公家機關工作，那麼輕鬆的缺，竟然連幾天的受訓都沒過，就只好放棄……現在每天就只待在家，不出門，成天打魔獸……後來，他更迷上了另外的奇怪而近乎奇幻的版本，也就是……《仙劍奇俠傳》，那是十五年前臺灣最老的線上遊戲。連他故障的仙女姊姊都說好難玩也好難看。但是他還是一直迷，一如這遊戲仍然極受歡迎。而且還繼續不斷地出新的版本，更辣的女殺手，更炫目的武器……一如他和更多他的宅男同學們一起更迷的《變形金剛》，一直出了更新更笨的續集，一如對這一代如何故障的預告。那些再怎麼巨大都還是玩具般的好兄弟們是如此可笑，即使他們的高科技完全超乎我們對時間和空間的理解。他們要重建他們已經被毀滅的母星，用地球的座標，發射激光塔的數百個同時的聚集而召喚出來……那個在過去就已消失的未來。」

我說：「其實，我好羨慕這些好兄弟們，他們的在過去就消失的未來，那種沒有罪惡感的入迷，那種玩遊戲一如玩具般的人生。因爲，經過了那麼多年，還就是一直到最近，我才開始可以故障一下，躲到一個雷同的故障童話裡，不著急也不怕放棄，就只是用來認眞地想自己到底想要什麼樣的人生，自己要如何進入那種人生。雖然，我至今卻越想越不清楚，也越故障。」

「大概你們相信主，對這些好兄弟怎麼可以這麼忍耐……」我笑著跟他們說。「一如忍耐現在故障的我，忍耐我們童年往往一如那黑暗和室的玩笑與混亂，一如哥哥你是怎麼忍耐那被我這笨手笨腳的弟弟所撞斷了半顆門牙的痛啊！」

三

像一種最恐怖的鬼片那種恐怖……

有一年，我陷入一種很難描述的狀態，死去多年的父親在那年的那一整個鬼月竟然每天都出現，長相完全和生前一樣，穿考究的絲質睡衣，即使寤寐，還是優雅體面極了……那是在半夜，一如生前的他總會起來，走過客廳到廚房，打開那雕工極細膩的古董酒櫃。倒一杯年份很好氣味也很好的老紅酒，在他拿出的那晶瑩剔透的銀座手工長腳玻璃杯，坐進他那張米蘭手工訂製的小牛皮單人沙發，在那種時光荏苒又永不消失的極緩極從容的奢侈感中慢慢地啜飲。

喝了好一會兒地彷彿喝到有點微醺了，然後才轉頭問看著他太吃驚而完全說不出話的我，慈祥而期勉地……

他老是用一種太不像父親的那種太溫暖的口吻，安慰著我說：「怎麼這麼晚了還沒睡，人生不好過，人也不好做，別太用力，不要念書念太晚，對身體不好。」然後，才會又繼續緩緩地喝，喝完了那一杯，又沉浸於那暗淡角落的老皮沙發好一會兒，才接著又站起來，又再緩緩往房間走回去……

一如昔日，一如所有的細節都還是在時光中凍結，彷彿他還活著，彷彿他根本就不記得他已經過世了這件事……

每天晚上都會出現，每天都會用同樣的那種優雅體面的手勢倒那杯考究的酒杯裡的酒，那種玻璃杯太細膩的光澤散發的迷人酒紅，那種義大利手工沙發小牛皮坐久了才瀰漫在手感與氣味的沉浸迷離，到後來，太多細節都太逼眞了，令我都不禁開始懷疑起他到底是不是眞的死了……

在那個鬼月，太像活人的那種種近乎昔日那麼逼眞到令人恍神的悲傷與懷念……反而更令人恐慌。

一如小時候更多更令人恍神的恐慌。

一如「這些好兄弟爲什麼我都看不到？」小時候的我常在想。「如果這些拜拜的碗……眞的有好兄弟在吃嗎？爲什麼我看不到？」或是「那些拜過好兄弟的東西可以吃嗎？祂們吃過了我們再吃之後會不會出事？」彷彿那些餓鬼的怨念仍然會殘留在祂們吃過的菜上。吃口水，吃祂們殘餘的口水，透過口腔的黏膜或嗝或痰或種種分泌物過剩的不乾淨，彷彿仍然在作祟，仍然我們眼睜睜地看著這些菜在桌上在路上的桌上，在太久又太神祕的拜拜的時候感覺到那種種更深更不免的氣味的逐漸腐敗，像沒封口的混了太多剩肉剩菜的廚餘及其餿水，或就是棄放過久日曬雨淋太慘烈的舊垃圾的令人掩鼻的惡臭。

但是，這些逐漸腐敗的惡臭還更奇蹟般地混了另一種異香，另一種由沉香和線香和燒金紙種種甚至還混了米酒揮發出來的更古又更濁的香氣，甚至，這種又香又臭的令人難耐，還更混了我們的更難耐的體味，那種等拜拜待太久而天氣仍然太燥太熱使我們自己身上更充斥揮之不去汗漬狐臭的體味。

就在，那香，那香灰，那燒冥幣不斷竄起的火苗，那種種令人暈眩的午後出現的高溫，一如蒼蠅盯上爛肉的始終揮之不去，都同樣逼人地糾纏，用我們感覺得到或感覺不到的不舒服……畢竟這些都是會充滿了像帶著詛咒的暗示。令人老覺得不祥的不安。

就在這種種種異味混入最後盛暑不免汗流浹背的汗臭中，小時候的我，老是會想著，普渡是什麼意思？鬼月是什麼意思？或是更逼近地想起好兄弟是什麼意思？

就在這種種我老想起來太多童年裡的又怪又臭的異常異味場景的現場。

那些畫面裡的那些好兄弟……是否就像是那種種從小在十殿閻羅掛軸的十世惡鬼，或像城隍廟裡看到的所有的魑魅魍魎，那麼頭角崢嶸地猙獰，打開枉死城的冤魂惡靈全部都現身而降臨了，有的有四肢萎縮病態地枯瘦的飢民般的手腳，有的全身腫脹如浮屍地那種泡水太久的爛熟得血管可見肌膚地醜陋噁心，有的只有一張化膿而眼看就將爆噴出濃稠分泌物的鬼臉……但是，都栩栩如生地懸疑地懸浮在半空中。

那些好兄弟到底是什麼恐怖的長相？

在我小時候，在那個年代還沒有《魔戒三部曲》或《哈利波特》或《惡靈古堡》或種種線上遊戲那麼多電影特效的逼眞形貌地駭人，那麼逼近又逼眞地將種種腐屍的潰爛汁液的傳神，器官內臟爆流的細膩，枯骨殘肢半人半妖就赫然現身的萬鬼出巡的諸般瘋癲戰慄……

但是，在那條普渡的大街的異味煙霧瀰漫的現場，我就好像用一種看不見的靈驗來看過他們了，用一種更傳神卻更深刻的糾纏，一種近乎迷信的入迷的信。

他們就叫做好兄弟。

在這個節，在這個開鬼門關的怪異時序時差的縫隙看出去……甚至，更炫耀也更誇張的令人不安而恐慌，是源於整個普渡，竟然是在外頭的，是整個城的……疏而不漏，所有城裡的角落都被牽掛而涉入而無法逃離。小時候，只記得……這個節的這種拜法實在太可怕地不尋常。因爲……那並不是尋常的祭拜，像初一十五或過年過節一般都在家裡神明廳的有安八仙彩的供桌上拜。

反而，是極度誇張到集體發瘋起乩式的炫然，所有的家人老老小小都必然要到大門口，到臨大街的騎樓上，像臨時搭建起的小型做醮的醮台。要拜的……不再是祖先牌位裡的祖先，也不只是有佛像栩栩如生可以看到的觀世音菩薩，佛祖，羅漢，虎爺，那麼神通顯赫的神佛，而竟然是外頭的不認識的不明妖怪。或說，竟然就是看不見卻又無所不在的……好兄弟。

那種也一如不明妖怪的妖嬈也出現在現場的排場，行頭的海派如何考究精心地打點，那縱然只是臨時的供桌但還是要夠大夠放，引用搬來三尺六尺的厚重到近乎陰沉沉的往往還會扎人的木心板要小心翼翼地安放在板凳上，還要謹愼地邊念《大悲咒》才能邊請神明保佑地覆蓋上那往往是血紅的紅布當長桌巾，然後，那麼長的長紅桌上頭要安放那麼多慘白的瓷碗，七七四十九碗，還有金紙和香爐，酒杯和筷子要準備奇數的……充滿古代留傳下來的規矩與禁忌，那種種的置放布局都那麼戒律森嚴，一排一列都像典閱羅列的陰間部伍，像有巫術的陣式，像作法的醮身，像搶孤的孤台，那麼地繁複地玄奧。

小時候的我，最納悶的近乎荒誕的畫面，完全無法解釋，無法無天到像一種下咒下符下針灸的針地詭異，那就是更奇怪到竟然在每碗的食物上都要插香，就是在所有的陣仗都定局了，都安放到某種神祕的方位之後……還要在每個桌上的角落插入一炷香來點火而一如使其被啓動而變成通往另一個死角的洞口或結界。但是，在那種詭譎陰森極了的時光中，在那充斥死亡的玄奧結界前，小孩反而卻都會很奇怪地亢奮起來，因爲不知道怕，不知道怕什麼，甚至不知道爲什麼要拜成這樣或不拜會發生什麼……

好兄弟……這名字怎麼來的，名字裡的「好」在哪裡？而「兄弟」在哪裡？

小孩太小了，只覺得難得的整個家整條街整個城都好熱鬧……因爲某些不可思不可議的緣故。

即使，在那拜拜的繁複祭典中，由於規矩太多，也由於太陰森不祥，就往往大人自己打理，小孩只能在旁邊看，不能亂來……

我記得，我們小孩能幫的，就只是要把線香底那小小脆弱的細木枝柄插在碗裡的食物上，但是那事實上也很困難，插到某些碗粿、貢丸，還好，但是要插入那些三牲的牲禮的肉……太硬的蹄膀，太軟的蒸魚肉，太爛熟的焢肉上，實在是太爲難了。常會把香插斷，而且太多碗實在要插好久，尤其是在夏天最熱的中午，香灰一直掉在臭掉的肉上，還有很多蒼蠅在上頭飛……

邊插邊熏眼睛邊聞又臭又香的燒香味……對於一個小孩來說，那就像在深入墓地深棺中拾骨，像收屍中不得不處理一具皮肉已然腐壞的屍體一樣地可怕而難耐……

或許……那是我們小時候唯一不會還沒拜完就想偷吃的拜拜的供品……

「實在太不祥了，也太不乾淨了……」姊姊說。「你記不記得隔壁的最壞最愛玩的阿雄，有一年不信邪，偷吃了一個看起來最沒事的水蜜桃，還是，馬上出事到晚上就拉肚子拉到脫水，送去醫院吊點滴……從此，就沒人敢了……」

我們就同時一整群小孩在那老家的大門口，也在大路旁，一起對著外面拜。

想起來，眞是溫暖窩心……也眞是毛骨悚然。

好像眞的有很多很多鬼從此可以被撫慰而安息了。

好像眞的有他們那疲憊地一直趕路到沒洗把臉過的面目可憎，殘餘的悔恨，無家可歸或橫死他鄉，辛酸辛勞但也始終沒法子歇過腳，沒有假就算有假也會隨時收假……那麼可憐……的好兄弟，要吃完這些插香但仍腐敗中的爛肉，才從此可以有力氣而安心地繼續上路……

「我最害怕的……卻是……在滿桌拜拜插香的祭碗外。還要有的那一個錫製臉盆，放半滿的清水，放毛巾在盆邊，還有鋼杯和牙刷，給好兄弟用。」

那麼簡單的人每天在用的物的尋常……反而看起來更令人毛毛的。

雖然只是塑膠盆，塑膠牙刷……但是還是好陰啊！

我老是會幻想他們正在跟我們一樣地塗上牙膏，輕輕地刷著牙，水弄濕了毛巾，擰乾，開始慢慢擦臉，出神地……看向遠方……

那一整條街，都是這樣的身影，面向著人家的家裡頭……一整群冤親債主，就這樣地站滿一整條街的騎樓，還都嘴上沾滿帶血的牙膏那白白的泡泡在一起刷牙。

尤其，在我們老家那名字就叫「長壽街」的老街上。

四

我說，我始終無法相信好兄弟的解釋，一如我哥哥對全知全能全在的解釋。

小時候，已然完全走樣了……但是，我並沒有說出來。那是太久以後才發現的……

我們的遭遇那麼不同，但是都那麼地嚇人也動人。像是兩種平行的硬蕊人生的反差版本，那麼清脆的折斷羽翅的猛禽自己身上所發出的聲音，像在墜落的同時所彼此聽到的，更那麼地顯得更悲慘也更祝福。

一如某種同時的痛苦與無法感覺痛苦的療癒，也一如我時常去看的那種很慘的超人電影不斷地的死去與完全無法死去的救贖。

但是，我什麼都沒說，因爲我越來越覺得，我哥哥所理解的那和我一起長大一起經歷過的我們的小時候……好像不太一樣。

或許，並不是同一個版本在同一種時空現場的差錯。或許，反而是因爲一些別的原因而使得這個狀態已然變成是和我原來以爲的完全不同了，尤其是我後來更扭曲而繁複的理解和找尋……因爲，對我而言，尤其是父親過世之後所發生的更多扭曲……

這使我始終覺得困難，我覺得我們的困難……就像一個有缺陷的超人故事，迂迴而感人的那少數部分就是超人的弱點，一如超人愛了一個人然而那一個人出事了，而他的超能力是無法解決那困難，一如超人的無敵反而帶來了他的悲慘孤僻而令人厭倦……那種種矛盾。

雖然大多時候，我哥哥他不想談這些我提起的我們充滿弱點的過去，在成長經驗，在回憶裡面。甚至，我連說出來都有困難才對，因爲，如果一塊一塊的剝下來，會變得很痛，也必然很混亂……完全看不出全貌地混亂著。

我說：「或許……其實我只是想要去解釋，後來父親怎麼了？我們怎麼了？我們那個家族到底怎麼了？出了什麼事，使我們變成現在這樣的人？」

怎麼了？我們面對父親和他去世後的這家族是那麼地絕望而混亂著，像後來當了和尙的賈寶玉那樣地回頭看這個家族那般迂迴的，或像所有超人後來發現了他的缺陷。

哥哥說：「那只是你現在對於這件事，用了一個更複雜更懷疑的方式在看待。但是，這不會改變這件事本身……」就這樣，對哥哥來講，我只是在空轉……

但是，我們都心裡明白，這中間有個很大的落差了。那就是，我突然意識到，我或許其實只是一個穿著人皮的動物，躲在那個家裡，跟他們一起長大。然後，有一天，被發現，被指控而驅逐。或是完全顚倒，像是，突然有一天發現，我竟是跟猩猩一起長大，所以以前比賽在森林裡可以跑得最快或是跳得最遠聽到最多聲音可以最熟練抓到獵物，可是我現在被帶回去一個地方，那個地方在講究的東西卻是怎麼泡下午茶，怎麼講話得體，怎麼穿著走路優雅……

也就更是說，人性的更迂迴的暗影與返光的路徑……總是那麼地逆差。好像覺得一定有「有一些事情，它應該要變怎麼樣，但始終沒有變怎麼樣……」那種遺憾。可是這些好兄弟的差錯還都很難講清楚，因為我覺得那個部分我們到現在都還沒有一個很明確的理解，有些就是父親和整個家族給的解釋，從獸變人，從人變獸……

但，我仍然沒有「變成」，只是變來變去……繼續空轉。

一如哥哥所一再提到的那個好兄弟的故事。那是一個酒的漫畫《神之雫》，那也是一個全世界最知名的品酒家的故事。但也是極著名的一個關於「變成」也關於父親的故事……但是，他說：其實那整個故事極為感人，主要主題是關於找尋，所以也是一個同時找尋酒和找尋父親的過程。而且，最具挑戰性的是……每一瓶酒都很難，也都有極複雜的故事，歷經品出十二瓶酒的比賽是一場馬拉松式的競技，當然，最厲害的對手也是關鍵的考驗，那是他的好兄弟。

因為，那正是另一個品酒界的王子，他父親的義子，其實也就是他親兄弟，他父親的私生子。那故事有二十四集。他義子的母親，去波爾多參加酒的馬拉松，有酒莊招待。有酒的故事在發酵。因為死前的他相信他的兒子會再回到那條品酒的路。哥哥說，那父親就一如一個超人，一個神，甚至就是上帝，他不在人間了，但是卻全知全能全在，因為這樣，才能知道怎麼安排所有的線索來教他叛逆的兒子。

故事中的那一個傳奇品酒師，其實很嚴厲，很怪。他有一個小孩，從小叫他去吃不同的東西，紅酒有五十多種氣味合成的，不可能辨識，甚至吃泥土、舔刀片的味道……弄到小孩從小就跟他決裂，離家出走，浪跡天涯。

然後另外還有一個義子，是他的嫡傳門人，是平行的對手。

他準備了十二瓶酒，讓他們可以從那個酒的品酒比賽裡面，誰贏了就可以得到他繼承的遺產，與全日本最有名的品酒師頭銜。

這個故事是那麼地動人。因爲他的兩個兒子開始比賽，也開始所有發生的情節，關乎一如我們的家族的更內在身世的差錯與扭曲的找尋。那些隱藏在更繁複的對人生和對教養的期待，其實不僅關於酒也關於更多的好兄弟的波折……

就很像許許多多日本漫畫裡面的家族內在衝突與不可能解決矛盾的最緊張故事。其實那十二瓶酒十二個故事，就是要讓他那個小時候叛逆的兒子重新回到品酒師這條路，最後回到父親的傳奇……但是，事實上太困難了。

那故事很好看而曲折，但是，就好像這所有事情都是被安排好的。

哥哥還是自信地解釋著，那個品酒師故事，一如最厲害的那個品酒之神的爸爸所安排的路給他出走的兒子回來，不管多困難多迂迴，後來兒子終於還是會變回品酒師來繼承父親的家業。

雖然一開始父子嚴重地決裂出事地出現變故……但，終究離開的兒子會回來的，對峙的兄弟可以握手言和，最後接下並繼承父親留下的……傳奇。哥哥嘆了一口氣說：「或許。這個故事所找尋的……跟我們過世的父親對我們的期待……是雷同的。」

但，我一直很懷疑……一如，所有全知全能全在的解釋，一如那《超異能英雄》或所有超人的故事，那裡頭最大的問題就是……

我覺得，我哥哥他反而使我進入了更深入的困惑……這些關於「我如何進入我的小時候」的更多更迫切的問題。因爲，我們不免現在正在經歷的關於這個「時空不斷切換，又好像始終停不下來」的時代。

我們面對所有的切面以一種過去沒有過的方式接合的歷史，那些歷史裡發生過的事情，變得好清楚，又好不清楚。因爲，我們，看了太多的重播、改寫、編修過的復刻版的所有歷史，過去的歷史，甚至是，未來的和現在的歷史。控制不準所有的焦距，歷史會失焦；或是說，歷史會說謊……這變成是我們這個時代的古怪但貼切的困境。

一如那個可以時空跳換的超能者，他是可以回到過去也可以回到未來，所以他如果要救一個人，只要能夠把時間點算準到那個人被殺的前三十秒過去，就可以救那個人不死。可是問題是他算不準三十秒。另一個問題是：救了那個人不死之後但後面的世界會完全改變的另一種困擾會發生……就像是拍一部預算極高製作極難的電影，所有的場景，在拍的時候，鏡頭在全部角落或角度都放了四十八個鏡頭對著非常多人充斥的全景。但是，困難的是，到底最重要的拍這個片的現場主角是誰？所有的場景調度中的特技、化妝、爆破、特效，什麼事怎麼發生……都不知道的前提中，就讓這四十八個攝影機器就全部開著拍……那麼地奢侈！然後到最後剪成華麗的好看的像那種好萊塢史詩電影那種地球毀滅之前的壯烈慢動作，加上管弦樂配的感人……所虛構出來種種的同時存在的不幸及其壯烈。

關於這些我們的家族史，我們的小時候，我們的史前史的找尋……應該是曲折的，但卻反而不一定是另一個時代的另外的一群家人的壯烈。應該是沒有預先寫好的劇本，故事，充滿啓示或教訓的故事，來指導所有可能的發生。這找尋其實不只是驀然而安然回首的「發現」，而且可能更是完全不知如何是好的全新的「發明」。應該是……充滿意外，充滿未知。通常是這樣。可是在那個故事裡面更內在也更深刻的困難，反而變成是，他事實上是沒有辦法很精準的去操控他的超能力，他要到那一個時間，會控制不了。所以他可能會跳錯，跳錯就到另一個時間去，出了另一種麻煩。

所以我的困惑就一如那個胖超人的困惑是那麼可笑的：「擁有這個超能力，可是不太會用，怎麼辦？」

五

夢裡頭一直很冷，所有的過程雖然冗長，但是還滿空曠冷清得有種奇怪的寂然。一直到了我最後要回去之前，想去大門旁跟他們的人打個招呼，才發現那是一個很多櫃格很多古怪陳設的地方，我仔細看起來，才發現這窄窄的地方好像一個最前端附設的老藥局，讓人離開前可以來這櫃檯拿藥，這時候我才在想，難道，這裡是一個醫院，就在這時候，有人出來招呼我，那是一個穿筆挺雪白醫生白袍但臉上化很精細濃妝的男藥師，很周到而客氣，仔細一看，竟然是我哥哥，但是，可惜的是太久沒碰到的他謹慎極了使我有點不好意思地說我忘了我怎麼來到這裡的了，但他安慰我說：沒關係，很多人都這樣。

就這樣，我們彼此刻意地保持有點陌生的禮貌地交談，還說到父親過世那一陣子的過去那些餘緒，但是，在過於微笑地說話時，後頭卻還是有點失序，因爲，不知爲何那屋後不遠處，彷彿有一台老幫浦一直在辛苦運轉而吃力到咔嚓咔嚓咔嚓式地吵吵嚷嚷，他後來說的話就這樣老夾雜在旁邊的機器低音，我始終沒聽清楚。

那穿醫師裝的我哥哥說了更久，到了最後，他好像急了，因爲我始終恍惚而沒有回應。

他就因此而用力大聲地強調，堅持說一定要給以前的。

我說不是就只來拿藥，我以爲他要跟我要更多費用，後來他解釋了更久，原來反而是要給我費用，只是要填複雜的表格完成手續，我才想起來以前好像有幫他們做過什麼，但是不知爲何，發生過什麼，或許是時間過太久，也就忘了。

等了好一會兒那進去辦理的哥哥所謂的複雜手續時，我一直待在那個老大廳發呆，頭有點疼，甚至還有點昏，仔細看，才發現這裡可是整個舊時代王府精雕細琢的宅院花廳般的古蹟那麼地出奇地華麗。顯得那麼地夢幻，但是卻有種說不出的古怪在裡頭，就這樣，我在那裡仔細地打量起明式的老梁柱上的黝黑雀替斗拱上的蝙蝠和雲彩的弧形雕花，雕工極細膩地栩栩如生，但是都已因爲年代太久遠而斑駁蟲蛀到彩繪落色，而且尤其在雲朵彩霞上雕出的天兵天將的身形頭顱都磨損到他們的姿態或臉部神情都已然扭曲模糊甚至變形到有點恐怖，只是在那大廳好像也沒有人留意，只有我在那裡獨自惋惜。

但是，就這樣分心了更久之後，我卻等到一個戴面具的女人過來跟我敘舊，但是那面具很古怪，看起來很華麗的帶金漆五官輪廓在普魯士藍弧面輪廓上，但仔細端詳那面具的不規則形貌卻就只是臉上在敷奇怪的藍色帶金絲色的泥漿而半凝的狀態。

之前，去那裡，我好像去看病的，那老房子是在一條老街上。很空曠，我好像被引導而自己不自覺地就走去了某些地方，每次都是到了那老房子的某層樓骯髒的末端角落，某不知名的木製欞格花窗倒映夕陽殘影的長廊尾側，某個曲徑通幽的搖晃一如鬼影環伺的老竹林口，某個老漢玉白石雕刻成的十三孔圓弧拱橋，某合院屋簷交錯但已破落不堪的底層天井，種種風景如畫的透視點深處的端點，但是每個地方的某個還算起眼的角落總都會看到有張奇怪的胡桃木製舊板凳，然後，我就坐上去，在那裡看風景發呆一會兒，再換下一個地方，這樣一路走，走好久。

那時候的我甚至不知道這就是在做身體的某種檢查，其實就是一如繁複上百項的最新高科技健檢那種精密講究，但是，就也這樣做了很多身體局部的檢查項目，但是我卻始終完全沒看到機器和檢查的人，我並不了解，而且一路上，也都沒有人。

我只像走進了一個有人小心照顧的重要廢墟，詩情畫意而略帶風霜的古蹟遺址，老時代的園林庭臺樓閣的殘留的建築已然殘破但還走得進去的某種每個景點的坐在古板凳上的小小流連忘返體驗，但是，我完全不知道，這個遊園的緩慢看風光的過程的迂迴曲折的自以爲浪漫，竟然是一個醫院所精心打造的體檢的幻覺，及其動人的幻境。

我問那戴面具的女人，這是怎麼回事，她始終對我露出一種笑，好像以前曾經跟我很熟的某種不太設防的笑，後來，停了一下，「你想不起來了嗎？」她才用了某種像是在開玩笑的口吻說，「或許，某些眞正的病，是沒法子檢查出來，沒法子用尋常的方法檢查出來。」

就像那種以色列機場通關所發展出來一種找出恐怖分子的看似不經意但卻充滿鉤心鬥角最高難度的心理戰術式的檢查策略，在那現場，他們詢問看來尋常的問題，你爲什麼來這裡，要來多久，有沒有來過，有沒有認識的人在這裡……。種種問題瑣碎極了的細節，還可能全部問完了再問一回，讓你更緊張或更不耐煩或甚至更生氣。但是卻仔細打量你可能因爲應付測謊的說謊而全身小動作的開始出現不安，不自覺地老抓耳朵，摸頭髮，或抖腳而輕微地扭頭不明顯的身手的小小抽搐。

然後，就可以判斷出誰是無辜的，誰是有問題的。

她說，在我們醫院，在這遊園驚夢式的檢查身體的古怪方法，甚至，可以測出你自己也不知道你自己身體在說的謊。

想出這方法的人說：「我們不可能沒有病，只是我們自己的身體本來就會僞裝，讓自己的病看起來不像是一種病，或說，是我們始終沒法子承認自己有病，病本身不是一種病態，人的僞裝才是一種病態。」

這是一個劃時代的發明。只是很難落實，很難講究所有的細節都沒有破綻。使整個過程完全沒有意識到自己在被檢查，沒法子設防，沒法子抵抗，甚至沒法子發現……這眞是個完美的騙局，或就是個夢。

甚至，最後我認出來了，那女的就是我姊姊。「但是，你難道眞的忘了，這整套古怪的方法，你自己很早以前就做過……」姊姊露出一種好古怪的笑容對我說：「其實，這種故布疑陣的最高科技核磁共振MRI體檢的最早想法，就是你說的，甚至，這些年來我和哥哥做的這一切，一開始就都是你想出來的，只是因爲你出了事，什麼都忘了。」

六

這裡完全不像我那個核磁共振體檢的夢裡的古蹟巡禮般的夢幻，這裡其實是一個像惡靈古堡般慘白的醫學中心，充滿了疾病和死亡的種種暗示……尤其在做完那種種最高科技的體檢之後，你會發現自己就像一具殭屍般地僵硬而充滿沮喪。

但是，我實在太容易陷入胡思亂想了……其實這個我哥哥也是核磁共振顧問之一的醫學中心是極有名的，而且就是充滿善意的我哥哥安排身體這一年正快速地壞毀的我來的，他笑著跟我說：好兄弟的你要看看自己有多像殭屍了……

整個高科技的中心就在臺北火車站前最高摩天樓的四十幾樓。從窗外很遠的光景還可以眺望到整個臺北市的鳥瞰輪廓，一如在噴射機上窗洞看出的死前回眸人間的那種迷離。

那慘白的醫學中心落地大窗外所可以看到的臺北就像一個太過逼眞的建築模型：蜿蜒入山又出山的盆地周遭綠蔭圓山草山四獸山出沒斜出的淡水河和基隆河的宛若鑲鑽波光粼粼的曲弧腰帶的迷人，然後就是新公園和中正紀念堂旁糾纏的總統府、臺北賓館、五院……的那一棟一棟精密古蹟日式古典建築的華麗而妖嬈。然後才是遠景雲層很厚的天空線下極灰極白極無表情的高高低低混凝土大樓所襯托更遠一點的一○一那一如插天的唐骨佛塔的怪建築斜影。

我一早就到了並就一直等待著要用最高科技設備做最複雜的全身檢查。或許，他們只會客氣周全地解釋所有的細節……或就只是描述全身檢查各房各號稱各項目之間的進入你的身體局部的狀態。但是，那些畫面的碎片，對我而言，卻是極度充滿隱喻地費解，不但難以因此拼拼湊湊出身體的病變的全貌，反而，更可能喚出了體內尾獸般地充滿危機……

最後，我在那個醫學中心大廳等候體檢報告出來的時候，還因爲太過疲憊而睡著了，夢中，我後來還看到了兩個人，他們也在等報告，但是卻是坐在我夢中那花廳的不同古董椅上，因爲時間拖太久了，就聊了起來。

有一個人說：他來自一個做香的老世家，家裡有十幾代都是在做拜拜用的香。在大龍峒，他父親是第三代。但是，他覺得很缺德，因爲那些香的原料都從某些很深的森林保護區來的，大多都是從落後國家像巴布亞新幾內亞、越南、印尼、大陸的深山裡頭採出來的，都不免砍樹或挖山，有些還是上百年的神木，而且不論怎麼砍或怎麼採，都一定是一種破壞。那些香那麼香，但是卻那麼壞。看起來就是一個有錢人家少爺的他卻故意留髒兮兮的鬍子穿皺皺的灰襯衫破舊牛仔褲來顯得很頹廢，他說，他想了很多怪點子來做一些和他家老產業有關的事，想去新的國家的叢林找新的香的原料，想用梯田發想來做一個他們家的老店櫃檯櫃位，甚至，想自己發明一種完全沒有出現過的香，但是往往都失敗了，他總是充滿幻想與太高的期待，但是他沒辦法在一個地方待太久，他總是不知道自己要什麼，每次不知道爲什麼到了一個地方待了一段時間就失望了就又一定消失。

他說我的問題是我一直在做自己以爲自己想做的事，但是一做就又才發現不是。所以就像一個夢，只是從這個夢進入另一個夢。是一個永遠作不會醒的夢。

他說，其實內心中的我只想做一隻螢火蟲，像是從被汙染的工廠出生的那種被毒害的而變形成怪物的幼蟲。那才是我的烏托邦。

另外有一個長得很美很俊俏的中年男人說：我本來念心理系，後來就休學了，本來是學怎麼跟別人說話，看穿別人，一如會讀心術，但是去了那裡，卻只學會認識了一些疾病，認識一些我自己生的病，而且越來反而越脆弱，越容易被看穿。

他嘆了一口氣說，但是以後我還是想要去烏克蘭、哈薩克，因爲在法國的小時候認識了一個那裡來的蘇俄人。他太聰明了，他會讀心術，那個人把我來到這個世界所想所做所以爲的任何本來是的原因都推翻了。所以，我要去找他。但或許也因爲只想去一個遠方。因爲太遠的那裡什麼事都可以不做，可以不想看透別人也不被人看透而只是胡混地過日子沒有罪惡感。

他說他在法國出生，長大到青春期才被家人叫回臺灣。但是他休學的更後來就放棄了，只說他好多年都只在打工，只是混，他露出一種極爲奇怪詭譎的不好意思的笑，小聲地說是在做餐飲，但是看起來是做黑的，他說他太瘦到常生病，但是他還算是一個長得極俊秀的花美男，甚至已然美得像一個俏麗的美女那種人妖。

他說他想念完心理系卻只想拍片，拍名叫《一個神經病的一天》的一部電影。裡頭大家都只是一直在吃飯睡覺大便小便，等待唯一的放風時間去那個神經病院的天井，去坐在那一張名字叫做超人的椅子。那是一張倒三角錐形的不坐人都已然搖搖欲墜的椅子，因爲，有個假裝醫生的病人跟大家說，只要坐上那椅子不會跌倒，就可以出院。最後，就是他自己演那個用盡一切心力坐上去的人，但是一坐上去，就摔死了。

我也就醒了……

其實，我還在那醫學中心的大廳，那裡那麼高科技又那麼地專業專注地盛大，我實在該一路勸自己不要胡思亂想太多……

從一開始，所有的人都會先被帶到那個最大最顯眼的一如總部般那麼緊張而聚焦的近乎屏息以對的「專業血液中心」。

那雖然只是一個專業的所有人在那裡伸手臂抽血的地方。但是，看到一整排的人已然換上完全一樣的慘白制服，用一樣的姿勢坐在那排入口開始就銀色泛發藍光的櫃檯一樣的金屬椅面上，實在太像一種科幻片式的儀式。

那個光影極度地炫目的強調所有細節都小心地處理執行中的地方實在太戲劇化了。所有的角落都是過度地白……地方很亮也很多人，所有的人都在抽血中閉眼，而且在張開眼後只看到那集血的針劑後的試管上頭是用一種軟木塞式的封口，再用一層的更小心處理的暗紅膠帶纏繞。我怎麼看，都一直想到某種怪電影裡到了更現代的高科技吸血鬼收集血液來當戰鬥研究或軍團備料式的怪異排場。

但是，其實，我還更擔心有人暈針。有些女人從小就很勇敢，什麼都不怕，只怕血。因爲，她暈針得很嚴重，每次抽血一定會暈倒。我旁邊就有一個，一直暈過去，後來，護士換了好幾個，因爲她的血管太細，找不到，就一直扎針又一直拔針地試。我後來看不下去了，去交涉情商找到那最資深的老護士長來下針，才好不容易地成功地抽到血。

才第一關，我已然疲憊不堪了。

後來我就進入了依程序叫號的一百多個項目在一百多個房間的繁瑣標準作業流程。一如一個科幻電影的開始……

我一直對大多的測試機器不知如何用對的姿勢或體位來讓其感應。有一個是很多弧形支架的古怪儀器上有一個液晶小螢幕，我好不容易站上去還沒站穩……我的身高體重就出現數據在藍光液晶上了，還小數點後有六位數。甚至，在我還沒有來得及反應我到底變矮或變高、變胖或變瘦……之前，就列印出更多數據，體脂肪，三圍……種種十多個數字，而身高體重只是其中最簡單的項目。

有一關是測聽力的地方，那是很多金屬製牆隔音而封閉成一整排的小隔間。我跟著一群人進入那緊閉間式的小間，看著厚重金屬門上那一個極小圓窗洞投入的慘白的光，還是使整個密閉小間的黝黑顯得更黝黑，我就坐在那極小的椅子上，小到甚至無法前後左右移動地些微翻身，就這樣在四壁充滿吸音棉的怪弧度小波形灰暗牆面中，我侷促不安地拿起那像電椅上通電的支架固定鑄鐵環狀耳機，之後，就一如好像一直聽到幻聽地聽著……一個很小的音點……嘟嘟嘟嘟……從完全沒有到越來越明顯，只要一聽到就按手上的按鈕。但是，一次、兩次、左邊、右邊……由小而大……但這種不確定感卻越來越清楚，因為所有的狀態都那麼地模糊……好不容易聽到，但只要聽到，一按，那聲音就馬上消失。所有的狀態都那麼地完全地被死灰金屬緊閉室外的許許多多按鈕轉環電線所盤根錯節的那鐵灰儀表桌面的高科技機關所操控，而且所有的一如幻聽的虛幻都是一種測試，使我越來越沒把握我自己在哪裡，在做什麼或看到什麼或聽到什麼……彷彿都不是我所想的那樣，因為，在那黝黑的小密室的我始終處在一種封閉的死寂裡，有種什麼想接近我但卻一接近就一直抓走撲滅的撲朔迷離……

後來，他們用麥克風叫我：「一一五號，你的部分結束，請離開。」

有一關是照心電圖。所有人的胸口都必須使用黝黑小吸盤吸住皮膚來通電。我必須躺上病床，四肢還要在末端仔細地夾上金屬夾件。所有精密夾件後頭都繁複地連接各種顏色的電線。在調整線路和夾件的測試過程，那醫生很客氣地安慰我並解釋所有的環節的原因和操作的原理，但是，他越客套我就越覺得我是被騙到一個《X戰警》那種實驗超能力的機器之中，一邊連接心電圖一邊激發潛在的不明超能力之類的幻想，或甚至，就是一如多年前極刑中要執行使死囚所坐上的電椅……那種通電將通入所有骨骼血液神經而將我完完全全電擊燒壞的那種恐怖機具所充滿的冰冷詭異。

有一關是眼底攝影。一開始是我最怕的辨色力的書。充滿彩色小球，像印象派的畫那種拼圖混色的書本，因爲色弱的我從小就看不清楚那些彩色小球所拼出的數字……然後是測眼壓，機械架設小孔噴氣，但是我始終看到微弱的光點，從普魯士藍變淺藍最後變粉紅。最後才進入眼底眞正的深度攝影，就在那個有裂開縫隙的極精密的探照投射燈前，我必須斜視而且頭顱緊靠上機器。「貼緊然後屏息，才能讓眼球穩定地出現在電腦螢幕上。」那醫生大聲地交代。我看到那電腦上的我的眼睛……在畫質很精密的畫面裡，那攀爬無數微血管的巨大瞳孔的水晶體，像一個難以名狀而充斥魔法的魔幻水晶球。或許，也就像一張電腦合成的假照片。一個橙色變紫色的星球般地發亮到近乎夢幻而甜美，逼眞的星體球形。炫目的光所發出無比動人的彩色，那麼地華麗而鮮豔。天啊！我完全無法相信，那是我的眼睛，我的瞳孔水晶體已然變成了恆星發光體的那種太像虛構……的眞實。

有一關是用超音波的機器探照腹腔的結石。先塗凡士林在腹部，那尖頭的感應器用力地抵出腹部的所有凹下的一如山坳的弧底，然後，我就可以跟醫生一起看到自己的腹腔。那種經驗太過逼近地清晰而無法掩飾……旁邊的參考儀器上的數字和電腦顯像一直跟著移動的感應器而改變形貌，但是，所有的畫面卻完全是墨黑色的旋轉顯影，仔細端詳，就像陷落跌入黑洞般的宇宙死角，那些碎裂的星球體就在曲弧洞側隨時地位移隨時改變懸浮的種種狀態。就在最後，那醫生會拍下扇形的照片好幾張給我，指出我的胰臟和腎臟都有許許多多的大小結石……像隕石一般等待隨時的隕落。

有好幾關則是那幾個醫生的追蹤……老問起一些過去不愉快的回憶：你從小胃常就這樣痛嗎？扁桃腺常發炎肥大嗎？皮膚一換季就過敏嚴重嗎？腰和脊椎的突起什麼時候出現或什麼時候痛？在耳後和頸後都有的腫瘤你有沒有仔細地追蹤？他們那麼善意或不善意地質問都讓我好難閃躲這些我的惡習及其引發的隱疾……有一項叫做幽門檢查。但是，並不是像我想像地那麼害怕般地要像圖解中趴下讓在右上腹橫切口顯露幽門部進入腹腔用拇指和食指捏住胃體向外向左牽拉即可看到肥厚蒼白的幽門管或幽門括約肌的那種剝開。而竟然只是吹氣，吹氣時要吹管含緊再用力吹，一次之後再一次，就一如叫做測肺活量的動作，只被交代不吸氣而直接吹氣就可以。那護士看到我吹得不太對出現了紅字，就叫我先去別間檢查，二十分鐘後再到那裡再第二次吹，就這樣，不知爲何口對吹口吹再封入鋁箔包地再吹一次，然後看螢幕上的紅字就都不見了。

正常。她說。

有一關是一個長得像教官的女老醫生，始終露出很做作的客氣，但是廉價套裝的開衩，露出絲襪，即使大腿已然露出得那麼明顯，甚至，我還注意到她腰帶環上有一枝金屬的葉藤蔓但是怎麼看都像蛇的那種妖嬈……「多喝水，多喝水，多喝水結石就會沒了。」一邊塗KY一邊滑動機器的桿頭在我腹部腰部平移的她，還是那麼地枯瘦那麼拘謹地交代所有細節……還是那麼地像女教官。

有一關是進放射科，掃描測試骨質疏鬆，那一張床是玻璃床面，整個狀態就像高科技儀器的透明玻璃平台。我勉強爬上又躺上去了之後，護士用力地拉我雙腳還要更緩緩下滑對位。就眞的難以描述地那麼像電腦掃描機的放大版地奇幻，而且滑動過程有著間斷性的低音，來自其中底層一塊機械光板的移動。

使得整個暗暗的密室裡，那個最後落單被掃描的我就像倒在一台放大版到機體太大的影印機台玻璃上，一如那種「親愛的我被放大或縮小了」好萊塢電影的荒唐可笑，所有的日常生活再尋常不過的文具設備都放大成某種太龐然而無法進入的機關了的……那種不知如何是好的難堪。

那一種高科技X光。手拉緊，靠胸，托下巴。就緊緊地靠上一個巨大X字。然後，醫生護士他們就反身緩緩地離開，再走到門口去關上厚厚的防X光輻射的金屬門。就這樣地小心翼翼地退出房間外頭。然後咔嚓咔嚓的最後關門機械低音之後，就只剩下我，整個幽暗的密室裡空氣就完全地被封鎖住了，也完全地無聲。之後，才開始更進一步地出現那一回一回曝光過度的白光，在整個過程，我只是呆頭呆腦地躺在那裡，仍未知會發生什麼地……在等快門，等移位，或甚至等別種更抽象的處理我身體的什麼。

最後的等待座位上，大家都已然呈現出好幾小時後非常地疲於奔命後的疲憊。但是，我的旁邊有一對夫妻，太太仍然還很有力氣地在抱怨，她在跟先生說：你們男的做的檢查都還好……比起我們可憐的女的，因爲，以前我還做過一種項目……最那個：有一種替代項目叫做「漲膀胱」，要喝大量的水把子宮頂出來，再從外面做替代的另一種較簡化的超音波。其實，正式的這個項目叫做「陰超」，就是陰部超音波的縮寫。極怪異而尖銳到令人不安。那女的說她去年有做過，嚇壞了，因爲好痛又好羞恥……「就像被插了……」她用一種很不好意思又好憤恨的口吻說：「像是被硬上了那種極端不舒服。」她對先生說：「即使那心不在焉的歐巴桑醫生只是好像在測試在挖掘，但是過程始終會用一根金屬棒來插入我的那裡，下體，陰部。」

那是一種侵入性的嗎……那是一種療程嗎？都還來不及回神的我在旁邊聽，心裡想：陰超，這個字眼也太離奇了……

還有更多的想像。或說，就也太不知所云地荒唐。或許他們都覺得這些都很尋常，只有我在那裡大驚小怪……不只是那種科學實驗的某種不得不地屏息地小心，反而更就像坐在旁邊看人家觀落陰那般地陰。

我突然在那「陰超」兩個字從光箱透出的那個古怪的房間門口，發楞了好久，因爲太疲憊了，也因爲我想到更前幾天去看的一部叫做《破曉》的電影。那是那一系列極爲牽強而難看的好萊塢青少年片《暮光之城》的第三集。但是，故事在那一集和「陰超」這兩個字有太接近的古怪。因爲受孕後幾天內就疾速長大的吸血鬼嬰兒就一直在吃女主角這個母親的血肉。

也因爲我喜歡的這個女主角終於從美少女變得陰沉的不太一樣，她那變成懷孕的母親的臉一面腫脹又一面萎縮乾燥而暗淡下來，甚至越來越恐慌而憔悴到一如瀕死的人，因為她的印堂發黑，皮膚和眼窩凹陷越來越陰……。

一如「陰超」般的詛咒，他們一開始擁有太夢幻的青少年夢幻終於慢慢地幻滅，因為他們從結婚到蜜月所到了一個島上的太過奢侈海邊旅館的浪漫其實是詛咒的開始，她在做愛中失去記憶而醒來身體有很多暗傷瘀青。但是她不知道後來受孕還更會發生恐怖的什麼。

一如從片頭開始的一段旁白，就揭露了某種太尖銳的充滿陰沉的暗示：

「童年不是從出生到某年紀，而是從某年紀到放棄相信，童年是一個沒有死亡的地方。」男主角那吸血鬼因為放棄了所以很悔恨，因為那將是另一種兩人都不免要面臨的更成人的焦慮。新娘從在婚禮前一晚就開始擔心，她作的噩夢裡有曝光過度的現場。那是一個鮮花和禮服都全白盛開的現場。所有的花在花園裡開始綻放但是又瞬息萬變地同時地委靡凋謝。一開始還有人安慰她婚禮總會有些狀況的意外，哪一家沒有家族內訌，但是，這裡不一樣。因為所有來觀禮的家人都盛裝而歡樂熱鬧。但是，當她走向牧師而和新郎交換戒指之後。念出我願意，一轉頭才一轉眼，不知為何，竟然就發生了她擔心的事……就在一瞬間不知是怎麼發生的，只是，所有的人都倒了下來而且全身七孔流血……突然所有的聲音都聽不見了，客人全死了，而且凝結成一個可怕到不可思議的畫面，他們的屍體被堆滿在典禮的正中心的花台前，鮮血仍然一直從他們的沒有表情的臉上孔洞流出，緩緩地流過他們盛裝穿著的西裝和禮服……噁心而彩色的嗜屍蠅蟲正大量集結地占領了天空而緩慢地開始聚飛過來。那花園中婚宴的動人畫面依然曝光過度地慘白，一如我們在那裡體檢那夫妻在那裡做「陰超」的醫學中心那般地龐然而盛大……就在這時候，電影的女主角新娘才突然打了一個冷顫地從這個死白的夢中驚醒。

顏麗子是如何把寶島大旅社蓋起來的（第13篇）妖蛇。

上書「寶島出神仙」和「天上大旅社」……一如飛揚而起蛇身扭動的那石刻卷軸書畫曲面竟然出現……兩幅巨大漢字的裝飾石雕字樣，山牆上的每個童子皆手抬起那騰空如妖蛇扭動的曲面卷軸書畫……而且，這些排列於八仙旁側伺候的諸石刻童子們也是歡天喜地、神采飛揚……

寶島大旅社在建築上著名的傳說太多。

最膾炙人口的是正向立面上的上空的西洋歷史樣式山牆上……那裡竟然出現了一個當年從瑞士進口最有名而時髦的巨大機械時鐘，那在當年只有在大城市的火車驛站才會出現的……既現代又科學到令人難以置信的行頭，更戲劇化的是……建築上竟然將圓形時鐘嵌入一個臺灣的「寶島」形石雕，像一顆心臟，或一顆皇冠上的寶石……那般閃亮而引人注目，更是前所未有的中西合璧、樣式混合的驚人之作，甚至，還有更多同樣華麗的排場……因為就在石刻的島嶼旁邊則出現有石刻的八仙人物、呂洞賓，何仙姑，李鐵柺，諸多神明姿態從容俊美而且手持各種精心打造的古代旗、球、戟、磬，種種兵器。

最奇妙的是顏麗子和森山跟師傅商量就將刻龍柱古法上龍的多鏤空雕龍身鱗爪盤旋咆哮騰雲握珠、天兵天將雲彩上擺陣的種種逼真的雕飾……雕刻至屋頂山牆上，使整個石刻的屋頂變成了天上天庭的排場，而更為彷彿有神通般地陣仗浩大繁複，然後在山牆更邊緣再加上兩端有壯碩高大且猙獰有力的既像巨蛇又像蟠龍石身，亦正亦邪，加上所有石神石獸的長相都精雕細琢……就更為不可思議地極生動而極壯觀，甚至從彰化火車站遠遠就可看見，彷彿神龍妖蛇要率領天兵天將從「寶島」升天那般地栩栩如生……

還有更多的神祕……一如，這日本異人館般的華麗大旅社……竟然也有三對精緻的龍柱，那是顏麗子跟森山強力堅持的……不但猙獰生動地美絕……還有可用以辟邪、鎮煞之說。三對龍柱分別位於旅社華麗的大廳、沙龍入口及觀音堂，皆為日治時期的風格，三對栩栩如生的龍柱為昭和五年完成，是青斗石刻，八角柱身，單龍盤柱，四爪握珠，張口呈八字形並露出尖銳的犬齒，裝飾有封神榜人物造形，哪吒，妲己，楊二郎，雷震子……太多半人半獸的神仙們出神入化地現身，但是，某些角度仔細地端詳，那蟠龍還是像極了妖蛇啊……這個建築集合當年眾多名匠，也近乎不可能……石雕為惠安蔣馨家族所承做，大廳與屋頂出挑的祥獸石雕，龍虎堵石雕，雕工都很精湛，但是，還是妖蛇石柱最傳神……石材以泉州石及青斗石為主，石材交錯地映襯石雕，石雕旁有一塊當年重修石碑，其上落款為「廈門泉興石廠蔣馨督造」。連木雕也有妖蛇的神祕出現……寶島大旅社中的傳統木雕隨處可見，如一樓廊底的飛鳳托木、觀音堂的木製古香爐、花園的獅形香爐，花廳的自然的神奇奧妙草木的「蓮花」、「香蕉」屏風，都被納入了裝飾……雕工都非常細緻珍貴；但是都有蛇形出現於鳳凰腳踩的木枝上、獅子的爪上、香爐的兩側雕刻……三樓迴廊的「影杜達觀」、「源遠澤成」、「福蔭全彰」、「天下文明」等古匾，和當年商請大陸名書法家齊白石刻寫的「寶島出神仙」和「天上大旅社」木刻對聯……龍紋收邊都像極了蛇形……

交趾燒和剪黏出現於寶島大旅社的部分山牆內屋脊、水車堵及牆堵上，型態非常神祕而多樣：螭虎、花草、走獸、福祿壽三仙，水車堵的泥塑及交趾燒在寶島大旅社也極美極巧奪天工。但是奇怪的是……也就是其最奇特而具代表性的是……屋脊上彷佛有一整身長著栩栩如生鱗片的妖蛇……用交趾燒做成的妖氣極深又極美的蛇身的令人屏息的華麗與神祕。

還有許許多多臺灣老匠師在日本式的最崇尚也最反叛「西洋歷史式樣」的建築所留下的傳統手藝的神通，也出現在許許多多這寶島大旅社的神祕角落裡。

寶島大旅社花園裡的涼亭內屋頂裡也是一個神祕角落……裡頭做了一個極繁複到近乎不可能的藻井，井分爲兩層，底層八角形的每一邊出二栱，每栱升四斗，以二十四組斗拱組砌而成，呈八卦形往內集中，藻井內層則以十六組斗拱組砌，八角形的每一邊出一栱，每栱再升二斗齊集頂心，並雕刻蓮花於頂心明鏡，整座藻井宛如蜘蛛結網狀，那是王益順大師傳所完成的當年匠師最難的巧工，在臺灣當年，只有這位王大師傳做的彰化南瑤宮的藻井、新竹城隍廟、鹿港天后宮及萬華龍山寺……可以比擬這種最繁複華麗的工法。所有寶島大旅社裡的沙龍內部屋脊大木作是另一個傳說……那是顏麗子去求泉州溪底匠派大師陳應彬來做的鬼斧神工之作，三樓沙龍的室內屋頂故意做成是爲重簷歇山式的內裝梁柱，由大木匠師所精心打造，殿宇結構甚至與鹿港天后宮正殿相似，正殿棟架爲三通五瓜，由於棟架挑高，所以在三通五瓜的下方再置疊斗拱，以加強其繁複的木結構，做成如詩如畫地夢幻……

一座木建築的大木梁架和藻井是最主要可以看出匠師流露所屬匠派的特色，臺灣的寺廟在清朝末年，便已形成「南派」和「北派」——「南派」所指的是鹿港及臺南一帶的泉州匠師；「北派」則指漳州的匠師，陳應彬是當時北部漳派匠師的鼻祖；而王益順是泉州惠安溪底匠師的代表，在臺灣有名的寺廟中，王益順的代表作是鹿港龍山寺，陳應彬的代表作是北港朝天宮，所謂「泉派重節路，漳派重栱路」，泉派喜歡用「關刀栱」，他的特殊技巧在於網目斗拱、螺旋結網藻井、轎頂、鐘鼓樓等；而漳派的特色在於斗拱細部雕飾較多，尤其是螭虎栱，更是發揮得淋漓盡致，個別都有其工法神祕的傳說的驚人，但是卻派系分明而巧妙不同……這是匠師的驕傲與規矩。他們還竟然破天荒地合作精雕細琢幫她做了一張有史以來工法最繁複華麗的古董百獸床祝壽過，傳爲不世出的佳話。

但是，在寶島大旅社裡，更近乎不可能的是，木建築的兩個最神祕角落卻是分屬兩派……花園藻井是泉派的，但室內大木梁柱卻是漳派的，而且在古董百獸麻煩的藻井和大木作梁架的轉接小斗拱局部……更都出現了空前絕後的妖蛇形木雕在細部裡……爲了屬蛇的顏麗子的美麗蛇腰身影所情商而來的，雖然在臺灣的古建築和風水上……都傳說，蟠龍刻成妖蛇……那是極其不祥的。

但是顏麗子可開心極了。

當年霧峰林家宗祠新建之初，由林獻堂邀請陳應彬及王益順共同建造，後來王益順還謙讓陳應彬，所以那宗祠木建築可說是陳應彬所有漳派集大成之作。

其實是因爲兩個南北派大匠師是有派系的自尊而不可能合作同一木建築的……

關於屬蛇的顏麗子的美麗和手腕如何讓兩大派的大匠師拜倒在其蛇腰的石榴裙下……傳說很多，但是他們的爭風吃醋在當年……是連森山都捲入其中。

這些既是謠言也是佳話的傳說……也眞的讓寶島大旅社木建築在當年成爲唯一南派北派聯手的例外……其實也使寶島大旅社的有妖蛇的木建築……變成是臺灣匠師史上的另一宗傳說的更爲神祕。

旅社部（第7篇）摩天輪

一

在美麗華那華麗的摩天輪旁近乎暈眩的光芒閃爍之中……她跟我說了一個她當年的摩天輪的故事……

最後，我想到電影《借物少女艾莉緹》裡面，那只有二公分大小個子的女主角，把一支大頭針，斜插在自己的洋裝腰上，像一把劍。那是少女的她一生第一次跟她父親去人類的家裡冒險。第一次撿到的人類的物，對他們那種瀕臨滅絕的稀有種族而言，那是非常珍貴的事。像成年禮，獵人部落第一次地出去狩獵，活著帶回一隻獅子，那種難得。

她說學生時代，有一年夏天，她和一個朋友從臺北下南部，一起去墾丁住了一個月。那裡當地人不多了，很多都是別地方去的，還有一些年輕人，住在那裡，往往是臺北下去的，有些問題，大多都有病，有一個男的，很瘦，披頭散髮，常半夜脫光衣服在海邊走，我剛開始看到還會不好意思，後來就習慣了。

她說：那天是植樹節。我印象很深，他們上山去了。我就這樣待在海邊幫忙，跟那群人混，他們也滿照顧我們的，就這樣住在餐廳的後面，大通鋪，一晚才三百塊，大多數時間都是空的，自己睡太大間還會怕怕的。

除了來玩的，還來了一群比較奇怪的人。有些大哥，他們還滿喜歡我的，我老是會吸引到一些「壞人」。他們眞正的花樣，很不尋常，去那裡是為了和一個人家介紹的「識貨」的老外，上山去採「香菇」。

她問我：「香菇」你知道嗎？

我其實不是很清楚，但是也不想說破，只好一直微笑。

她說：他們有時運氣好，竟然會在山上發現不可思議的山坡樹縫某些潮濕的暗處，找到了所長出許多顏色極鮮豔的貨色。天啊！這些上等大麻等級的菇有時在這種摘太多了的時候會拿來亂用。甚至，就奢侈到用來做菜。

尤其是炒蛋。有一道叫「香菇炒蛋」眞的太可怕了。料太多太貴的令人難以置信地，像吞鴉片。只吃一小口，就開始全身發麻，昏得像騰空般地迷幻。

「我有一次被騙去一起吃，一整桌的菜。我還以爲是像菜脯蛋或蝦仁炒蛋那種下飯的菜，多夾了幾次，配著幾口飯一吃，就不記得發生了什麼事了。後來，醒了過來，他們說我眼睛睜好大，卻像脫窗，一直笑一直笑……就整個人摔到椅子底下，但還是繼續一直笑……笑了一晚。」

有一次，還差點出事。因爲，警察來了，有一個阿桑來店裡說：你們糟了。原來採下來後，還沒收，車邊的袋子好幾袋，還放在那裡，都是裝香菇的布袋。後來大家都慌了，趕快去打點……後來，還是被臨檢了，因爲風聲傳出去，我們那店生意做得太大了……但是，幸好，命好，那天被開包的那些都是普通菇，而不是麻菇。不然到現在，大概我還跟他們在那裡被關吧……

其實墾丁很多店每個晚上都有趴。在一次趴，有一個大明星也在，呼……他出來，整個人縮成一團，對我們兩個小女生說，有沒有外套，借我。他已然呼到茫了。但是還是一副大哥的派頭……

有一次跟他們打麻將時，一邊打一邊呼飯。打到後來，所有的牌面都變得好大好大，甚至一個很大的發字。很大的白板。都有一個人的臉那麼大。

甚至，再仔細看，那牌桌旁邊的人的臉都開始爛，開始溶化。

我嚇壞了。

那會採菇的外國人說，每個人看到的景象，就是投射他自己或是那個時候他的狀態。好或不好，都會出現，都會放大……我想想也有同感，因爲我那時候看到別人的臉開始從局部的扭曲變型到完全的腐敗潰爛……其實好像那時候憂鬱症發得很慘的我。但我沒有說。

尤其那陣子剛和那個日本男朋友在一起了好幾年，到了一個過不去的狀態。我一直記得那個畫面。甚至，就老是在作噩夢時，會一再回到那裡的那一晚。就在電梯口，我被他按在消防栓上打耳光，一直打，打到我的整個臉都腫起來到快爛掉了。

其實，就是那一天，我們說好要分手了的那一天。下午談了很久了，終於說完。有點不捨的他說他幫我拿行李要送我去坐電梯。

但是，提了行李到了電梯口。卻，在電梯門打開時，突然一翻身，竟把我整個人按在旁邊的消防栓上，開始狠狠地打我耳光。

我始終記得那走廊那天的光線，死白的日光燈管。還一閃一閃地，空氣是混濁的近乎難以呼吸，那是六月，夏天的氣息提早來了，他身上有一種動物性的香水混雜著冒汗的體臭。

「你走啊！」他伸出手打我巴掌，極用力，但就很快地停下來，那一下，令我完全地清醒，但也更混亂。因爲我注視著他的眼神，看到了他的恐懼，他還是愛我的吧！我也還愛他！只是，我受不了了。

「你走啊！」他又出手，再更大力地打了一下。

這時，我才發現，其實更糟的是，他另一手正深深地掐著我的喉嚨。越來越用力。我呼吸越來越困難，然後不知如何是好。我在那裡，怕到哭不出來。

就在那一閃一閃的日光燈管下想著，我眞的會死在這裡嗎？

我也知道。但沒有辦法。因爲，他整個人是爛掉了的，我知道，他也不願意啊！但是，在那種角色裡他也沒辦法，他心理有準備，就是如果出事，就可能隨時要走，我問過他要怎麼走，坐船。去大陸嗎？不，是坐船去臺灣或泰國……

後來，第二天，我的半個臉浮腫起來。早上。我看著鏡子裡的自己。有一種很奇怪的感覺，好像自己已經死了。活下來的這個人是另外一個人了……

我沒跟她說，她讓我想到這個借物少女。

而我可能是裡頭想幫她但反而害了她的那個他們寄生的老屋中那個來借住的生了重病的男孩。我頭很痛。

我本來以爲是我說借物少女是在安慰她，但後來變成是她在安慰我。本來是她以爲我可以幫她，幫她更不猶豫地做決定，讓她更容易一點地離開那裡，或是找到一些藉口，或參考點，可以幫她理解這件事，用更不同的方式去看待，這些發生在這過程的事。

對我而言，本來，或許，也可能只是傾聽，或也只是說話。但，爲什麼要認眞起來，好像要認眞地去想，認眞地考慮要做的決定，她也沒有這麼問，我爲什麼會陷入這種想像。

當然，更後來，就陷入了，我在努力地想解釋這件事。對於她，對於這個年紀所遭遇到的種種，可以多麼的充滿啓示，充滿可能性，充滿了理解的複雜，對於切換兩個平行的身分所對比出來的人的對善意或惡意，虛心或貪心，失寵或受寵，愛或不愛，無心或有心的敵意、競爭……可以到多複雜。這是多麼珍貴。珍貴到所有原來的對人的理解都完全走樣了……地改變。

因爲她的行情，她的在乎或不在乎，可以因爲美女的美，而可能到多遠……深到我沒有再追問。也沒有能力追問。

她的更快切割或切換的一切，往往是想事情的直覺，時間感，或甚至……存在感，都完全不一樣了。

她最後說到了摩天輪……

她說：回想那時候在墾丁，每到了禮拜天，大夥們聚在一起的日子，大家都不明講，但大家都知道最後我們會在那裡。就好像灰姑娘一般，我們每到了十二點就call out叫些精神糧食。話筒裡，我們是這樣應答的，小偉，最近有什麼新鮮事嗎？小偉回應，沒欸，還是一樣，但最近福斯新的車不錯唷！你要看看嗎？等等送目錄過去給你……我朋友這樣回應，好啊，好啊！給我七本，我順便幫你推銷留個底。你上次欠我兩條牛仔褲，記得帶唷……我在老地方等你。就這樣我們其他人也正在準備熱身的前菜，當然每個人體質不一樣所以每個人配方也不同，有的人去買菸和柳橙汁……等等，我鍾愛寶礦力水得和蜜桃口味口香糖。東西送到了，而我們也準備好了，小藥丸裡面印著福斯的標記，我們準備穿著漂亮的新褲子開車，聽著Tiesto起步走。首先我要說，福斯是我公認那年的年度總冠軍，那是我第一次到K世界玩，我最後聽到我朋友在我耳邊說，來，我們來幫她一把，接著他們在我耳邊用汽車呼嘯而過的咻咻聲，接著我覺得我眼眨得極快，後面靠著沙發就像流沙一樣抓住我，然後我就陷進去了，眼前一片黑，接著光束從我旁邊飛過，我看到一個巨大的機器人，我抓住機器人，那個場景就跟可口可樂有一個機器人工廠的廣告幾乎是一樣的，機器工人看到我，眼神發出紅色的光，接著我開始爬樓梯，我一直爬一直爬，一直轉一直轉，跟迷宮一樣，但我好像知道方向，接著我到了一個房間，我打開門，看到紅色的亮光，然後我看到一個巨大的摩天輪，在那邊轉啊轉，突然接著我醒了，我看到有些人在聊天，有些人在玩遊戲……他們轉過來跟我說，恭喜回來，好玩嗎？但我沒答話，就只瞪著眼睛看著他們。隔天我們開始聊昨天晚上的趣事，我說出我發生的狀況，有人露出羨慕的神情，有人說這眞的是可遇不可求，他們說他們在我耳邊咻咻咻完，他們看到我整個人縮在沙發角落，表情先皺眉，後來在笑，他們說，我看到的摩天輪，其實只是其中有一個女生帶著閃光的LED燈在我面前跳舞，用手一直轉圈圈，一直轉，一直咻咻咻……

二

我跟她說：那晚上。我去摩天輪附近的大直派出所報案，那是我人生的第一次進警察局。那派出所在一個高架橋旁邊，轉角，很顯眼，建築物外頭滿貼著很俗氣的二丁掛磁磚，嵌著很大的但很醜的警察局警徽。

因爲走過去，在那十字路口要等很久的車和不同燈號，我等得不太耐煩，看剛好橋上車走完，就衝著過去，快步走……闖了紅燈。

那警察局就是在大直橋下。在北安路通往圓山飯店、忠烈祠、海軍總部……那裡的轉角。甚至，這裡就是在當年海軍上校尹清楓命案懸案的現場移動的動線上，其實，這裡一直是臺北的禁區，京畿，永遠有小心翼翼的監控，永遠好多憲兵出沒。這裡沒有夜店、沒有茶樓、沒有電動遊戲間，連街上最尋常的麵店吃消夜都會遇到國字臉的上校級軍官，還常有好幾桌……都是。

那大直橋正前方的後山山洞就是戰爭爆發時的總統與三軍將領的祕密緊急指揮所。沒有人去過，但所有人都知道……而派出所的斜對面就是國防部工地，那是更大的軍方等級更高的單位。但因爲還沒完工，一片漆黑，又遠又深，彷彿一個衙門，一個巨大的無法想像的那個戒嚴時代的遺址，或這個仍然充滿戰備幻覺的島嶼所守住的最高最後的指揮所。這些地理和這些歷史……都不免使大直這裡的一切變得困難。但，卻使這派出所的氣息……變得不太困難，甚至，不起眼。

那警察階級最小，所以被叫出來幫我備案，做筆錄。雖然只是手機掛失那麼小的事，我本來還是有點擔心，怕凶也怕麻煩。大概是小時候，姑姑在我們家小孩在鬧的時候，她們會用一種她們小時候在日據時代最害怕的日本巡佐嚴厲巡查的恐懼……就對我們大聲地說出「你再哭。就叫警察把你抓去關……」的那種威脅。那種太早年的小時候的印象猶存。但是，現在卻不太一樣……那年輕警察有點害羞怕生，緊張地跟我說話。像市公所的辦事人員，保全公司的警衛，或甚至像速食店的服務生那麼客氣。

在那死白日光燈閃爍但仍然感覺又灰暗又窄小的房間裡，所有報案的程序完全就只在一個電腦軟體了。他開始對著螢幕打字。像一個在網咖的不太會上網的肉咖。但是，那軟體實在太好用了，竟然使表格上密密麻麻地有著各種選項……失竊，災情，搶劫，事故，糾紛，種種……在電腦中，有很多可選，只要選完，就塡完了。然而，那游標一點就有五六種項目出現可供點選的方便令我想笑。是因爲這一切。以前像告官像報警……嗚鼓伸冤式的過程的可能複雜黑暗，現在全變了，只變得……像電腦上尋常的交友網站，旅遊訂房服務，登入線上購物的那種那麼貼心的輕浮。連最後一項，所言是否屬實都有可選擇。一，是的，確定。二，不是，還有補充。

因爲都是電腦，所有的地方，看起來就尋常，ＯＡ辦公家具，廉價的粉青色隔板，塑膠椅，整個不大的室內就像一個民宅三房二廳改的小公司，有一間比較大一點的像會客室的客廳放了一張長塑膠皮沙發，桌上是常泡茶的茶具組。我在的所謂「報案」的地方，是一個極小的房間，櫃子門關不上，用封箱膠貼但又脫落，裡面是電線管路，一大台影印機，影印電腦列印出來的A4紙張，像去7-11影印或繳電費罰款的收據那麼簡單地意外。

他客氣地說，請你簽名一下。我仔細看了一下，上頭的內文，品名，無線電對講機，手機。數量，一。單位，只。顏色，黑。特徵，iPhone（手機）。申請人保證上述陳述屬實。如有謊報或不實，願負一切法律責任，絕無異議。被害人姓名，發生詳情，請發給報案證明書。

E化案號。P100034JK41V641。發生時間，報案時間。大直派出所，臺北市政府警察局中山分局，一個圓形的印，藍色的印戳。有一紅色長方形框是紅色的印，上頭寫著警員呂╳╳。很醜的楷體字。

在展覽過程遺失，我從後面看key in時，耽擱很久。展覽的覽，他一直打ㄌㄧㄢˇ，打好幾次，我跟他說是ㄌㄢˇ，沒有ㄧ，他不信，一直繼續打錯。iPhone怎麼拼。我說。後面是電話那個phone字，那麼phone怎麼拼，我就一個字母一個字母念給他打。他沒有惡意，但太年輕也太愚笨。

你住的地方一個月多少錢，你一個月賺多少錢。他說他住彰化鄉下和我同鄉，小時候也去彰化市區吃過肉圓。他一邊建檔我的資料一邊問，不太像調查，爲了了解案情，反而像是羨慕而在攀交情，想拉保險或做直銷在衝業績的業務博感情的口吻！我有點想笑，但也不好意思笑出來，我還斜眼打量他那在影印機塑膠殼旁卡卡地滑來滑去的皮套裡的手槍與手銬，但他並沒有發現……

最後，入口值班的更老的一個警員。一副無精打采的神情……但聽我說是手機報案失竊，就瞪著我說風涼話，你們就是買太好的手機才會丟的。眼神和口吻一樣酸。我們LKK了，手機都用很便宜的，就不會丟了。從電腦好幾道手續中找出同步過apple裡的序號，用衛星定位追蹤。只要從這序號打出來，就會被找到。現在報上去，這種案子有另一種電信警察會追。

這一切不過是個幌子。我只是一個沒變大變惡鬼前的無臉男，死老百姓。

這一切，更可能的只是玩笑……一個打發我趕快滾的……幌子。

電信警察是像《創》或《駭客任務》那種數位網路變成的一個找尋的失落世界的攻堅嗎？不！我覺得我自欺地像走進了卡夫卡小說的網路版本的荒唐裡。但。仔細想想。那太可笑了。那LKK的老警察說，我們的電信警察可是很神的……有手機掉了，在菲律賓或新加坡。打了，還被找回來。他狠狠地對我說：「我們是像CSI那種……很厲害的！」他穿不合身的制服，配荷實彈的真槍，皮套的另一邊是真的手銬，看起來很專業，但放在他又矮又小的身上卻像假的，像電影道具或主題派對的行頭，這令我在忍住不笑的腦海中閃過那年的一件可笑的事。

我跟她說：我想到我在柏林某情趣用品店買的假手銬，在桃園機場還被X光驗出來開行李箱臨檢。後來，看到外面用一個紙盒裝，上頭印著一個穿著內衣的性感女郎被銬住的照片模樣，就露出一種奇怪的微笑放行。在偌大的明亮的飛機場行李轉帶大廳與出關盤檢出口的肅然之中，突然變成一種轟趴或夜店的看門人的隱約戲謔地荒謬。

我們都心裡有數地……相視一笑！但，那眼神和這緊張而老實的年輕警察完全相反……

那有點年紀的很滑頭的海關的人員很曖昧地打量我。甚至，他對我眨一下眼。

「銬的時候別銬太緊，要小心啊！」

三

「剛剛，第一次這麼近看摩天輪。太不可思議地龐然巨大了，像外太空迫降的飛碟或像太空船，像電影特效中刻意炫耀的聖堂或皇室建築，像太奢侈的元宵花燈醮台或無法逼視的炫目煙火，甚至就像展露某神祇巨大神通的無以名狀神蹟……反正，就是……不像真的。」

我們躺在那裡太久了，說了太多話，也都不像真的。

其實，所有的進入過程都也太夢幻，太不像真的。一如，一開始，旅館的門廳末端打開時，才令人吃驚地發現電梯太大了，像祕密工廠的祕密貨梯，或醫院裡可以推病床的那種待命又救命的大型急救電梯。不但尺度設備光景龐大到有點怪，而且在裡頭還有著催眠般的幻境的夢幻出現，竟然有花台，假花，深色木條做的可以坐下來的長椅，像一個精心打造的豪華到近乎怪異的吸菸室或某種冷僻公園裡迷人但也不免離奇的角落，勉強有些古怪到好像隨時會有什麼怪物會竄出的陳設裝潢，不知道哪裡不對勁，也就只好無言以對地端詳，但，所有的再尋常的器物，只要一出現在這麼大的電梯間裡，雖然草率沒有特色總還是有點不尋常。就在那裡，我坐在長椅上，看著對牆鏡面中，疲憊的我坐在一盆造型誇張的假花旁邊，像個呆板的百貨公司櫥窗陳列中的一小部分庸俗不堪的布景，或許，我就只更像個假人，呆坐著。使得整個像密室的電梯間更顯得封閉，更假，更呆滯……就這樣，緩緩向上移轉，沒有聲音，光有點昏黃，空氣沉濁，而且整個地方是無以名狀地……荒謬，或許也因爲那來自整個金屬小間有機械的瑣碎卻持續的怪低音在後頭，老是若隱若現地依稀聽得到，而且整個密室般的電梯間雖然邊動邊停，卻出奇地慢，令人老覺得這裡頭隨時會停、會垮、會出事……那般地忐忑，或是，至少一定充滿某些奇怪而神祕的暗示。

只是，我看不到。

尤其在都是汽車旅館的這一帶，充斥了種種更奇怪而神祕的暗示……但，乍看都也可能只是令人不安的可笑幌子……有一家甚至就誇張到做成是一個四周有砌石塊還有瞭望塔的小城堡。那種童話或神話的王子救公主蠢場景，但是又那麼地切題那麼地受寵……尤其，在這時代，這種奇幻變得那麼假卻又那麼盛大，甚至就現身在那一靠近仰望巨大到近乎不可思議的閃閃發光摩天輪旁。

我看到上頭寫著誇張的廣告：「這裡的每一個房間，本身就是一齣完整的戲劇，擁有獨特的場景設計，魔法般的科技效果，幻化多變的燈光效果，加上無可限量的想像空間，無不追求五感官能的震撼力！五十一間特色房型，讓你驚訝連連……五十一種風格，怎麼玩都不膩……走進城堡發現驚奇！本奇幻旅館耗費三年時間，斥資六．五億，打造五十一間主題房型，獨一無二的城堡建築外觀，關鍵字：城堡、奇幻、設計。房型分爲四種等級：國王房、皇后房、城堡房、騎士房。在繁華的美麗華百樂園與內湖科技園區之間，充滿科技與現代感的都會區，驚豔遇見一座中古世紀的金色古堡。這個奇幻旅館，是全台第一座以城堡式外觀設計旅館。新鮮感的建築，更爲高科技的內湖科學園區增添了豐富的藝術氣息。在美學經濟時代，除了以客爲尊的精緻服務，加上傑出的設計美學，邀請消費者輕鬆脫離乏味的日常空間，迅速切換進入浪漫與想像交織的奇幻之境。這裡，將成爲大直美麗華園區，繼摩天輪後第二個最明顯的建築地標。」

但是，在這些空泛溢美的字眼前，我卻一直覺得有種奇怪的不祥感，覺得那整棟假古堡，就像某種被惡靈鎖住心眼的而變成癡呆的陪葬人俑的破屋俑，或《神隱少女》開頭那因爲人類貪婪而完全廢棄的老遊樂園，彷彿可以看到那種之前的繁華如某京城夢華錄般的夢幻……

「這裡，對我而言，竟然意外地反而像我小時候讀的卡夫卡寫出那種小說的場景，卻是更荒誕的版本……但在這種年代，這種旅館的這種雖然沒人看得懂的奇幻，卻又大受歡迎。」我跟她說：「到底這裡怎麼了？當年那奇怪的卡夫卡把布拉格那麼充滿典故傳說的城市與城堡歷史抽乾，變成一個Nowhere，一個面目模糊，到處都可能有的……迷宮般的困境，但是，城堡在這時代或這裡竟變成了一個號稱走進去就不想走出來的大家都熱愛的遊樂場……爲了別的動機，爲了別的差錯。爲了……像你這樣的妖姬。」

我們住進城堡旁邊的這怪旅館，雖然沒有那麼地炫耀地炫目而離奇……但，卻也是龐然的整個街廓那麼大的一整棟，整個仿古建築就故意做成像歐洲古典大宅院，沿街的每個窗台都故意出現成排的雕花欄杆，彩繪繁華的木頭窗扇，沿街充斥盆景種花的彩色斑斕，甚至，變化多端的紅瓦仿古屋頂是那麼地花俏地傾斜多彩裝飾，維多利亞式的，歌德風式的，折衷主義式的種種樣品屋……那種很台的歐洲風格的無限繁殖……但還是顯得很惹眼惹人厭地令人瞠目結舌。

我想到早年去的歐洲。所有的名城其實是那麼低調樸素地想盡辦法地不惹眼……尤其，那是我第一次出國，剛退伍。貪心地去太多國的歐洲，邊走邊一路出問題，但並沒有不開心。主要是當兵當太久了，那太長的旅行只好像放一個長假。雖然每天醒來都在不同的國家，不同的城市，威尼斯，巴黎，柏林，阿姆斯特丹……都很有自己的小心翼翼地低調。

或許也因爲我才從臺灣的窮山惡水的部隊營區退伍出來，因爲沿途都是很美的風光，愛琴海或地中海的浪，各種山頭的橄欖樹，從希臘到義大利到南法的天空藍，反正在那裡，就像神話裡的場景那麼誇張地美麗而飽滿……但，又很樸素。

那種流浪感太奢侈地模糊，抽乾又奇幻著……一如剛開始的那一段實在坐飛機坐太久了。一直轉機，在曼谷，在雅典，最後才到了斯巴達以前的首都的那附近的一個地方。是個荒涼的小城市，折騰了好久，因此到了那開會的小城市，已經超過二十四小時了，很累，但check in的旅館卻和這旅館一樣，很不對勁。每個細節每個角落好像都有問題。但，當年太年輕的我並沒有那麼不開心。嚮往歐洲太久的旅行中，不知人在哪裡，之前去過哪裡，之後要去哪裡的永遠恍恍惚惚……甚至，反而期待起那種種差錯、那種種差錯裡的奇幻感。

但是，在摩天輪旁的這裡，卻沒那麼多風光令我分心。而我也已然離開那對人生的差錯仍充滿好奇好感的年紀太久了。

這個房間裡竟然做成有點斜的天花板面，像在一個外型是斜屋頂的小木屋裡。有一面牆是用木頭拼出酒瓶的形狀。好幾瓶。好像故意要設計出一種異國風情，但卻都有點做作而不太對勁。

更奇怪的是，入口門旁邊，有一個和牆面平行的進餐櫃。像犯人囚室才會有的。一邊打開，另一邊可以鎖住。我看了桌上，Room Service的套餐全是牛排，一號餐沙朗牛排，六百八十塊。二號餐丁骨牛排。七百八十塊。買一送一。我在想。來這旅館的人都是什麼樣的人。這算是幽會用的汽車旅館吧！但會這麼餓，在這裡用囚室拿餐盤的方式拿那麼大份量的牛排嗎？

但，也不想多想了。

最後，我只好調起床頭的燈光遙控器，找尋到原有的很多種模式：明亮模式，浪漫模式，情趣模式。但，我只是轉到最暗的那一種。讓所有角落的缺陷可以變得不明顯些。最後，十八坪的大房間，就只剩下床正上方的四個小紅燈。所照下來的像暗房沖片時的暗紅光。

一開始，她說她好累，忙了幾天了，我說我可以幫她按摩。但找不到對的乳液或精油。後來只能用床頭櫃上，放在保險套旁的，情趣潤滑液，那使得我手指有那種人工液體的水果氣味。

我用手幫她按脊椎兩側，認穴位，膏肓穴，病入膏肓的膏肓，緩和但沉著，就用最慢而且最認眞的按法。一如我自己一向被最厲害按摩師按摩的那種極深的指法，但我怕她會痛，也怕她突然昏睡，或突然冷感了。但是，又一轉念，我不就是只想把氣氛弄得色情一點而已，怎麼會入戲入錯了，變調了，芳療師變成整骨僧人，調情變成看病。

但我還是一直分心。因爲這旅館的許多差錯，因爲我早上也才被整骨過。因爲這兩個禮拜太忙太慌亂，而我病也還沒好。幸好，我帶了一個玩具。我用宣紙包，綁細麻繩，像藥包。但裡面是網襪。我們上回提過或許可以試試的玩法。我不好意思去幫她穿，也不好意思在旁邊看，但是，她安慰我說，這應該會很好玩……

後來，她看了好久，也穿了很久，就邊玩邊在試穿……而分心的我老是擔心，也怕她不開心。

但，在網襪裡，我發現她穿一件很性感的黑色內褲，後面是半透明的，很挑情，這令我覺得窩心。那網襪其實只是後腿部有一道寬的溝露出曲線，而中間橫過變成很多細黑紋路，並沒有像一般的網襪那麼色情。但，她穿上後，卻整個房間的空氣都變了，變得淫靡而專注了起來。

她發現之後，變得不好意思，我還幫她拍照，拍黑胸罩和黑網襪竟好像變成一整套的性感內衣，她很美，身材很瘦弱，但纖細，趴在床上時，臀部和腿變得很迷人，光線其實很暗，我拍了幾張像CK內衣廣告的畫面，但大多我避開了她的臉，怕她害羞。一邊拍，空氣一邊變緩慢了。我趴下來開始舔她的肩，她的頸，她的耳畔，然後向下舔到她的腰，再往下舔到網襪的腿內側。她變得很濕。我更舔向她的陰毛，陰唇，同時來回而緩慢地用手愛撫她的全身肌膚，她越來越濕，淫水流出來地很誇張。

更後來，在淫靡的空氣的渙散中……失神的我用力地撕開網襪，讓她的臀部露出更多，黑襪身變得歪歪斜斜而交錯於腿的曲線，我繼續舔她的所有身體的角落，沿著斷裂的黑襪邊，貪婪地，像蟒蛇攀爬過枝葉濃密雜沓的叢林，爲了尋找長在崖上最高最險的野蘭花的嫩蕊心。她含住我的陰莖，舌頭靈活地舔著龜頭的緣，像技巧最高明最妖嬈的蛇信，我越來越硬，勃起的下體像火燒一般炙燙。

但我記得，她是不喜歡也不會口交的。上回，我還問過她，她說她不曾舔過男人陰莖的。

「你變壞了！」我說。她沒有回答，只是微笑。「我把你帶壞了！」我接著說。「不過，你好會，也好厲害……以後會是一個妖姬。」

但，我心裡想著，事實上，她是不是只是爲了哄我，爲了讓我開心，爲了我累到幾乎憂鬱症又要發作了的煩悶。她沒說話，卻仍然只是邊舔邊詭譎地微笑……

停住了。「你還好嗎？」我問她。她還是只是微笑，沒有回答。停住。在暗房般的暗紅光中，我們的肉體纏住對方，舔著彼此的下體，舔著彼此的疲憊，舔著不曾試探過的淫佚的最深處。

只是，後來有時我在她背後抽送太急時，她會隱隱約約低聲呻吟出來。她坐在我的陰莖上，臀部會不好意思太誇張地上下抽送。「幹我！」我跟她說。「用力幹我！」

我知道她是一個壓抑自己極深的人，其實我也是。在做愛的時候，我們如此狂放但仍如此忍受，如此淫亂卻仍如此客氣。我不知道如何讓她更開心，我怕太激烈，又怕不夠激烈……但我雖然不免輕慢，但是我想她是開心的。因爲我們已經約出來好多回了。每回換一個旅館，像換一個星球，在不同的失重狀態中擁抱，激烈地做愛，激烈地交換汗和體液和更多彼此在人生裡的無奈與沉重。每回，我都怕嚇到她或累壞她。某些失神中，或許我變成了野獸。太激烈了會弄傷她。但她仍然只是微笑。在紅光中，這回，在一開始彼此好久擁抱的深處，我有一瞬間，想就這樣子睡過去。不用做愛。而只是抱著，不動。

一如她說她在人生裡的進退兩難的累。我也說起家族或說起種種人和人間招架的困難。在彼此都裸體的近乎睡去的昏眩中，卻聊了起來。

「我們因爲太複雜敏感卻又太不會拒絕別人，所以就都變成是最好的聆聽者。但卻也因此被身邊的人太無度傾倒式地傾訴！」她笑著說：「一開始當垃圾桶，後來，越來越多人來傾倒到變成超級無敵垃圾車。」「家裡……走了太多人，我必須撐著。」她說：「我在火車站遇到痴漢，好怕。也逃走了。」她就躺在那床很大的邊緣，一如一個害怕的受害者，我也是害怕的施暴者，就在這裡，旁邊也有一個很大的像古代日本又像古代中國復刻版式的造型燈籠，紅，黃，油紙曲面，摺疊弧形，而客廳天花板上，有一個用鐵絲手工纏繞成十幾朵花朵形的美術燈，像妖氣很重的鬧鬼的古宅院，最後最深的幽魂巢穴，蘭若寺，很陰的老派木構造建築藻井下的道場。

她對我說：在這裡，她想到她年輕時偶爾會去的京都古城區……不一樣的是，那裡的古代是眞的，像忍術的伊賀，像藝妓的所有藝術般的細節……花器、食器、和服、枯山水種種……都還在，那裡，就像所有老時代技藝工法的原鄉那般地低調卻又充滿著永遠奇怪而神祕的暗示……甚至就像你說的展露某神祇巨大神通的無以名狀神蹟……但，卻是……眞的。

她說：有一回在去京都御所的一條最著名的老街上，彷彿所有神通都被悄悄地守護住了。幽幽暗暗的狹窄街衢裡，不太遠的某些破破落落舊店面的街頭數丁目之間，店家客氣而樸素極了，但是仔細打量，竟然都是百年老店那種含蓄而低調但講究極了的氣息……有手工和紙店，有宇治老茶店，有道地稀世古書店，有老師傅在同一個門口邊坐邊刻了五十年的古竹器店，有皇家指定御用的老食器店與老銀器店，還有種種收古董古字畫的更不起眼的店更多，她說：即使天皇走了，時代變了，她完全無法想像爲何這種古老的神通竟然還留下這麼多……巧奪天工，專注，敬重，所有的神蹟般的古老工匠技術都還在，還發光。

她跟我說：那是我們這個島最缺的，也是她老是在找的，但是，回來臺北這麼多年，她也不再那麼在乎了……她說她那一回在那京都老街裡只買了二件像有神通的小器物。一枝完全手工做的湯匙，質地奇異像染滿有毒銅綠的銅製的，但表面像蜂巢歪歪斜斜的敲成完全不規則的雕刻。還買了一個項鍊墜子，銀的，禽類的爪，所有的肌理和勾指的尖銳都做得很細膩地栩栩如生。兩件都有妖氣……像妖嬈的妖姬的隨身之物。

她說：那天她走了一整天的老京都，天氣異常地悶悶不樂，她累得竟吃了兩次宇治金時的冰提神。有一次在一家八阪神社旁東山很多阪路上的百年老店，一次在一家晴明神社前不遠的和菓子老名店，她說她看到了眞正的神通是和菓子老店二樓的老師傅甚至在吧台前像壽司師傅和茶道師一樣現場實做一個和菓子，像池坊流的手藝，出手入手，手勢俐落如功夫高手地閃現……最後配上一碗茶，連最後上這料理，過程就像最高階的默劇表演。她說她已然被神通嚇壞了，甚至沒力仔細端詳，只是凝視發呆，一如一個意外看到狐仙娶親的童子。但，那天後來午後的雨越下越大，她最後走進京都御所，才發現週末沒開，甚至，御苑都沒人，她踩在細石子的路一路淋雨地走，感覺到那種古代最奢侈的王家氣派。那麼充滿神通地浪漫，只是太陰沉了。

我說：那是京都仿唐朝長安城的禁宮的縮圖，那種左青龍右白虎前朝後市之類城市古代的風水，那神通好老氣但又好厲害。只覺得在京都對抗或歌頌這些古代的無窮無盡，一如她的找……的風靡和景仰，一如她的想逃又逃不了地陷入這城古老神通中的迷惑。

她說，更迷惑的後來，晚上，在一家完全沒設計的巷子裡的風呂泡湯，舊舊的，鄰里的人來洗的，走了一天，就隨便進去泡了，折騰了好一會兒，想到也折騰了的這幾天在京都瘋狂地一直走，眞是更累。到了泡完，走出來，在更衣的大廳，很大很大，沒遮掩，她靠牆坐最裡邊，因爲泡太久，所以，太熱了，一直流汗，好虛好虛，只能坐在那裡，連菸都沒力去拿，就在原地，好久好久都不能動。也因此，突然時間停住了。對她而言。像一種咒語發生了。

就在那時候的那地方。她一如一個唯一的觀眾，面對舞台，看到所有人正合演一齣荒謬劇。劇裡頭，那些長相都不同的女的，同時在那裡，有快有慢，有胖有瘦，有老人有小孩，有長髮像女鬼，也有光頭像尼姑，他們都在動，脫下衣露出裸體，穿上衣再走出去，有人一直在抽菸，有人一直喝飲料，有人一直找人說話，有人一直只是沉默來回地走進走出。只有我在那裡發呆，一動也不動。

他們都在做他們應該做的事，在那裡，召喚一些訊息，召喚一些什麼，對她。因爲她就在那裡坐了好久好久，像在看一齣精心演出的想告訴她什麼的古代的戲。但，還沒看出來。

後來，她就睡著了，在床單裡，在我們做愛了快兩小時之後……

我去淋浴。浴室也很大，但卻是另一種不一樣的詭魅。鏡框是像造型油畫框，很厚又很曲面的起伏，純金色，斑駁的，很誇張地華麗著，加上整個鏡前的洗手平臺竟刻意做成一個有弧形的木質梳妝檯，放滿小木櫃，放盥洗的器物，變得很端莊矜持，甚至，在鏡面正前方一張純金色的椅子。倒弧線梯形，彎度有縫線，整排銅釘。他們大概覺得像歐洲風但我覺得反而像埃及風的古家具，那種華麗。

但是，浴室的水卻不熱，按摩浴缸因此不能用。不能泡。我想到check in的時候，那櫃檯的人說著，我直覺很糟。「旅館的局部正在施工，使我們的水壓有問題，房間的水會忽冷忽熱。」牆上還有塊壓克力牌子寫著「大理石地面小心濕滑。」在那抽象的還不錯的黑灰綠藍拼貼成的抽象馬賽克牆面。但這些差錯，在這幻覺般的怪旅館中，反而讓我覺得眞實。

最後，我打量著那倒圓錐形的洗手台，越看越怪。一圈一圈，瓷很細的白。正中間金屬反光的底盤止水圓鐵，圓更小而且是變形的倒影，因爲我不解地看著我背後的上頭也整個變形的天花板和嵌燈。而且，在金屬面的倒影中扭曲了，我的臉變得很小，出現在小圓鐵的最下端，不知道在打量什麼，只是，眼神仍然充滿差錯也充滿狐疑。

只想到她提到的……她離開御所的更後來，心有不甘，就想順道一路往旁邊有段距離的陰陽師那晴明神社走，找了好一下子，又淋了好久的雨，到了那裡，本來以爲是法師又是國師的神社，應該會很陰森或至少很肅穆而沉重，但，反而不是如此，竟因爲有很多年輕人去那裡而變得很怪異地好熱鬧。

廟修得很新，不大的廟和庭園卻一點也不安靜或迷離，反而出現很多像電影裡的道具或場景，有一道假橋，有一顆很大的桃子和一堆很新的海報，畫著陰陽師的著名故事，甚至在那名叫桔梗庵卻很俗很花稍的紀念品店賣一堆玩具公仔，還強力推銷一種超強護符。

她累得坐在旁邊的椅上，看著兩個開心的來邊拜邊玩的少女把頭塞入人形看板，叫她很近的旁邊的某個人幫她們拍照，而且很認眞地入戲……

就這樣，一個扮帥氣的偶像劇男優般的晴明師，一個扮被他踩著降服了的可笑妖怪般的妖姬，但兩人很可愛又很可笑地看著很接近她的鏡頭……就像對著她……猛吐舌做鬼臉。

四

最後，我從摔倒的地上爬起來，從那差錯的夜裡走出去。終於……才離開旅館。

她在午夜前走的。她走了之後，我送她去坐捷運回來時，看到美麗華的摩天輪，在夜空中閃閃發光，用一種像神具又像玩具的方式，散發璀璨的環狀燈影。變幻。太不像眞的。

但我已然太累了。我坐在另一家薇閣汽車旅館旁邊漢堡王的椅子上，不太能動，只是在那裡發呆，看著一些情侶小心翼翼地從門口，走進或離開。看著摩天輪卻在不遠的上空，誇張地綻放光芒。然後，終於完全地沒力了。一回到旅館房間，一靠床，我竟然馬上就睡著了，還作了一個奇怪的夢。

關於一家名叫「春景大飯店」的地方。不知爲何，在夢中我本來以爲「春景大飯店」會是一個柱梁之外的屋頂或屋身的……立面剖面的所有切面都是粉紅色玻璃所拼接成，像那種歐洲鄉下的小型歌德教堂般的建築。但跟著帶我的人一邊納悶一邊往山上走，還走了好一陣子才到。走更進去，才發現那地方竟然好遠，而且也只是巷中一個招牌都破的小旅館。整個老房子，就在一個舊廟旁邊，有老樹，有廣場，而且就在一條河邊。

再跟著往上走了一段路，就到了建築物的側面，沿著山路升高，就在二樓有一個廚房的門口，直接連到那山路上，像一種老山城才有的地形地貌。但，我到那時候才想到，爲什麼要住這裡。雖然他們說，這是招待的。甚至，他們還說，那是一個過去極紅明星的家，好像是林青霞之類的大明星的小時候長大的地方。但，事實上，我又不迷明星，也不太喜歡在旅行中麻煩人家。

雖然，在夢中的我很狼狽，像在軍中好不容易放了假，而且太久沒回到臺北了，那種已然放棄找尋更多可能的狀態……所有的風光甚至氣味都那麼地陌生而令人不安，而且，我到的時候太晚了，在隱隱約約的路的盡頭可以看到熹微的天光……我才感覺到，走了太久到竟然那時已經是凌晨。

我也不清楚爲什麼會有人來接我，好像我已經沒有住在臺北，也沒有認識的人，或許，就是那種太遠太久的旅行中重新到了一個陌生的城市……那種有點擔心不知如何落腳的忐忑。再後來，我跟著走過去，進了窄小老舊的廚房，爲了保持善意和禮貌，就只好安靜地站在那裡，看著女主人他們在熱絡地煮菜。一如我小時候長年在姑姑們持家的大家族中看她們打理廚房的陣仗，是很熱鬧而有意思的。

但，那時候，我唯一的感覺，只是……我眞的好累，而且，這眞的是傳說中的那春景大飯店嗎？

整個人滑倒，在床邊，因爲趕著從浴室要去臥室接電話，腳還濕透。我坐在地上，不太能動，還不太清楚哪裡受傷了。畫面停格在那裡，好像整個晚上都沒有發生過。我怎麼會在這裡？怎麼還在這裡？這裡的這晚上發生了太多事了。光還是暗房的暗紅色，但水的痕跡在木頭地板上，還看得很清晰。我的腿不太能動，手撐著身體，靠在床側。聽著自己的呼吸聲，有點不均勻，有點喘息，整個房間仍然充斥電視裡大軍正要進攻特洛依的殺伐聲，還有管弦樂的環繞，一陣一陣的低音提琴，正拉高戰鬥的情緒，但，對於倒在地上的我而言，反而越激烈就越虛幻。我還是全身又濕又無力，只圍了圍巾，從浴缸的熱水中剛出來。並不清楚怎麼會失足。大概是太累了，也太不小心，還是因爲泡得有點昏。水一直到吃完早餐回到房間裡，才變熱到可以流滿整個浴缸，可以泡。而且也快退房了。想想，竟就這樣地折騰了一夜。

「你相信這是好兆頭。」年老的國王擔心地問著：「我們眞的守得住特洛依嗎？」

「我沒辦法當英雄一如我的父兄。」王子說：「我是儒夫，我不願當偉大的戰士。」

「你是……爲了愛。」海倫安慰那爲她惹下災難的特洛依王子。

「總有人要輸。」阿基里斯的朋友對他說：「你不害怕任何人和事，那就是你的問題。」

「我們要敬畏每一個神。」女祭司說。

但是阿基里斯對特洛依的女祭司說：「我要教你一件事，這是神廟裡不會教你的。神羨慕我們，因爲我們會死。所以，每一時刻都變得美好。」

「殺了我，沒有比這個更容易的。」但就在這時候，女祭司卻愛上他，甚至，就在戰地的帳篷中跟他激烈地做起愛來。之前，我本來是在浴缸裡看著HBO裡的這一段的。看太多的惡兆在這場歷史的戰役中……如何扭曲變形地讓人瘋狂而害怕。

但是，好兆頭……到底是什麼呢？

後來，想到前一晚的一件怪事，想到一開始我是被電話吵醒的。

「六一七房有女訪客嗎？」櫃檯的人在聽筒裡問我。

我還有點昏，在寤寐之中，我以爲是她有事，又回來了。

「讓她上來吧！」我說。

但，我看了一下手機，發現她留言已回到家了。

「應該不會是她，那會是誰？」我腦中轉了好一下，「但是，沒有人知道我在這旅館裡啊！」

這時候，我有點醒了。就打電話下去櫃檯問，他說，那女人已上來了。

「但我沒有訪客啊！」我解釋了一會兒……

「那我叫工作人員去找那個女人。」那櫃檯的人也開始擔心。

我說好，但心裡納悶，到底怎麼回事呢？後來打開了房門，走到六樓走廊，等了好一會兒，還是完全沒有人。

「那女人並沒出現！」我說。後來，我就坐電梯下樓去問……

但是櫃檯說：「那個女人已經上去了。」

「還是沒看到人。」我覺得這一定是個差錯。

後來，我又回到六樓，那六樓不還是獨立於其他汽車旅館的商務樓層嗎！

我還在六樓走廊遇到一個服務人員。他說他接到電話，但他也沒看到那個女人。

我不知道發生了什麼事，也不想知道。

我眞的太累了。這是一個充滿差錯的旅館，一個充滿差錯的晚上。

我更疲倦地回到我房間。想著那個女人到底是誰？她爲什麼要找我？她爲什麼就消失了？

這裡不可能是像某些小鎭小旅社會介紹小姐過夜的那種旅館。而且，S才離開了二小時。或許，這消失的女人只是記錯了房號，或許，她只是想混進來這旅館，或許，這只是一個玩笑。

但，我變得睡不著了。

這是一個試探嗎？還是一個恐嚇，有意無意的……還是一個恐怖片的開始。

我開始有點擔心到害怕起來了……

那女人眞的是人嗎？這房間是不是出過事？我是不是不小心招惹了什麼髒東西？我心裡想著……

這一生到現在，我有太多的差錯，太多的奇怪遭遇的因之恍惚。但是，我沒有眞的看過鬼魂。也沒有眞的看過什麼靈異事件。

現在，到底怎麼回事呢？

「要不要就回家。」我心想。就離開這個充滿差錯的地方。

我打開了明亮模式的燈光。房間變得很大，很清楚。

所有的之前我挑剔的設計上的差錯變得很明顯，但是，現在，我一點都不在乎了。

我側躺在床上，看向房間的門。擔心著。

或許，門就會悄悄地被打開。

或許，甚至門不用打開……那個女人就會出現在那門口。

但是，我擔心了好久，也端詳那門口好久，她並沒有出現，也並沒有任何事發生。

後來，等了更久，明亮模式的光越來越死白而死寂，彷彿有種奇怪的暈眩飄盪漫散開來，浮沉於整個房間的靜謐的無限擴張……就這樣，我竟然又睡著了。

但，睡了一會兒，卻聽到頭後面的牆發出聲音，短促，嘟！嘟！嘟！

我心裡想著，那只是意外而沒頭沒腦的機器雜音……可能是漏水水管聲，馬桶的故障音，或隔壁房的叫聲，或什麼……

但是，這回，我實在太害怕了。甚至，還不敢打開眼睛。怕就在房間裡會看到什麼人或什麼不該看到的東西，或連我所無法理解的什麼會出現……

閉著眼的我心裡知道，那牆還有聲音，那門邊還是亮的，那女人還有可能會這樣子走進來。

這樣一想，背就眞的有點涼。我只能面對門來側睡。所以，雖然床很大很舒服，但我卻始終睡得好淺好擔心……

我想到那一次去歐洲的旅行，有一回也遇到這種奇怪的事。那是在阿姆斯特丹的一個青年旅館。我睡到半夜，聽到有樂團演唱，爵士鼓，搖滾派對，好吵好鬧，就起來，往大廳樓梯走去，越來越大聲，想想，去勸說也沒用。所以，就折回，只是關上我們的門，但房間裡好多床位的所有人都在睡，沒人聽到，也沒有發現我所發現的。

關上門還是很吵，我輾轉了好久，才睡了過去。但第二天，我又沿前一晚的樓梯走下去，卻沒有任何辦晚會的跡象，我問了一下，那一層都是小型辦公室，不可能辦大型演唱會，或派對的。

我納悶著，但卻是確定有聽到前一晚的吵鬧的喧譁，但，後來，卻也是什麼都沒有發現，到底是怎麼回事，也沒有人聽到我聽到的一切，好像沒有任何事發生過。

另一回是在峇里島，我自己一個人去走一座聖山，是峇里島最中心最深的母山，我邊走邊拍照畫畫，拖太晚了，到下山時，廟門的最後一班公車已開走了，只好去旁邊一個小村子找地方住。那是村子裡唯一的旅館，很小，只有一排小屋，七八個房間，離路邊不遠，但已進入山中，等到我整理好行李，才發現，旅館主人是住check in那路邊小屋。而那七八個房間，只有我一個人住。在山裡，天一黑就變好冷，光幾乎全暗，空氣中很濕又很冷清，完全是在漆黑的森林裡了。

那母山是以巫祝出名的聖地，十分陰森，尤其太陽一下山，山嵐霧氣一起，變得好像是個鬼域。

這旅館房間裡沒有電視，沒有空調，連家具都很簡陋。門扇是木頭做的，很老舊，甚至沒有鎖。只有一個插銷式的門栓。

唯一的房間裡的屋頂天花掛燈是我小時候的日光燈管，太慘白了，所以關了，只留一盞小夜燈，那是一顆燭光非常小的紅燈泡，因此，光線變得很懸疑，暗紅，暗淡。

我一直沒睡好，我還記得，最奇怪的一個畫面，在那一晚，仍是令我終生難忘。雖然，半夜並沒有任何山裡的妖精或鬼神造訪的恐怖，但我仍記得的是，爲了起來去上小號，半夜醒來，沿著床邊要走到很小很簡陋的洗手間時，半睡半醒，卻不小心地，看到鏡子，鏡面上，有些斑駁的水鏡壞了的痕跡，太老舊了。但，奇怪的是，我看到鏡子裡的我自己，臉色又暗又沉，帶著室內的紅光，就在這時，我才發現，有一隻很大到快一隻手那麼長的蝸牛已然爬上鏡面。牠好像有妖氣般地緩慢從容，但顏色黝暗，像腐朽過半，而且，就是那麼意興闌珊。

我從來沒看過那麼大的蝸牛，在那麼奇怪的地方，在那麼深的夜裡，就這樣，我在鏡中，看到了令我至今仍難以釋懷的停格，看到我的臉，在那蝸牛正攀爬到我的眼睛和鼻子之間，使我那五官的正中央，像有了病變，或就像長出了一個巨大的腫瘤，長在眉宇上頭，完全成形，危害到已是末期了。甚至，就是像人面瘡或下蛋在人的嘴裡面找宿主的異形幼蟲。在那恍惚中，在彷彿臉被附身又附體的光景裡，我眞的嚇壞了。

但，第二天醒來，卻已完全看不見那附體的大形妖蝸牛，鏡面極乾淨，到幾乎沒有任何被爬過的痕跡。好像我所看到的腫瘤式的臉上妖物，就只是我夢見的，或幻想到的而已，不是眞的。

一如，我在那個六一七房。也開始懷疑起來！這到底是不是眞的。還是我只是在夢裡頭……醒不過來。

更後來，我只好開電視看，想要分心。那剛好也是《超異能英雄》第二季。

我所看到的一段，讀心術超能者的父親變成壞人，他們前去質問，父親說，那超異能一開始是讀心術，後來變得更複雜了，他帶他去看。但，房間的門關上，再打開時，已是在監獄裡。他被逮捕了。另一個人則晚一步，等到再撞進去那門，卻竟然到了一個地方，那是另一棟摩天樓建築的陽台，從那裡可以鳥瞰整個紐約，但卻是已經變成已被攻擊過了的到處都只剩廢墟的紐約了。那超能者只能呆坐在那裡，沮喪地說：「之前，我們不是把紐約拯救回來了嗎？」

另一台在演徐克的古裝武俠片，《七劍》，已是到了最後了，那是一個因爲朝廷的禁武令而引發的大屠殺的故事，天山七劍的俠客去拯救一個將被屠城的小村子，但困難重重，最後，那被殺的朝廷高手對殺他的七劍中功夫最高的人說，「其實我們是同一種人。」「在江湖中流亡，一輩子只能被人追殺或追殺別人。」

看到這時候，我開始累了，開始感覺到空氣中，被單上，還有之前我們做愛後遺留下來的淫水和精液的氣味，有點腥，有點忐忑，但這卻使那時的我安心一點，因爲，聞起來，像還在人間，還有人的氣息。

這時候，我才眞的又睡著了。

早上，竟然又自己六點醒，在想要不要，但又爬不起來地昏睡過去。眼前，還是在那四個紅小燈的暗紅光之中。但那女人好像眞的消失了。

後來，勉強爬起來，去吃早餐的地方。也不餓，只是想要有點人氣。

但其實，人很少。菜也很少。我恍恍惚惚地邊吃邊發呆。

一對情侶。有點年紀的男的穿全身白，緊身的，舉止言談中有種像謝賢在《少林足球》中惡人教練那種很時髦很有自信的勢利。「你就做你想做的事，不用去理你該做的事。」他對帶來的年輕很多的女孩說著！

兩個外國人，像母子的模樣，但不是。因爲他們在調情。年輕的男的一直在討好那老的女人，老女人有點風情，但奇怪的是，她金色捲髮後腦勺貼很大的繃帶，好像是被打的新傷。

在這個地方，連一大早遇到的人都還是有種說不出來的怪怪的氣味。餐廳裡，很多細節也還是怪怪的。曲面靠牆邊的長沙發看起來很重，但坐上去怎麼還會晃，牆上嵌入好幾顆透明的橢球體的燈，燈光昏黃，玻璃體還有小圓球形的突起，像異形的卵，像太空船裡的裝備。

但，在那裡。我覺得最陰森的反而是那些最寫實的照片。大多的畫面是黑白的大自然，有封凍的湖泊，極光亮起的天空，積雪極深的高山，疾風吹過的森林，雨中的杉木，石礫的海灘，好多，絕美的風景，但拍起來，光線都極強，反差都極大。

從六樓整條走廊，一直到餐廳最大的牆上，都懸掛著一個一個的黑相框。極美，也極素。

那很長也是最長的一張。有著傾斜的瀑布，近景的枯樹，長空中有大片的雲，烏雲，不祥，大塊岩壁的洞口，仍然黑白。沒有更多美的活生生的大自然，只有更突兀的景的死寂，卻因此使得畫面中的殺氣反而最深。

在去找那消失的女人的路上，在六樓走廊的深處，我還仔細注視過這些畫面來刻意分心。

但是，更細看那些停格，是可怕極了的。畫面把眞實完完全全地榨取而變得極度乾燥，讓活生生的風景，及其可能引發的餘緒都一起用某種怪異的切換，而用力地萃取盡了。像肉身只剩乾屍……那麼極端。

使這些極美的畫面，都像亡魂。

往回去的路上。經過了一棟大門旁有一塊金字牌匾上寫著「帝爺建設」的大樓。很俗氣。有一間，鐵門拉下，但貼著一張海報。蘿利萌。女僕理髮屋。右方樓梯上樓右轉。英文是loli moe，有穿女僕裝的漫畫人物在海報上。再旁邊是「中華焊接設備。益珍錡靜有限公司。明益牌。開市大吉。」再旁邊一家是。辣中間。「麻辣鴛鴦，自助無限。免費追加。私房麵。哈根達斯。世界頂級。」最後有一家。岩盤浴湯之花。乾式溫泉。日本秋田縣本館。沒有熱水的風呂。stone spa。但是，奇怪的是，店的玻璃門上卻掛有兩張紅金字紅捲布簾。一張是百福圖，一百個不同書法碑帖字樣的福字。另一張是一個用招財進寶四個字寫在一起拼成的大字。

這些俗氣的場景眞令我開心，好像才眞的覺得……又終於回到人間。

因爲看到了那福字紅書法下面有寫得很糟的四行七言絕句是那麼地俗氣又那麼地開心：「招財進寶興百世。財神報喜利路通。進福滿堂開泰運。寶增豐家喜臨門。」

顏麗子是如何把寶島大旅社蓋起來的（第14篇）風水。

在老時代，寶島大旅社那塊地可說是彰化城的一個龍穴，後來，風水就破了。現在也沒什麼人知道這個老故事了。

之前寶島大旅社那塊地有一個滿大也滿有名的老廟，宮前爲一狹長形廟埕，廣場右側有座三層樓高的八角塔型金爐，廣場靠近馬路的一端建有一座四柱三門的牌樓，廟的進深四進，爲一多重院落的結構，包括三川殿、正殿、觀音殿、天公殿、前埕廣場、中埕廣場及後埕廣場在內，稱作「四落四殿，一埕二院」。

傳說這個廟香火鼎盛是因為地理風水極佳，為「日月龍蛇鐘地理」，除非日月俱失，龍蛇俱走，才會衰敗，又說此一地理用鐘則敗，因此廟內有鼓無鐘，民間還穿鑿附會清朝嘉慶年間，調任的彰化知縣楊本縣奉旨來台「排地理」，因言語訛傳，誤解皇旨為「敗地理」，因而對彰化地理大肆破壞，楊本縣來到這個廟時，佛祖不讓他看地理，經乞求絕不破壞後，雲霧乃散，楊本縣才發現這個老廟前迎八卦台地，山麓具十三支輦傘穴，地理蘊納日月精華，為絕佳風水之地。

有一古書中，還摘錄有一則這一個老廟更爲傳奇的蓋廟緣起：

相傳清朝雍正年間，有蓋廟的瓦匠師傅受雇至此廟旁臨時瓦窯做工，隨身攜帶有這個廟的香火袋，以祈求平安；有一回一早去做工，將香火袋遺留工寮內，忽然聽到有蛇腰女人站在瓦窯邊大聲疾呼：「瓦窯將陷，趕緊逃命！」大家聽到，競相逃出，正驚奇時，瓦窯崩落，而蛇腰女人不知去向，大家共同認定是神靈顯聖救難，在清理工寮時，赫然發現瓦匠師所留下之香火袋，眾人認為有女神仙佛祖有意駐靈在這個風水，後顯靈事蹟傳遍遐邇，終於在乾隆初年建廟以祀。

所以，有人傳說，顏麗子就是那個蛇腰女神仙在日本時代重新投胎來拯救這個地的風水的……

一開始，整個彰化古城是橢圓城牆圍起來的，中心本來在彰化城的縣署、開化寺與北門街、大西門街、東門街，傳統是以城隍廟作爲心，對外即透過官道、通衢或馬路來作聯繫，也因此城的界城門、門道或山門、門樓成爲最重要進出孔道或管制的關卡，而且做生意最熱鬧的鬧區或商肆，就往往集中在開化寺廟埕旁側或散置在入城入口或大街上。

而古稱觀音亭的開化寺前……就是最著名的後來彰化布商肆最熱絡的三角公園，連另一個也極著名的彰化基督教醫院都在附近。

寶島大旅社這塊地就在離那名公園不遠處的另一個老廟，那一帶是當年地理師最推崇的「蓋店起生意，蓋廟起香火」的好風水。

那個更老時代的彰化，是更亂的……移民太多，爲了爭取土地與水權，族群的關係始終緊張，城名取成「顯彰王化」也沒用，仍然常有地方糾紛，因而彰化於清代發生了多次的漳泉分類械鬥及民變事件，有乾隆四十七年莿桐腳漳泉械鬥、嘉慶十四年黃紅案漳泉械鬥、道光六年彰化東螺堡閩粵械鬥、道光二十五年彰化葫蘆墩街漳泉械鬥，這些族群的械鬥，使很多家族只好遷徙到彰化城內的觀音亭前這一帶……的好風水，才比較不會那麼亂，其實，主要也是因爲更有官衙與神明的同時保佑平安。

但是，到了日本時代，這個好風水眞的破了。

因爲日本人的開馬路，切過了那個寶島大旅社那地的老廟，廟被拆了。

甚至，整個彰化城的古城牆都拆了。

聽說，當年爲了拆廟與拆城牆……日本人還殺了一些抗議的老廟公和民眾。

所以顏麗子還是常在這些寶島大旅社窗口旁邊以前的老寺老廟埕附近看到這些老鬼魂鬼鬼祟祟地走來走去……

他們好像都不知道自己已經死了，有的是穿清朝的老衣服留辮子髒兮兮的漳州泉州羅漢腳，有的是穿光鮮亮麗燙得直挺挺的日本軍裝的年輕士兵，有的甚至是出家的光頭憔悴的老住持和尚……他們仍然不解地都在自己的風水裡找尋自己的氣味，但是好像都找不太到，而露出雷同的疑惑……

> 彰化市街從城牆框圍到掙脫限制時間不長，彰化市的市區計畫為以舊縣城的範圍作道路的框隔與街廓的切劃，最明顯的是東、西、南面，北面另順應原城外五福户的北門口、竹圍仔街、中街仔、祖廟仔、市仔尾等五段的聯絡道，也就是說由北門向東曲繞南下聯絡東門這一段城牆沒有被特別畫作街道或路幅，也因此城牆圍繞卻不免持續依原城牆界線的道路劃定，原繞城牆的規劃有四組三角形街廓，但是，卻一直沒動工……因為計畫動工過程一直出事，工地一直有鬼魂作祟的傳說……

日本時代的開始，這塊地的風水就破了，甚至整個城的風水破了，感覺不一樣了……主要是因爲城中心逐漸調成以火車站爲出入孔道的樞紐，而不再是以前縣城衙門與旁邊的觀音亭，開化寺，是全城最大的中心。

彰化驛越來越重要，因爲當年日本人在市區計畫初期，將清代公有地的直接移轉使用，縣衙門所在地規劃爲廳舍，但是，因爲經歷日治五十年的變遷，許許多多地方的最高行政機構一直改換，從辦務署、支廳、郡役所到市役所，支廳長官舍，北協署，高等女學校，北路副將署，小學校，法院出張所，警察署，衛戍病院，公共浴場，監獄署，公學校，甚至最後部分機關還轉換成民間私有地，就不再像以往那麼重要，反倒是更後來，因爲縱貫鐵路開通後，彰化驛作爲出入孔道，人來人往的結果，驛前面廣場及其附近，才成了彰化眞正的最熱鬧的地方，城的大門、地標指引，一如其他縱貫鐵道上的驛站代表了的城的對城外城內的重要出入孔道……

也一如所有大東亞共榮圈的公共設施與公用事業的建築一向特殊，在日本人的市街計畫裡的建設，除了更新道路、街廓的安排，公共機構也刻意設計成比較新潮、造型特別、高挑突兀的……極驚人地華麗的建築。尤其是彰化火車站，極爲華麗，其木構造建築的表達兩側「切角頂」與中央部位屋頂向上拉高掀起，彰化警察署建築物存街轉角所表達的表現主義風格，彰化市公所、街役場皆爲折衷樣式與現代主義的統合表現。四坡水屋頂建築的中央高塔與形式主義風格建物，像某些公會堂的山形牆面，或是木造切角頂人口屋頂設計，這些在二十世紀初期，從新的市區計畫過程的精神中……出現了強調「新」、「外來」及「多樣」的建築風格，也有人傳說是用來鎮壓當年太多清代的漢人老鬼魂的……

一如寶島大旅社的華麗建築……種種風格的更新、更外來、更多樣的可能……

也就是，老鬼魂走了，而「現代」來了。

其實，從開化寺到彰化驛火車站其實不遠，而寶島大旅社就在兩個中心的附近，也見證了這些「現代」是怎麼又華麗又血淋淋地來了……

所以，寶島大旅社……一如那些那塊地裡的鬼魂……眼睜睜地看到了這個老故事裡的老風水是怎麼破了的……眼睜睜地看到了，那塊地的老廟拆了又蓋起了寶島大旅社，而且不但改朝換代……還破了「日月龍蛇鐘地理」說此一地理只能有鼓無鐘因爲有鐘必敗……的古老傳說。

因爲，寶島大旅社的鐘是瑞士進口來的可以看時間的「現代」的科學又機械的花樣……

使得蛇腰的顏麗子，一如那些鬼魂們，眼睜睜地在這個巨大時鐘指針上……看到了時間流逝了……也看到了另一個時代裡種種新故事中的新風水就即將開始。

INK PUBLISHING 文學叢書 376

寶島大旅社（上）

作　　者　顏忠賢
總 編 輯　初安民
責任編輯　施淑清
美術編輯　黃昶憲　林麗華　陳淑美
校　　對　林其煬　吳美滿　顏忠賢

發 行 人　張書銘
出　　版　INK 印刻文學生活雜誌出版有限公司
新北市中和區中正路800號13樓之3
電話：02-22281626
傳真：02-22281598
e-mail:ink.book@msa.hinet.net
網　　址　舒讀網 http://www.sudu.cc

法律顧問　漢廷法律事務所
劉大正律師
總 代 理　成陽出版股份有限公司
電話：03-3589000（代表號）
傳眞：03-3556521
郵政劃撥　19000691 成陽出版股份有限公司
印　　刷　海王印刷事業股份有限公司

港澳總經銷　泛華發行代理有限公司
地　　址　香港筲箕灣東旺道3號星島新聞集團大廈3樓
電　　話　852-2798-2220
傳　　眞　852-2796-5471
網　　址　www.gccd.com.hk

出版日期　2013年11月 初版
ISBN　（上冊）978-986-5823-49-8
（套書）978-986-5823-32-0

定　　價　550元
套書定價　1100元

國家圖書館出版品預行編目(CIP)資料

寶島大旅社（上）／顏忠賢著.
－－初版. －－新北市：INK印刻文學，2013. 11
面；17×23公分. －－（文學叢書；376）
ISBN （上冊）978-986-5823-49-8（平裝）
（套書）978-986-5823-32-0
857.7　　102017000